CO-AYF-146

RECHTFERTIGUNG · REALISMUS · UNIVERSALISMUS IN BIBLISCHER SICHT

FESTSCHRIFT FÜR ADOLF KÖBERLE

RECHTFERTIGUNG
REALISMUS · UNIVERSALISMUS
IN BIBLISCHER SICHT

Festschrift für Adolf Köberle
zum 80. Geburtstag

HERAUSGEGEBEN VON
GOTTHOLD MÜLLER

1978

WISSENSCHAFTLICHE BUCHGESELLSCHAFT
DARMSTADT

Das Porträtfoto stammt aus dem Fotostudio Gröger, Tübingen

CIP-Kurztitelaufnahme der Deutschen Bibliothek

Rechtfertigung, Realismus, Universalismus in biblischer Sicht: Festschr. für Adolf Köberle zum 80. Geburtstag / hrsg. von Gotthold Müller. — Darmstadt: Wissenschaftliche Buchgesellschaft, 1978.
ISBN 3-534-08093-9

NE: Müller, Gotthold [Hrsg.]; Köberle, Adolf: Festschrift

Bestellnummer 8093-9

Satz: Maschinensetzerei Janß, Pfungstadt
Druck und Einband: Wissenschaftliche Buchgesellschaft, Darmstadt
Printed in Germany
Schrift: Linotype Garamond, 9/11

ISBN 3-534-08093-9

INHALT

VORWORT DES HERAUSGEBERS

Zum 80. Geburtstag von Professor D. ADOLF KÖBERLE am 3. Juli 1978 grüßen ihn mit dieser Festschrift Freunde, Schüler und Kollegen. Unter den Mitarbeitern befinden sich Theologen, Mediziner, Psychoanalytiker und ein Politologe aus Japan. Da dem äußeren Umfang des Bandes Grenzen gezogen waren, konnten weitere Beiträge nicht mehr aufgenommen werden. Manche, die gerne hätten mitarbeiten wollen, waren aus gesundheitlichen oder anderen Gründen leider daran gehindert, so besonders HANS-RUDOLF MÜLLER-SCHWEFE, K. H. RENGSTORF, GUSTAV STÄHLIN und GUSTAF WINGREN.

Der Titel des Bandes macht den Versuch, das Lebenswerk ADOLF KÖBERLES in seiner biblisch-lutherischen Grund-Ausrichtung (Rechtfertigung), seinem vom württembergischen Pietismus beeinflußten Realismus und seiner in die Weite modernen Denkens, Forschens und Bemühens um den Menschen ausgestreckten Universalität zu umschreiben.

ADOLF KÖBERLE gehörte keiner der neueren 'Schulen' der Theologie an. Ihre 'Standard-Anzüge' waren für ihn alle zu klein. So konnte er nie auf einer gerade herrschenden Woge schwimmen, weder auf der dialektischen, noch auf der Entmythologisierungs-, noch auf der 'existentialistischen' Woge. Seine theologische Haltung läßt sich vielleicht am besten mit dem Begriff einer 'konservativen Modernität' umschreiben, die einerseits das 'Erbe der Väter' nicht für das billige Linsengericht von kurzlebigen Zeiterscheinungen verkauft und andererseits doch hart und hautnah am 'Puls der Zeit' bleibt und sich damit bewußt gegen bloße Repristination stellt. Als in gewissen theologischen Hörsälen die strenge begriffliche Unterscheidung von 'existential' und 'existentiell' noch die höchste aller Tugenden zu sein schien, stand er als einsamer Mahner im Raum, die Intellektualisierung der Theologie und ihre Versklavung an die Philosophie nicht zu übertreiben und dadurch unfähig zu werden zu bibelgemäßer und zeitnaher Verkündigung und Seelsorge. Sein Appell gegen die 'Ver-Kopfung' des Theologie-Studiums fand Jahrzehnte hindurch nur relativ wenig Widerhall. Was heute fast alle theologischen Mini-Spatzen von den kirchlichen Dächern pfeifen — nämlich daß zu jeder guten und praxisgerechten theologischen Ausbildung der ständige Praxisbezug und die Aneignung und Übernahme von Erkenntnissen der modernen Human- und Handlungswissenschaften gehören —, das hat ADOLF KÖBERLE als oft verkannter Rufer schon vor mehr als einem Vierteljahrhundert beharrlich gefordert, auch wenn viele seiner Kollegen und Hörer ihn darin nur wenig oder gar nicht verstanden.

Inzwischen hat ihm die neuere Entwicklung in Theologie und Kirche mehr recht gegeben, als selbst die einsichtigsten Begleiter seines Weges es damals auch nur zu ahnen vermochten.

Bei oder gerade wegen aller zentralen Verankerung seines Denkens und Schaffens im Evangelium war es ihm gegeben, die Theologie in ein weites und offenes Gespräch mit anderen Wissenschaften zu führen. Dazu gehören die Musik, die Medizin, die Psychologie und die Tiefenpsychologie.

Nicht zuletzt ist ADOLF KÖBERLE immer ein 'praktischer' Theologe geblieben, der im kirchlichen und außerkirchlichen Raum als Gesprächspartner und Verkündiger zahllosen Menschen einen neuen Weg zum Glauben gebahnt, ihnen seelsorgerliche Hilfe geleistet und bei der Aufarbeitung von denkerischen Problemen geholfen hat. Darin war und blieb er der wirkungsvollste Schüler seines Tübinger Lehrmeisters KARL HEIM.

Selber einer klaren theologischen und konfessionellen Position verschrieben — dem Luthertum seiner bayerischen Heimat —, zeichnete er sich durch eine erstaunliche Weite aus, die in den auch kirchlich und theologisch teilweise recht schwierigen Zeiten nach dem Zweiten Weltkrieg den Aufbau von unfruchtbaren Gegensätzen zu vermeiden und streitende Parteien zusammenzubringen suchte. Der Pietismus verdankt ADOLF KÖBERLE an dieser Stelle ebensoviel Sympathie für die guten Formen und Gestalten seiner Frömmigkeit und seines diakonischen Wirkens, wie der Jubilar sich die Freiheit vorbehielt, sich nie und unter keinen Umständen auf gewisse Doktrinen wie einen strengen Fundamentalismus oder auch einen rigoros-unevangelischen Moralismus einschwören zu lassen.

Der vorliegende Band spiegelt auf seine Weise etwas wider von jenen vielen Anregungen, die ADOLF KÖBERLE seinen Schülern und Freunden in mannigfacher Weise gegeben hat — bis hin nach Japan.

Das Werk möchte mehr sein als eine lediglich routinemäßige Festschrift. Es will einen Menschen und Christen ehren, der durch die evangelische Klarheit und Standfestigkeit seiner Position vielen zum selbständigen Denken und Entscheiden und Handeln verholfen hat in Situationen, in denen die Theologie bisweilen ihr ureigentliches 'Thema' zu verlieren oder gar preiszugeben schien. Wer — wie es dem Herausgeber während unvergeßlicher Tübinger Jahre beschieden war — das Glück und die Freude hatte, ADOLF KÖBERLE ganz aus der Nähe kennenzulernen, weiß um ihn als einen aller Menschenverehrung abholden Christen, der lieber — wie Johannes der Täufer auf dem ›Isenheimer Altar‹ — auf den

Größeren verweist, als Ehre für sich selbst anzunehmen. Das ist für einen Menschen, in dessen Leben Ortho-Doxie und Ortho-Praxie eine selten harmonische Einheit bilden, auch nicht anders zu erwarten. So möge ihn diese Festschrift am Eingangsportal zu seinem neunten Lebensjahrzehnt nicht nur persönlich grüßen und ihm noch viele gesegnete Jahre eines erfüllten Lebens und Wirkens schenken, sondern auch ein Dank an den Herrn der Kirche für diesen Menschen sein, den er uns an die Seite stellte.

Der altbiblische Väterspruch aus Deuteronomium 33, 25:

Dein Alter sei wie Deine Jugend

ist im Blick auf ADOLF KÖBERLE schon aus dem Stadium der 'Verheißung' in dasjenige der 'Erfüllung' übergegangen. Darüber freuen sich alle, die den Jubilar kennen und schätzen und sich in der vorliegenden oder sonst einer Form als Gratulanten zu seinem 80. Geburtstag dankbar seines Lebenswerkes erinnern.

Meine Sekretärin, Frau Brigitte Klinkel, und mein Assistent, Ass. Prof. Dr. M. Kwiran, haben beide auf ihre bewährte und erprobte Art an der Herstellung eines druckreifen Manuskriptes mitgearbeitet. Herr Dr. Kwiran erwarb sich besonders große Verdienste um die Erstellung und Revision der Bibliographie. Beiden sei darum auch an dieser Stelle aufrichtig gedankt.

Würzburg, den 31. Januar 1978 Gotthold Müller

I

EXEGETISCHES

DIE SINNKRISE BEI KOHELET

Von Otto Kaiser (Marburg)

I

In einer Zeit, in der sich der längst angefochtene Glaube an einen moralischen Grund allen irdischen Geschehens und insonderheit seiner niemals abreißenden Katastrophen — es mag sich dabei um Erdbeben, Überflutungen, Hagelschläge, Dürren, Hungersnöte, Seuchen und Kriege als kollektive oder Krankheiten und andere Unglücksfälle als individuelle Übel handeln — als einer göttlichen Antwort auf menschliches Tun und Lassen unter dem Eindruck bewußteren persönlichen Erlebens und ausgebreiteteren wissenschaftlichen Beobachtungen entweder gänzlich auflöst und einer ganz anders gearteten naturalistischen Deutung aller kosmischen und individuellen Prozesse weicht oder genötigt ist, die Fäden des Schicksals verschlungener und möglicherweise Inkarnationen umgreifend zu verstehen, steht offenbar der Glaube an den hinter und jenseits des Geschehens waltenden Gott als ganzer auf dem Spiel. Man braucht den Blick nicht einmal auf den ungeheueren und letztlich in seinen zeitlichen und räumlichen Ausdehnungen unvorstellbar gewordenen Weltprozeß zu richten,[1] sondern nur die Geschichte der Menschheit oder die eines einzelnen Volkes und vor allem das in sie hineinverwobene Schicksal des einzelnen in ihrer sich jeder von außen kommenden Deutung widersetzenden Mannigfaltigkeit und Undurchschaubarkeit in Betracht zu ziehen, um unmittelbar zu empfinden, wie tief die Sinneskrise der Gegenwart ist. Wir können uns das, was geschehen ist und in der Auflösung des überkommenen Gottesglaubens immer weiter um sich greift, an einem Wort des Euripides vergegenwärtigen, der sich in seiner Zeit in einer vergleichbaren Situation sah:[2]

Wen die Gedanken vom Walten der Götter erfüllen, dem schwindet
Schweres Leid von der Seele.
Aber die heimliche Hoffnung
Heiliger Ordnung
Wankt mir, wenn ich die Leiden und Taten der Menschen betrachte:
Alles in ewigem Wechsel!
Leben in ewigem Wandel
Unstet getrieben![3]

Bei dem Versuch, der geistigen Herausforderung der Gegenwart zu entsprechen und die lang angekündigte Krise zu überwinden, geht es letztlich um die Beantwortung der Frage, ob der biblische Gottesglaube der Transformation in die Gegenwart und Zukunft unfähig geworden[4] und der ekstatische Nihilismus Nietzsches, der sich den ewig zerrissenen und ewig wiedergeborenen Dionysos und den Ring der ewigen Wiederkehr als die letzten, dem Menschen im Blick auf das Ganze der Welt wie seines eigenen Lebens verbliebenen Symbole erwählt,[5] in der Tat die einzige, zugleich ebenso wahrhaftige wie illusionslose Möglichkeit der Sinngebung in Gestalt eines bedingungs- und ausnahmslosen Bejahens allen Geschehens ist, das als solches immer schon notwendig ist.[6] Daß eine solche Bejahung nur jenseits von Gut und Böse möglich ist und mit der kosmologischen zugleich die anthropologische Moralität aufhebt, ergibt sich einsichtig aus ihren Voraussetzungen und Folgerungen.[7]

Schon diese knappen Andeutungen dürften ausreichen, um deutlich zu machen, vor welchen grundsätzlichen Entscheidungen letztlich schon die gegenwärtigen, aber auf alle Fälle die nachfolgenden Generationen stehen und welche Konsequenzen diese für den weiteren Verlauf der Geschichte und mehr noch für das Verständnis des Menschen und der Menschlichkeit haben. Man darf daher wohl verlangen, daß der Horizont der Wirklichkeitserfahrung erweitert und die Besinnung auf das Eigentümliche menschlichen Daseins vertieft werde, um so festzustellen, ob dem menschlichen Geist in diesem ebenso grandiosen wie undurchsichtigen Welttheater tatsächlich nur die Rolle eines zusätzlichen Werkzeugs im Dienste der Selbsterhaltung zukommt und ob die Eigentümlichkeit des Geistes als Voraussetzung situationsüberschreitender reflektierender Freiheit überhaupt von einem naturalistischen Ansatz her angemessen begriffen werden kann.[8] — Aber so wie dem Historiker die bescheidenere Aufgabe zugewiesen ist, die Gegenwart und also auch ihre Krisen aus ihrem Werden verständlich zu machen, fällt dem Exegeten und Philologen die andere, ebenfalls bescheidene zu, nach solchen Denkern Ausschau zu halten, die innerhalb seines Zuständigkeitsbereiches eine vergleichbare Erfahrung der Sinneskrise gemacht haben, und an ihnen zu beobachten, ob und wie sie ihrer Herr geworden sind, um auf diese Weise einen indirekten Beitrag zum Verständnis und vielleicht auch zugleich zur Überwindung der gegenwärtigen Krise zu leisten.[9]

Daß der Alttestamentler in diesem Zusammenhang stärker noch als an den Hiobdichter und den mit seinem Agnostizismus in der Bibel einmaligen Verfasser von Spr. 30, 1—4 an Kohelet, den „Prediger Salomo", erinnert wird, ist wohl einsichtig. Bei dem Hiobdichter blieb es bei dem Protest der Erfahrung gegen die Lehre von der Stringenz des Tun-

Ergehen-Zusammenhangs, vgl. Hi. 21, 7 ff., und bei der Konsequenz der Beugung unter den nach seinem Wissen, seinem Willen und seiner Macht schlechthin überlegenen Gott, vgl. Hi. 39 ff., ohne daß sich sein Ethos selbst als erschüttert erweist.[10] Spr. 30, 1—4 ist jedoch ein zu knapper und zu entstellter Text, um ihm mehr als den Zweifel an der Erkennbarkeit Gottes entnehmen zu können.[11] Der uns nur unter dem Pseudonym bekannte Prediger steht als Mann des 2. Drittels des 3. Jahrhunderts v. Chr. mitten in der Auseinandersetzung zwischen Judentum und Hellenismus.[12] In einer letztlich aus der jüdisch-orientalischen Tradition nicht ableitbaren Weise beruft er sich gegenüber den Grundsätzen und Lehrmeinungen der weisheitlichen Schultradition, aber wohl auch der an Boden gewinnenden frühen Apokalyptik, auf Erfahrung und eigenes Nachdenken. Ob ihn allein die vordringende hellenistische Atmosphäre und Geistigkeit auf diesen Weg geführt oder er darüber hinaus unmittelbare Kenntnisse griechischer Literatur besessen hat, ist bis heute umstritten und eine der Natur der Sache nach schwer zu entscheidende Frage.[13] Auch wenn man die tiefergreifende Hellenisierung Cyperns in Rechnung stellt,[14] wird man das Beispiel des Begründers der stoischen Philosophie, Zenon, der als Sohn eines Handelsherrn vermutlich schon in Kition mit griechischen Philosophenschriften in Berührung gekommen ist,[15] im Auge behalten und es gründsätzlich nicht für ausgeschlossen halten, daß der vermutlich eine Generation jüngere Kohelet als Angehöriger der Jerusalemer Oberschicht, wenn nicht am Ende gar ebenfalls eines grundbesitzenden Handelshauses,[16] auch seinerseits unmittelbaren Zugang zu griechischer Literatur besessen hat. Aber die Frage nach den Abhängigkeiten des jüdischen Denkers von griechischen Einflüssen soll und kann uns in diesem begrenzten Rahmen nur peripher beschäftigen. Im Mittelpunkt unserer Nachforschungen und Überlegungen soll vielmehr die Frage stehen, wie sich dem Prediger Gott, Welt und Mensch nach dem Verlust des moralischen Gottes dargestellt haben. Vielleicht ergibt sich dadurch ungezwungen ein Beitrag zu der Frage, welchen Sinn die Rede von Gott auch noch heute haben kann.

II

Der Mann, dem wir die Herausgabe der geistigen Hinterlassenschaft des Predigers verdanken,[17] war der Überzeugung, die Lehren seines Meisters auf keine bessere Formel als die eines *h^abēl h^abālîm hakkōl hābāl,* eines „völlige Nichtigkeit, alles ist nichtig“ oder, wie wir auch und vielleicht die Absicht treffender übersetzen dürfen, eines „völlige Vergeblichkeit, alles ist vergeblich“ bzw. gar eines „völlige Sinnlosigkeit, alles ist sinnlos“

bringen zu können (vgl. 1, 2 und 12, 8).[18] Und da das Stichwort *häbäl* mindestens 23mal in den Reflexionen des Predigers begegnet, ist der Ausleger jedenfalls gehalten, seine übrigen Lehren im Zusammenhang mit seinen Nichtigkeits- oder Vergeblichkeitsaussagen zu sehen, wenn ihnen, was bis zum Beweis des Gegenteils zu unterstellen ist, eine einheitliche Sicht des Lebens zugrunde liegt.[19] Und wenn es bei dem Prediger so etwas wie eine Krise des Lebenssinnes angesichts des Zusammenbruchs der überlieferten Lebensanschauung und der Werte seines Volkes gegeben hat, sollte sie sich in diesen mindestens in ihren Konsequenzen spiegeln.

So generalisierend, wie sie der Herausgeber verstand, begegnet die Vergeblichkeitsaussage gleich in der Einleitung zu der von 1, 12 bis wohl doch zu 2, 26 reichenden Königstravestie,[20] in der sich der Weise den Königsmantel um die Schultern legt, um so zu demonstrieren, daß sein Urteil über Sinn und Ertrag des Lebens auch von der höchsten, dem Juden denkbaren menschlichen Warte des weisesten und reichsten Königs her gesehen, bestehen kann. In V. 14 f. faßt er das Ergebnis seiner Nachforschungen über das menschliche Schicksal wie folgt zusammen:

> Ich beobachtete alles Tun, das unter der Sonne getan ward.
> Aber da, es war alles vergeblich und ein Haschen nach Wind.
> ⟨Gekrümmtes läßt sich nicht gerade machen
> und Fehlendes läßt sich nicht ersetzen!⟩

Das seinem Urteil zur Begründung nachgestellte Sprichwort läßt erkennen, daß das dem Menschen von Gott verhängte, so unruhige und doch so ergebnislose, ihn schließlich zermürbende Treiben (V. 13b) gegen Notwendigkeiten stößt, die er nicht zu ändern vermag. Welcher Art sie sind, läßt erstmals die Reflexion über die letztlich bestehende Unverfügbarkeit über das Erbe und den Erben in 2, 18—23 erkennen: Wer sein Leben in der Geschäftigkeit und in den Sorgen zur Mehrung und Erhaltung seines Reichtums verbracht hat, muß ihn schließlich einem anderen lassen, ohne zu wissen, ob dieser mit ihm umzugehen versteht, ob es sich bei ihm um einen Weisen oder einen Toren handelt. Wie sehr den Prediger das Mißverhältnis zwischen Aufwand und Ergebnis des Reichtums beschäftigt hat, zeigt der Umstand, daß er mehrfach auf dieses Thema zu sprechen gekommen ist; vgl. außer 2, 1—11 die Reflexionen 5, 9—19; 6, 1—6 und schließlich auch 4, 4—6 und 4, 7—12: Vergeblich ist die Unersättlichkeit des Besitztriebes; unangemessen die Sorgen, die der Reichtum dem Menschen bereitet; zudem kann er verlorengehen, so daß der, der sich um ihn bemüht hat, nur die Arbeit hatte und der Sohn leer ausgeht; und was hat der Mensch überdies von ihm, wenn er nackt, wie er aus seiner Mutter Leibe kam, wieder davon muß? (vgl. 5, 9 ff.). Oder was hat der Mensch von seinem Reichtum, wenn ihn z. B. eine schwere Krankheit hindert, seine Früchte auch zu genießen? (6, 1 ff.)[21] Und wie sinnlos ist die Geschäftigkeit und Tüchtigkeit, wenn sie in Wahrheit nichts anderes als den Versuch darstellt, es darin anderen gleichzutun und sie, wenn möglich, noch zu übertreffen? (4, 4 ff.) Und was soll der unter hartem Verzicht aufgebaute Reichtum, wenn es an einem blutsverwandten Erben fehlt? (4, 7 ff.) — Dabei hielt es der Prediger nach 2, 3—11 durchaus für möglich, Reichtum und Lebensgenuß so miteinander zu verbinden, daß sich der Mensch keinen Wunsch versagen muß und auf diese Weise tatsächlich den Lohn seiner Arbeit empfängt:

> Ich nahm mir vor, ⟨meinen Leib mit Wein zu laben⟩, mich von der Weisheit angetrieben der Torheit zu ergeben, bis ich sähe, was das für ein Glück ist, das sich die Menschen während ihrer begrenzten Lebenszeit unter der Sonne verschaffen können.
>
> Ich weitete meine Tätigkeit aus,
> baute mir Häuser, pflanzte mir Weingärten,
> machte mir Gärten und Baumgärten
> und pflanzte in ihnen Bäume aller Fruchtarten.
> Ich machte mir Wasserteiche,
> um das sprossende Gehölz der Bäume aus ihnen zu tränken.
> Ich kaufte mir Sklaven und Sklavinnen;
> außerdem besaß ich Vieh, Rinder und Kleinvieh,
> in größerer Menge als alle,
> die vor mir in Jerusalem waren.
> Ich sammelte mir zudem Silber und Gold,
> Schätze von Königen und Provinzen,
> verschaffte mir Sänger und Sängerinnen,
> und, woran sich die Menschen ergötzen,
> ⟨Gesang und Sängerinnen⟩![22] —
>
> So wurde ich reicher und reicher als alle, die vor mir in Jerusalem waren. Zudem stand mir meine Weisheit bei. Nichts von dem, was meine Augen begehrten, versagte ich ihnen. Mir selbst versagte ich keine Freude; ja, mein Herz war fröhlich bei all meiner Arbeit, und dies war mein Anteil von all meiner Arbeit.
> Da wandte ich mich allen meinen Werken zu, die meine Hände geschaffen hatten, und der Arbeit, die ich darauf verwandt hatte, doch da war alles vergeblich und ein Haschen nach Wind; denn es gibt keinen Gewinn unter der Sonne.

In Übereinstimmung mit seinen weiteren Lehren weist der Prediger den Lebensgenuß als Lohn der Arbeit und damit zugleich als das dem Menschen mögliche Glück aus. Und doch setzt er hinter dieses Fazit die Nichtigkeitsaussage. Der Rückblick enthüllt ihm die Vergeblichkeit, weil es keinen Gewinn unter der Sonne gibt. Wenn wir deutend wiederholen: weil es keinen bleibenden Gewinn unter der Sonne gibt, wird der Einwand des Predigers deutlich. Am Ende behält der Mensch nichts in der Hand. Sein Glück ist vergänglich! Sowenig wie sich Besitz und Besitzstreben letztlich als Garanten der Lebenssicherung erweisen, so vergänglich ist der Genuß, den sie dem Menschen ermöglichen. Die *Ungesichertheit* der menschlichen Existenz ist dem Prediger an dem Beispiel extremer Lebenssicherung aufgegangen, und gleichzeitig hat er ihre Endlichkeit als entscheidende Relativierung ihres offenbar auf Unendlichkeit angelegten Glückverlangens erkannt.[23]

Kehren wir zur Abrundung dieses Themenkreises zu 2, 24—26 zurück, so wird deutlich, daß für den Prediger neben dem Endlichkeitsschock die Einsicht in die letztlich bestehende *Unverfügbarkeit* des Glückes stand:

> Es gibt nichts ⟨Besseres für den Menschen⟩, als daß er ißt und trinkt und es sich gut sein läßt bei seiner Arbeit. Auch dies, sah ich ein, kommt aus der Hand Gottes, denn ⟨Wer kann essen, wer kann sich sorgen⟩ ohne — ihn ⟨?⟩ Denn dem Menschen, der ihm gefällt, gibt er Weisheit, Wissen und Freude; aber dem, der ihm mißfällt, gibt er das Geschäft zu mehren und zu sammeln, um es (dann) dem zu geben, der Gott gefällt. — Auch das ist sinnlos und ein Haschen nach Wind.

Steht es fest, daß es für den Menschen nichts Besseres als ein Leben der Freude gibt, so steht doch zugleich fest, daß der Mensch es nur dann erlangt, wenn es ihm Gott in seiner unergründlichen Wahl so bestimmt hat. Und diese Entscheidung Gottes ist deshalb unergründlich, weil sie sich offenbar weder an besondere Eigenschaften noch an besondere Verhaltensweisen des Menschen bindet. Die Worte *ṭôb*, „gut", und *ḥôtä'*, „abweichend", sind hier jedenfalls nicht ethisch zu interpretieren (vgl. 7, 26).[24] So unterscheidet sich der Gott des Kohelet in seiner sich im Glück oder Unglück des Menschen manifestierenden Gnadenwahl nicht von einem blind die Lose verteilenden Schicksal, vom Zufall. Mag der Mensch alles daran setzen, glücklich zu werden, so liegt das Erreichen seines Zieles doch nicht in seinem Vermögen:

> Zum andern sah ich unter der Sonne,
> daß weder die Schnellsten den Lauf,
> noch die Tapfersten den Krieg,
> noch auch die Weisesten Brot,
> noch auch die Verständigsten Reichtum,
> noch auch die Kundigsten Gunst gewinnen;
> sondern sie alle treffen Zeit und Zufall.
> Ja, der Mensch kennt seine Zeit ja nicht.

Wie die Fische, die sich in einem bösen Netz verfangen,
und wie die Vögel, die in einem Netz gefaßt sind, —
wie sie werden die Menschenkinder zur bösen Zeit
gefangen, wenn sie plötzlich über sie herfällt (9, 11 f.).

Es liegt auf der Hand, daß sich der Prediger mit diesem Urteil über die Glückschancen des Menschen weit von der Glaubenstradition seines Volkes entfernt hat. Mag man dort ebenfalls gesehen haben, daß am Ende alles an Gottes Segen gelegen ist (Spr. 10, 22),[25] so meinte man doch zu wissen und darauf vertrauen zu können, daß Weisheit und Gerechtigkeit kraft göttlichen Regimentes zu Glück und Leben, Gottlosigkeit und Torheit aber zu Unglück und Tod führen. In diesem Sinne gratuliert z. B. Spr. 3, 13—16 dem Weisen:

Wohl dem Menschen, der Weisheit fand,
und ⟨dem Manne⟩, der Einsicht erlangte;
denn ihr Erwerb ist besser als der Erwerb von Silber,
und besser als Gold ist ihr Gewinn.
Sie ist kostbarer als Korallen,
und keins deiner Kleinode kommt ihr gleich:
Die Länge der Tage hält ihre Rechte
und in ihrer Linken sind Reichtum und Ehre!

Theologisch formuliert, lautete das wie in dem folgenden Abschnitt aus den Elihu-Reden des Hiobbuches (34, 10—12):

Daher, ihr Verständigen, hört mir zu!
Fern sei es von Gott, daß er Unrecht tue,
und von Schaddaj, daß er frevelhaft handle!
Ja, er vergilt dem Menschen nach seinem Tun
und läßt es jedem nach seinem Wandel ergehen.
Ja, das ist gewiß, daß Gott kein Unrecht tut
und Schaddaj das Recht nicht verkehrt!

Wenn diese Voraussetzung fällt, ist die Krise der Weisheit — wir würden heute sagen: die Krise von Religion und Ethik — da. Die Behauptung der Weisheit, das Grundgesetz des göttlichen Weltregimentes zu kennen, bestreitet der Prediger ausdrücklich, weil ihn die Erfahrung von seiner Brüchigkeit überzeugt hat (8, 14):

Es gibt etwas Sinnloses *(häbäl)*, das auf dieser Erde geschieht:
Es gibt Gerechte, die trifft ein dem Tun der Frevler gemäßes Geschick;
und es gibt Frevler, die trifft ein dem Tun der Gerechten gemäßes Geschick.
Ich sage: Auch dies ist sinnlos *(häbäl)*.

Und ähnlich heißt es in 7, 15:

Dies alles sah ich in meinen vergänglichen Tagen *(bîmê hăblî)*:
Es kommt vor, daß ein Gerechter trotz seiner Gerechtigkeit zugrunde geht;
und es kommt vor, daß ein Frevler trotz seiner Bosheit lange lebt.

Eine eschatologische Auflösung des Problems, daß die Glückseligkeit des Menschen zu seinen Lebzeiten nicht in Übereinstimmung mit seiner Würdigkeit steht, wie sie die gleichzeitige frühe jüdische Apokalyptik z. B. in Hen. 22; Ps. 49 und 73 vertreten hat,[26] ließ Kohelet skeptisch außer Betracht. In der Reflexion 3, 16—22, die am Beispiel der schicksalhaften Blindheit menschlicher Rechtsprechung geradezu sarkastisch auf der bloßen Kreatürlichkeit des Menschen besteht,[27] heißt es in V. 19—22:

Denn das Geschick der Menschen und das Geschick der Tiere ist ein und dasselbe: Beide erleiden denselben Tod; denn beide haben den gleichen Lebensodem. Der Mensch besitzt keinen Vorzug vor den Tieren; denn beide sind vergänglich *(hăbăl)*. Beide gehen zu ein und demselben Ort:

Beide sind aus Staub entstanden und beide kehren zum Staube zurück. —

Wer weiß denn, ⟨ob⟩ das Leben der Menschen nach oben steigt, während das Leben der Tiere nach unten zur Erde fährt? Da sah ich ein, daß es für den Menschen nichts Besseres gibt, als sich bei seinem Tun zu freuen; denn das ist sein Teil.
Denn wer könnte es ihm ermöglichen zu ersehen, was nach ihm geschehen wird.

Die skeptische, dem Andersdenkenden die Beweislast zuschiebende Argumentation des Predigers in V. 21 und V. 22b ist jedoch nur vordergründig für eine Belehrung offen. Beide Fragen sind rhetorisch gemeint und implizieren jeweils die Antwort: „Niemand!" Trotz 9, 10 muß man fragen, ob der Prediger an der traditionellen Vorstellung der Unterwelt festgehalten hat, in der die Sippengenossen gemeinsam wie im Familiengrab den letzten Schlaf finden, und nicht vielmehr mit der Rückkehr des Menschen zum Staube für ihn alles gesagt war, was über den Zustand des Menschen nach dem Tode zu sagen war. Jedenfalls war er davon überzeugt, daß es keinen Ausgleich für die Taten der Menschen nach dem Tode und also auch keinen Himmel als Stätte der verklärten Gerechten noch einen unterirdischen Strafort für die Frevler im Sinne der apokalyptischen Erwartungen gibt (9, 4—6):[28]

Nur wer zu den Lebenden zählt,
besitzt Hoffnung;
denn: ⟨Ein lebendiger Hund ist besser als ein toter Löwe!⟩
Ja, die Lebenden wissen, daß sie sterben müssen,
aber die Toten wissen gar nichts.
Es gibt für sie auch keinen Lohn mehr;
denn ihr Andenken ist vergessen.

Ihr Lieben wie ihr Hassen
wie ihr Streben sind längst dahin.
Sie haben in Ewigkeit keinen Anteil mehr
an allem, was unter der Sonne geschieht! —

Auf dem Hintergrund dieser Beobachtungen und dieser Überzeugungen ist es einleuchtend, daß die traditionelle Weisheit in den Augen des Predigers ihre Kraft verloren hatte, das Dasein umfassend zu deuten. Und demgemäß stellt er ihr Versagen in 8, 16—17 fest:

Als ich meinen Sinn darauf richtete, Weisheit zu erkennen und das Treiben zu durchschauen, das auf der Erde geschieht,
denn: ⟨Auch am Tage und in der Nacht sieht er mit seinen Augen keinen
da sah ich am Ganzen des göttlichen Wirkens ein, [Schlaf!⟩ —,
daß der Mensch das Geschehen nicht ergründen kann,
das unter der Sonne geschieht.
Wie sich der Mensch auch plagt, es zu finden,
kann er es doch nicht ergründen.
Und selbst wenn der Weise behauptet, es zu wissen,
so vermag er es doch nicht zu ergründen.

Von dieser negativen Bilanz her ist es verständlich, warum Kohelet das Trachten nach Weisheit als ein Streben nach dem Winde bezeichnen und dabei das Sprichwort zitieren kann (1, 17 f.):

Mit der Weisheit mehrt sich der Kummer,
und mit dem Wissen wächst der Schmerz!

Oder warum er an anderer Stelle (7, 23 f.) konstatiert:

Alles dies versuchte ich mit Weisheit.
Ich dachte: Ich will weise werden! —
Aber sie blieb fern von mir.
Fern ist, was geschieht,
und abgrundtief. — Wer kann es ergründen?

Natürlich gibt es einen relativen Wert der Weisheit als einer praktischen Lebenskunde (vgl. 1, 4); daher wäre der Prediger als ihr Lehrer wohl der Letzte gewesen, dies zu bestreiten (vgl. 9, 17—11, 6). Aber dennoch ließ ihn die Frage nicht los, ob der Aufwand und das Ergebnis dieser Bildung in einem adäquaten Verhältnis zueinander stehen — eine Frage, die sich vermutlich die tieferen Geister aller Zeiten gestellt haben, ohne sie jedoch (aus welchen Gründen auch immer) mit einer solchen an Nietzsche gemahnenden Offenheit beantwortet zu haben, 6, 7—9): [29]

Alle Arbeit des Menschen dient seinem Mund,
und doch wird die Gier nicht gestillt. —

Was für einen Vorteil hat dann der Weise vor dem Toren,
welchen vor dem Armen,[30] der im Glück zu wandeln versteht? —
⟨Besser ist, was die Augen sehen,
als was sich die Gier vorstellt!⟩ —
Auch dies ist sinnlos *(häbäl)* und ein Haschen nach Wind!

III

Es ist deutlich geworden, daß die Sinneskrise bei Kohelet durch die Einsicht in den Widerspruch zwischen der Lehre der nachexilischen Weisheit von dem vergeltenden Handeln Gottes und der beobachteten Wirklichkeit menschlichen Lebens ausgelöst worden ist. Entgegen allen heilsgeschichtlichen Deutungen erkennt er in der Geschichte keinen Fortschritt, sondern ein Auf-der-Stelle-Treten in einer ewigen Kreisbewegung, die ihrerseits zu keinem Ergebnis führt. Es ist kaum denkbar, daß ein jüdischer Theologe des 3. vorchristlichen Jahrhunderts diese These ohne einen Seitenblick auf die gleichzeitigen Geschichtsentwürfe nachprophetischer Eschatologie und Apokalyptik vertritt. So heißt es in 1, 4—10:[31]

Geschlechter gehen dahin
und Geschlechter kommen,
aber die Erde bleibt ewig.
⟨Immer wieder⟩ geht die Sonne auf
und immer wieder geht die Sonne unter,
strebt sie zu ihrem Ort,
an dem sie aufgeht.
Immer wieder weht der Wind nach Süden
und immer wieder dreht er sich nach Norden,
im dauernden Drehen weht der Wind,
nur um sich zu drehen, schlägt der Wind um.
Alle Bäche fließen dauernd zum Meer,
dabei wird das Meer nie voller.
Zum Ort, von dem die Bäche fließen,
dorthin kehren sie zurück, um wieder zu fließen.
Alle Worte quälen sich hin,
niemand vermag (etwas) zu sagen.
Ergebnislos sieht das Auge,
ungestillt hört das Ohr.
Was war, das wird sein.
Und was getan wurde, wird wieder getan.
Und so gibt es nichts Neues unter der Sonne.
Geschieht einmal etwas, von dem man sagt:
⟨Aufgepaßt: das ist neu!⟩ —

Längst gab es das in den Ewigkeiten,
die vor uns waren.
Es gibt keine Erinnerung an die Früheren,
und auch an die Späteren, die es geben wird,
werden sich die nicht erinnern, die nach ihnen leben.

Bedenkt man die Zeit, in welcher Kohelet lebt, fragt man sich verwundert, ob die Kunde von den zumal militärtechnischen, aber auch von den sonstigen Errungenschaften der hellenistischen Zivilisation nicht bis zu ihm nach Jerusalem gedrungen ist.[32] Oder sollten die *ᶜōlāmîm,* die „Ewigkeiten" in V. 10, in Wahrheit schon Welten bezeichnen und also die Lehre vom großen Jahr und der Wiederkehr aller Dinge im Hintergrund stehen, wie sie in der gleichzeitigen frühen Stoa eine große Rolle spielte?[33] Man zögert, weil der Prediger seine Beispiele im engeren Rahmen hält und man nicht sicher ist, ob seine Aussage über die Ewigkeit der Welt in 1, 4 etwas anderes als Gn. 8, 22 sagen will.[34] Aber man bleibt unsicher, weil es offenbar möglich war, Schöpfungserzählungen als bloße Symbole für ewige göttliche Ordnungen zu verwenden.[35] In der gleichen Zweideutigkeit bleibt die Schöpfungsaussage in 3, 11, in welcher der Prediger konstatiert, daß Gott alles zu seiner Zeit schön gemacht und auch die Dauer darein gelegt hat.[36] Hat Kohelet hier lediglich das *ṭôb,* „gut", von Gn. 1, 31 durch das griechisch-kosmologischem καλὸς entsprechende *yāpâd,* „schön",[36a] ersetzt und ist die Zeit eben die des ersten, die jetzige Ordnung stiftenden Gotteshandelns, oder geht es vielmehr um die in 3, 1—9 erwähnten unterschiedlichen Zeiten, die ewig wiederkehren? Die Frage muß offenbleiben, aber doch ausdrücklich gestellt werden, ob hinter der Zurückhaltung und Zweideutigkeit des Predigers gegenüber und bei seinen Schöpfungsaussagen nicht die Absicht dessen waltet, der selbst an die Ewigkeit der Welt glaubte.[37]

In dieser sich in ihren Inhalten ewig um sich selbst drehenden Welt, in der „Gott das Entschwundene wieder hervorsucht" (3, 15), ist der Mensch in eigentümlicher Weise einem Urkonflikt zwischen seinem Planen- und Handelnmüssen und seinem Es-zu-einem-Ziel-führen-Können ausgesetzt. Während er so tun muß, als hinge alles von ihm selbst ab, entscheiden am Ende Zeit und Zufall, *ᶜēt* und *pägaᶜ* (9, 11) über den Ausgang. Man wird dieses Hervortreten des Schicksalsglaubens beim Prediger nicht von dem allgemein die hellenistische Welt durchziehenden Lebensgefühl des Ausgeliefertseins an das Schicksal und den Zufall isolieren dürfen. Der Alexanderzug und die ihm folgenden Machtverschiebungen hatten bei den Großen als Akteuren wie bei den Kleinen als ihren Opfern zu viele unerwartete Wendungen in ihrem Leben gebracht, als daß sich dies nicht in ihrem Selbstverständnis hätte niederschlagen können. „Hört auf", so heißt es in einem berühmten Fragment des Menander (342/41—293/92), „über Vernunft zu reden! Denn nicht die Vernunft des Menschen ist etwas, sondern die der Tyche. Mag diese ein göttlicher Hauch (πνεῦμα) oder Vernunft sein, sie ist es, die alles lenkt, umkehrt und bewahrt; menschliche Vorausberechnung ist Rauch und leere Rede".[38] Man braucht sich nur an die ersten drei Syrischen Kriege, die zwischen den Ptolemäern und den Seleukiden um den seit 301 strittigen Besitz von Coelesyrien und Palästina geführt worden sind, zu erinnern[39] oder in Betracht zu ziehen, welche Kunde von anderen Kriegsschauplätzen des 3. Jahrhunderts nach Jerusalem dringen mußte,[40] um zu erkennen, wie die eigenen Beobachtungen und die zu ihm dringenden Nachrichten aus der großen Welt den Prediger gleichermaßen in seiner fatalistischen Sicht des menschlichen Lebens bestärken konnten.

Wir können es uns an dieser Stelle ersparen, den großen Katalog inhaltlich polar determinierter Zeiten von 3, 1—8 zu wiederholen. Daß diese Zeiten schicksalhaft gemeint sind, daß es bei ihnen letztlich um der menschlichen Wahl entzogene Möglichkeiten geht,[41] geben die beiden ersten und die beiden letzten Paare deutlich genug zu erkennen: Der Mensch wählt weder die Stunde seiner Geburt noch die seines Todes,[42] sondern er erleidet beide. Die Zeiten für das Pflanzen und Ausreißen des Gepflanzten ergeben sich zwangsläufig aus dem Jahreskreislauf. Der Mensch kann sich über sie nicht hinwegsetzen, muß aber durchaus damit rechnen, sie wegen der dem Wetter nun einmal innewohnenden Unberechenbarkeit zu verfehlen. Liebe und Haß überfallen den Menschen, so daß er ihnen — blindlings getrieben — folgen muß (vgl. 9, 1). Und daß der Untertan in einem hellenistischen Staate Kriegsausbrüche und Friedensschlüsse als schicksalhafte Ereignisse erfuhr, ergibt sich aus der Staatsform.[43] Man braucht darüber hinaus nur auf 8,8 zurückzugreifen, um den schicksalhaften Charakter dieser Zeiten zu durchschauen:

> Es gibt keine Herrschaft des Menschen über den Wind 〈〉,
> und es gibt keine Herrschaft über den Todestag,
> noch gibt es eine Entlassung aus dem Kriegsdienst,
> noch rettet 〈Reichtum〉 seinen Besitzer.

Der Stachel liegt für den Menschen darin, daß er trotzdem so handeln muß, als hinge jeglicher Erfolg von ihm selbst ab. „Welchen Gewinn", so fragt Kohelet, seine Liste der Zeiten abschließend (in 3, 9), „hat (dann) der Handelnde dadurch, daß er sich abmüht?"

An die Stelle der von der Weisheit behaupteten Durchschaubarkeit der Welt ist für den Prediger ihre *Undurchschaubarkeit* getreten. Dabei empfindet er ihren numinosen Charakter offensichtlich so stark und bleibt gleichzeitig insofern fest in der jüdischen Tradition verwurzelt, daß er diese Schicksalsmächtigkeit weder dämonisiert und als eigenständige Größe neben die Gottheit stellt noch sie weiterhin, was bei seinem Zeit- und Kreislaufdenken an und für sich nahegelegen und durchaus den Grundtendenzen des hellenistischen Zeitalters entsprochen hätte,[44] astrologisch deutet. Achtet man auf die hinter 4, 17—5, 6 stehende Haltung der jüdischen Tradition gegenüber, die auf einen strikten Thoragehorsam und rituelle Observanz schließen läßt, wird man Worte wie Dtn. 4, 19; 17, 3 und 18, 10 f. als Barrieren gegen das Eindringen der Astrologie in das Judentum ansehen dürfen.[45] Statt das Undurchdringliche doch noch zu durchdringen und das Dunkle doch noch zu lichten, fragte sich Kohelet vielmehr, was dieser (trotz seiner der ewigen Ordnung verdankten Schönheit) dunkle Weltprozeß eigentlich dem Menschen meine (vgl. 3, 10 bis 15). Auf der einen Seite diese dem Menschen wesentlich zugehörende rastlose Zielstrebigkeit, auf der anderen Seite diese alles menschliche Vornehmen zu einem Vabanquespiel machende Verschlossenheit der Welt —, das scheint vorab auf die Absicht des für beides verantwortlichen Gottes zu deuten, den Menschen zu plagen.[46] Die Unmöglichkeit, den Weltprozeß und den Menschen als ein sich selbst und seine glückhafte Zukunft wollendes Wesen miteinander in Übereinstimmung zu bringen, oder anders ausgedrückt: die Kosmologie und die Anthropologie miteinander zu versöhnen, weisen den Prediger auf den dann dem Menschen einzig verbleibenden natürlichen Lebenssinn eines von der Freude erfüllten Lebens, das anzupreisen er in der Folge nicht müde wird.[47] Aber unter den gesetzten Voraussetzungen bleibt der Einwand nicht aus, daß der Mensch seines Glückes letztlich nicht mächtig ist, sondern von der göttlichen Zuteilung abhängig bleibt (vgl. 2, 24—26 und 5, 18 f.). Man muß 3, 10 (vgl. 1, 13) im Sinn behalten, wenn man 3, 14 mit seiner schließlich gebotenen teleologischen Deutung recht verstehen will: Hier stellt Kohelet (1) fest, daß Gottes Handeln in der Welt ein ewig notwendiges, vom Menschen nicht zu veränderndes Geschehen ist.[48] Daraus zieht er (2) den Schluß, Gott habe das so eingerichtet, damit man sich vor ihm *fürchte*. Im Kontext kann das nur heißen, daß das sich dem Menschen als blinder Zufall zeitigende Gotteshandeln den Menschen die Furcht Gottes lehren will. In der Umschlossenheit seiner Existenz von dem in seinem Wirken in der Welt unergründlichen Gott geht dem Menschen die furchterregende *majestas Dei* auf, der sich der Mensch, sie treffe ihn zum Guten oder Bösen, nur unterwerfen kann. Eine Auflehnung gegen dies Schicksal ist sinnlos (vgl. 6, 10 bis 12).[49] Wir sind jetzt gerüstet, die Reflexion selbst zu lesen und zu verstehen:

> Ich sah mir die Unrast an, die Gott den Menschen verordnet hat, daß er sich damit plage. Alles hat er schön gemacht zu seiner Zeit; er hat es auch für die

Dauer bestimmt; nur bleibt das eigentliche Werk Gottes dem Menschen vom Anfang bis zum Ende unergründbar. Ich erkannte:
Für ihn gibt es nichts Besseres, als sich zu freuen und es sich wohlgehen zu lassen, solange er lebt.
Nur: wenn irgendein Mensch essen und trinken kann und bei seiner Arbeit Gutes erfährt, ist auch das eine Zuteilung Gottes.
Da erkannte ich: Alles, was Gott wirkt, geschieht ewiglich; keiner kann etwas daran ändern oder etwas davon ungeschehen machen. Und das hat Gott so eingerichtet, damit man sich vor ihm fürchte. —
Was geschehen ist, hat es längst schon gegeben, und was gerade geschehen will, ist längst schon geschehen; denn Gott sucht das Vergangene wieder hervor (3, 10—15).

Versöhnt ihn diese Gottesfurcht mit seinem Dasein oder bewahrt sie ihn nur davor, diesen schicksalsmächtigen Gott durch frevelhaftes Verhalten herauszufordern? Von 4, 17—5, 6 (vgl. 5, 6b) und 7, 15—22 (vgl. V. 18b)[50] her scheint das zweite zuzutreffen: Wer Gott fürchtet, fordert ihn weder durch ein direkt gegen ihn gerichtetes frevelhaftes Verhalten heraus (vgl. 5, 5), noch zieht er sich eingedenk der göttlichen Schicksalsmacht durch ein extremes Verhalten zum Guten oder zum Schlechten den Zorn Gottes zu (vgl. 7, 18).[51] Aber was heißt das anders, als daß der zur blinden Schicksalsmächtigkeit gewordene Gott eben doch noch in einem unmittelbaren Verhältnis zu seiner Kreatur steht und offenbar durch jedwede Hybris gereizt werden *kann* — mehr werden wir nicht sagen dürfen, um aus dem Gott des Kohelet nicht unversehens wieder den Gott der weisheitlichen Schultradition zu machen. Die Spannung zwischen Determinismus und Freiheit, die sich beim Prediger nicht nur mittels des Verweises auf 7, 23 nachweisen läßt, ist die religiöse Urantinomie. Sie läßt sich (wie in 7, 13 f.) auf der Seite des Menschen und seiner Freiheit bis auf die bloße, an die συγκατάθεσις der Stoiker erinnernde[52] innere Schikkung in das Unvermeidliche reduzieren. Aber noch darin ist diese Antinomie und das eigentümliche, von der Freiheit nicht abzulösende Verhältnis des Menschen zu sich selbst und zu seiner Welt als Geist gewahrt. Erst wo sie monistisch und unter Ausblendung des Geistes aufgehoben wird, stehen Gott und Mensch wahrhaft jenseits von Gut und Böse. Aber es könnte ja sein, daß diese Urantinomie zugleich ein wesentliches Urphänomen menschlicher Existenz umschreibt.[53] Dann gälte es, ihr auch heute den Platz zu halten.

IV

Blicken wir zurück, so bleibt noch die Frage zu stellen, ob ein Mensch, der wie Kohelet in die Bodenlosigkeit menschlicher Existenz auf ihrem göttlichen Grunde gesehen hat, Freude überhaupt anders als in der Selbstvergessenheit seines Daseins als eines Seins zum Tode erfahren konnte (vgl. 5, 18 f.). Er kannte die Ergebung in das gottgelenkte Schicksal (7, 13 f.). Aber es gibt in seinen Aufzeichnungen keinen Anhaltspunkt dafür, daß sie von dem *Urvertrauen* getragen wurde, von dem der Glaube lebt und aus dem heraus selbst der fromme Stoiker angesichts des sein Schicksal bestimmenden Gottes beten konnte:

> Führ du mich, Zeus, und du, Pepromene,
> wohin der Weg von euch mir ist bestimmt!
> Ich folg' euch ohne Zaudern. Sträub' ich mich,
> so handl' ich schlecht, — und folgen muß ich euch doch.[54]

Aus diesem Vertrauen bekannte der Apostel im Horizont einer Hoffnung, die auch der Tod nicht zunichte macht (Rö. 8, 28):

> Wir wissen aber, daß denen, die Gott lieben, alle Dinge zum Besten dienen.

Anmerkungen

[1] Zu den Daten und Theorien vgl. W. H. Westphal unter Mitw. von W. Westphal: Physik. Berlin, Heidelberg, New York 25/26 1970, S. 669 ff. und W. Stegmüller: Hauptströmungen der Gegenwartsphilosophie II. Stuttgart 1975, S. 255 ff.

[2] Eur. Hipp. 1102 ff. Übertragung E. Buschor, München 1952, S. 145.

[3] Vgl. auch K. Reinhardt: Die Sinneskrise bei Euripides, in: Tradition und Geist. Gesammelte Essays zur Dichtung. Göttingen 1960, S. 227 ff.

[4] Zu dieser Aufgabe vgl. H. Zahrnt: Warum ich glaube. Meine Sache mit Gott. München, Zürich 1977, S. 110 ff.

[5] Das *Dionysossymbol* steht für Nietzsche von der ›Geburt der Tragödie‹ 1872 bis zu den späten, posthum edierten Schriften und Aphorismen im Zentrum seines Denkens. Vgl. KTA 70, S. 29 ff.; ›Geburt der Tragödie‹ Nr. 1 f. und 16 f., (KTA 70, S. 47 ff. und S. 131 ff.); ›Ecce Homo‹ (KTA 77, S. 293 f., S. 348 ff., S. 379 ff., S. 384 ff. und S. 409); ›Willen zur Macht‹ (KTA 78, Aphor. 1003 ff. und 1067). Kritik wie Bestätigung seines Bildes des griechischen Gottes bietet K. Kérenyi: Dionysos. Urbild des unzerstörbaren Lebens (Werke in Einzelausgaben VIII). München, Wien 1976. — Der *Gedanke der ewigen Wiederkehr des Gleichen* wird von Nietzsche noch 1874 in den ›Unzeitgemäßen Betrachtungen‹ ausdrücklich abgelehnt. Vgl. ›Vom Nutzen und Nachteil der Historie für das Leben‹ (KTA 71, S. 115 f.) und ›Schopenhauer als Erzieher‹ (KTA 71, S. 200). Nach seiner eigenen Darstellung hat sich der Gedanke bei ihm im August

1881 durchgesetzt, vgl. ›Ecce Homo‹ (KTA 77, S. 370 f.). Er erscheint erstmals in der ›Fröhlichen Wissenschaft‹, Aphor. 341 (KTA 74, S. 231). In ›Also sprach Zarathustra‹ läßt er sich mit zunehmender Offenheit aus; von KTA 75, S. 160 ff. über die Anspielungen S. 179 und S. 182, welche gleichsam die erste Entfaltung S. 170 ff. lebendig erhält, bis der Gedanke S. 238 ff. und S. 253 ff. offen ausgesprochen wird, um dann noch einmal S. 351 ff. nachzuklingen. Im ›Willen zur Macht‹ vgl. die Aphor. 1053 ff. (KTA 78, S. 689 ff.). Vgl. dazu auch K. Löwith: Nietzsches Philosophie der ewigen Wiederkehr des Gleichen. Stuttgart 1956, und von demselben: Gott, Mensch und Welt in der Metaphysik von Descartes bis zu Nietzsche. Göttingen 1967, S. 156 ff.

[6] Vgl. den Aphor. II, 310 aus dem Jahre 1887 in der ›Umwertung aller Werte‹, hrsg. von F. Würzbach. München [2]1977, S. 310, der um die Möglichkeit der Aufrechterhaltung und Neufüllung des Gottesgedankens kreist und mit dem Satz schließt: „Geschehen und Notwendig-Geschehen ist eine *Tautologie*".

[7] Vgl. dazu im ›Willen zur Macht‹ (KTA 78, S. 697) den Aphorismus 1067: „... diese meine dionysische Welt des Ewig-sich-selber-Schaffens, des Ewig-sich-selber-Zerstörens, diese Geheimnis-Welt der doppelten Wollüste, dies mein 'Jenseits von Gut und Böse', ohne Ziel, wenn nicht im Glück des Kreises ein Ziel liegt, ohne Willen, wenn nicht ein Ring zu sich selber guten Willen hat — wollt ihr einen Namen für diese Welt? ... *Diese Welt ist der Wille zur Macht — und nichts außerdem!* Und auch ihr selber seid dieser Wille zur Macht — und nichts außerdem!"

[8] Vgl. dazu, was Nietzsche im ›Willen zur Macht‹ (KTA 78, S. 434) Aphor. 644, ›Ecce Homo‹ (KTA 77, S. 318 f.) und ferner KTA 78, Aphor. 1062 und ›Also sprach Zarathustra‹ (KTA 75, S. 81) über den Geist sagt. — Zur Sache vgl. N. Hartmann: Das Problem des geistigen Seins. Berlin [3]1963; ferner O. Kaiser: Der dunkle Grund der Freiheit, in: NZSTh 20 (1978).

[9] Zur Sache vgl. auch O. Kaiser: Gedanken zur Bewältigung der gegenwärtigen Krise, in: Traditio-Krisis-Renovatio aus theologischer Sicht. Festschrift W. Zeller. Marburg 1976, S. 471 ff.

[10] Vgl. dazu O. Kaiser: Leid und Gott. Ein Beitrag zur Theologie des Buches Hiob, in: Sichtbare Kirche. Festschrift H. Laag. Gütersloh 1973, S. 13 ff. und E. Ruprecht: Leiden und Gerechtigkeit bei Hiob, in: ZThK 73 (1976), S. 424 ff.

[11] Vgl. dazu z. B. R. B. Y. Scott, Proverbs, AB 18. Garden City, New York 1965, S. 175 ff. oder knapp O. Kaiser: Einleitung in das Alte Testament. Gütersloh [4]1978, S. 342 f.

[12] Vgl. dazu M. Hengel: Judentum und Hellenismus (WUNT 10). Tübingen 1969, S. 210 ff. und bes. S. 213, sowie zur allgemeinen Information Kaiser, Einleitung[4], S. 353 ff.

[13] Vgl. im ersten Sinne Hengel, a. a. O., S. 213 f., im zweiten R. Braun: Kohelet und die frühhellenistische Popularphilosophie (BZAW 130). Berlin, New York 1973, S. 38 ff. und S. 167 ff.

[14] Vgl. dazu G. Hill: A History of Cyprus I. Cambridge 1949, und V. Karageorghis: Cyprus. Ancient Civilization. London 1969, S. 66 ff.

[15] DL VII, 31 f. Vgl. dazu A. A. Long: Hellenistic Philosophy. London 1974, S. 109 f.

[16] In diese Richtung könnten die der kaufmännischen Umgangssprache angehörenden Schlüsselbegriffe wie *yitrôn* und *kišrôn* „Gewinn" und *ḥäšbôn* „Berechnung" führen. Vgl. dazu auch R. Kroeber: Der Prediger, hebräisch und deutsch (SQAW 13). Berlin 1963, S. 41 ff. Auf eine gewisse Erfahrung im Umgang mit Grundbesitz läßt 2, 4 ff. schließen.

[17] Zum literarischen Problem vgl. F. Ellermeier: Qohelet I, 1. Untersuchungen zum Buche Qohelet. Hertzberg/Harz 1967, S. 93 ff.

[18] Vgl. dazu Ellermeier, S. 100 f.

[19] Vgl. dazu aber H. Gese: Die Krisis der Weisheit bei Kohelet, in: Vom Sinai zum Zion (BEvTh 64). München 1974, S. 179.

[20] Vgl. dazu W. Zimmerli: Das Buch Kohelet-Traktat oder Sentenzensammlung?, in: VT 24 (1974), S. 226.

[21] Ob man unter dem „Ausländer" in V. 2 einen fremdblütigen Hausverwalter zu verstehen hat?

[22] Vgl. arab. *šadā* und *šādiya.*

[23] Man wird sich unmittelbar an den Schluß von Nietzsches „Trunkenem Lied" aus dem ›Zarathustra‹ (KTA 75, S. 253 bzw. KTA 77, S. 480) erinnert fühlen.

[24] Zum Sprachgebrauch vgl. auch 1. Sam. 29, 6 und 1. Kö. 1, 21.

[25] Vgl. dazu auch H. Gese: Lehre und Wirklichkeit in der alten Weisheit. Tübingen 1958, S. 38 ff., und O. Kaiser: Der Mensch unter dem Schicksal, in: NZSTh 14 (1972), S. 1 ff. und bes. S. 14 ff.

[26] Vgl. dazu O. Kaiser, in: O. Kaiser und E. Lohse: Tod und Leben (BibKon 1001). Stuttgart 1977, S. 68 ff.

[27] Zum Verständnis von 3, 16—18 vgl. K. Galling: Der Prediger, HAT I, 18. Tübingen [2]1969, z. St.

[28] Vgl. dazu Kaiser, Tod und Leben, S. 73 ff. — Das Vorkommen des Wortes Scheol in Koh. 9, 10 ist von mir dort auf S. 68 übersehen, ohne daß sich dadurch etwas ändert.

[29] Es sei gestattet, zwei seiner Einwürfe zu zitieren: „Glaubt es mir: wenn die Menschen in der wissenschaftlichen Fabrik arbeiten und nutzbar werden sollen, bevor sie reif sind, so ist in kurzem die Wissenschaft ebenso ruiniert, wie die allzuzeitig in dieser Fabrik verwendeten Sklaven" (›Vom Nutzen und Nachteil der Historie für das Leben‹, KTA 71, S. 158). — „Nun steht freilich neben dieser vereinzelten Erkenntnis (daß es in der Wissenschaft letztlich um die Freude am Vorhandenen geht und also am Forschungsprozeß), als einem Exzeß der Ehrlichkeit, wenn nicht des Übermutes, eine tiefsinnige *Wahnvorstellung*, welche zuerst in der Person des Sokrates zur Welt kam, — jener unerschütterliche Glaube, daß das Denken, an dem Leitfaden der Kausalität, bis in die tiefsten Abgründe des Seins reiche, und daß das Denken das Sein nicht nur erkennen, sondern sogar zu *korrigieren* imstande sei" (›Die Geburt der Tragödie‹, KTA 70, S. 127 f.).

[30] Der Text von V. 8b ist eingangs gestört. Ich schlage vor, mit H. W. Hertzberg: Der Prediger, KTA[2] XIV, 4/5. Gütersloh 1963, z. St. ein *mēhăʿānî* zu lesen.

[31] Zur Abgrenzung vgl. nach wie vor Ellermeier, a. a. O., S. 93 ff.

[32] Vgl. dazu z. B. W. Tarn unter Mitw. von G. T. Griffith: Die Kultur der hellenistischen Welt. Darmstadt 1966 (nach Cambridge ³1952), S. 356 ff. (= S. 299 ff.) und J. Kronmeyer und G. Veith: Heerwesen und Kriegsführung der Griechen und Römer, HAW IV, III, 2. München 1928 (1963).

[33] Vgl. dazu B. L. van der Waerden: Das große Jahr und die ewige Wiederkehr, in: Hermes 80 (1952), S. 130 ff.

[34] Vgl. auch Philo, de aet. mund. 19.

[35] Vgl. dazu J. Hirschberger: Geschichte der Philosophie I. Basel, Freiburg, Wien ⁷1963, S. 141.

[36] Zu 3, 11b vgl. Ellermeier, a. a. O., S. 307 ff.

[36a] Vgl. z. B. DL I, 35; DK 11 A 1 (I, S. 71, 11); DK 22 B 124; vgl. auch DK 14 A 21 und dazu W. K. C. Guthrie: A History of Greek Philosophy I. Cambridge 1962 (1971), S. 206 ff.; Pl. Ti. St 30 B; SVF I, 140; zum Problem auch Braun, a. a. O., S. 55.

[37] Das klingt, zieht man das oben über die Möglichkeit einer Äonenlehre im Sinne der ewigen Wiederkehr Gesagte in Betracht, wenn man sich an die antike, von Philo, de aet. mund. referierte Diskussion hält, widersprüchlich, da man hier die Ewigkeit der Welt in Gegensatz zur ewigen Wiederkehr gestellt hat. Denkt man jedoch an die Definition des Kosmos durch Heraklit DK 22 B 30, muß ein solcher Widerspruch nicht auftauchen. Zur Position Zenons vgl. A. Graeser: Zenon von Kition. Positionen und Probleme. Berlin, New York 1975, S. 187 ff.

[38] Fr. 482 nach M. P. Nilsson: Geschichte der griechischen Religion II, HAW V, II, 2. München ²1961, S. 203. Zur Rolle der Tyche in der hellenistischen Religion vgl. auch J. Kaerst: Geschichte des Hellenismus II. Darmstadt 1975 (= Leipzig und Berlin ²1926, S. 168 ff. und W. Tarn, a. a. O., S. 404 f. (= S. 340 f.).

[39] Vgl. dazu Hengel, Judentum und Hellenismus, S. 8 ff. und H. Bengtson: Griechische Geschichte, HAW III, 4 München ³1965, S. 388 ff.

[40] Vgl. dazu Bengtson, a. a. O., S. 374 ff. und S. 380 ff.

[41] Anders z. B. K. Galling: Das Rätsel der Zeit, in: ZThK 58 (1961), S. 1 ff., vgl. bes. S. 6; ähnlich derselbe HAT I, 18², S. 94. Vgl. aber auch R. B. Y. Scott, AB 18, z. St.: "In the endlessly repeated round of human experience, each event occurs at its proper time in God's scheme of things, and man's effort to make what happens conform to his own desires is fruitless".

[42] Der Selbstmord lag offenbar außerhalb der dem Prediger erschlossenen Möglichkeiten.

[43] Vgl. dazu V. Ehrenberg: Der Staat der Griechen. Zürich, Stuttgart 1965, S. 191 ff.

[44] Vgl. dazu Kaerst, a. a. O., S. 226 ff.; Tarn, a. a. O., S. 410 ff. (= S. 345 ff.) und F. Boll, C. Bezold und W. Gundel: Sternglaube und Sterndeutung. Die Geschichte und das Wesen der Astrologie. Mit einem bibliogr. Anhang von H. G. Gundel. Darmstadt ⁶1974, S. 15 ff. und bes. S. 21 ff.

[45] Zu einem in Qumran gefundenen Horoskop vgl. demnächst H. Lichtenberger: Studien zum Menschenbild in den Texten der Qumrangemeinde. Diss. Marburg 1975.

[46] Ein Kairoer Genizafragment liest als Piel *l*^{ec}*annôt,* was bei Ableitung von ^{c}*nh* II „demütigen" nicht schlecht in den Kontext paßte.

[47] Vgl. 2, 10.24—26; 3, 22; 5, 17—19; 7, 14; 8, 15; 9, 7—10 und 11, 7 bis 12, 6.

[48] Vgl. dazu oben S. 4, Anm. 6.

[49] In diesem Sinne auch E. Pfeifer: Die Gottesfurcht im Buche Kohelet, in: Gottes Wert und Gottes Land. Festschrift H.-W. Hertzberg, hrsg. von H. Graf Reventlow. Göttingen 1965, S. 133 ff. und bes. S. 139.

[50] Zur Diskussion über die literarische Ursprünglichkeit der Belege vgl. Pfeifer, ebd., S. 140 ff. und S. 143 ff. — 8, 12b. 13 scheidet m. E. jedenfalls aus den von Kohelet selbst überlieferten Worten aus und gehört erst dem zweiten Redaktor an. Vgl. auch Ellermeier, a. a. O., S. 75.

[51] Vgl. aber auch Gese, a. a. O., S. 179.

[52] Vgl. dazu das Gebet des Kleanthes SVF I 527 und das Beispiel von dem an den Wagen gebundenen Hund SVF III 975.

[53] Urphänomene sind nicht ableitbare Phänomene. Vgl. zu ihnen Goethe, Maximen und Reflexionen, Nr. 433, Gedenkausgabe Bd. IX. Zürich 1949, S. 552.

[54] SVF I 527 in der Übertragung von M. Pohlenz: Die Stoa. Geschichte einer geistigen Bewegung I. Göttingen ^{3}1964, S. 106.

DAS CHRISTUSZEUGNIS IN DEN PSALMEN

Von HELMUT LAMPARTER (Ludwigsburg)

Jede christologische Auslegung des Alten Testaments läuft Gefahr, Allegorese zu treiben. Wir verstehen darunter eine vielleicht geistreiche, aber doch ungezügelte Aus- und Umdeutung der Texte, die sich von ihrem Wortsinn entfernt. Mit Recht hat ein großer Ausleger der Bibel, Adolf Schlatter, solche Allegorese in einer kampflustigen Schrift als „tönendes Erz, klingende Schelle“ bezeichnet. Es ist gut, diesen Warnruf zu hören und zu beachten. Das Thema „Das Christuszeugnis in den Psalmen“ ist nicht ungefährlich. Redliche Besinnung, nüchterne Beobachtung am Text tut not, damit wir nicht auf den schlüpfrigen Boden allegorischer Deutung geraten.

Jede christologische Auslegung des Alten Testaments kann und darf aber mit Recht für sich in Anspruch nehmen, daß sie dem Willen Jesu gemäß und seiner Weisung gehorsam ist. Er spricht: „Suchet in der Schrift; sie ist's, die von Mir zeugt“ (Joh. 5, 39). Nicht nur an einzelnen Stellen, im ganzen Umkreis der Schrift, die wir als „Altes Testament“ bezeichnen, fand er seinen Weg und sein Werk vorgezeichnet. Ich erinnere an jenen denkwürdigen Bibelkurs, den der Auferstandene den beiden Emmausjüngern gehalten hat: „Er fing an bei Mose und allen Propheten und legte ihnen in der ganzen Schrift aus, was darin von ihm gesagt war.“ Kein Geringerer als der Auferstandene ist der Kronzeuge für die christologische Deutung der heiligen Schriften, die wir, die Christenheit, von Israel überkommen haben.

Ist sie, so fragen wir, auch auf das Gesang- und Gebetbuch Israels anwendbar, das wir den Psalter nennen? Die Antwort ist nicht in unser eigenes Belieben und Ermessen gestellt. Sie ist gleichfalls vom Herrn der Kirche, von Jesus Christus selber, längst entschieden. Nicht nur, daß er selbst mit den Psalmen lebte und noch sterbend, in seiner Kreuzesnot, zu ihren Gebetsworten seine Zuflucht nahm. Dies auch; mit dem Psalmengebet, dem „Lobgesang“ (Ps. 115—118) beschloß er das Abendmahl. Aber nicht genug damit! Aus dem Osterbericht des Lukas geht hervor, daß der Herr seine ersten Zeugen auch die Psalmen als ein Stück Prophetie verstehen lehrte. Als er am Abend des Ostertags mit seinem Friedensgruß in ihre Mitte trat, sprach er zu ihnen: „Das ist's, was ich zu euch sagte, als ich noch bei euch war: es muß alles erfüllt werden, was von mir geschrieben ist im Gesetz des Mose, in den Propheten und in den Psalmen" (Luk. 24, 44).

„... und in den Psalmen!" Sie sind mit einbezogen in diese Auslegung des Alten Testaments, die den Jüngern das Verständnis der Schrift geöffnet hat. Von der Erfüllung her fiel ein neues, helles Licht auf ihre Texte. Kein Wunder, daß die junge Kirche Jesu Christi auch in den Psalmen vieles anders las und verstehen lernte als die alten Lehrer Israels. Die zahlreichen Psalmenzitate in der Apostelgeschichte und in den Episteln, besonders im Hebräerbrief, legen davon Zeugnis ab. Nach dem Christuszeugnis der Psalmen fragen heißt also, den auferstandenen Christus als Gewährsmann an seiner Seite haben und in der Lehre der Apostel bleiben. Wir dürfen bei solcher Auslegung nicht nur ein gutes Gewissen haben. Sie ist uns aufgegeben. Wir sind dazu ermächtigt — vom Ursprung der Kirche her. Sie ist von höchster Stelle, von Jesus Christus selber, sanktioniert. Er, der lebendig in unsrer Mitte ist, wo immer wir in seinem Namen versammelt sind, will uns die Augen öffnen, daß wir im Zeugnis der Psalmen seinen Weg und sein Werk, seine Gestalt und seine Sendung, seine Niedrigkeit und Herrlichkeit erkennen.

Es sei mir erlaubt, an dieser Stelle ein persönliches Bekenntnis einzuflechten. Ich gehöre zu den Menschen, denen das Alte Testament lange verschlossen war. Erst in reiferen Jahren begann es zu reden, und zwar waren es die Psalmen, deren Kraft und Herrlichkeit mich zuerst, in den Jahren des Kriegs, ergriffen. Sie haben mich nicht mehr losgelassen und trugen entscheidend dazu bei, daß das Alte Testament zu der großen Entdeckung meines Lebens wurde. Die Psalmen — das ist ja nicht ein schmales Rinnsal in der Landschaft der Bibel; das ist ein Strom, der mächtig daherrauscht und, aus vielen Quellen gespeist, sich in ein breites Delta verzweigt. Auch das Christuszeugnis des Psalters ist durchaus nicht auf jene Stellen beschränkt, deren messianischer Klang unüberhörbar ist. Auch die Klagepsalmen, die ja im Psalter einen sehr breiten Raum einnehmen, sind ein indirektes Christuszeugnis, sofern sie die Sehnsucht nach der Erlösung wecken und wachhalten: „Ach, daß die Hilfe aus Zion käme und der Herr sein gefangen Volk erlösete!" (Ps. 14, 7).

Was im folgenden geschehen kann, ist nicht mehr, als daß wir gleichsam mit unsren Händen einen Becher bilden und sie in diesen Strom tauchen, um zu schöpfen und vom Wasser des Lebens zu trinken. Ohne Bild gesprochen: Ich möchte auf ein Vierfaches hinweisen, was das Christuszeugnis der Psalmen betrifft. Von der Sendung und von dem Schicksal des Christus (hebräisch: des Messias), genauer von seinem Königtum und seinem Priesteramt, von seinem Leidenskampf und seinem Ostersieg soll — in gebotener Kürze — die Rede sein.

Sein Königtum

„Der Herr ist König, des freue sich das Erdreich" (Ps. 97, 1) und wiederum: „Der Herr ist König, darum zittern die Völker" (Ps. 99, 1). Ohne Zweifel ist in diesen sog. „Königspsalmen" von der königlichen Herrschaft Gottes die Rede — nicht irgendeines Gottes, dessen Bild nach des Menschen Maß und Wunsch erdacht wurde, sondern dessen, der durch Mose und die Propheten geredet, sein Wesen, seinen Namen, seinen Willen geoffenbart und sich dem Volk seiner Wahl gnädig und herrlich verbündet hat. Aber dieser Ehrentitel „König" bleibt nicht dem Allerhöchsten vorbehalten; hat Er doch auf dem Zion als irdischer Platzhalter und Amtswalter seiner Herrschaft seinen König eingesetzt. „Ich habe einen Helden erweckt, der helfen soll; ich habe erhöht einen Auserwählten aus meinem Volk. Ich habe gefunden meinen Knecht David; ich habe ihn gesalbt mit meinem heiligen Öl" (Ps. 89, 20 f.). Diese Erwählung Davids bleibt kein Einzelfall; nicht nur seine Person, vielmehr sein Haus, seine Dynastie ist erwählt und bekommt die Verheißung, daß Gottes Bund mit Davids Haus und Geschlecht auf ewige Zeit in Kraft bleiben soll. „Ich will ihm ewiglich bewahren meine Gnade, und mein Bund mit ihm soll fest bleiben. Ich will ihm ewiglich Samen geben und seinen Thron erhalten, solange der Himmel währt" (Ps. 89, 29 f.).

Infolgedessen nimmt es nicht wunder, daß jene Psalmen, die von dem König auf dem Thron Davids sprechen, eine besondere Leuchtkraft besitzen. Ein Abglanz der Herrlichkeit Gottes liegt auf der Stirn des Gesalbten, dessen Thron und Königsburg auf dem Zion, dem heiligen Berge Gottes, errichtet sind. Er ist der irdische Träger einer Verheißung, die unauslöschlich wie die Treue Gottes ist. Wir erhalten eine Fülle von Aussagen, die so groß und herrlich sind, so weit ausgreifen, daß das geschichtliche Profil der Könige in Israel daneben verblaßt, ganz zu schweigen von dem schwülstigen Stil und Inhalt orientalischer Hofpoesie, die sich in der Apotheose (Vergötterung) des irdischen Machthabers erging und gefiel.

Warum toben die Völker
und planen die Nationen, was eitel ist?
Die Könige der Erde erheben sich
und die Fürsten ratschlagen miteinander
wider den Herrn und seinen Gesalbten:
Lasset uns zerreißen ihre Seile
und von uns werfen ihre Bande!
Aber der im Himmel thront, lachet ihrer,
der Herr spottet ihrer.

Habe ich doch meinen König eingesetzt
auf Zion, meinem heiligen Berge!
Mein Sohn bist du! Heute habe ich dich gezeugt.
Heische von mir, so gebe ich dir die Völker zum Erbe,
die Enden der Erde zum Eigentum (Psalm 2, 1 ff.).

Wer ist dieser König, den Gott dem Aufruhr einer rebellischen Welt und ihrer Gewaltigen mit solch majestätischer Überlegenheit, der Empörer spottend, entgegenstellt? Wer ist's, der diesen Ehrentitel „Mein Sohn" empfängt, von Gott gezeugt, wobei die Zeitbestimmung, jenes „Heute", ganz gewiß kein Tag im irdischen Kalender ist? Noch kennt und nennt der Psalmist seinen Namen nicht, aber daß dieser Psalm mit seiner metallenen Sprache messianisch zu verstehen ist, geht aus dem Wortlaut klar hervor. Es ist ein Christuspsalm, der im Alten Bund den „König der Könige" (Offb. 19, 16) ankündigt und ihm die Bahn bereitet. Gewiß: Er kam nicht mit eisernem Szepter, er zerschlug seine Feinde und Widersacher nicht wie Töpfergeschirr. Er griff nach dem Kreuz! Aber dies hebt nicht auf, daß er als Richter der Völker am Ende der Zeit aller Welt ihr Urteil spricht. Vom „Zorn des Lammes" ist auch im Neuen Testament die Rede; wir sollen wissen, daß damit nicht zu scherzen ist! Gott hat seinen Christus eingesetzt, ein für allemal: Wer sich nicht bücken will, wird an ihm scheitern!

Neben Psalm 2 ist es besonders Psalm 45, ursprünglich ein Hochzeitslied, der mit prachtvollen Klängen und Farben die Herrlichkeit des Königs auf dem Zion beschreibt.

Du bist der Schönste unter den Menschenkindern
holdselig sind deine Lippen,
wahrlich Gott hat dich gesegnet, ewiglich.
Gürte dein Schwert an die Hüfte, du Held,
leg an deine Hoheit und Herrlichkeit!
Zieh des Wegs für die Sache der Wahrheit, der Milde, des Rechts.

Mag auch dem Psalmisten selbst die Hochzeitsfeier des irdischen Herrschers vor Augen gestanden sein — wer auch nur einen Schimmer der Herrlichkeit Jesu seiner „Herrlichkeit als des eingeborenen Sohnes Gottes voller Gnade und Wahrheit" (Joh. 1, 14) erfaßte, dem wird dieser Psalm transparent: Auftakt und Jubellied jenes messianischen Siegesfests, an dem die „Hochzeit des Lammes" gefeiert wird und Jesus Christus, von Gott mit Preis und Ehre gekrönt, seine Gemeinde heimholt wie eine geschmückte Braut.

Schließlich Psalm 72, das Preislied auf den großen Friedefürst, dessen Regiment auf Recht und Gerechtigkeit gegründet ist.

Er wird Recht schaffen den Elenden im Volk
und den Armen helfen und die Lästerer zermalmen.
Er wird herrschen von Meer zu Meer,
vom Euphrat bis an die Enden der Erde.
Alle Könige werden ihm huldigen,
alle Völker werden ihm dienen.
Denn er rettet den Armen, der zu ihm schreit,
den Elenden, der keinen Helfer hat.
Des Geringen und Armen erbarmt er sich
und hilft auf den Seelen der Dürftigen.
Aus Trug und Gewalttat erlöst er ihr Leben
und ihr Blut ist kostbar in seinen Augen.

Wo ist ein Herrscher, von dem solches gilt, der die Macht in den Dienst des Rechts, das Recht in den Dienst des Erbarmens stellt? Wahrlich, hier ist — mitten im Alten Testament — helles, strahlendes Evangelium! Welche Fülle des Trosts wird uns aus diesem Psalm zuteil — uns, die wir wissen, daß dieser Friedefürst keine utopische Gestalt ist, sondern als unser Fürsprecher und Anwalt zur Rechten Gottes sitzt!

Sein Priesteramt

Es wird uns in jenem Psalm vor Augen gestellt, den das Neue Testament weitaus am häufigsten (siebzehnmal!) zitiert: Psalm 110. Auch dieser Psalm greift weit hinaus über das, was Israel in der geschichtlichen Institution des Königtums vor Augen hatte. Mit feierlichem Schwur setzt der Herr seinen Gesalbten zugleich zum König und zum Priester ein, daß er in Personalunion des Amtes beider walte:

Setze dich zu meiner Rechten,
bis ich dir deine Feinde als Schemel unter die Füße lege.
Herrsche inmitten deiner Feinde!
Dein Volk schart sich willig um dich
am Tag deines Heerzugs in heiligem Schmuck,
gezeugt dir zum Ruhm wie der Tau aus dem Schoße der [Morgenröte.
Der Herr hat's geschworen
und nimmer wird's ihn gereuen:
Du bist Priester in Ewigkeit nach der Weise Melchisedeks.

Wie Melchisedek, der König von Salem (1. Mos. 14, 18), zugleich Priester des höchsten Gottes war, so soll auch der Gesalbte des Herrn nicht nur Gottes Stellvertreter auf Erden, sondern zugleich der Stellvertreter der Menschen vor Gott sein. Seine Fürsprache soll dem Volk zugute kommen, das um ihn sich schart, geboren so wunderbar und geheimnisvoll wie der Tau aus der Morgenröte. Niemand kann und soll ihn aus diesem Amt verdrängen in alle Ewigkeit. Wer ist dieser Königspriester, dieser Priesterkönig, der beides, die Macht und das Erbarmen in sich vereint? Es ist der „große Hohepriester, Jesus, der Sohn Gottes, der die Himmel durchschritten hat" (Hebr. 4, 14). Er, der „in den Tagen seines Fleisches Gebet und Flehen mit starkem Geschrei und Tränen zu Gott geopfert hat und Gehorsam gelernt hat an dem, das er litt, ist für alle, die ihm gehorsam sind, zum Urheber des ewigen Heils (der ewigen Rettung) geworden und ist von Gott genannt ein Hohepriester nach der Ordnung Melchisedeks" (Hebr. 5, 7 ff.). So stehts geschrieben in diesem Brief des Neuen Testaments, der das Leitmotiv seiner Gedanken diesem Psalm entnommen und wie kein andrer die einzigartige Hoheit des vollkommenen Priestertums Jesu Christi bezeugt und entfaltet hat. Der Zusammenhang und Zusammenklang von Verheißung und Erfüllung, von Altem und Neuem Testament ist hier besonders deutlich mit Händen zu greifen. *In vetere novum latet, in nove vetus patet* (Augustin). Zu deutsch: Im Alten Testament ist das Neue verborgen, im Neuen Testament ist das Alte offenbar.

Sollte dies nicht auch von dem Leidenskampf und Ostersieg des Christus gelten? Wesentlich dichter ist hier der Schleier der Verhüllung, ganz gewiß! Aufs ganze gesehen ist das Alte Testament ein durchaus *vor*österliches Buch, und einsam wie ein erratischer Block steht in der Vielzahl seiner Schriften Jesaja 53, der große Karfreitagstext. Und doch fehlen, gerade auch im Psalter, jene Zeugnisse keineswegs, die uns — im Licht der Erfüllung — wie ausgestreckte Finger erscheinen, wenn wir im Kirchenjahr Passion und Ostern feiern. „*Mußte* nicht Christus solches leiden und zu seiner Herrlichkeit eingehen?" Erkennt ihr nicht, so fragt der Auferstandene, erkennt ihr nicht aus der Schrift, daß beides, mein Leidenskampf und mein Ostersieg, im Rat Gottes vorlängst beschlossen war?

Sein Leidenskampf

Er hat sein erschütterndes Urbild in jenem Psalm, den der Christus Jesus, am Fluchholz hangend, durchgebetet hat: Psalm 22.

> Mein Gott, mein Gott, warum hast du mich verlassen?
> Ich schreie um Hilfe, doch ach, sie ist ferne.
> Ich rufe am Tag, doch du gibst keine Antwort,
> ich rufe des Nachts und finde nicht Ruh.
> Auf dich vertrauten unsre Väter und du hast sie errettet.

Ich aber bin ein Wurm und kein Mensch,
der Leute Spott und vom Volke verachtet.
Alle, die mich sehen, spotten meiner:
'Er warf's auf den Herrn, soll Der ihm helfen,
soll Der ihn retten, hat Er Lust zu ihm!'
Bleib mir nicht fern, denn nah ist die Not
und ist keiner da, der mir hülfe ...

Wer ist der Beter, der hier seine Klage vor Gott ausschüttet? In welcher Lage befand er sich? In schwerster Krankheitsnot, in tiefster Seelenqual, unter falscher Anklage, zum Tod, ja zum Tod am Pfahl verurteilt? Ein unheimliches Dunkel liegt über diesem Text. Aus Todestiefen dringt die Klage zu Gott empor. Es ist ein Aufschrei aus schwerster Anfechtung, aus der Tiefe der Gottverlassenheit. Soviel ist gewiß: Was immer der Psalmist an äußerer und innerer Qual durchlitten hat, Jesus von Nazareth, der ans Kreuz genagelte Gottes Sohn, hat diesen Psalm in seiner Tiefe ausgelotet. Er hat ihn mit seinem für uns vergossenen Blut durchtränkt. Hier lerne verstehen oder doch von ferne ahnen, wieviel ihn deine Rettung gekostet hat, was es heißt, durch Marter groß und bittren Tod erlöst zu sein. —

Sein Ostersieg

Noch ist viel Todesdunkel in den Psalmen, und die bangen Fragen wollen nicht verstummen: „Wird dir auch der Staub danken und deine Treue verkündigen?" (Ps. 30, 10). „Im Tode gedenkt man deiner nicht; wer will durch diese Mauern, die der Hilfe und dem Trost Gottes, seinem Heil und Sieg eine Grenze ziehen, wann und wo der Tod seine Beute nimmt. „Du wirst meine Seele nicht im Tode lassen und nicht zugeben, daß dein Heiliger verwese. Du tust mir kund den Weg zum Leben; vor dir ist Freude die Fülle und liebliches Wesen zu deiner Rechten ewiglich" (Ps. 16, 10 f.) — eine Psalmstelle, die im Schriftbeweis der Urgemeinde besonderes Gewicht bekam! Wer ist der Heilige, der zwar sterben, nicht aber verwesen durfte? David hat die zerstörende Macht des Todes an seiner Leiblichkeit erfahren; ihm blieb die Verwesung nicht erspart. Anders Jesus, der Gekreuzigte, der für uns den Tod geschmeckt hat, aber doch die Verwesung nicht mit uns geteilt hat, weil es bei Gott beschlossen war, daß er am dritten Tag wieder auferstehe mit verklärtem Leibe. — Gewiß, so weit hat der Psalmist nicht gedacht, wohl aber, so würde Lukas antworten, der Hl. Geist, der durch ihn geredet hat. Nicht anders verhält es sich mit dem 118. Psalm, den Luther zu seinem Lieblingspsalm erkor und auf der Coburg so meisterhaft auslegte.

Der Herr ist meine Macht und mein Psalm und mein Heil.
Man singt mit Freuden vom Sieg in den Hütten der Gerechten:
Die Rechte des Herrn ist erhöht,
die Rechte des Herrn behält den Sieg.
Ich werde nicht sterben, sondern leben
und des Herrn Werke verkündigen.

Wenn dies gilt, daß die Rechte des Herrn auf der ganzen Linie den Sieg behält, dann kann auch der Tod diesem Sieg keine Grenze setzen. Wie wahr das ist, wurde offenbar, als Er den Christus als den Erstling der Toten auferweckte, damit wir in ihm die gewisse Hoffnung des ewigen Lebens haben möchten.

So tat und tut die Kirche Jesu Christi recht daran, wenn sie diesen Psalm als einen rechten Osterpsalm verstanden und zur Lektion des Osterfests erhoben hat. Er lehrt uns den rechten Siegesjubel. Noch einmal zeigt sich hier, welche Kräfte uns zuwachsen, wenn wir den Schlüssel des Evangeliums in die Tür zur Schatzkammer des Psalters stecken und erkennen, wie der Geist Christi (1. Petr. 1, 21) aus Propheten und Psalmisten geredet hat. Da wird das Herz zu Anbetung, Dank und Jubel befreit.

RECHTFERTIGUNG UND HEILIGUNG

Von Otto Betz (Tübingen)

1. Die theologische Meisterfrage ihrer Verhältnisbestimmung

Adolf Köberles vor rund fünfzig Jahren verfaßtes Hauptwerk ›Rechtfertigung und Heiligung‹ [1] ist trotz der Tatsache, daß es sich leidenschaftlich mit den geistigen, religiösen und theologischen Richtungen der Zeit nach dem Ersten Weltkrieg auseinandersetzt, auch heute noch höchst aktuell. Zwar scheint die gegenwärtig so dringlich gewordene Frage nach dem Sinn des Lebens das Interesse an Rechtfertigung und Heiligung weitgehend überholt zu haben. Aber schon damals ging es unserem verehrten Jubilar nicht so sehr um Auffrischung und Aufrichtung zweier zentraler loci der lutherischen Schuldogmatik als vielmehr um das neue Leben, um „den neuen Menschen in der Totalität seiner Existenz“ [2], also auch um die Sinnfrage. Bei ihrer Darstellung wurde ein Mittelweg gewählt, oder besser: eine einsame Wanderung zwischen den extremen Positionen, wie sie die deutsche Theologie im allgemeinen charakterisieren, ihre Eigenart und Unart ausmachen, ihr zu Bewunderung und Kritik verholfen haben. Gestützt auf das biblische, vor allem paulinische Zeugnis und M. Luthers theologia crucis, hat A. Köberle gegenüber dem Versuch einer Selbstheiligung des Menschen in Naturalismus und Idealismus, Rationalismus und mystischem Pantheismus die Botschaft von der Rechtfertigung des Sünders allein aus Gnaden erneut zur Geltung gebracht. Auf der anderen Seite aber rühmte er vor der die Ohnmacht des Menschen betonenden „Theologie der Krisis“, wie sie damals von Barth und Thurneysen, Brunner und Gogarten vertreten wurde, das von Gott geschenkte neue Leben in der Kraft des heiligen Geistes. Beide, Rechtfertigung und Heiligung, gehören für A. Köberle unlösbar zusammen. Ihr Verhältnis im einzelnen zu bestimmen, sah er als eine „theologische Meisterfrage“ an [3] und widmete ihrer Beantwortung einen großen Teil seines theologischen Schaffens. Dabei berief er sich besonders auf drei Tübinger Theologen, nämlich den Exegeten und Systematiker A. Schlatter, den Lutherforscher K. Holl und seinen Lehrer K. Heim, dem er dieses wichtige Werk gewidmet hat.

Dessen Schwergewicht liegt doch wohl auf der vita nova und der sie bestimmenden Kraft des Geistes. Der Krisistheologie machte Köberle den

Vorwurf, sie verkündige zwar mit großer Kraft das richtende Wirken des Geistes an unserem Wollen, Empfinden und Denken, schweige aber aus ernstgemeinter Zurückhaltung von der heilenden Wirkung der Erlösung an diesen drei Grundkräften unserer Existenz.[4] In der Tat muß man befürchten, die Freude über das neue Leben in der Kraft des Geistes werde stets von Überheblichkeit und Selbstruhm bedroht, wie das schon bei den Pneumatikern der korinthischen Gemeinde geschah. Auf diese Gefahr werden wir deshalb besonders achten, wenn wir im folgenden zu der von A. Köberle richtig herausgestellten Einheit von Rechtfertigung und Heiligung einige exegetische Beobachtungen beitragen.

2. Rechtfertigung, Heiligung und Selbstkritik in der Gemeinde von Qumran

a) Die Gemeinschaft mit Gott

Das Zeugnis der Apostelgeschichte und des Paulus soll vor den Hintergrund einer vor fünfzig Jahren noch unbekannten Größe der neutestamentlichen Zeit gestellt werden, nämlich vor die Schriften der Gemeinde von Qumran. Ihre Behandlung ist schon deshalb nicht abwegig, weil der Lobpreis von Gottes heilschaffender Gerechtigkeit und das Streben nach Heiligung geradezu zu den Grundkräften im vielbewunderten Leben dieser jüdischen Gemeinde zählen, die mit den von Philo, Josephus und Plinius beschriebenen Essenern identisch ist. Beim täglichen Gebet am Abend und am Morgen wurde Gott, der Stifter des Bundes und Geber der Gebote, auch als Quelle der Gerechtigkeit und Heiligkeit gepriesen; dabei rief das Gedenken an die Gebote das Eingeständnis des eigenen Ungenügens und Versagens hervor:

> Wenn der Tag weicht und die Nacht, trete ich in den Bund Gottes ein
> und wenn der Abend anbricht und der Morgen, sage ich Seine Gebote auf,
> und weil sie da sind, setze ich mir eine Grenze, so daß ich nicht abweiche.
> Nach seinem Recht überführe ich (mich) aufgrund meiner Verkehrtheit,
> und mein Frevel steht mir vor Augen wie ein eingegrabenes Gesetz.
> Und zu Gott sage ich: „Meine Gerechtigkeit"
> und zum Höchsten: „Begründer meiner Güte",
> Quell von Erkenntnis und Brunnen von Heiligkeit,
> Höhe der Herrlichkeit und Allmacht, die ewige Schönheit schafft.
>
> (1 QS 10, 10—12)

Dieser nach dem Lauf von Tag und Nacht geordnete, von Gott selbst zeitlich gewiesene Lobpreis des Frommen verkündet Gottes Wesen gleichsam via existentiae, d. h. aufgrund von eigener Erfahrung in einer neuen, von Gott bestimmten Existenz. Die Gerechtigkeit des Qumranfrommen kommt von Gott und wird als neue, theozentrisch definierte Identität verstanden: „Du bist meine Gerechtigkeit, meine Güte, Erkenntnis und Heiligkeit." Aber sie gilt in dieser auf Thoragehorsam bedachten Gemeinde keineswegs als Verdienst, das man sich durch die Erfüllung der Gebote erwirbt; die Heiligkeit ist ebensowenig wie die rechte Gotteserkenntnis eine Eigenschaft, Qualität des Gerechten. Vielmehr bleiben sie weiterhin in der Verfügungsgewalt Gottes, sind Bestimmungen Seines Wesens, obwohl sie auch als Gerechtigkeit und Güte das Sein und Selbstverständnis des Beters ausmachen. Sie sind Güter und Gaben Gottes. Das Bild von der Quelle, das in diesem Gebet mehrfach die Selbsterschließung Gottes verdeutlicht, bringt die dadurch hergestellte Beziehung zwischen Gott und Mensch schön zum Ausdruck: Gott ist ein Quell der Gerechtigkeit und ein Brunnen von Heiligkeit (1 QS 10, 12; vgl. 11, 3), und ebenso kann auch von einer Quelle der Gerechtigkeit Gottes geredet werden (11, 5) [5]. Das meint: Gott ist der unaufhörlich Gebende, der doch nichts von Seiner Fülle und Kraft verliert. Die Gerechtigkeit, die das Leben des Beters neu qualifiziert (10, 11), ist kein einmaliges Geschenk, sondern ein immer wieder gewährtes Gut aus dem nie versiegenden Quell der Güte Gottes. Zwar bildet den Anfang dieser Zuwendung ein einziger und einzigartiger Akt: Gott hat den Beter erwählt, ihm Anteil gegeben am Los der Heiligen (1 QS 11, 7; vgl. 11, 16). Die Erwählung geschah grundlos, ohne Verdienst und Würdigkeit des Erwählten; sie wird darum auch nicht direkt als ein Akt von Gottes Gerechtigkeit bezeichnet. Sie ist ein unbegreifliches Wunder. Denn der für die Endzeitgemeinde der heiligen Engel Bestimmte gehört seiner Herkunft nach zur „ruchlosen Menschheit, zur Menge des frevelnden Fleisches"; seine Sünden zeugen auch jetzt noch von der Verderbtheit seines Herzens (1 QS 11, 9 f.); sein Leib fällt recht bald den Würmern anheim (11, 21). Eben deshalb bedarf auch der Erwählte dauernd der göttlichen Unterstützung und Gerechtigkeit, welche die Erwählung festmacht und gewißmacht: „Wenn ich wanke, so sind Gottes Gnadenerweise meine Hilfe für immer, und wenn ich strauchle durch die Verkehrtheit des Fleisches, so steht mein Recht in der Gerechtigkeit Gottes in Ewigkeit" (1 QS 11, 12). Kein Mensch lenkt seinen Schritt (1 QS 11, 10): „Leite durch Gerechtigkeit alle Werke (Deines Knechtes) und richte den Sohn Deiner Wahrheit auf!" (11, 16). Ohne Gott wird kein Wandel vollkommen und ohne Sein Wohlgefallen geschieht nichts (1 QS 11, 17). Die von Ihm geschenkte Erkenntnis läßt die wunderbaren Wege Gottes mit den Menschen ahnen:

Vom Quell Seiner Erkenntnis hat Er Seinem Licht einen Weg geöffnet,

so daß mein Auge Seine Wunder sehen konnte
und das Licht meines Herzens in das Geheimnis des künftigen Geschehens
und des ewig Seienden schaut. (1 QS 11, 4)

Dennoch bleiben der heilige Plan Gottes und die Tiefe Seiner Geheimnisse, Macht und Herrlichkeit letztlich auch für den Erleuchteten unfaßbar (1 QS 11, 18).[6]

Das Gebet des Qumranfrommen hat seinen Grund und seine Größe, seine Kraft und tagtägliche Motivierung in der Erwählung und Führung des unreinen, vergänglichen Menschen durch den heiligen, ewigen Gott, in der Tatsache, daß die Gerechtigkeit Gottes Ausdruck Seines Erbarmens, Ausfluß und Quell Seiner Liebe ist. Hart neben der Erfahrung von Gottes helfender Gerechtigkeit und Güte steht immer die Erkenntnis der eigenen Verfehlung und Schuld. Dieser existentiell erlebte Gegensatz hält das Gebet in Bewegung, läßt es de profundis zur Herrlichkeit Gottes aufsteigen und wieder herabsinken zur eigenen unwürdigen Person. Es fehlen alle statischen Aussagen für die Beschreibung der eigenen Existenz. Der Name „Essener, Essäer", der in den Berichten von Philo, Josephus und Plinius erscheint und die Angehörigen dieser jüdischen Glaubensrichtung als „Fromme" charakterisiert, hat sein hebräisches Äquivalent in dem Wort *ch^asidim*; aber dieser Begriff erscheint nicht in den Texten vom Toten Meer als Selbstbezeichnung der Qumranfrommen. Auch nennt sich der Beter nie einen „Gerechten" oder „Heiligen". Er versteht sich primär als „erwählt" und gebraucht damit das Wort, das seine schlechthinnige Abhängigkeit von Gott am deutlichsten zum Ausdruck bringt und andererseits nichts von der Qualität des eigenen Lebens zeigt. Jeder Selbstruhm ist für den Qumranfrommen ausgeschlossen, wird aufgehoben vom Lob Gottes, dem man alles Gute verdankt. Außerdem macht der Beter für sich das Maß des göttlichen Rechtes und Gerichts zur Norm (1 QS 10, 9). Er zieht bei der täglichen Rezitation der Gebote für sich eine Grenze, die ihn vor dem Abfall von Gott und dem Rückfall in eingebildete Eigenmächtigkeit bewahrt und ihn statt dessen im Kraftfeld der Gerechtigkeit Gottes und des Preisens der großen Taten Gottes hält (1 QS 10, 11). Die Sprache des Gebets der Gemeinderegel, vor allem der hier besonders behandelten Zeilen 10, 10—15, verrät m. E. den Einfluß der berühmten Verse Jer. 9, 22—23:

So hat der Herr gesprochen: Nicht rühme sich der Weise seiner Weisheit, und der Starke rühme sich nicht seiner Stärke, nicht rühme sich der Reiche seines Reichtums. Sondern wer sich rühmen will, der rühme sich dessen, daß er Einsicht besitze und von Mir erkenne, daß Ich, der Herr, es bin, der Gnade, Recht und Gerechtigkeit auf Erden walten läßt; denn an solchen habe ich Wohlgefallen, lautet der Spruch des Herrn.

Und doch empfindet der Beter der Qumrangemeinde die ihm geschenkte Gerechtigkeit Gottes keineswegs als eine lediglich imputierte; er versteht sich auch nicht im Sinne der lutherischen Dialektik des „peccator in re- iustus in spe et imputatione". Denn wie als Gabe und Kraft Gottes neben der Gerechtigkeit auch Seine Erkenntnis und Heiligkeit stehen (1 QS 10, 12), so soll auch die dem Erwählten zuteil werdende Gerechtigkeit einen Wandel zur Ehre Gottes, ohne Tadel und Abweichung, ermöglichen:

> Was mich angeht, so steht bei Gott mein Recht
> und in Seiner Hand die Vollkommenheit meines Wandels mit der Geradheit [meines Herzens,
> und durch Seine Gerechtigkeit tilgt Er meinen Frevel.
> (1 QS 11, 2 f.)

Die gerecht machende Gerechtigkeit führt den Erwählten dazu, den Gottesdienst in endzeitlichem Sinn zu erfüllen, nämlich als beständigen Lobpreis von Gottes Herrlichkeit und Gerechtigkeit:

> Durch Seine Gerechtigkeit reinigt Er mich vom Schmutz der Menschen und der Sünde der Menschenkinder,
> so daß ich Gott danke für Seine Gerechtigkeit
> und dem Höchsten für Seine Herrlichkeit.
> (1 QS 11, 15; vgl. 1 QH 4, 37)

b) Der heilige Dienst in der communio sanctorum

Wohin führt Gottes Gerechtigkeit den Erwählten, wo vollzieht er die von ihr bewirkte Heiligung, wie sieht sie praktisch aus? Die Antwort auf diese Fragen lautet: Der Erwählte wird an eine Gemeinschaft verwiesen, Heiligung geschieht als Dienst in der Gemeinde der Heiligen. Das hier betrachtete Gebet ist wie die Loblieder von Qumran, die sogenannten ›Hodajoth‹, als Äußerung eines einzelnen stilisiert. Aber es wird stellvertretend für jedes Glied der Gemeinde gesprochen, ist für jeden Erwählten konzipiert. Das geht einmal aus seiner Stellung am Schluß der Gemeinderegel hervor und dann aus dem Hinweis auf das Abend- und Morgengebet (1 QS 10, 10—14), der sich auf das tägliche Gotteslob der versammelten Gemeinde bezieht. Und so gehört auch die Heiligung des Lebens, zu der das Beten einen beträchtlichen Beitrag liefert, zum Alltag der Gemeinde. Ja, sie ist gemeindebildend. Die Qumrangemeinde stellt die Sammlung der von Gott einzeln Erwählten dar. Sie repräsentiert das neue Gottesvolk, das nicht mehr (wie einst Israel) als geschlossene Nation aus den Völkern der Erde berufen wurde, sondern eine Art von Ekklesia, eine Gemeinschaft von Erwählten, bildet. Sie wird zur eschatologischen Gemeinde kraft einer am Bild des endzeitlichen Gottesdienstes orientierten Setzung: Gott gibt jetzt schon den Erwählten Anteil am Los der Heiligen, d. h. der Engel, und schließt ihren Kreis mit den Himmelssöhnen zu einer ewig bestehenden Einheit zusammen (1 QS 11, 8). Die gegenüber dem alttestamentlichen Erwählungsgedanken radikal veränderte Überzeugung, Gott erwähle den einzelnen, hat demnach in Qumran nicht etwa zum Individualismus geführt, sondern zur Vision eines größeren Ganzen, einer Koinonia von neuem, alle bisherigen Ordnungen übersteigendem Ausmaß, für die auch ein neuer, recht formaler Begriff, nämlich „Einung" gefunden wurde. Diese einzige Gemeinde eint die Heiligen im Himmel und auf Erden beim Halten der heiligen Zeiten und der Darbringung des Gotteslobes, das als ein wohlgefälliges Opfer gilt so wie auch der Wandel nach der Thora. Im Einklang mit der Erwählung führt Gottes gerechtmachende Gerechtigkeit in eine konkrete Gemeinde. Nur in einer von der profanen Welt abgesetzten, wohlorganisierten Gemeinschaft wird die der Gerechtigkeit Gottes entsprechende Existenz der Heiligung möglich: Geht Gott mit Seiner Gerechtigkeit aus Sich heraus, um diese als sündenvergebende, heilschaffende Macht am Menschen zu bewähren und Sich selbst als einen gnädigen Gott zu offenbaren, so bringt Er dementsprechend die Erwählten aus der Welt des Frevels in eine Gemeinschaft, in der sich die Gerechtigkeit als Dienst am Bruder und die Heiligkeit im Beten und Vollziehen des Gotteswillens kundtun. Denn Sündenvergebung war nach Jes. 43, 23—25 ein Dienst Gottes an Israel, das Ihm nicht etwa mit Opfergaben, sondern mit seinen Sünden „gedient" hat. Jetzt dient Gottes Liebe dadurch, daß sie Menschen läutert, erleuchtet und heiligt, sie in einer Kirche sammelt und Gott nahebringt: „Durch Deine Liebeserweise hast Du mich herangebracht, durch Deine Gerechtigkeit reinigst Du mich vom Schmutz der Menschen" (1 QS 11, 15). Das „Heranbringen" meint speziell die Einführung in die Heilsgemeinde; diese bietet den Raum, in dem durch eine vita communis nach den Geboten Gottes Heiligung ermöglicht wird. Wie das konkret geschieht, zeigt die wichtige Stelle 1 QS 3, 1—12, in welcher der um Aufnahme in die Gemeinde bemühte Bewerber eindringlich über das Wesen wirksamer Heiligung und den Weg zum Heil belehrt wird. Entscheidend ist der Gesinnungswandel, das Aufgeben der „Herzenshärtigkeit"; positiv verlangt wird das demütige Sich-Beugen unter die Gebote Gottes (3, 8) und das vorbehaltlose „Ja" zur Zucht, die der Wahrheit entspricht: Sie führen zur Sündenvergebung und geben dem neuen Leben seinen endzeitlichen, bleibenden Wert. Vor allem wird vor der Illusion gewarnt, die Teilnahme an Reinigungsriten, wie etwa den Tauchbädern der Qumrangemeinde, garantiere Sündenvergebung und Heiligung. Diese werden nicht durch äußere Sühneriten und Waschungen ermöglicht, auch gewaltige Wassermengen von Flüssen oder Meeren nützen dabei nichts (1 QS 3, 4—6). Vielmehr gilt:

> Nur durch den Geist des Rates der Wahrheit Gottes werden die Wege eines Mannes entsühnt von all seinen Vergehen, so daß er das Licht des Lebens schauen kann,
> und durch den heiligen Geist der Gemeinschaft, die in der Wahrheit Gottes steht, wird er gereinigt von all seinen Sünden,
> und durch den Geist der Rechtschaffenheit und Reinheit wird seine Sünde bedeckt,
> und wenn er seine Seele demütig beugt unter alle Gebote Gottes, wird sein Fleisch rein.
>
> (1 QS 3, 6—9)

Ähnlich hat dann Johannes der Täufer vor einem Mißverständnis seiner Taufe gewarnt: Ohne die Früchte der Buße hat sie keinen Wert (Matth. 3, 7 f.; Josephus, Altertümer 18, 117). Aber während nach der Auskunft des Täufers solche Früchte der Buße überall, auch in zweifelhaften Berufen, erbracht werden können (Lk. 3, 10—14), wird in Qumran ausschließlich auf die Heilsgemeinde als ihr Feld verwiesen und die Thora Gottes als Gradmesser für deren Qualität angesehen. Aber auch die Gebote der Thora nützen nichts ohne den heiligen Geist, der ihre Wahrheit erkennen läßt und Einsicht in den Willen Gottes gewährt. Nach dem Urteil der Qumrangemeinde reicht der Buchstabe des Gesetzes nicht aus; in Israel wird die Thora vielfach falsch verstanden (1 QS 5, 11—13; 1 QH 4, 6—19). Nur in der Gemeinde, die in der Kraft des heiligen Geistes lebt, die Thora studiert und sie im Licht des Endgerichts interpretiert, wird die „Wahrheit", d. h. der wahre Wille Gottes für die Gegenwart, erkannt und in brüderlicher Gemeinschaft getan. Der Geist schenkt die Erkenntnis Gottes durch ein rechtes Verstehen der Schrift; er erleuchtet das Herz, damit es Mose und die Propheten als Künder des Wollens und des heilsgeschichtlichen Planens Gottes begreifen lerne, die in Kürze ihr eschatologisches Ziel erreichen, im Weltgericht aufgerichtet werden. Aber mit dem heiligen Geist und der Wahrheit verhält es sich ähnlich wie mit Gottes Gerechtigkeit und Heiligkeit: Sie werden nicht zum frei verfügbaren Besitz des Frommen, sondern in steter Wechselwirkung und einem dauernden Wachstumsprozeß als Kräfte des rechten Wissens und Wandelns erfahren. Nur steht jetzt die Gemeinde, gleichsam als Sachwalterin Gottes und Seiner Gaben, dem einzelnen gegenüber: Der Geist Gottes wird bezeichnet als „heiliger Geist der Gemeinschaft, die in der Wahrheit Gottes steht" (1 QS 3, 7).

c) Die kritische Funktion der Gemeinde

Die Gemeinde ist demnach der Ort, an welchem der Geist weht; mit der durch das Thorastudium gewonnenen Wahrheit ist sie in der Lage, die Geister zu prüfen. Dem hier angesprochenen Glied der Gemeinde bleibt nur der „Geist der Aufrichtigkeit und Demut" als Verhaltensnorm. Er bewährt sich in der vita communis von Qumran. Im Zusammenleben mit dem Bruder, im gemeinsamen Essen, Beten, Sich-Beraten wird etwas sichtbar von der Gerechtigkeit Gottes, welche die Erwählten führt. Wie die Gemeinde tritt auch der Bruder gewissermaßen an die Stelle Gottes und gibt der im Geist der Demut aufgenommenen Gerechtigkeit und Heiligkeit die Gelegenheit, sich zu bewähren. Das wird z. B. deutlich an der Wiedergabe der berühmten Weisung Micha 6, 8, in der die Qumrangemeinde eine für sie verpflichtende Zusammenfassung des Gotteswillens sah: Man soll Recht tun, barmherzige Liebe üben und demütig wandeln vor Gott. Aber an den Micha 6, 8 aufnehmenden Stellen 1 QS 2, 24 f.; 8, 2; 10, 26 wird das Tun des Rechten durch die eigens hinzugefügten Größen Wahrheit und Gerechtigkeit qualifiziert und der demütige Wandel an der Person des Nächsten orientiert: Der Bruder, mit dem man in der Gemeinde zusammenlebt, ist demnach der Platzhalter des unsichtbaren Gottes; im demütigen Umgang mit ihm erweist sich der heilige Geist als echt.

Die vita communis stellt eine unüberwindliche Barriere gegen den Selbstruhm dar; sie sorgt dafür, daß Heiligung nicht in eigene Regie genommen und zum Programm für eine individuelle Lebensgestaltung wird. Ich führte bereits aus, daß der einzelne nie mit dem Prädikat „heilig" bezeichnet wird; auch eine hebräische Entsprechung zum Begriff „Heiligung" (hagiasmos) fehlt in den Schriften von Qumran. Die Forderung des Heiligkeitsgesetzes: „Ihr sollt heilig sein, denn Ich bin heilig" (Lev. 19, 2), die für die Pharisäer von grundlegender Bedeutung war, wird in den Qumrantexten nicht zitiert und erst recht nicht programmatisiert. Genausowenig geschieht das mit der Weisung Ex. 19, 6: „Ihr sollt mir ein Königreich von Priestern und ein heiliges Volk sein", obwohl gerade dieses Wort das Ideal der Qumrangemeinde gewesen sein mag. Man war recht vorsichtig mit dem Anspruch der Heiligkeit. Aber die Gemeinde der von Gott Erwählten, die sich von der unreinen Welt abgewandt hat, darf als heilig bezeichnet werden (1 QS 5, 20; 1 QS a 1, 9; vgl. 1 QS 9, 2; 5, 13; 8, 17.24). Vor allem vergleicht man die eigene Gemeinde einem heiligen Haus (1 QS 8, 5—11). Im Unterschied zum entweihten Tempel in Jerusalem bildet sie gleichsam ein lebendiges Heiligtum, weil der in ihr dargebrachte Lobpreis Gottes ein wohlgefälliges

Opfer ist (1 QS 9, 5 f.); die Gemeinde übernimmt den Dienst des Tempels, indem sie Sühne schafft für das vom Gericht bedrohte Land (1 QS 8, 6). Aber vollkommene Heiligkeit, untadeliger Wandel und völlige Gemeinschaft mit Gott und dessen heiligen Engeln sind noch Gegenstand der Hoffnung. Diese Hoffnung wird verwirklicht, wenn Gott die Erwählten durch den Geist der Wahrheit reinigen und diesen Geist wie Wasser über sie ausgießen wird: Erst mit dieser Geisttaufe der Endzeit werden Erkenntnis und Weisheit im Vollmaß geschenkt, ja die Herrlichkeit Adams wieder verliehen (1 QS 4, 20—22).

3. Rechtfertigung, Heiligung und Selbstkritik in der Gemeinde des Neuen Testaments

a) Der Weg des Geistes zur Gemeinde

In der Apostelgeschichte (Kap. 2) wird berichtet, wie sich die Erwartung einer vom Himmel her vollzogenen endzeitlichen Taufe mit dem heiligen Geist erfüllt hat. Der Weg des Geistes, der am ersten Pfingsten nach der Auferstehung Jesu auf dramatische Weise sichtbar wurde, endete in der christlichen Gemeinde; er schuf Gemeinschaft und baute die Kirche. Lukas hat berichtet, wie der vom Himmel herabfahrende Sturm des heiligen Geistes mit seinem Hall und dem ihn begleitenden Feuer (Apg. 2, 1 bis 3) sich in Weisen der Offenbarung wandelte: der Hall in das einladende und Gott preisende Wort (2, 6—11), das Feuer, das sich in Zungen zerteilte, in den inspirierenden Geist (2, 4). Das numinosum et tremendum der Theophanie, die ähnlich am Berg Sinai das Volk Israel erschütterte (Ex. 19), wurde für die Jünger Jesu und durch deren Vermittlung zum geistgeleiteten Gotteslob, das eine bunt zusammengewürfelte Menge aus aller Herren Länder zu einer Gemeinschaft ergriffener Hörer zusammenschloß, weil jeder die großen Taten Gottes in Christus in seiner Muttersprache vernahm (2, 5—11). Aber noch deutlicher kam der Geist in der prophetischen Predigt des Petrus zu Wort, der an diesem Pfingsttag das Ostergeschehen, die Auferweckung und Erhöhung Christi, als endzeitliche Heilstat Gottes verkündigte (2, 14—36). Während das Sprachenwunder die Hörer betroffen und ratlos machte, die Frage nach dem Sinn des Ganzen und auch ungläubigen Spott hervorrief (2, 12 f.), drang ihnen die Predigt des Petrus ins Herz und führte zur existentiell entscheidenden Wendung: „Ihr Männer, Brüder, was sollen wir tun?" (2, 37). Die Antwort wies hin zu Buße und Taufe, zum Angebot der Vergebung und des Geistempfangs, d. h. zu Rechtfertigung und Heiligung.

Die christliche Taufe aber bedeutet den Anschluß an die Gemeinde, in welcher der heilige Geist Gemeinschaft stiftet. Die Koinonia als Gütergemeinschaft, das gemeinsame Beten und Brotbrechen (2, 42—46) erinnern an die vita communis der Qumrangemeinde. Aber sie geschehen nun in Freiwilligkeit, in der Spontaneität des Geistes und vollziehen sich nicht in Trennung und Opposition gegenüber einer ungläubigen Welt, sondern in aller Öffentlichkeit und in gutem Einvernehmen mit der Bevölkerung Jerusalems (2, 47). Bei solcher Anerkennung durch das Volk erübrigt sich jegliche Art von Selbstruhm. Und dieser wird auch hier vor allem aufgehoben durch das Gotteslob und die Freude endzeitlicher Erfüllung, die bei den Mahlfeiern „in Jubel und Herzenseinfalt“, d. h. der ungeteilten Hinwendung zu Gott, zum Ausdruck kam (2, 46).

b) Das Wirken des Geistes im Christusleib der Gemeinde

Im Unterschied von den rituellen Waschungen in Qumran wird die Taufe auf Christus zum einmaligen Ritus, der den heiligen Geist verleiht und damit Anteil am erhöhten Herrn gibt. Über die Bußtaufe des Johannes hinausgehend, antizipiert sie die in Qumran und vom Täufer erwartete Geisttaufe vom Himmel her, die durch die Erhöhung Jesu ermöglicht wurde (2, 33). Das Beieinander von Bußtaufe und Geistverleihung begründet die Tatsache, daß im Stand des Christen die Heiligung notwendig zur Rechtfertigung gehört und mit der Taufe begonnen wird. Das Wirken des Geistes wird deshalb nicht wie in Qumran nur in der Disziplin der Gemeinde erfahren, sondern zu einer Gnadengabe des einzelnen, die er im Dienst an der Gemeinschaft einsetzt. Diese Charismen bleiben andererseits streng auf Gott bzw. Christus bezogen. Mit ihnen wird verwirklicht, was die Schrift von den Gnadengaben gesagt hat, die David verheißen worden waren (Apg. 13, 34, nach Jes. 55, 3), weil sie durch den Davididen Jesus in Kraft getreten sind. Der Christusleib der Gemeinde, wie ihn Paulus 1 Kor. 12 und Röm. 12 beschreibt, tritt an die Stelle des lebendigen Heiligtums der Qumrangemeinde, weil in ihm die heiligenden Kräfte des Geistes und die dienenden Charismen zur Geltung kommen. Er verwirklicht jedoch auch den nicht mit Händen gemachten Tempel, den Christus verheißen hat (Mk. 14, 58; Matth. 16, 18); mit diesem Bau war das neue, bußfertige Gottesvolk gemeint, wie aus dem Datum der drei Tage ersichtlich wird (vgl. Hos. 6, 2). Im Johannesevangelium wird diese Verbindung von Leib und Tempel dadurch zum Ausdruck gebracht, daß Jesus mit dem in drei Tagen errichteten Bau den Tempel seines Leibes bezeichnet, der am Karfreitag abgerissen und an

Ostern neu erbaut werden wird (2, 19—21). Weil nach Paulus der vom erhöhten Herrn geschenkte Geist die Gemeinde mit Lebenskraft erfüllt und das organische Zusammenwirken der Charismen bewirkt, ist das Reden vom Leib und den Gliedern — Bild und Realität zugleich — angemessener als das eher statische Bild vom heiligen Bau. Aber auch das letztere wird von Paulus gebraucht (1 Kor. 3, 9—23; Eph. 2, 19—22; vgl. auch 1 Petr. 2, 5—11); gerade mit ihm wird die Heiligkeit der Gemeinde zum Ausdruck gebracht: „Wißt ihr nicht, daß ihr der Tempel Gottes seid und der Geist Gottes in euch wohnt? Wer den Tempel Gottes verderbt, den wird Gott verderben; denn der Tempel Gottes ist heilig, und der seid ihr" (1. Kor. 3, 16 f.). Der Apostel hat auch den Leib Christi mit dem Bild vom heiligen Bau verbunden; er machte die „Erbauung" der Gemeinde zum Grundsatz christlichen Handelns und zum Maßstab für die Bewertung der Geistesgaben (1 Kor. 14, 12—26). Nach diesem Maßstab hat Paulus die von den Pneumatikern in Korinth besonders hoch bewertete Gottesgabe der Glossolalie auf die unterste Stufe gestellt (1 Kor. 12, 10), weil sie aufgrund ihrer Unverständlichkeit nur den einzelnen, nicht aber die Gemeinde erbaut (1 Kor. 14, 4). Mit dem Kriterium der Erbauung wies er auch den Selbstruhm der Pneumatiker ab, der sich gerade auch an der aufsehenerregenden Glossolalie entzündet haben mag.

c) Rechtfertigung und Heiligung: Indikativ und Imperativ

Wie in Qumran, so steht auch bei Paulus die Gemeinde da im Vordergrund, wo es um die nova vita und die Heiligung geht. Paulus redet die Christen als „Heilige" an (1 Kor. 1, 2; 2 Kor. 1, 1; Phil. 1, 1). Aber sie sind „berufene Heilige" (Röm. 1, 7; Kol. 3, 12), d. h. durch die Erwählung als Eigentum Gottes deklariert; oder sie sind die Heiligen Christi (1 Thess. 3, 13; 2 Thess. 1, 10). Den Heiligen als hervorragende christliche Persönlichkeit gibt es für Paulus nicht. Beachtenswert ist es auch, daß der Apostel die Christen nie mit dem jüdischen Ehrentitel des „Gerechten" *(ṣaddiq)* prädiziert. Vielmehr „werden sie gerechtfertigt" (Röm. 3, 24), „wurden gerechtfertigt" (Röm. 5, 1; 8, 30 u. ö.), wobei in diesen passiven Aussagen stets Gott als Subjekt der Rechtfertigung mitgedacht ist. Wenn Er den eigenen sündlosen Sohn in den Tod gegeben hat, so bedeutet das die Rechtfertigung und Rettung des Sünders; sie ist das opus proprium Gottes, der als der Schöpfer das Nichtseiende ins Dasein ruft (Röm. 4, 17). Dementsprechend hat Gott auch den Verfolger der Christen zum Apostel berufen (Gal. 1, 13 f.), der von ehemaligen Götzendienern und moralisch anrüchigen Menschen sagen konnte: „Aber ihr habt euch reinwaschen lassen, seid geheiligt, habt die Rechtfertigung empfangen durch den Namen des Herrn Jesus Christus und durch den Geist unseres Gottes" (1 Kor. 6, 11). In dieser Aussage überrascht die Voranstellung der Heiligung vor die Rechtfertigung. Aber Paulus wendet sich hier an ehemalige Heiden, die nach jüdischem Verständnis als solche unrein sind, so daß Waschung und Heiligung im Vordergrund stehen: Die damit gemeinte Taufe auf Christus beseitigt auch die heidnische Unreinheit.

Während die Rechtfertigung den einzelnen betrifft, der glaubend die am Kreuz offenbarte Gerechtigkeit des liebenden Gottes ergreift, geschieht die Heiligung, das neue Leben des Gerechtfertigten, in der Gemeinde. R. Bultmann bindet den Imperativ des neuen Wandels an den „Indikativ des Gerechtfertigt-Seins" [7]. M. E. ist es richtiger, in der Taufe die Grundlage für die nova oboedientia des Christen zu sehen. Rechtfertigung und Taufe gehören zwar eng zusammen, sind aber nicht das gleiche. Als Gerechtfertigte haben wir Frieden, Versöhnung mit Gott, der uns aus Gnaden, um Christi willen, unsere Sünden vergibt (Röm. 5, 1; 8, 3). In der Taufe empfangen wir den heiligen Geist, der uns nicht mehr nach dem Fleisch, sondern in einem neuen Leben nach dem Geist wandeln läßt (Röm. 8, 4). Schon der Aufbau des Römerbriefs zeigt sowohl den Zusammenhang als auch die Aufeinanderfolge und Besonderheit von Rechtfertigung und Taufe: Nachdem Paulus in den Kapp. 1—5 das Evangelium von der Rechtfertigung des Sünders verkündigt hat, spricht er in den Kapp. 6—8 von der Taufe und dem vom Geist gewirkten neuen Leben. Auch die scheinbar zweideutige Stellung des Paulus zum Gesetz wird verständlich, wenn man sie jeweils auf die Rechtfertigung bzw. Heiligung bezieht. Zur Erlangung der Gerechtigkeit sind Gebotserfüllung und Gesetzeswerke nichts nütze, aber für die nova vita des Getauften gewinnt das Liebesgebot als die Summe des Gesetzes große Bedeutung (Röm. 13, 9—11). Es entspricht dem Evangelium von der Liebe Gottes, der mit der Hingabe seines Sohnes den Fluch des Gesetzes aufhob und Seine Gerechtigkeit als Rettung der sündigen Menschheit offenbarte.

d) Die Abwehr des Selbstruhms

Die Taufe mit dem heiligen Geist gliedert den Empfänger in den pneumatischen Leib Christi ein (1 Kor. 12, 13). Auch im Römerbrief, der die Kirche nur selten erwähnt, gilt die Gemeinde als der Ort, an dem sich der Wandel in der Kraft des Geistes bewährt. Die Heiligung als Furcht und Ziel der Rechtfertigung (Röm. 6, 19.22) wird Röm. 12, 1 in die Mahnung gefaßt, den Leib als ein lebendiges, heiliges und Gott wohlgefälliges Opfer darzubringen. Das lebendige Heiligtum der Gemeinde wird dabei zwar nicht erwähnt, ist aber doch mitgedacht. Und vor den konkreten Weisungen zum neuen Wandel in Röm. 12, 9 ff. wird der Dienst am Leib Christi mit den verschiedenen Gnadengaben erwähnt (Röm. 12, 4—8). Dabei steht auch die Warnung vor Selbstüberheblichkeit (12, 3): Im Einbringen der Kräfte in die Gemeinde und im Zusammenwirken der Glieder des Christusleibes wird das rechte Maß des Glaubens gefunden, das einem jeden zugeteilt ist (Röm. 12, 3—8). Wie der Beter in Qumran, so bedarf auch der Christ ein an Gott orientiertes Maß, das ihn vor Selbstruhm bewahrt. Dabei weist Paulus in 2 Kor. 10, 13—15 ausdrücklich auf die in Qumran so hochgeschätzte Stelle Jer. 9, 22 f. hin: „Wer sich rühmen will, der rühme sich des Herrn!" Paulus sieht die von Jeremia betonten Eigenschaften Gottes in Christus verwirklicht: „Denn kein Sterblicher soll sich vor Gott rühmen können. Ihm habt ihr es nun zu verdanken, daß ihr in der Gemeinschaft mit Christus Jesus lebt, der uns von Gott zur Weisheit gemacht worden ist, wie auch zur Gerechtigkeit und Heiligung und Erlösung, damit das Schriftwort seine Geltung behalte: 'Wer sich rühmen will, der rühme sich des Herrn!'" (1 Kor. 1, 29—31). Während sich der Beter in Qumran zum Gotteslob gedrungen fühlt, wenn er sein eigenes Leben betrachtet, finden wir bei Paulus die Doxologie gerade auch dann, wenn er der Erwählung des ganzen Volkes Israel und des wunderbaren Ganges der Heilsgeschichte gedenkt (Röm. 9, 5; 11, 33—36). Das Ziel dieser Geschichte ist damit erreicht, daß auch die Heiden Gott um seiner Barmherzigkeit willen preisen (Röm. 15, 9), sich samt dem Volk Israel freuen (15, 10): „Lobet, ihr Heiden alle, den Herrn, ja alle Völker sollen Ihn preisen!" (Röm. 15, 11, nach Ps. 117, 1). Der Christus, der nach Paulus zum Diener der Beschneidung geworden ist (Röm. 15, 8), sein irdisches Wirken auf die Juden im Land Israel eingeschränkt hat, ist nach Röm. 15, 12 doch auch die Hoffnung der Heiden: Paulus verbindet hier zwei messianische Weissagungen, um die universale Geltung der Sendung Christi darzutun (Jes. 11, 1.10 und Gen. 49, 10; vgl. Joh. 4, 22).

4. Der christliche Universalismus

Solch ein Universalismus des Heils fehlt in den Texten von Qumran, obwohl großartige Ansätze dazu durchaus vorhanden sind. Zu ihnen zählt einmal die Vision von der endzeitlichen Einheitsgemeinde, in der die Differenzierung zwischen Irdischen und Himmlischen aufgehoben wird und die Menschen mit den Engeln vereinigt werden. Ferner wird mit der Gewißheit, Gott habe den einzelnen erwählt, ihn zum Kind des Lichtes oder aber zum Kind der Finsternis vorherbestimmt, der Glaube an das erwählte Volk von seiner nationalen Beschränkung befreit. Schließlich hebt der Gottesdienst im Geist und in der Wahrheit, der an die Stelle des Opferkults tritt, die Bindung an lokale Heiligtümer wie den Jerusalemer Tempel eigentlich auf. Dennoch sucht man in den Texten von Qumran vergeblich nach einer positiven Antwort auf die Frage nach dem Heil der Heiden. Man wußte sich in dieser fast mönchisch lebenden Gemeinde der priesterlichen Tradition und den rituellen Reinheitsgeboten der Thora so sehr verpflichtet, daß man in den Grenzen des Judentums verblieb. Wie die vor einiger Zeit veröffentlichte Tempelrolle aus der Höhle 11 von Qumran erkennen läßt, übte die Vorstellung eines zentralen Heiligtums mit dem Opferdienst eines idealen Israel von zwölf Stämmen, dann das Feiern der jüdischen Feste, eine starke Faszination auf die Qumranfrommen aus; neu eingeschärft wurden die Weisungen des Deuteronomiums, die den Zutritt von Fremden und den Verkehr mit Heiden verbieten bzw. beschränken (Deut. 17—23). Die Reinheit des Leibes und der Seele, die Beschneidung des Fleisches und die Herzensbeschneidung, bilden in Qumran eine unauflösliche Einheit; obwohl die letztere stark betont wird, ist die erstere, die den Juden vom Heiden trennt, keineswegs aufgehoben.

Der Glaube an Christus führt über solche Schranken hinaus. Schon Jesus hatte der alttestamentlich-jüdischen Reinheitsthora das Recht abgesprochen, ein Hindernis auf dem Weg zum Heil zu sein (Mk. 7). Er hat zwar sein irdisches Wirken auf die Landsleute in Palästina beschränkt, aber dabei doch auch das Heil der Heiden bedacht. Er wollte Israel dafür gewinnen, zum Licht der Heiden und Gehilfen der Völker bei ihrem Weg zur Anbetung Gottes zu werden. Das Gottesreich bedeutet die Aufhebung aller Gegensätze und die Einigung der bisher noch Getrennten; an diesem Maß Gottes hat Jesus sein Wirken für die Basileia gemessen. Vor allem ist die Heilsbedeutung des Kreuzes universal. Nach dem wichtigen Wort Mk. 10, 45 ist der Menschensohn dazu gekommen, sein Leben als ein Lösegeld für viele, d. h. für alle, hinzugeben; die uneingeschränkte Reichweite dieses echten Jesuswortes wird in Joh. 3, 16 zutreffend herausgestellt. Sie ist, gemessen am alttestamentlichen Hintergrund von Mk. 10, 45 und Joh. 3, 16, nämlich der Stelle Jes. 43, 3 f., ein geradezu revolutionärer Schritt.[8] Paulus hat den Universalismus des messianischen Heils theologisch befestigt und weiter ausgebaut, vor allem durch die Adam-Christus-Typologie (Röm. 5, 12—21; 1 Kor. 15, 45—49).[9] Für ihn ist Abraham, der gleichsam schon als Nichtjude, nämlich vor seiner Beschneidung und vor der Übergabe des Gesetzes, dem Wort der Verheißung glaubte und dadurch gerechtfertigt wurde, das Vorbild des Glaubens, zu dem alle

Menschen ohne Vorbedingungen und Vorleistungen durch das Evangelium eingeladen werden. Und in der Gemeinde, in welcher der geistliche Gottesdienst vollzogen wird, werden in Christus als neuem Adam und kraft der endzeitlichen Gabe des heiligen Geistes die noch bestehenden Differenzierungen innerhalb der alten adamitischen Menschheit überspielt (Gal. 3, 28).

Anmerkungen

[1] Eine biblische, theologiegeschichtliche und systematische Untersuchung. Leipzig 1929.

[2] A. a. O., S. VIII.

[3] A. a. O., S. 274.

[4] A. a. O., S. 150.

[5] F. Chr. Oetinger hat diesen Quellcharakter der Kräfte Gottes in den Zehn Sephirot (= Abglänzen) der Kabbala dargestellt gesehen und von da auch in die christliche Trinitätslehre eingetragen: Gott als der Ursprüngliche ist „ein ewiger actus purissimus ... ein ewiges Ausquellen, ein ewiges Aussprechen ... in einem ewigen Ausfluß aus sich selbst und in sich selbst" (In einer Predigt auf das Dreieinigkeitsfest, in: Texte zur Geschichte des Pietismus, Abt. VII, Band 1: Die Lehrtafel der Prinzessin Antonia, hrsg. von Reinhard Breymayer und Friedrich Häussermann. Berlin 1977, Teil 1, S. 247). Vgl. dort S. 248, wo Oetinger zum Tafelbild der Antonia meint, es enthalte „kürtzlich die Vereinigung des Alten und Neuen Testaments in Christo, in welchem alle zehen Abgläntze Gottes in ein Zentrum eines Gartens zusammen lauffen" ... die Prinzessin wollte ... „gantz Württemberg solle von diesen Ausflüssen beglückt werden"; dazu S. 250 als Gegensatz: ... „wir sind Staub, wir sind Sünde, Tod und Verwesung im äußern Fleisch, aber das innere Fleisch und Blut Jesu, so wir in der Seele empfangen, ist uns unbegreiflich". Dazu aus dem Gedicht des Sindelfinger Pfarrers und Lehrers der Prinzessin Schmidlin: „Gott in allem wachßt und lebet und sich reichet zu betasten, In Gott alles wachßt und webet, reichlich muß sein Glantz erglasten" (a. a. O., S. 255).

[6] Man kann dabei an das dreifache Werk der Gnade in der lutherischen Dogmatik denken: iustificatio, illuminatio, regeneratio. H. Schmid, Die Dogmatik der evangelisch-lutherischen Kirche. Erlangen 1853, S. 330 ff.

[7] Theologie des Neuen Testaments. Tübingen 1948, S. 329.

[8] Vgl. dazu W. Grimm, Weil ich dich liebe. ANTI 1. Frankfurt 1976, S. 205 bis 277.

[9] Vgl. dazu meinen Artikel „Adam", in: TRE I, 3, S. 414—424.

JOHANNES DER TÄUFER
IN DER NEUTESTAMENTLICHEN ÜBERLIEFERUNG

Von OTTO BÖCHER (Saarbrücken)

Johannes den Täufer verehrt die Kirche seit je als Heiligen; ihn, der zufolge Joh. 3, 30 sich selbst mit dem untergehenden, Jesus aber mit dem aufgehenden Gestirn verglichen hat, ordnet sie mit seinem Fest (24. Juni) der Sommersonnenwende zu, und seine Botschaft vom Feuer des Gerichts (Mt. 3, 10—12 par. Lk. 3, 9.16 f.) lebt fort im Brauch des Johannesfeuers. Um 1113 ersetzte der Johanniter-Orden [1] seinen seitherigen Patron, Johannes von Alexandrien, durch Johannes den Täufer [2]; der unerschrokkene Tadler des Herodes (Mk. 6, 17 f.) wurde zum Vorbild des Kampfes der Kreuzritter gegen die Ungläubigen. Für die Systematische Theologie ist der Täufer, im Anschluß an das von den Evangelisten gezeichnete Bild, *der Vorläufer Jesu schlechthin*.[3]

So deutlich uns die Gestalt des Helden und ritterlichen Märtyrers Johannes Baptista aus Hagiologie und Kunst des christlichen Mittelalters entgegentritt [4], so schwierig ist es, dem *historischen* Bußprediger Jochanan ben Sacharja gerecht zu werden. Einer ungeheuren Fülle wissenschaftlicher Sekundärliteratur [5] stehen nur sehr wenige Quellenbelege gegenüber; mit Ausnahme des Referats bei Josephus (Ant. 18, 116—119) [6] sind zudem alle Täufertexte durch die redigierenden Hände christlicher Tradenten gegangen.[7] Daß das christologische Interesse der Evangelisten und des Autors der Apostelgeschichte zu tendenziösen Verzeichnungen geführt haben dürfte, wird heute nicht mehr ernstlich bestritten.

I. Befragung der Quellen

Übereinstimmend berichten die Quellen, Johannes der Täufer habe in der Wüste am Jordan als Bußprediger gewirkt; nach Tracht und Nahrung ein asketischer Prophet des antiken Judentums. Die Bußwilligen habe er im Jordan getauft, darunter auch Jesus von Nazareth (Mk. 1, 2—11 parr.; vgl. Joh. 1, 6—34; Jos. Ant. 18, 117). Lediglich Lukas nennt, offenbar aus zuverlässiger Tradition, die Eltern des Johannes, den Priester Zacharias (Sacharja) und die Aaronidin Elisabeth (Lk. 1, 5); gleichfalls nur

Lukas datiert das erste Auftreten des Täufers in das 15. Regierungsjahr des Kaisers Tiberius, also auf 27/28 n. Chr. (Lk. 3, 1). Vom Inhalt der Predigt des Täufers wissen wir verhältnismäßig wenig. Glaubwürdig berichten die Evangelien, daß Johannes biblische Prophetenworte (Jes. 40, 3—5; Mal. 3, 1) zitiert und aktualisiert habe (Mk. 1, 2 f. parr.).[8] Der Täufer hat zu Buße und Sündenbekenntnis aufgerufen (Mt. 3, 2.6; Mk. 1, 4 f.; Lk. 3, 3); zufolge der Redenquelle schalt er seine Hörer (Mt.: Pharisäer und Sadduzäer) und konfrontierte sie mit Gottes drohendem Zorngericht, das er als verzehrendes Feuer beschrieb (Mt. 3, 7—10 par. Lk. 3, 7—9). Johannes kündete einen eschatologischen Richter an, der Israel mit heiligem πνεῦμα und Feuer „taufen", d. h. die Gottlosen vernichten würde (Mk. 1, 7 f. parr.). Dieser noch ausstehenden kosmischen Lustration stellte er seine Wassertaufe gegenüber (Mk. 1, 8), wie denn auch zufolge Jos. Ant. 18, 117 die Taufe in der Täuferpredigt thematisiert wurde. Nur Lukas überliefert eine „Standespredigt", einen Bußruf mit konkreten Einzelweisungen an das Volk, an Zöllner und Soldaten (Lk. 3, 10—14). Unter Herodes Antipas (reg. 4 v. Chr.—39 n. Chr.) wurde Johannes gefangengenommen, auf die Festung Machärus (östlich des Toten Meeres) gebracht und dort hingerichtet (Jos. Ant. 18, 118 f.; vgl. Mk. 6, 14—29 parr.; Lk. 9, 7—9). Ob der inhaftierte Täufer Jesus auf Grund seiner Antwort als den von ihm Angekündigten zu erkennen vermochte, ist nicht überliefert (Mt. 11, 2—6 par. Lk. 7, 18—23).[9]

Unübersehbar ist jedoch die befremdliche Tatsache, daß jeweils einzelne Zweige der Überlieferung vom Täufer diesem mit entschlossenem Nachdruck gewisse Würden, Kräfte und Ansprüche bestreiten. Die auch sonst häufig verwandten Evangelien des Lukas und des Johannes[10] sprechen Johannes dem Täufer expressis verbis das Selbstverständnis einer endzeitlichen Heils- und Mahnergestalt ab[11]: Johannes ist *nicht* der Messias (Lk. 3, 15—17; Joh. 1, 20; vgl. Apg. 13, 25) oder „der Prophet", d. h. Moses redivivus[12] (nach Dtn. 18, 15: Joh. 1, 21; vgl. Lk. 9, 8). Auch mit der seit Mal. 3, 1.23 f. erwarteten Vorläufergestalt des Elias redivivus[13] darf er nicht identisch sein (Joh. 1, 21; vgl. Lk. 9, 7—9); Lukas unterdrückt die Perikope Mk. 9, 11—13 und den Namen Elia in Lk. 7, der Parallele zu Mt. 11, 14.[14]

Die Taufe des Johannes wollte angeblich keine „sakramentalen" Gaben vermitteln. Absichtsvoll schweigen die Evangelisten von einer lustrierenden Wirkung der Johannestaufe; sie scheinen nur die „Bußtaufe zur Sündenvergebung" zu kennen (Mk. 1, 4 par. Lk. 3, 3). Josephus dagegen will von einer Sühnung der Sünden durch die Taufe nichts wissen und betont die rituelle Reinigung (ἁγνεία) des Körpers (Ant. 18, 117). Matthäus nimmt zumindest Jesus von der sündentilgenden Intention der

Johannestaufe aus (Mt. 3, 14 f.); der Evangelist Johannes tilgt sogar die Tatsache der Taufe Jesu durch Johannes (Joh. 1, 32—34). Gottes heiligen Geist hat nur Jesus in der Täufertaufe erhalten (Mk. 1, 10 parr.; vgl. Joh. 1, 32). Ansonsten aber bleibt die Geisttaufe dem Pfingstfest vorbehalten, während die Täufertaufe eine bloße Taufe mit Wasser gewesen sei (Apg. 1, 5; 11, 16); Johannes selbst hat zufolge Mk. 1, 8; Mt. 3, 11 par. Lk. 3, 16 (vgl. Joh. 1, 26) zwischen seiner Wassertaufe und der πνεῦμα-Taufe des Kommenden unterschieden (vgl. Apg. 1, 5; 11, 16).[15] Verräterisch ist die Behauptung der zwölf Johannesjünger in Ephesus (Apg. 19, 1—7), sie hätten — als Juden und Täuferschüler! — nicht einmal von der Existenz eines heiligen Geistes gehört (Apg. 19, 2).[16]

Schließlich ist es wohl kein Zufall, wenn Lukas den Tetrarchen Herodes betonen läßt, der Täufer sei ein für allemal tot und könne nicht wiederkommen, etwa in der Gestalt Jesu von Nazareth (Lk. 9, 9 gegen Mt. 14, 1 f. par. Mk. 6, 14—16).[17] Offenbar sollen Spekulationen bzw. Traditionen über eine mögliche Neubelebung des Täufers (vgl. Mt. 14, 1 f. par. Mk. 6, 14—16)[18] nachdrücklich zurückgewiesen werden.[19] Hier wie in den zuvor skizzierten Bereichen messianisch-eschatologischer Titulaturen und sakramentaler Kräfte geht es den christlichen Tradenten darum, den Täufer seinem Täufling unterzuordnen und jeden Gedanken an eine mögliche Konkurrenz zwischen Jesus und dem Täufer von vornherein auszuschließen. Gerade deshalb wird man davon auszugehen haben, daß es eine solche Konkurrenz wirklich gegeben hat (vgl. Joh. 3, 22—24; 4, 1—3).[20]

Während die Evangelien des Lukas und des Johannes sicherstellen, daß der Täufer weder Messias noch Elias oder Moses redivivus sein wollte, lehrt ein Blick auf die Täufergestalt bei Matthäus und Markus, daß Jesus selbst offenbar Johannes den Täufer als den wiedergekommenen Elia verstanden hat (Mt. 11, 14; Mt. 17, 10—13 par. Mk. 9, 11—13). Lukas, der in der Ankündigung der Geburt des Täufers diesem immerhin Geist und Kraft des Elia prophezeien läßt (Lk. 1, 17), hat noch eine weitere Spur der Identifikation des Täufers mit Elia erhalten: auch Lk. 7, 27 bezieht, wie die Parallelen Mk. 1, 2 par. Mt. 11, 10, das Zitat Mal. 3, 1 auf Johannes den Täufer; der „Engel" aber ist nach Mal. 3, 23 Elias redivivus.[21]

Der von den Evangelien verschwiegene lustrale Effekt der Johannestaufe (und damit ihr Zusammenhang mit den jüdischen Reinigungsriten der Zeit) wird von Josephus herausgestellt, der die Reinigung der Seele von Sünden schon vor der Taufe erfolgt sein läßt (Jos. Ant. 18, 117). Dennoch ist die Johannestaufe eine „Bußtaufe zur Vergebung von Sünden" gewesen (Mk. 1, 4 par. Lk. 3, 3); nur Matthäus tilgt diese Definition der Johannestaufe (Mt. 3, 1 f.) und interpoliert den Dialog Mt. 3, 14 f., um Jesu Sündlosigkeit nicht in Frage zu stellen. Dagegen bezeugen die Aussagen des historischen Jesus über den Täufer die dankbare Hochachtung des jüdischen Schülers für seinen bedeutenden Lehrer (Mt. 11, 7 bis 19 par. Lk. 7, 24—35; vgl. besonders Mt. 11, 12 f.).[22]

Was nun die dem Kommenden vorbehaltene „Geisttaufe" betrifft[23], so hat Eduard Schweizer m. E. überzeugend nachgewiesen, daß Mk. 1, 8 gegenüber Mt. 3, 11 par. Lk. 3, 16 sekundär und mit πνεῦμα ursprünglich der Sturm gemeint ist, der das (von Mk. 1, 8 eliminierte) Feuer des Gerichts begleitet[24]; dieser Feuersturm — von reinigender Kraft, indem er die Unreinen vernichtet[25] — ist nichts anderes als der feurige Hauch des eschatologischen Richters (2 Thess. 2, 8).[26] Dann wird man aber nicht notwendig mit einem unpneumatischen Charakter der Johannestaufe und -bewegung rechnen müssen.[27] Wenn Jesus bei der Taufe den Geist empfangen hat (Mk. 1, 9 f. parr.), kann mit einer solchen Wirkung der Täufertaufe auch bei anderen Täuferjüngern gerechnet werden (vgl. Apg. 18, 25).[28] Apg. 19, 1—7 ist kein Gegenbeweis, sondern das Dokument einer frühchristlichen Polemik, die den Schülern des Jesuskonkurrenten nicht einmal die Kenntnis — geschweige denn den Besitz — des heiligen Geistes gestatten will.[29] In der prophetischen Tradition gehören jedoch Wasserbad und Geistverleihung eng zusammen (Jes. 44, 3; Ez. 36, 25 bis 27; Sach. 13, 1 f.).[30]

Gegenüber der apodiktischen Feststellung, der Täufer sei unwiderruflich tot (Lk. 9, 9), wirkt die superstitiöse Furcht vor einer gespenstischen Wiederkehr des Ermordeten ursprünglicher (Mt. 14, 1 f. par. Mk. 6, 14—16).[31] Es hat offenbar Kreise gegeben, die sich mit dem Tode des Täufers nicht abfinden konnten[32]; ihnen will Lk. 9, 9 den Boden entziehen.

Aus den kritisch gelesenen Texten des Josephus und des Neuen Testaments läßt sich — mit der gebotenen Vorsicht — die Gestalt eines *prophetischen Bußpredigers* erschließen, *der den nahenden Weltrichter angekündigt und sich als dessen Vorläufer verstanden hat.* Wahrscheinlich wußte Johannes sich als den Elias redivivus; zumindest haben ihn seine Zeitgenossen, darunter Jesus von Nazareth, so gesehen. Während der Kommende mit Sturm und Feuer die Welt läutern und die Frevler vernichten wird, reinigte der Täufer mit Wasser die Bußwilligen von ihren Sünden; vermutlich deutete er solche Lustration in den Kategorien altjüdischen Denkens zugleich levitisch-dinglich *und* ethisch-spirituell. Vieles spricht dafür, daß Johannes seine Taufe als Erfüllung oder Anbruch der altprophetischen Hoffnung verstand, Gott werde dereinst Israel mit Wasser reinigen und mit seinem Geist beschenken.

II. Religions- und traditionsgeschichtliche Einordnung

Nach Mal. 3, 1.23 f. hat das Judentum der Zeit Jesu die endzeitliche Wiederkunft des Propheten Elia erwartet (Sir. 48, 10; vgl. 4 Esr. 6, 26 f.).[33] Jesus identifiziert expressis verbis seinen Lehrer mit dieser eschatologischen Gestalt (Mt. 11, 14; Mt. 17, 10—13 par. Mk. 9, 11—13; vgl. Joh. 1, 21); nichts verbietet die Annahme, der Täufer habe sich selbst als Elias redivivus verstanden.[34]

Wüstenaufenthalt, Kleidung und Nahrung Johannes des Täufers (Mk. 1, 4.6 parr.)[35] müssen jedoch nicht als bewußte Imitation des alttestamentlichen Elia verstanden werden. Nicht nur für Elia (vgl. 1 Kön. 19, 4—6) war die Wüste ein Ort göttlicher Gnadenerweise; längst galt die Wüstenwanderung Israels als Zeit besonderer Gottesnähe (vgl. Hos. 9, 10; Ps. 78, 15.19 u. ö.). In der Wüste erwartet man nach Jes. 40, 3; Hos. 2, 16; 12, 10 den Messias; hier nehmen messianische Bewegungen ihren Ausgang (Jos. Bell. 2, 258—263; Mt. 24, 26; Apg. 21, 38), hier leben eschatologisch gestimmte Gruppen wie die Qumraniten (1 QS 8, 12 ff.; 9, 19 f.) und Individuen wie Bannûs (Jos. Vit. 11), vor allem jedoch die Propheten (Mart. Jes. 2, 8—11).[36] Beim Täufer kommen die Momente des Eschatologisch-Messianischen und Prophetischen zusammen; die Taufe in der Wüste erinnert an Qumran und den Eremiten Bannûs.[37] Die Bekleidung mit dem Mantel aus tierischem Material (2 Kön. 1, 8; vgl. noch Mt. 7, 15) ist prophetische Standestracht (1 Kön. 19, 13.19; 2 Kön. 2, 8. 13 f. LXX; Sach. 13, 4).[38] Der Ledergürtel, Kleidungsstück sowohl Elias (2 Kön. 1, 8) wie des Täufers (Mt. 3, 4 par. Mk. 1, 6), wird vom orthodoxen Juden noch heute über dem Tallit getragen, um das Herz vom Verdauungstrakt zu trennen.[39] Während die pflanzliche, weiße Kleidung des altjüdischen Asketen (Leinen, Baumwolle), bezeugt etwa für die Essener (Jos. Bell. 2, 123.129—131.137; vgl. 1 QM 7, 9—12), Bannûs (Jos. Vit. 11) und den Herrenbruder Jakobus (Hegesipp bei Euseb. Hist. Eccl. II 23, 6), an priesterliche Traditionen anknüpft (vgl. Ex. 28, 39—43; Ez. 44, 17—19 u. ö.), spricht aus dem tierischen, dunklen Gewand des Täufers ein prophetisches Selbstverständnis, das den Mantel Elias und Elisas ebenso einschließt wie den Saq der Propheten von Mart. Jes. 2, 10 und der beiden Zeugen von Apk. 11, 3.[40]

Die Nahrung des Täufers bestand aus Heuschrecken und wildem Honig (Mt. 3, 4 par. Mk. 1, 6). Honig bzw. Honigwasser ist der Ersatz des Asketen für den Wein (Lk. 7, 33[41]); auch die Essener tranken offenbar Honigsaft statt des Weines (vgl. mit Philo bei Euseb. Praep. Ev. VIII 11, 8 den „Most" in 1 QS 6, 4 f.; 1 QSa 2, 17—21). Dazu paßt die Weissagung Lk. 1, 15; schon früh wurde erkannt, daß Geistbegabung im

Mutterleib und lebenslanger Alkoholverzicht auf nasiräische Traditionen verweisen (vgl. Num. 6, 3 LXX und, von Simson, Ri. 13, 4 f. LXX).[42] Freilich hatte sich zur Zeit des Täufers das Nasiräat längst aus einer charismatisch-kriegerischen zu einer eher „prophetisch-priesterlichen Lebenshaltung" entwickelt.[43] Nicht nur die Nasiräer Simson (Ri. 13, 4 f.) und Samuel (1 Sam. 1, 11.15) sind von Mutterleib an berufen, sondern auch die Propheten Jesaja (Jes. 49, 1) und Jeremia (Jer. 1, 5) sowie, nächst dem Täufer (Lk. 1, 15; vgl. Lk. 1, 41.44), Jesus von Nazareth (Mt. 1, 18. 20 f.; Lk. 1, 26—35) und Apostel wie Paulus (Gal. 1, 15; vgl. Röm. 1, 1) oder Jakobus der Gerechte (Hegesipp bei Euseb. Hist. Eccl. II 23, 5). Aus Sir. 46, 13 LXX wird deutlich, daß aus dem Parallelismus von Propheten und Nasiräern (Am. 2, 11 f.) für jüdisches Empfinden eine Identität geworden war[44]: nasiräischer Habitus und Anspruch kennzeichnen den Propheten! Ersetzt dem Täufer Honig bzw. Honigwasser den Wein, so ersetzen die — blutlosen — Heuschrecken das Fleisch; „Brot" (Lk. 7, 33) ist eine Fehlübersetzung der Redenquelle für aramäisches לחם „Fleisch".[45] Der Verzicht auf Fleisch und Wein ist kein Charakteristikum des Nasiräers (oder Rekabiters), sondern allgemein des fastenden Homo religiosus, insbesondere des altjüdischen Propheten (vgl. Dan. 10, 3; Prophetenleben 16, 8—10 u. ö. sowie, von Jakobus dem Gerechten, Euseb. Hist. Eccl. II 23, 5).[46]

Was von der Predigt des Täufers überliefert ist, fügt sich dem Bilde eines jüdischen Propheten[47] ein. Auch die alttestamentlichen Propheten haben unter dem Vorzeichen des göttlichen Zorngerichts zur Buße aufgerufen und sittliche Mißstände angeprangert. Mit Recht verweist Adolf Köberle auf die Parallele des Täufers zum Propheten Nathan, des königlichen Ehebrechers Herodes zu David (2 Sam. 11, 1—12, 25; Mk. 6, 17 f. parr.).[48] Das Neue in der Botschaft Johannes des Täufers ist zweifellos die Deutung seiner Taufe gewesen; möglicherweise stand neben der von apokalyptischer Naherwartung geprägten Ankündigung des endzeitlichen Feuergerichts ein analoges Flutwort, um den Wasserritus zu begründen.[49] Zwingend ist dieser Schluß deshalb nicht, weil im altjüdischen Reinigungswesen ein Wasserbad geboten ist, wo eine Lustration durch Feuer nicht möglich wäre (Num. 31, 22 f.; ʻAZ 5, 12; vgl. Lev. 6, 21; Num. 19, 14 f.; Kelim 2, 1—7).[50]

Formal darf die Johannestaufe als eine der prophetischen Symbolhandlungen gelten, wie sie das Alte Testament in großer Zahl berichtet (1 Kön. 22, 11; 2 Kön. 13, 14—19; Jes. 20, 1—6; Jer. 13, 1—11; 27, 1 bis 3.12b; 28, 10 f.; 51, 59—64; Hos. 1, 2—9 u. ö.).[51] Von alttestamentlichen Riten sind zwei Symbolhandlungen Ezechiels verwandt: das Verbrennen von Haar als Vorwegnahme künftigen Feuergerichts (Ez. 5, 1 bis 17) und die Erhitzung eines Gefäßes als Bild für Jahwes Bemühungen, das Volk von seiner Unreinheit zu befreien (Ez. 24, 1—14). Ein Zusammenhang besteht auch mit dem heilenden, siebenmaligen Untertauchen im Jordan (!), das Elisa dem aussätzigen Naeman gebietet (2 Kön. 5, 11 bis 14); schon früh ist die Sintflut (Gen. 6—8) als richtende Wasserlustration der Erde gedeutet worden.[52] Die Täufertaufe hat teil am rituellen Gebrauch des Wassers bei der gerichtlichen Wahrheitsfindung (Num. 5, 11 bis 31) und bei der Herstellung kultisch-levitischer Reinheit (Ex. 29, 4; Lev. 12, 1—8; 14, 8 f.; 15, 2—30; 16, 4.24; Num. 8, 5—22; Dtn. 23, 11 f. u. ö.); unreine Geräte, die nicht der Lustration durch Feuer ausgesetzt werden können, werden mit Wasser gereinigt (Num. 31, 22 f.).[53]

Inhaltliche Qualifikation erfährt die Johannestaufe durch die prophetische Hoffnung, Gott werde in der Endzeit durch reiche Wasserspenden Israel tränken, reinigen und erneuern (Jes. 44, 3; Ez. 36, 25—27; 47, 1 bis 12; Sach. 13, 1 f.; vgl. Joel 3, 1 u. ö.).[54] Solche eschatologische Reinigung, die zugleich kultisch und ethisch verstanden wird, bedeutet die Begabung mit Gottes Geist (Jes. 44, 3) bzw. einem neuen Geist (Ez. 36, 25—27), der den Platz des „Geistes der Unreinheit" einnehmen wird (Sach. 13, 2). Auch die Heiden werden dann herbeieilen, um an Wasser und Geist teilzuhaben (Jes. 12, 3 f.; 55, 1—5; Ez. 47, 9; Sach. 14, 8). Erst nach der wunderbaren Geistausgießung (Joel 3, 1 f.) wird mit verzehrendem Feuer der Gerichtstag hereinbrechen (Joel 3, 3 f.; Mal. 3, 2 f. 23), den nur die Geläuterten überleben werden (Joel 3, 5; Mal. 3, 2 f.). Kein Zweifel: aus dieser Vorstellungswelt, deren Ausgestaltung sich organisch verbindet mit dem gesteigerten Reinheitsstreben des pharisäischen Judentums[55], stammen die kultisch-eschatologischen Tauchbäder und Waschungen der Proselyten (Pes. 8, 8 par. ᶜEduj. 5, 2)[56], der Qumraniten (1 QS 3, 8 f.; 4, 21 f.; vgl. Jos. Bell. 2, 159)[57], des Bannûs (Jos. Vit. 11)[58] und des Johannes.

Die Taufe des Johannes dürfte aus der Proselytentaufe entstanden sein[59]; dieser gegenüber verstärkt sie das ethische und das eschatologische Moment: die Getauften bilden, von Sündenschuld gereinigt, das wahre Israel der Endzeit.[60] Die ungetauft bleibenden Israeliten, denen ihre Abstammung von Abraham nichts nützen kann (Mt. 3, 9 par. Lk. 3, 8), gleichen den im Götzendienst verharrenden Heiden. Zumindest Proselyten- und Johannestaufe[61] haben sich als Erfüllung der prophetischen Verheißungen von Ez. 36, 25—27 usw. verstanden oder doch, nach Art der prophetischen Symbolhandlungen, als Anstoß und Einleitung der göttlichen Wasser- und Geistausgießung.[62] Die allgemeine Zunahme der jüdischen Kathartik[63], gewiß ein wesentlicher Grund der Popularität der Johannestaufe, beließ gleichwohl dieser ihre Einmaligkeit und Unverwechselbarkeit[64]; daran ist ohne Zweifel die besondere Rolle eines vollmächtigen Täufers mit seiner deutenden Predigt schuld. Die Johannestaufe will demjenigen, der sich ihr unterzieht, das Überleben des Feuergerichts ermöglichen; sie ist antizipierender Ersatz für die Feuerlustration, die der Mensch nicht lebend überstehen kann (außer Num. 31, 22 f. vgl. Jes. 43, 2; Ps. 66, 12 und Joel 3, 5; Mal. 3, 2 f.).[65]

Daß Johannes nicht nur Mal. 3, 1 und Jes. 40, 3—5[66], sondern auch Prophetenworte des Kontexts wie Mal. 3, 2 f. 23 f.; Jes. 43, 2; 44, 3[67] oder verwandten Inhalts wie Ez. 36, 25—27; Sach. 13, 1 in seiner Predigt angeführt und mit seiner Taufe verknüpft hat, ist so gut wie sicher. Dann mußte er auch vom Geist sprechen, den Gott mit dem Reinigungswasser den Frommen schenkt. Das Judentum der Zeit hat Reinigung, Geistverleihung und Erwählung zur Kindschaft identifiziert (Od. Sal. 11, 1 bis 3; Jub. 1, 22—25; 1 QS 4, 18—23; vgl. Mk. 1, 9—11 parr.)[68]; der Zusammenhang von Erwählung, Geistverleihung und Sündenvergebung findet sich noch Joh. 20, 21—23 und, bis heute, in der christlichen Tauflehre (Apg. 2, 38 f.; Röm. 6, 10 f.; 8, 23; 1 Kor. 6, 11; 2 Kor. 5, 5 u. ö.). Es erscheint mir kaum denkbar, daß Johannes zwar Gottes reinigendes, sündentilgendes Wasserbad vollzogen, die damit verbundene Begabung mit dem neuen Geist jedoch ausgespart haben sollte[69], zumal wir von einer Geistverleihung durch den richtenden Menschensohn nichts wissen.[70]

So verdient m. E. die erste der von Friedrich Lang formulierten Alternativmöglichkeiten den Vorzug, daß nämlich „der Täufer nur vom Gericht des ‘Kommenden’ sprach und die positive Heilsgabe in der von ihm vollzogenen Wassertaufe gewährleistet sah“.[71] Friedrich Lang erwägt freilich, ob nicht doch mehr für die Erwartung des Täufers spreche, „daß der ‘Stärkere’ nicht nur das Gericht durchführen, sondern vorher die Getauften in einem eschatologischen Reinigungsakt durch den ‘Geist der Heiligkeit’ für die Existenz in der Heilszeit zurüsten wird“[72]; dagegen ist festzustellen, daß Johannes allem Anschein nach einen doppelten Begriff des göttlichen πνεῦμα (vgl. Joh. 3, 8) verwandt hat: das mit Feuer verbundene Vernichtungs-πνεῦμα aus dem Mund des Kommenden und das mit Wasser verbundene Rettungs-πνεῦμα aus der Hand des Täufers. Beide besitzen reinigende Kraft: der Taufgeist des Johannes reinigt den einzelnen durch Tilgung der Sündenschuld, der Feuersturm des Kommenden wird das Volk reinigen durch Ausrottung der Frevler.[73]

III. Der Täufer in der apokalyptischen Vision

Allem Anschein nach gehört ein weiterer Text des Neuen Testaments, von dem bisher noch nicht die Rede war, in den Zusammenhang der Täufertradition: die Perikope von den beiden Zeugen (Apk. 11, 3—14).[74] In einer apokalyptischen Vision schildert der Seher von Patmos das wunderbare Wirken, den gewaltsamen Tod, die Neubelebung und die Himmelfahrt zweier mit dem Saq-Gewand bekleideter „Zeugen" und Bußprediger. Die angeführten Wunder gestatten die Identifikation mit biblischen Propheten: das die Feinde verzehrende Feuer (Apk. 11, 5) und die Macht über den Regen (Apk. 11, 6a) weisen auf Elia (2 Kön. 1, 9—14; 1 Kön. 17, 1), die Verwandlung des Wassers in Blut und die Nennung „jeglicher Plage" (Apk. 11, 6b) auf Mose (Ex. 7—12, besonders Ex. 7, 17 bis 21). Die Himmelfahrt (Apk. 11, 12) wurde sowohl von Elia (2 Kön. 2, 11) als auch — nach Dtn. 34, 6b — von Mose angenommen (Jos. Ant. 4, 326; Clem. Al. Strom. 6, 15)[75]; da auch Mose seit alters als Prophet galt (vgl. Dtn. 18, 15), sind die Saq-Gewänder hier nicht die Bekleidung des Trauernden oder Büßenden, sondern die aus tierischem Material gefertigte Standestracht des Propheten.[76] Elias redivivus und Moses redivivus treten in den Wirren der Endzeit in einer Stadt auf, die πνευματικῶς, d. h. in prophetischer Verfremdung, „Sodom und Ägypten" heißt (Apk. 11, 8); damit ist nach Jes. 1, 9—31; Ez. 16, 46—49 Jerusalem gemeint[77], welche Deutung durch die redaktionelle Glosse „wo auch ihr Herr gekreuzigt worden ist" (Apk. 11, 8c) sichergestellt wird.[78]

Daß hinter der Vision von den beiden Zeugen Traditionen der altjüdischen Eschatologie stehen, ist möglich, ja sogar wahrscheinlich. Genauso fest aber ist, angesichts sonstiger zeitgeschichtlicher Deutungen in der Apokalypse des Johannes[79], damit zu rechnen, daß der christliche Visionär die beiden prophetischen Zeugen mit einem Märtyrerpaar seiner Zeit gleichgesetzt hat.[80]

Es liegt von Mt. 11, 14 her[81] nahe, die Gestalt des Elias redivivus mit Johannes dem Täufer zu identifizieren; als Parallele wird der Täufer von der exegetischen Literatur mehrfach genannt.[82] Eduard Lohse schließt jedoch gerade unter Hinweis auf Mk. 9, 11—13 par. die Deutung des einen Zeugen von Apk. 11, 3—14 auf den Täufer aus; er sieht einen Widerspruch zwischen der Tradition der Evangelien vom gekommenen Elias redivivus (= Johannes der Täufer) und derjenigen der Johannesoffenbarung vom erwarteten Elias redivivus als einer Figur des apokalyptischen Enddramas.[83] Der entscheidende Grund für die Zurückhaltung der Exegeten, den als Elias redivivus gezeichneten Zeugen von Apk. 11 mit dem Täufer gleichzusetzen, liegt allerdings in der Tatsache, daß wir es mit einem *Zeugenpaar* zu tun haben; wenn schon Elia den Täufer bedeuten würde — wer ist dann Mose? Und da uns von Johannes dem Täufer kein Pendant bekannt ist, werden andere, paarweise zusammengehörige Märtyrer vorgeschlagen: die Zebedaiden, Stephanus und der Herrenbruder Jakobus[84] oder, wenn man die Stadt „Sodom und Ägypten" (Apk. 11, 8) als Rom versteht, Petrus und Paulus.[85]

Die Würde des Moses redivivus (nach Dtn. 18, 15) enthält das Johannesevangelium dem Täufer ausdrücklich vor (Joh. 1, 21; vgl. Lk. 9, 8).[86] Das ist nicht erstaunlich angesichts der im vierten Evangelium mehrfach begegnenden Tradition von Jesus als „dem Propheten", d. h. dem Moses redivivus (Joh. 4, 19.25; 6, 1—15; 7, 40; 9, 17); Lukas benutzt die Mosechristologie in der Emmauslegende (Lk. 24, 13—35) und in den Reden des Petrus und des Stephanus (Apg. 3, 22—26; 7, 37); aber auch sonst finden sich im Neuen Testament zahlreiche Spuren einer alten, typologischen Christologie, die Jesu Leben und Wirken mit den Farben der Mosetraditionen beschreibt (Mt. 2, 13—23; 5, 17—48; Mk. 6, 35—44 parr. u. ö.).[87] In unserem Zusammenhang am wichtigsten ist jedoch der Beleg Apk. 15, 2—4: Die eschatologischen Sieger singen auf dem gläsernen Meer das „Lied Moses, des Gottesknechts, und das Lied des Widders", d. h. das — eine — Lied des alten und des neuen Mose; der Errettung aus dem Roten Meer unter Mose entspricht der von Christus geschenkte „Sieg" der Märtyrer über ihre Verfolger.[88]

Nur Apk. 11, 8c, ein den Gekreuzigten von den beiden Zeugen unterscheidender, nach Form und Ort deutlich sekundärer Zusatz des letzten Redaktors[89], hindert daran, den als Moses redivivus charakterisierten prophetischen Zeugen von Apk. 11, 3—14 auf Jesus und damit sein Pendant auf Johannes den Täufer zu deuten. Tod in Jerusalem, Auferwekkung (nach „dreieinhalb Tagen", Apk. 11, 11) und Himmelfahrt in der Wolke (Apk. 11, 12; vgl. Apg. 1, 9) passen zu Jesus besser als zu irgendeinem bekannten Märtyrer; das Erdbeben in Jerusalem bei seiner Erhöhung (Apk. 11, 13) entspricht dem Erdbeben bei seinem Tode (Mt. 27, 51 bis 53). Älteste Ostertradition spiegelt sich in der Einheit von Neubelebung und Himmelfahrt (Apk. 11, 11 f.); die Auferstehung ist zugleich die Erhöhung (vgl. Apg. 2, 33; Röm. 8, 34).[90] Freilich haben wir es dann bezüglich des Täufers mit einer völlig anderen Tendenz als in den Evangelien des Lukas und Johannes zu tun: Wird dort die Parallelität zwischen dem Täufer und Jesus von Nazareth offenbar bewußt getilgt[91], so werden hier die Schicksale des Johannes und Jesu völlig analog ausgestaltet; Apk. 11, 3—14 repräsentiert genau jene Täufer-Jesus-Typologie, die Conzelmann hinter den traditionsgeschichtlichen Eingriffen des Lukas vermutet.[92]

Daß in der Vorstellung der Nachwelt Lehrer und Schüler zu einem Prophetenpaar zusammenrücken können, beweist der Traditionskomplex Elia—Elisa.[93] Jesus hat sich allerdings von seinem Lehrer — von Anfang an? — hinsichtlich des Wirkungsortes (vgl. aber Mk. 1, 12 f. parr.), der Tracht [94] und der Speise unterschieden (Mt. 11, 18 f. par. Lk. 7, 33—35).[95] Dennoch fehlt es in Lebensstil [96] und Predigt [97] nicht an Gemeinsamkeiten; Jesus hat unzweifelhaft vom Täufer vieles übernommen, nicht zuletzt seine Eschatologie mit der Erwartung des Menschensohns.[98] Gewichtiger für unsere Fragestellung sind jedoch die neutestamentlichen Spuren einer absichtsvoll gestalteten Entsprechung zwischen Johannes dem Täufer und Jesus von Nazareth. Zu ihnen gehören etwa die von Matthäus vorgenommenen Parallelisierungen der Botschaft beider: der wörtlich gleiche Ruf zur Umkehr angesichts der Nähe des Himmelreichs (Mt. 3, 2/ Mt. 4, 17) oder die Anrede der Pharisäer (und Sadduzäer) als „Otterngezücht" (Mt. 3, 7 [99]/Mt. 12, 34; 23, 33). Bewußte Typologisierung hat auch die lukanische Vorgeschichte geprägt; der Ankündigung und wunderbaren Geburt des Täufers entsprechen Ankündigung und Geburt Jesu, dem Benediktus des Zacharias das Magnifikat Marias (Lk. 1, 5 bis 80).[100]

Angesichts der in Apk. 11 vorliegenden Verflechtungen biblisch-außerbiblischer Traditionen über Elia und Mose mit biographischen Zügen der Täufer- und Jesusüberlieferung wird man die Entsprechungen nicht pressen dürfen. Dennoch läßt sich belegen, daß tatsächlich viele Aussagen von Apk. 11, 3—14 sowohl zum Täufer als auch zu Jesus passen. Daß beide Zeugen Leuchter seien (Apk. 11, 4), erinnert an die johanneische Bezeichnung sowohl Jesu (Joh. 1, 9; 8, 12; 9, 5; 12, 46) als auch des Täufers (Joh. 5, 35; vgl. Joh. 1, 8) als eines Lichtes. Die Macht beider über das vernichtende Feuer (Apk. 11, 5) ist im Falle des Täufers aus seiner Gerichtspredigt erschlossen (Mt. 3, 10—12 par. Lk. 3, 9.16 f.); im Falle Jesu glaubte man, der Erhöhte und Wiederkommende werde, was der irdische Jesus versäumt habe (Lk. 9, 54), furchtbar nachholen (2 Thess. 2, 8; Apk. 1, 16; 2, 12.16; 19, 15.21).[101] Das Todesschicksal unter Herodes Antipas hat Jesus bekanntermaßen mit seinem Lehrer gemeinsam; Apk. 11, 7 deutet den Tod beider Zeugen als Werk des „Tiers aus dem Abgrund", d. h. des Satans (vgl. Lk. 22, 3; Joh. 13, 2.27), der sich der politischen Herrscher als seiner Werkzeuge bedient (vgl. Mk. 6, 17—29 par.).[102] Nach Apk. 11, 10 haben beide Zeugen die Menschen „gequält"; mag man bei Johannes dem Täufer an ethisch-paränetischen Rigorismus denken, so scheint für Jesus diese Aussage zunächst nicht zuzutreffen. Jesus hat jedoch zufolge Mt. 12, 34; 23, 33 seine Hörer genauso gescholten wie der Täufer (Mt. 3, 7 par. Lk. 3, 7); er hat mit seinen Heilungswundern die Dämonen gequält (Mk. 5, 7 parr.; vgl. Jak. 2, 19), und den Gerasenern ist der Exorzist Jesus so unheimlich, daß sie ihn bitten, ihre Gegend zu verlassen (Mk. 5, 17 parr.). Nur in Apk. 11, 11 f. wird behauptet, nicht nur Jesus, sondern auch der Täufer sei von den Toten auferweckt und in den Himmel aufgenommen worden; hier handelt es sich um eine Analogie zur alttestamentlichen Eliatradition (2 Kön. 2, 11), doch beweist immerhin der merkwürdige Beleg Mk. 6, 14—16 parr., daß in gewissen Kreisen eine wunderbare bzw. gespenstische Wiederkehr des Täufers für möglich gehalten wurde.[103]

So wird eine Deutung der beiden Zeugen von Apk. 11 auf Johannes den Täufer und Jesus von Nazareth von zahlreichen Aussagen des Neuen Testaments gestützt. Der Apokalyptiker, der wohl um 95 n. Chr. seinem Buch die letzte Gestalt gab[104], beschreibt beider Schicksal in der Form eines visionären Vaticinium ex eventu. In der Schilderung einer teilweisen Zerstörung Jerusalems (Apk. 11, 13a) spiegelt sich vielleicht, genauso wie in Apk. 11, 1 f., die Erinnerung an die Katastrophe des Jahres 70 n. Chr. (vgl. Mk. 13, 14—20 parr.)[105]; „echte", d. h. auf die Zukunft bezogene Prophetie ist wohl nur Apk. 11, 13bβ, die Ankündigung einer Bekehrung aller überlebender Juden zum Messias noch vor seiner Wiederkunft zu Krieg und Sieg (vgl. Apk. 19, 11—21).[106] Die verarbeiteten Einzeltraditionen von Elia und Mose stammen (wie fast alle Stoffe der Johannesapokalypse) aus der altjüdischen Mythologie. Durch ihre Verbindung mit Johannes dem Täufer und Jesus von Nazareth entstand ein „christlicher" Text als Dokument einer urtümlichen Täufer- und Jesusüberlieferung, die noch nicht, wie die Evangelien und die Apostelgeschichte, bemüht war, Jesus aus der Parallelität mit seinem Lehrer zu lösen und den Täufer zum bloßen Vorläufer zu degradieren.[107] Dieses frühe Täuferbild blieb offenbar deshalb erhalten, weil die Tradenten schon bald zumindest Jesus nicht mehr in dem einen Zeugen zu erkennen vermochten (vgl. Apk. 11, 8c).

IV. Tendenzen der neutestamentlichen Täuferüberlieferung

Der Versuch einer Rekonstruktion der Gestalt des historischen Täufers ist darauf angewiesen, nicht nur die Lücken eines Überlieferungszweigs durch die Aussagen eines anderen Traditionsstrangs zu schließen, sondern auch tendenziöse Behauptungen und Verzeichnungen durch den Vergleich der Texte zu korrigieren. Wichtige Aspekte müssen überhaupt aus der jüdischen Umwelt erschlossen werden; vieles bleibt notwendig hypothetisch und ungesichert.

Die verschiedenartigen Verzeichnungen, die sich Gestalt und Botschaft Johannes des Täufers im Neuen Testament gefallen lassen müssen, beruhen ausnahmslos auf der Absicht, den Täufer seinem Täufling unterzuordnen und Jesus aus Parallelität und Konkurrenz mit seinem Lehrer weitgehend zu lösen. Daher repräsentiert Apk. 11, 3—14 vermutlich die älteste Stufe der judenchristlichen Tradition von Johannes dem Täufer und Jesus; freilich erlaubt die Gattung eines apokalyptischen Vaticiniums keine allzu ergiebigen historischen Rückschlüsse.

Glaubwürdig sind auch die Täuferstücke aus der sogenannten Redenquelle. Sie zeigen den Täufer als apokalyptisch bestimmten, Buße und Feuergericht predigenden Propheten des antiken Judentums.[108] Jesus bezeugt seine Hochachtung für den Täufer; Johannes erscheint als der an Jesu Vollmacht Zweifelnde, ohne daß berichtet wird, der Gefangene habe sich von Jesu Antwort überzeugen lassen.

Markus greift nur wenig in den überlieferten Stoff ein; immerhin tilgt er in der Täuferpredigt das Feuer und macht so den Täufer zum Zeugen für die Geisttaufe des — mit Jesus identifizierten — „Kommenden".

Anstoß an der Taufe Jesu durch Johannes nimmt der Evangelist Matthäus. Er tilgt die überlieferte Bezeichnung der Johannestaufe als einer „Bußtaufe zur Sündenvergebung" und komponiert ein Zwiegespräch Jesu mit dem Täufer, das Jesu Überlegenheit und Sündlosigkeit außer Zweifel stellt.

Eng verwandt in ihrer Beurteilung und Darstellung des Täufers sind Lukas und Johannes. Lukas versteckt das Ärgernis der Taufe Jesu durch Johannes in einer beiläufigen Partizipialkonstruktion; Johannes läßt Jesu Taufe gänzlich weg und macht den Täufer zum Zeugen für die Herabkunft des Geistes auf Jesus.[109] Beide Evangelisten wenden sich gegen die Identifikation des Täufers mit Elias redivivus, mit dem Messias und mit Moses redivivus; die beiden letztgenannten Hoheitstitel reservieren sie für Jesus von Nazareth. In beiden Evangelien fehlen Angaben über Kleidung und Nahrung des Täufers.[110] Weder Lukas noch Johannes überliefern die Erzählung vom Ende des Täufers; Lukas erwähnt den Tod des Täufers nur indirekt (Lk. 9, 9), Johannes überhaupt nicht. Offenbar sollen Parallelisierungen zwischen Jesus und seinem Lehrer ausgeschlossen werden.[111] Lukas prägt Gestalt und Botschaft des Täufers um, weil er ihn als Schlüsselfigur seiner heilsgeschichtlichen Konzeption benötigt[112]; so erklärt sich auch die Veränderung des sogenannten Stürmerspruchs von Mt. 11, 12 f. zu Lk. 16, 16.[113]

Merkwürdigerweise verbindet sich jedoch die Abwertung des Täufers sowohl bei Lukas als auch bei Johannes mit der Tradierung historisch wertvollen Sonderguts, das eigentlich nur aus Täuferkreisen stammen kann. Lukas überliefert im Rahmen zweier Kindheitslegenden (Lk. 1, 5 bis 25.57—66) u. a. die priesterliche Herkunft des Täufers und die Namen seiner Eltern; dazu kommt ein Hymnus der Johannesjünger (Lk. 1, 76 bis 79; vgl. Lk. 1, 46—55).[114] Nur bei Lukas findet sich die Standespredigt des Täufers (Lk. 3, 10—14). Johannes entwickelt seine Christologie aus der Täuferpredigt (Joh. 1); nur er gesteht eine zeitweilige Konkurrenz zwischen dem Täufer und Jesus zu (Joh. 3, 22—4, 3) und berichtet von der Tauftätigkeit Jesu und seiner Jünger (Joh. 3, 22; 4, 1 f.).[115] Sowohl Lukas als auch Johannes müssen Kontakte zu Täuferkreisen gehabt haben, gehörten vielleicht sogar selbst zur engeren oder weiteren Umgebung des Täufers. Für Lukas könnte an eine Vermittlung von Täuferstoffen durch Apollos gedacht werden, den von Johannes getauften und von Aquila und Priscilla im Christentum unterwiesenen alexandrinischen Apologeten und Judenmissionar (Apg. 18, 24—28; vgl. 1 Kor. 1, 10 bis 17).[116]

Den vier Evangelien und der Apostelgeschichte ist Johannes nur der Vorläufer und Herold Jesu, der Zeuge für Jesu messianisches Amt.[117] Während bezweifelt werden muß, daß der historische Täufer den Anspruch seines Schülers Jesus wirklich bejahen konnte (vgl. Mt. 11, 2—6 par. Lk. 7, 18—23)[118], sieht die Kirche in Johannes dem Täufer den Blutzeugen für Gottes Ruf zur Buße, wie ihn Jesus in seinem Leben, Sterben und Auferstehen beglaubigt hat.[119] Der Historiker erblickt auch hinter den verzeichnenden Tendenzen der christlichen Texte eine *vollmächtige jüdische Prophetengestalt* von hohem Selbstbewußtsein und strengem Anspruch; als *Lehrer Jesu* (und vielleicht auch des Jesusbruders Jakobus) hat Johannes der Täufer der späteren Kirche *entscheidende Lehr- und Glaubensinhalte* vermittelt, dazu den ethisch-eschatologisch qualifizierten Aufnahmeritus der Wasser- und Geisttaufe.[120] Gott hat seinem Propheten Jochanan zugemutet, in einem Wanderprediger und Armenarzt den endzeitlichen Heilskönig zu erkennen; Haft und Tod zwangen den kompromißlosen Bußprediger, das Feld dem „Stärkeren" zu überlassen. Wir sollten lernen, Johannes dem Täufer wieder seine Eigenständigkeit zuzubilligen; der im Leben Verfolgte und posthum Degradierte verbindet für alle Zeiten das Christentum mit seiner jüdischen Mutterreligion.

Anmerkungen

[1] Dem Rechtsritter des Johanniter-Ordens (Balley Brandenburg), Prof. D. Dr. Adolf Köberle, gilt der herzliche und ritterbrüderliche Gruß des Autors.

[2] Ulrich Mann, Die Bedeutung Johannes des Täufers für den Johanniter-Orden im 20. Jahrhundert, in: Gemeinsame Johannestagsfeier der Johanniter- und Malteserritter. Heidelberg 1965 (S. 12—22), S. 12; Günther E. Th. Bezzenberger, Der Ordenspatron Johannes der Täufer (Schriftenreihe der Hessischen Genossenschaft des Johanniter-Ordens 3). Nieder-Weisel 1975, S. 3; Adam Wienand, Johannes der Täufer, Patron des Ordens, in: Adam Wienand (Hrsg.), Der Johanniter-Orden — Der Malteser-Orden — Der ritterliche Orden des hl. Johannes vom Spital zu Jerusalem. 2. Aufl. Köln 1977 (S. 14 f.), S. 14.

[3] Vgl. Adolf Köberle, Rechtfertigung und Heiligung. Eine biblische, theologiegeschichtliche und systematische Untersuchung. 3. Aufl. Leipzig 1930, S. 114.

[4] Vgl. etwa Joseph Braun, Tracht und Attribute der Heiligen in der deutschen Kunst. Stuttgart 1943, Sp. 365—369 (Art. Johannes der Täufer).

[5] Von Monographien seien als die wichtigsten genannt: Jürgen Becker, Johannes der Täufer und Jesus von Nazareth (BSt 63). Neukirchen 1972; Martin Dibelius, Die urchristliche Überlieferung von Johannes dem Täufer (FRLANT 15). Göttingen 1911; Maurice Goguel, Au seuil de l'Évangile, Jean-Baptiste. Paris 1928; Carl Hermann Kraeling, John the Baptist. New York, London 1951; Ernst Lohmeyer, Johannes der Täufer (Das Urchristentum I). Göttingen 1932; Wilhelm Michaelis, Täufer—Jesus—Urgemeinde. Die Predigt vom Reiche Gottes vor und nach Pfingsten (NTF II 3). Gütersloh 1928; Adolf Schlatter, Johannes der Täufer, hrsg. von Wilhelm Michaelis (= Berner theol. Diss. 1880). Basel 1956; Roland Schütz, Johannes der Täufer (AThANT 50). Zürich, Stuttgart 1967; Walter Wink, John the Baptist in the Gospel Tradition (MSSNTS 7). London 1968. Aufsätze und Lexikonartikel werden im folgenden in den Anmerkungen zitiert.

[6] Die im sog. Slavischen Josephus hinter Jos. Bell. 2, 110. 168 eingeschalteten Täuferreferate sind christliche Zusätze ohne Quellenwert, vgl. Ernst Lohmeyer (s. o. Anm. 5), S. 32—36, sowie unten mit Anm. 45.

[7] *Markus-Stoffe:* Mk. 1, 1—15 parr.; 2, 18—20 parr.; 6, 14—29 parr.; 9, 11—13 par.; *Stoffe aus der Redenquelle* Q: Mt. 3, 7—10 par. Lk. 3, 7—9; Mt. 3, 12 par. Lk. 3, 17; Mt. 11, 2—19 par. Lk. 7, 18—35; *Lukas-Sondergut:* Lk. 1, 5—25.39—80; 3, 10—14.15.18; 11, 1; 16, 16 (vgl. Mt. 11, 12 f.); Apg. 1, 5.22; 10, 37; 11, 16; 13, 24 f.; 18, 24—28; 19, 1—7; *Johannes:* 1, 1—37; 3, 22 bis 36; 4, 1—3; 5, 32—36; 10, 40 f.

[8] Mk. 1, 2 und Mt. 11, 10 par. Lk. 7, 27 zitieren Mal. 3, 1; Mk. 1, 3 und Mt. 3, 3 zitieren Jes. 40, 3; Lk. 3, 4—6 bietet Jes. 40, 3—5.

[9] Vgl. Werner Georg Kümmel, Jesu Antwort an Johannes den Täufer. Ein Beispiel zum Methodenproblem in der Jesusforschung (SbWGF 11, 4). Wiesbaden 1974 (S. 129—159), S. 153 mit Anm. 77; mit Kümmel (a. a. O., S. 155 bis 159) halte ich die Perikope für historisch glaubwürdig.

[10] Außer den sogenannten Parallelperikopen (dazu vgl. Julius Schniewind,

Die Parallelperikopen bei Lukas und Johannes. 2. Aufl. Hildesheim 1958) vgl. etwa Lk. 22, 3 par. Joh. 13, 2.27.

[11] Vgl. Julius Schniewind (s. o. Anm. 10), S. 8—10.

[12] Hier und im folgenden bleibt die lateinische Namensform *Moses* der Wendung *Moses redivivus* vorbehalten; sonst schreibe ich stets: *Mose.*

[13] *Elias* nur in Verbindung mit *redivivus*; sonst: *Elia,* vgl. o. Anm. 12.

[14] Vgl. Ferdinand Hahn, Christologische Hoheitstitel. Ihre Geschichte im frühen Christentum (FRLANT 83). 3. Aufl. Göttingen 1966, S. 371—380.

[15] Siehe unten mit Anm. 23—30.

[16] Vgl. Ernst Käsemann, Die Johannesjünger in Ephesus, in: Ders., Exegetische Versuche und Besinnungen, Gesammelte Aufsätze I. 6. Aufl. Göttingen 1970 (S. 158—168), S. 159 f.

[17] Auch wenn die in Lk. 9, 9 geschilderte Haltung des Herodes Antipas besser zu dem hellenistisch empfindenden Herrscher paßt (vgl. Karl Heinrich Rengstorf, Das Evangelium nach Lukas [NTD III]. 15. Aufl. Göttingen 1972, S. 116), ist die legendäre Mitteilung Mt. 14, 1 f. par. Mk. 6, 14—16 literarisch älter; sie dürfte aus alter Täuferüberlieferung stammen.

[18] Dazu vgl. Klaus Berger, Die Auferstehung des Propheten und die Erhöhung des Menschensohnes. Traditionsgeschichtliche Untersuchungen zur Deutung des Geschickes Jesu in frühchristlichen Texten (StUNT 13). Göttingen 1976, S. 17—19.

[19] Vgl. Hans Conzelmann, Die Mitte der Zeit. Studien zur Theologie des Lukas (BHTh 17). 5. Aufl. Tübingen 1964, S. 18 mit Anm. 2.

[20] Die angeführten johanneischen Belege klingen glaubwürdiger als Mk. 1, 14 parr.; vgl. Johannes Leipoldt, Die urchristliche Taufe im Lichte der Religionsgeschichte. Leipzig 1928, S. 29—32.

[21] Nach Ferdinand Hahn hat Johannes der Täufer sich nicht selbst als Elias redivivus verstanden, sondern wurde erst nachträglich so gedeutet: Hoheitstitel (s. o. Anm. 14), S. 371.

[22] Der sogenannte Stürmerspruch Mt. 11, 12 f. (Q) wird von Lukas im Sinne seiner heilsgeschichtlichen Konzeption entscheidend verändert (Lk. 16, 16), vgl. Otto Betz, Jesu heiliger Krieg, in: NT 2 (1958; S. 116—137), S. 125—128; Hans Conzelmann, Mitte der Zeit (s. o. Anm. 19), S. 17 f., 103 u. ö.; Otto Böcher, Die heilige Stadt im Völkerkrieg. Wandlungen eines apokalyptischen Schemas, in: Josephus-Studien, Festschrift Otto Michel. Göttingen 1974 (S. 55—76), S. 69 mit Anm. 67.

[23] Siehe Friedrich Lang, Erwägungen zur eschatologischen Verkündigung Johannes des Täufers, in: Jesus Christus in Historie und Theologie. Festschrift Hans Conzelmann, Tübingen 1975 (S. 459—473), S. 466—473 („Das Wort von der eschatologischen Geist- und Feuertaufe").

[24] Eduard Schweizer, Art. πνεῦμα κτλ. D—F, in: ThWNT VI. Stuttgart 1959 (S. 387—453), S. 396 f.

[25] Vgl. Friedrich Lang, Art. πῦρ κτλ., in: ThWNT VI. Stuttgart 1959 (S. 927—953), S. 943; Ders., Erwägungen (s. o. Anm. 23), S. 468—470.

[26] Vgl. 2 Sam. 22, 9; Ez. 21, 36; 22, 20 f.; 4 Esr. 13, 9—11 und dazu Otto

Böcher, Dämonenfurcht und Dämonenabwehr. Ein Beitrag zur Vorgeschichte der christlichen Taufe (BWANT 90). Stuttgart 1970, S. 222 f. mit Anm. 415 f. und 425 f.; aus dem Neuen Testament gehört hierher Apk. 1, 16; 2, 12.16; 19, 15.21; wohl auch Hebr. 4, 12: Ders., Christus Exorcista. Dämonismus und Taufe im Neuen Testament (BWANT 96). Stuttgart 1972, S. 103 mit Anm. 246—251.

[27] Dies tut Ernst Haenchen, Die Apostelgeschichte (KEK III). 10. Aufl. Göttingen 1956, S. 495.

[28] Lukas schließt diesen Gedanken aus, indem er die Tatsache der Taufe Jesu dem Gebet des Täuflings gleichstellt und in einem leicht zu überhörenden Partizip dem Geistempfang nachdrücklich unterordnet (Lk. 3, 21 f.); Johannes berichtet überhaupt nur noch vom Geistempfang, nicht mehr von der Taufe Jesu (Joh. 1, 32—34). Für eine geistmitteilende Wirkung der Johannestaufe tritt gleichfalls ein: David Flusser, The Baptism of John and the Dead Sea Sect (hebr.), in: Essays on the Dead Sea Scrolls in Memory of Eleazar L. Sukenik (hebr.). Jerusalem 1961 (S. 209—239), S. 236—239. Als Zuspruch der eschatologischen, mit der Geistverleihung verbundenen Heilsgabe deutet die Johannestaufe bereits Gustav Stählin, Art. ὀργή κτλ. E, in: ThWNT V. Stuttgart 1954 (S. 419—448), S. 437 f. Zur Geistbegabung des Täuferschülers Apollos (Apg. 18, 25) siehe unten Anm. 116.

[29] Siehe oben mit Anm. 16.

[30] Vgl. Otto Böcher, Wasser und Geist, in: Verborum Veritas. Festschrift Gustav Stählin. Wuppertal 1970 (S. 197—209), S. 198 f.; siehe unten mit Anm. 54—58.

[31] Siehe oben mit Anm. 17.

[32] Vgl. Klaus Berger (s. o. Anm. 18), S. 17—19, 116, 144 u. ö.

[33] Paul Billerbeck, Der Prophet Elias nach seiner Entrückung aus dem Diesseits, in: Bill. IV 2. 6. Aufl. München 1975, S. 764—798 (besonders S. 779 ff.).

[34] Anders Ferdinand Hahn, Hoheitstitel (s. o. Anm. 14), S. 371.

[35] Dazu vgl. Eberhard Nestle, Zum Mantel aus Kamelshaaren, in: ZNW 8 (1907), S. 238; Hans Windisch, Die Notiz über Tracht und Speise des Täufers Johannes und ihre Entsprechungen in der Jesusüberlieferung, in: ZNW 32 (1933), S. 65—87; Philipp Vielhauer, Tracht und Speise Johannes des Täufers, in: Ders., Aufsätze zum Neuen Testament (TB 31). München 1965, S. 47—54.

[36] Vgl. Werner Schmauch, Orte der Offenbarung und der Offenbarungsort im Neuen Testament. Berlin 1956, S. 27—47; Otto Böcher, Dämonenfurcht (s. o. Anm. 26), S. 66 f. und 312 f.

[37] Vgl. u. a. Ethelbert Stauffer, Probleme der Priestertradition, in: ThLZ 81 (1956), Sp. 135—150, besonders Sp. 143—147; Otto Betz, Die Proselytentaufe der Qumransekte und die Taufe im Neuen Testament, in: RdQ 1 (1958), S. 213 bis 234; Herbert Braun, Der Täufer, die Täufertaufe und die christliche Taufe, in: Ders., Qumran und das Neue Testament II. Tübingen 1966, S. 1—29 (Lit.); Bo Reicke, Die jüdischen Baptisten und Johannes der Täufer, in: Albert Fuchs (Hrsg.), Jesus in der Verkündigung der Kirche (SNTU A, 1). Linz 1976, S. 76 bis 88.

[38] Siehe Otto Böcher, Wölfe in Schafspelzen. Zum religionsgeschichtlichen Hin-

tergrund von Matth. 7, 15, in: ThZ 24 (1968), S. 405—426, besonders S. 408 bis 412.

[39] Freundlicher Hinweis von Herrn Prof. D. Dr. Karl Heinrich Rengstorf, Münster.

[40] Vgl. Gustav Stählin, Art. σάκκος, in: ThWNT VII. Stuttgart 1964 (S. 56—64), S. 62 f.; ferner Otto Böcher, Wölfe (s. o. Anm. 38), S. 405—412; Ders., Dämonenfurcht (s. o. Anm. 26), S. 252—266. Wie fließend die Grenzen zwischen prophetischer und priesterlicher Askese sind, lehrt ein Vergleich der Lebensgewohnheiten Johannnes des Täufers mit denjenigen des (Täuferschülers?) Jakobus (Hegesipp bei Euseb. Hist. Eccl. II 23, 4—7).

[41] Die Parallele Mt. 11, 18 nennt keine Speisen, sondern denkt an totalen Nahrungsverzicht.

[42] Jacobus Tirinus, Commentarii in Sanctam Scripturam III. Antverpiae 1632, S. 113; Wilhelm Martin Leberecht de Wette, Kurze Erklärung der Evangelien des Lukas und Markus (KEHNT I 2). 2. Aufl. Leipzig 1839, S. 8; Heinrich August Wilhelm Meyer, Die Evangelien des Markus und Lukas (KEK I 2). 2. Aufl. Göttingen 1846, S. 196 f.; Bill. II. 6. Aufl. München 1974, S. 80.

[43] Maas Boertien, Nazir/Nasiräer (Die Mischna III 4). Berlin, New York 1971, S. 204.

[44] Vgl. Maas Boertien (s. o. Anm. 43), S. 205.

[45] Otto Böcher, Aß Johannes der Täufer kein Brot (Luk. vii. 33)?, in: NTS 18 (1971/72), S. 90—92. Die wortreiche Betonung des Brotverzichts Johannes des Täufers im Slavischen Josephus (nach Jos. Bell. 2, 168; Text bei Ernst Lohmeyer [s. o. Anm. 5], S. 34 f.) ist aus Lk. 7, 33 herausgesponnen, ebenso wie aus Mk. 1, 6 die abenteuerliche Behauptung, der Täufer habe sich tierische Haare auf den Körper geklebt (nach Jos. Bell. 2, 110; Text bei Ernst Lohmeyer a. a. O., S. 32).

[46] Vgl. Otto Böcher, Dämonenfurcht (s. o. Anm. 26), S. 282—284.

[47] Die jüdische Prophetie zur Zeit des Täufers war die — seit Karl Immanuel Nitzsch (1820) und Friedrich Lücke (1832) wenig glücklich so bezeichnete — „Apokalyptik", deren integrierende Bestandteile die Ankündigung der bevorstehenden Katastrophe und der Ruf zur Buße bilden, vgl. Klaus Koch, Ratlos vor der Apokalyptik. Eine Streitschrift über ein vernachlässigtes Gebiet der Bibelwissenschaft und die schädlichen Auswirkungen auf Theologie und Philosophie. Gütersloh 1970, S. 15—90. Die Herkunft des Täufers aus einer chasidisch-apokalyptischen Bußbewegung erwägt Martin Hengel, Judentum und Hellenismus. Studien zu ihrer Begegnung unter besonderer Berücksichtigung Palästinas bis zur Mitte des 2. Jh. v. Chr. (WUNT 10). 2. Aufl. Tübingen 1973, S. 327 mit Anm. 464.

[48] Adolf Köberle (s. o. Anm. 3), S. 181.

[49] Vgl. Gustav Stählin, ὀργή (s. o. Anm. 28), S. 437.

[50] Otto Böcher, Wasser und Geist (s. o. Anm. 30), S. 202 f.

[51] Vgl. George R. Beasley-Murray, Die christliche Taufe. Eine Untersuchung über ihr Verständnis in Geschichte und Gegenwart. Kassel 1968, S. 67—69; zum alttestamentlichen Material siehe Georg Fohrer, Die symbolischen Handlungen der Propheten (AThANT 54). 2. Aufl. Zürich, Stuttgart 1968.

[52] Belege bei Otto Böcher, Dämonenfurcht (s. o. Anm. 26), S. 200—202.

[53] Siehe oben mit Anm. 50.

[54] Ausführliches Belegmaterial bei Otto Böcher, Wasser und Geist (s. o. Anm. 30), S. 198 f.

[55] Vgl. Mk. 7, 3; Mt. 15, 2 f. par. Lk. 11, 38 f. u. ö.; Bill. I. 6. Aufl. München 1974, S. 695—704, S. 934—936 u. ö.; weitere jüdische Belege, auch aus Qumran, und Diskussion der Literatur bei Otto Böcher, Dämonenfurcht (s. o. Anm. 26), S. 202—208.

[56] Zur altjüdischen Mission siehe Ferdinand Hahn, Das Verständnis der Mission im Neuen Testament (WMANT 13). Neukirchen-Vluyn 1963, S. 15—18. Die Proselytentaufe, literarisch zuerst im 1. Jahrhundert n. Chr. bezeugt, ist gewiß mit dem Beginn der jüdischen Heidenmission in vorchristlicher Zeit aufgekommen, vgl. Bill. I. 6. Aufl. München 1974, S. 102—112; ferner Johannes Leipoldt, Taufe (s. o. Anm. 20), S. 2 f. mit Anm. 2 auf S. 3; Joachim Jeremias, Der Ursprung der Johannestaufe, in: ZNW 28 (1929; S. 312—320), S. 313.

[57] Der Hauptunterschied zwischen den Waschungen der Qumraniten und des Bannûs einerseits und den Tauchbädern der Proselyten und des Johannes andererseits besteht darin, daß jene immer wieder vorgenommen wurden, während diese einen unwiederholbaren Initiationsritus darstellten; vgl. Otto Betz, Proselytentaufe (s. o. Anm. 37), S. 213—234; Herbert Braun, Die Täufertaufe und die qumranischen Waschungen, in: ThViat 9 (1963), S. 1—4; Ders., Täufer (s. o. Anm. 37), S. 1—29, besonders S. 6 f.

[58] Bannûs wäscht sich „mit kaltem Wasser Tag und Nacht häufig", und zwar zur ἁγνεία analog der Johannestaufe (Jos. Ant. 18, 117); zu vergleichen ist auch das vierzigtägige Stehen Adams im Wasser des Jordans (und das siebenunddreißigtägige Evas im Wasser des Tigris) als Buße nach dem Sündenfall (Leb. Ad. 6—8).

[59] Dafür spricht u. a. Mt. 3, 9 par. Lk. 3, 8: Abrahams Nachkommen brauchen keine Proselytentaufe! Zur Ableitung der Johannes- von der Proselytentaufe siehe Joachim Jeremias (s. o. Anm. 56), S. 319 f.; Johannes Leipoldt, Von der altchristlichen Taufe, in: Ders., Von den Mysterien zur Kirche. Gesammelte Aufsätze. Hamburg-Bergstedt 1962 (S. 231—254), S. 231—236; Otto Böcher, Wasser und Geist (s. o. Anm. 30), S. 202 f.; anders George R. Beasley-Murray (s. o. Anm. 51), S. 64—66, zurückhaltend Friedrich Lang, Erwägungen (s. o. Anm. 23), S. 463 mit Anm. 9.

[60] Zur Johannestaufe gehört „die vom Täufer sakramental übereignete eschatologische Sündenvergebung": Hartwig Thyen, Βάπτισμα μετανοίας εἰς ἄφεσιν ἁμαρτιῶν, in: Zeit und Geschichte. Festschrift Rudolf Bultmann. Tübingen 1964 (S. 97—125), S. 124.

[61] Vermutlich auch die qumranischen Waschungen (vgl. 1 QS 3, 6—8; 4, 21 f.; 1 QH 8, 6; 18, 10—28).

[62] Hier wirkt die gleiche, auf der Analogie von Mikrokosmos und Makrokosmos beruhende Kausalität wie beim Regenzauber: Die Lustration des Landes ermöglicht den Regenfall (2 Sam. 21, 5—10; 1 Kön. 18, 40—45); der symbo-

lische Wasserritus des Laubhüttenfestes bringt die lebensnotwendige Regenzeit in Gang (Belege bei Bill. II. 6. Aufl. München 1974, S. 799—805).

[63] Siehe oben Anm. 55.

[64] Rudolf Bultmann, Das Evangelium des Johannes (KEK II). Göttingen 1941 (= 19. Aufl. 1968), S. 60 f. weist darauf hin, daß man zufolge Joh. 1, 19—21 von Elia oder „dem Propheten" eine Taufe erwartet habe; durch das „eschatologische Sakrament" seiner Taufe qualifizierte sich Johannes als messianische Gestalt (S. 61). Ähnlich urteilt Gerhard Friedrich, Art. προφήτης κτλ. D, in: ThWNT VI. Stuttgart 1959 (S. 829—858), S. 839.

[65] Siehe oben mit Anm. 54—58.

[66] Mk. 1, 2 f. parr., vgl. oben mit Anm. 8; Jes. 40, 3 hat auch in Qumran eine Rolle gespielt (1 QS 8, 13 f.; 9, 19 f.), vgl. Herbert Braun, Qumran und das Neue Testament I. Tübingen 1966, S. 8 f. (Lit.).

[67] Jes. 44, 3 vereint die Elemente der Wüste, der Wasserausgießung und der Geistbegabung.

[68] Siehe dazu Lars Hartmann, Taufe, Geist und Sohnschaft. Traditionsgeschichtliche Erwägungen zu Mk. 1, 9—11 par., in: Albert Fuchs (Hrsg.), Jesus in der Verkündigung der Kirche (SNTU A, 1). Linz 1976, S. 89—109; zu Mk. 1, 9—11 vgl. auch Ferdinand Hahn, Hoheitstitel (s. o. Anm. 14), S. 340—346.

[69] Siehe oben mit Anm. 28—30.

[70] Vgl. Friedrich Lang, Erwägungen (s. o. Anm. 23), S. 472 mit Anm. 35.

[71] Friedrich Lang, Erwägungen (s. o. Anm. 23), S. 472 mit Anm. 36.

[72] Friedrich Lang ebd. mit Anm. 37.

[73] Vgl. dazu das Nacheinander von Geistverleihung und Feuer Joel 3, 1—3; Wasserspende und Feuergericht verbindet auch die Taufparänese Hebr. 6, 7 f.

[74] Zu ihrer Beurteilung durch die Kommentatoren des 20. Jahrhunderts vgl. Otto Böcher, Die Johannesapokalypse (EdF 41). Darmstadt 1975, S. 63—68.

[75] Von den Kommentatoren z. St. vgl. etwa Robert Henry Charles, The Revelation of St. John (ICC) I. Edinburgh 1920 (= 1971), S. 290 f.; Wilhelm Hadorn, Die Offenbarung des Johannes (ThHK XVIII). Leipzig 1928, S. 123; Eduard Lohse, Die Offenbarung des Johannes (NTD XI). 9. Aufl. Göttingen 1966, S. 63; Josephine Massyngberde Ford, Revelation (The Anchor Bible XXXVIII). Garden City, New York 1975, S. 181 sowie Bill. I. 6. Aufl. München 1974, S. 753. Klaus Berger (s. o. Anm. 18) deutet Apk. 11, 3 ff. auf Henoch und Elia (a. a. O., S. 42—66 u. ö.), nicht auf Mose und Elia; die von ihm beigebrachten Belege tragen für die vorchristliche Traditionsgeschichte jenes prophetischen Zeugenpaares nicht die Beweislast. Selbst die koptische Eliasapokalypse (vgl. Eduard Lohse a. a. O., S. 63 und Klaus Berger a. a. O., S. 42 mit Anm. 177 f. auf S. 295) mit dem Kampf Henochs und Elias gegen den Antichrist ist nicht vor dem 3. Jahrhundert n. Chr. entstanden: Fritz Maass, Art. Eliasapokalypse, in: RGG II. 3. Aufl. Tübingen 1958, Sp. 427.

[76] Vgl. Gustav Stählin, σάκκος (s. o. Anm. 40), S. 62 f.; Otto Böcher, Wölfe (s. o. Anm. 38), S. 410.

[77] Wilhelm Hadorn (s. o. Anm. 75), S. 122; vgl. auch Joel 4, 19, wo Ägypten und Idumäa (= Sodom) die strafende Vernichtung angekündigt wird: Hein-

rich Kraft, Die Offenbarung des Johannes (HNT XVIa). Tübingen 1974, S. 158 f.

[78] Vgl. Robert Henry Charles (s. o. Anm. 75), S. 287; Heinrich Kraft (s. o. Anm. 77), S. 159; Klaus Berger (s. o. Anm. 18), S. 30.

[79] Altjüdische Mythologumena werden auf das Imperium Romanum, auf Nero redivivus, auf Israel und die Kirche, auf Jesus und seine Apostel gedeutet, vgl. die Kommentare; lediglich Ernst Lohmeyer, Die Offenbarung des Johannes (HNT XVI). Tübingen 1926 (= 3. Aufl. 1970) will von zeitgeschichtlichen Anspielungen wenig wissen (vgl. z. B. S. 145—147 zur Deutung von Apk. 17).

[80] Vgl. Heinrich Kraft (s. o. Anm. 77), S. 156.

[81] Siehe oben mit Anm. 21.

[82] Vgl. die Kommentare sowie Gustav Stählin, σάκκος (s. o. Anm. 40), S. 63, Z. 9 f.; die Identität wird erwogen von Heinrich Kraft (s. o. Anm. 77), S. 156.

[83] Eduard Lohse (s. o. Anm. 75), S. 63; das Argument überzeugt nicht, da die Apokalyptik jederzeit bereits Geschehenes in die Form der Weissagung (vaticinium ex eventu) kleiden kann, um Prophezeiungen zukünftiger Ereignisse die Glaubwürdigkeit teilweiser Erfüllung zu verleihen.

[84] Heinrich Kraft (s. o. Anm. 77), S. 156.

[85] Johannes Munck, Petrus und Paulus in der Offenbarung Johannis. Ein Beitrag zur Auslegung der Apokalypse (LSSk.T 1). Kopenhagen 1950.

[86] Siehe oben mit Anm. 12.

[87] Dazu ausführlich Ferdinand Hahn, Hoheitstitel (s. o. Anm. 14), S. 380 bis 404. Zufolge Georg Richter schilderte die Grundschrift des johanneischen Taufberichts (Joh. 1, 32—34) die Einsetzung Jesu in das Amt des „Propheten wie Mose“ (Dtn. 18, 15.18): Georg Richter, Zu den Tauferzählungen Mk. 1, 9—11 und Joh. 1, 32—34, in: ZNW 65 (1974; S. 43—56), S. 54—56.

[88] Wilhelm Hadorn (s. o. Anm. 75), S. 158 f.

[89] Siehe oben mit Anm. 78.

[90] Nur Lukas kennt bzw. überliefert die Himmelfahrt des Auferstandenen (Lk. 24, 51; Apg. 1, 9—11), sicher nicht ohne den Rückgriff auf eine bestimmte christologische Tradition; dadurch wird Jesu Erhöhung gleichsam „gedehnt“: Willi Marxsen, Die Auferstehung Jesu von Nazareth. Gütersloh 1968, S. 174 f.; vgl. Ferdinand Hahn, Hoheitstitel (s. o. Anm. 14), S. 106 f. und S. 126—132 sowie den forschungsgeschichtlich bedeutsamen Aufsatz von Georg Bertram, Die Himmelfahrt Jesu vom Kreuz aus und der Glaube an seine Auferstehung, in: Festgabe Adolf Deißmann. Tübingen 1927, S. 187—217.

[91] Siehe oben mit Anm. 19 f.

[92] Hans Conzelmann (s. o. Anm. 19), S. 18 mit Anm. 2.

[93] Beispiele doppelter Überlieferung: 1 Kön. 17, 8—16 par. 2 Kön. 4, 1—7; 1 Kön. 17, 17—24 par. 2 Kön. 4, 18—37; vgl. Georg Fohrer, Einleitung in das Alte Testament. 11. Aufl. Heidelberg 1969, S. 252—254 (Lit.).

[94] Das Saq-Gewand des Propheten (Apk. 11, 3) hat der historische Jesus nicht getragen; wohl aber gibt es zahlreiche Belege für eine prophetische Christologie der Gemeinde und wohl auch ein prophetisches Selbstverständnis Jesu: Gerhard Friedrich (s. o. Anm. 64), S. 842—849; Ferdinand Hahn, Hoheitstitel (s. o.

Anm. 14), S. 380—404; den Symbolhandlungen der alttestamentlichen Propheten (s. o. mit Anm. 51) entsprechen die Symbolhandlungen Jesu: Gustav Stählin, Die Gleichnishandlungen Jesu, in: Kosmos und Ekklesia, Festschrift Wilhelm Stählin. Kassel 1953, S. 9—22. Möglicherweise wurde Jesu Geistbegabung bei der Taufe ursprünglich als Berufung zum Propheten gedeutet: Georg Richter (s. o. Anm. 87), S. 56.

[95] Zu beachten sind jedoch die erstaunlichen Übereinstimmungen zwischen dem Täufer (Mk. 1, 6 parr.) und dem Jesusbruder Jakobus (Hegesipp bei Euseb. Hist. Eccl. II 23, 5 f.), vgl. oben mit Anm. 41—46.

[96] Wie der Täufer lebt Jesus ehelos und ohne Eigentum; er folgt darin dem prophetisch-nasiräischen Habitus seines Lehrers (s. o. mit Anm. 43 f.). Von hier aus fällt ein gewisses Licht auf Jesu Bezeichnung als Ναζωραῖος (Mt. 2, 23; 26, 71; Lk. 18, 37; Joh. 18, 5.7; 19, 19; Apg. 2, 22; 3, 6; 4, 10 u. ö.), auf die Christen als Ναζωραῖοι (Apg. 24, 5) und auf die Selbstbezeichnung der Mandäer als Nazoräer; trotz der apodiktischen Rückführung von Ναζωραῖος auf die Stadt Nazareth durch Heinrich Schaeder (S. 884) ist die Frage nach der ursprünglichen Bedeutung noch nicht befriedigend geklärt: Heinrich Schaeder, Art. Ναζαρηνός, Ναζωραῖος, in: ThWNT IV. Stuttgart 1942, S. 879—884.

[97] Aus der Täuferpredigt (vgl. Mk. 1, 3 parr.) stammt vielleicht die besondere Bedeutung des Jesajabuchs in der Botschaft Jesu; zu Anspielungen und Zitaten aus Jesaja (einschließlich Deutero- und Tritojesaja) in Jesu Predigt siehe jetzt Werner Grimm, Weil Ich dich liebe. Die Verkündigung Jesu und Deuterojesaja (ANTJ 1). Bern, Frankfurt a. M. 1976. Die Antwort Jesu an den inhaftierten Täufer (Mt. 11, 4—6 par. Lk. 7, 22 f.) besteht aus Elementen von Jes. 29, 18 f.; 35, 5 f.; 61, 1.

[98] Zu diesem Komplex vgl. Jürgen Becker (s. o. Anm. 5), S. 66—104 und die Thesen S. 105 f.

[99] Anders die Parallele Lk. 3, 7.

[100] Vgl. Martin Dibelius, Jungfrauensohn und Krippenkind. Untersuchungen zur Geburtsgeschichte Jesu im Lukas-Evangelium, in: Ders., Botschaft und Geschichte. Gesammelte Aufsätze I. Tübingen 1953 (S. 1—78), S. 1—9; Philipp Vielhauer, Das Benedictus des Zacharias (Lk. 1, 68—79), in: Ders., Aufsätze zum Neuen Testament (TB 31). München 1965, S. 28—46.

[101] Siehe oben mit Anm. 26.

[102] Von der markinischen Erzählung über die Hinrichtung des Täufers (Mt. 14, 3—12 par. Mk. 6, 17—29) kann nur der Tod des Johannes unter Herodes Antipas (vgl. Jos. Ant. 18, 116—119) als historischer Kern gelten: Joachim Gnilka, Das Martyrium Johannes' des Täufers (Mk. 6, 17—29); in: Orientierung an Jesus, Zur Theologie der Synoptiker. Festschrift Josef Schmid. Freiburg 1973 (S. 78—92), S. 89—91. Das Tier aus Abgrund (Apk. 11, 7) oder Meer (Apk. 13, 1—10), der Antichrist, ist nach Apk. 17, 8 f. das Imperium Romanum; offenbar macht der Apokalyptiker in Apk. 11, 7 nicht so sehr Herodes Antipas als vielmehr Rom selbst für die Ermordung des Täufers und Jesu verantwortlich.

[103] Siehe oben mit Anm. 18.

[104] Vgl. Otto Böcher, Johannesapokalypse (s. o. Anm. 74), S. 41.

[105] Vgl. Wilhelm Hadorn (s. o. Anm. 75), S. 116—124.

[106] Mit Apk. 11, 5 vgl. insbesondere Apk. 19, 15.21; zur endlichen Bekehrung der Juden vgl. Apk. 3, 9b.

[107] Neuerdings versucht Josephine Massyngberde Ford (s. o. Anm. 75), Johannes den Täufer als Autor von Apk. 4—11 und einen Täuferschüler als Verfasser von Apk. 12—22 zu erweisen — schwerlich überzeugend; freilich wird man mit Täufertraditionen in der Johannesoffenbarung rechnen dürfen.

[108] Vgl. Jos. Ant. 18, 117; Josephus unterdrückt die messianisch-eschatologischen Elemente der Täuferpredigt und zeichnet Johannes als Tugendlehrer: Philipp Vielhauer, Art. Johannes der Täufer, in: RGG III. 3. Aufl. Tübingen 1959 (Sp. 804—808), Sp. 804.

[109] Siehe oben mit Anm. 28.

[110] Der Grund für diese Reduktion kann nur vermutet werden; vielleicht wollten Lukas und Johannes den Vorläufer Jesu nicht als jüdischen Propheten charakterisieren, nachdem die prophetische Lebensweise als Zeichen jüdischer Halsstarrigkeit und Christusfeindschaft gedeutet wurde, vgl. Mt. 7, 15 und dazu Otto Böcher, Wölfe (s. o. Anm. 38).

[111] Hans Conzelmann (s. o. Anm. 19), S. 18 mit Anm. 2; was hier für Lukas festgestellt wird, gilt auch für das Johannesevangelium. Um die Täufertaufe nicht in Konkurrenz zur Taufe „auf den Namen Jesu Christi" (Apg. 2, 38) treten zu lassen, wählt Lukas in Apg. 19, 3 statt des zu erwartenden „auf den Namen des Johannes" die befremdliche Konstruktion „auf die Taufe des Johannes": Ernst Haenchen (s. o. Anm. 27), S. 494.

[112] Vgl. Hans Conzelmann (s. o. Anm. 19), S. 12—21.

[113] Vgl. Otto Betz, Krieg (s. o. Anm. 22), S. 126.

[114] Vgl. Philipp Vielhauer, Johannes der Täufer (s. o. Anm. 108), Sp. 804.

[115] Dazu vgl. Johannes Leipoldt, Die urchristliche Taufe (s. o. Anm. 20), S. 30—32.

[116] Vgl. Eduard Schweizer, Die Bekehrung des Apollos, Ag. 18, 24—26, in: EvTh 15 (1955), S. 247—254; Ernst Käsemann (s. o. Anm. 16), S. 163—166, ferner die Kommentare zu Apg. 18, 24—28. Apg. 18, 25c dürfte wie Apg. 19, 3b (s. o. Anm. 111) von Lukas formuliert sein (vgl. Ernst Käsemann a. a. O., S. 164), doch sollte am Faktum einer Täuferschülerschaft des Apollos nicht gezweifelt werden; die gemeinsame Beziehung zu Johannes dem Täufer ist vielmehr der Grund, warum Lukas Apg. 19, 1—7 mit Apg. 18, 24—28 zusammengeordnet hat: Gustav Stählin, Die Apostelgeschichte (NTD V). 14. Aufl. Göttingen 1975, S. 252 f. Die besonders von Käsemann stark herausgestellte Schwierigkeit, daß Apg. 18, 25 einem nur von Johannes Getauften den Geistbesitz zugesteht, löst sich leichter durch die Annahme eines alten Traditionsstücks als durch Spekulationen über redaktionelle Eingriffe des Lukas — die geistverleihende Kraft der Johannestaufe vorausgesetzt (s. o. mit Anm. 27—30 und mit Anm. 67—70). Zur Frage, ob Apollos als Autor des Hebräerbriefs in Frage kommen könne, vgl. Otto Michel, Der Brief an die Hebräer (KEK XIII). 10. Aufl. Göttingen 1957, S. 10 mit Anm. 3.

[117] In der Unterordnung des „Vorläufers" Johannes unter den Messias Jesus stimmen Synoptiker, Johannesevangelium und Apostelgeschichte überein. Im selben Maße, in dem Jesus christologisch aufgewertet wird, erfährt der Täufer Abwertung und Zurücksetzung (vgl. Joh. 3, 30); von neuerer Literatur siehe dazu: Ernst Bammel, The Baptist in Early Christian Tradition, in: NTS 18 (1971/72), S. 95—128; Anton Vögtle, Die sogenannte Taufperikope Mk. 1, 9—11. Zur Problematik der Herkunft und des ursprünglichen Sinns, in: EKK. V 4, Zürich, Neukirchen 1972, S. 105—139; Georg Richter (s. o. Anm. 87), S. 43—56. Die jeweilige Umgestaltung des Täuferstoffs durch einen neutestamentlichen Autor dient der Forschung geradezu als Indiz für seine Christologie: Wolfgang Trilling, Die Täufertradition bei Matthäus, in: BZ NS 3 (1959), S. 271—289; Albert Fuchs, Intention und Adressaten der Bußpredigt des Täufers bei Mt. 3, 7—10, in: Ders. (Hrsg.), Jesus in der Verkündigung der Kirche (SNTU A, 1). Linz 1976, S. 62—75; Hans Conzelmann (s. o. Anm. 19), S. 16—21; Bo Reicke, Die Verkündigung des Täufers nach Lukas, in: Albert Fuchs (Hrsg.), Jesus (s. o.), S. 50—61.

[118] „Johannes selbst und wohl auch sein engster Jüngerkreis sind zu keinem endgültigen Urteil über Jesus gekommen": Ulrich Mann (s. o. Anm. 2), S. 17; vgl. Werner Georg Kümmel (s. o. Anm. 9), S. 153 mit Anm. 77.

[119] Zur Stellung Johannes des Täufers in der neutestamentlichen Theologie vgl. neuerdings: Leonhard Goppelt, Theologie des Neuen Testaments, hrsg. von Jürgen Roloff, I: Jesu Wirken in seiner theologischen Bedeutung. Göttingen 1975, S. 83—93; systematisch-theologische Aspekte skizziert Ulrich Mann (s. o. Anm. 2), S. 18—22.

[120] Der Traditionszusammenhang zwischen der christlichen Taufe und der Johannestaufe — obgleich bestritten von Heinrich Kraft, Die Anfänge der christlichen Taufe, in: ThZ 17 (1961), S. 399—412 — ist Communis opinio der neueren Forschung: Wilhelm Heitmüller, Taufe und Abendmahl im Urchristentum (RV I 22/23). Tübingen 1911, S. 10; Günther Bornkamm, Die neutestamentliche Lehre von der Taufe, in: Was ist Taufe? Eine Auseinandersetzung mit Karl Barth. Stuttgart 1951, S. 39; Hartwig Thyen (s. o. Anm. 60), S. 124 f.; Ders., Studien zur Sündenvergebung im Neuen Testament und seinen alttestamentlichen und jüdischen Voraussetzungen (FRLANT 96). Göttingen 1970, S. 146 f.; George R. Beasley-Murray (s. o. Anm. 51), S. 53—103 u. ö.; Otto Böcher, Christus Exorcista (s. o. Anm. 26), S. 98 f. und 147—149.

II

FUNDAMENTALTHEOLOGISCHES
UND
DOGMATISCHES

VON DER MEDITATION

Von Carl Heinz Ratschow (Marburg)

I. Christliche Meditation?

Fragen nach der Meditation[1] werden gegenwärtig im evangelischen Bereich oft gestellt. Das hängt wohl damit zusammen, daß der unendliche „Betrieb" in Gemeinden und Kirchen das Bedürfnis nach Sammlung und Konzentration groß werden läßt. Man vermutet, daß meditative Praxis das Gegengewicht sein könnte, mit dem die übertriebene Betriebsamkeit und die damit verbundene Veräußerlichung unseres Glaubenslebens bewältigt werden könnte. Damit geht man wohl auch von richtigen Eindrücken aus.

Dabei schaut man gerne zur Belehrung auf die Meditationspraxis der *asiatischen* Religionen. Es unterliegt ja auch keinem Zweifel, daß die indischen und ostasiatischen Religionen sich der Meditation bedienen, um ihre religiösen Ziele zu erreichen. Aber diese Meditation ist selbst nicht Inhalt, sondern Methode oder Training. Nur weil die Meditation selbst nicht Inhalte hat oder vermittelt, sondern weil sie eine geistig-leibhafte Methode oder ein Training ist, sich bestimmten Inhalten zu nähern, kann man Meditation von einer fremden Religion übernehmen wollen. Diese Übernahmen sind aber gleichwohl nicht ohne Gefährdung. So gewiß nämlich die Meditation selbst keine Inhalte hat, sondern rein methodisch verstanden werden muß, so fest hat sie sich manchen Inhalten verbunden. Manch religiöse Inhalte vermitteln sich mit der Methode. Wenn das auch ungewollt geschieht, so ist es um so gefährlicher. Das zeigen jetzt die „unklaren" Äußerungen Carl Friedrich von Weizsäckers über die Meditation. Er hat offenbar auch hier und da an asiatischen Religionen und ihrer Meditationspraxis von weitem teilgehabt. Er zeigt ein halb inhaltliches, halb methodisches Verständnis von Meditation. Darum meint er, die Meditation sei etwas Mystisches, das man eigentlich gar nicht ausdrücken könne und um das man mit unklaren Mystifikationen herumredet.[2]

Wir müssen uns angesichts der Nachfrage nach der Meditation daran erinnern, daß es eine *reiche christliche Meditationspraxis* gibt. Die Tradition dieser christlichen Meditation wird getragen z. B. durch das mönchische Stundengebet wie das priesterliche Brevier-Beten. Sie hat im katholischen Bereich durch Ignatius und seine Exerzitien starken Auftrieb bekommen. Sie ist im Gebiet der Rosenkranz-Gebete zu Hause. Im evangelischen Bereich freilich ist die meditative Praxis abgestorben. Nur wenige Neuansätze gibt es im evangelischen Bereich in den evangelischen Orden.

Von den Reformatoren hat sich zumal Martin Luther positiv zu der Wichtigkeit der Meditation geäußert. Er stand ja auch in der großen mönchischen Meditations-Tradition seines Ordens. Er hat der Meditation in seinen Schriften an bedeutender Stelle Ausdruck verliehen, nämlich in der Vorrede zur Ausgabe seiner deutschen Schriften 1539. Luther spricht in dieser Vorrede die Hoffnung aus, seine Schriften würden bald vergessen. Er sieht die Inflation theologischer Schriften, „weil es so hat angefangen zu schneien und zu regnen mit Büchern". Da will er deutlich machen, daß man Christ und rechter Theologe nicht dadurch wird, daß man viele Bücher von großen Meistern liest, sondern man muß die Bibel lesen. Für dieses Bibellesen aber, so schreibt er, gibt es im 119. Psalm drei Regeln: *oratio, meditatio, tentatio.* In diesen drei sehr verschieden gerichteten, aber dringend notwendigen Haltungen und Handlungen muß man der Bibel begegnen; *so* wird man ein rechter Christ und Theologe.

Für Luther also vermittelt die Meditation zwischen dem Gebet, das den Christen Gott zuwendet, und der Angefochtenheit, die den Christen vor der Welt zeigt. Sie steht im Übergang der Wendung von Gott zur Welt. Ja, die Meditation legt wohl erst den Grund dafür, daß der Christ sich der Welt aussetzen kann. Damit hat diese Meditation eine wichtige Rolle.

Luher sagt von der Meditation:

Zum andern sollst du meditiren, das ist, nicht allein im Herzen, sondern auch äußerlich die mündliche Rede und buchstabischen Worte im Buch immer treiben und reiben, lesen und wieder lesen, mit fleißigem Aufmerken und Nachdenken, was der heilige Geist damit meinet. Und hüte dich, daß du nicht überdrüßig werdest, oder denkest, du habest es einmal oder zwei genug gelesen, gehört, gesagt, und verstehest es alles zu Grund. Denn da wird kein sonderlicher Theologus nimmermehr aus, und sind wie das unzeitige Obst, das abfällt, ehe es halb reif wird. Darum siehst du in demselbigen Psalm, wie David immerdar rühmt, er wolle reden, dichten, sagen, singen, hören, lesen, Tag und Nacht und immerdar, doch nichts denn allein von Gottes Wort und Geboten. Denn Gott will dir seinen Geist nicht geben ohne das äußerliche Wort, da richte dich nach; denn er hat's nicht vergeblich befohlen, äußerlich zu schreiben, predigen, lesen, hören, singen, sagen u.s.w.[3]

Diese Sätze über die Meditation muten recht nüchtern an. Meditation ist für Luther hier offenbar nichts anderes als das immer erneute Lesen der Bibel. Auf die Wiederholung, und zwar auf die Unermüdlichkeit dieser Wiederholung kommt es an. Diese scheinbar höchst technische Unermüdlichkeit „mit fleißigem Aufmerken und Nachdenken“ folgt dem Gebet. Das heißt, sie folgt dem sehr ernst gemeinten Abschied von der Vernunft als „rechtem Meister der Schrift“. Das Gebet nämlich besteht zunächst in der Einsicht, daß es bei dem Verstehen der Bibel auf Gottes Eintreten ankommt: „Lehre mich Herr, unterweise mich.“ Der Vernunft also ist damit zunächst einmal abgesagt. Das heißt, daß der Mensch mit all seinem Wollen und Besserwissen sich aus dem Mittel nimmt. Darauf kommt es ja offenbar an. Wenn der ewig vorwitzige Mensch „sich“ zurückgenommen hat im Gebet, dann kann der Umgang mit der Bibel erfolgen. Dies geschieht als Meditation. Das heißt nach Luther: das unablässige „Treiben und Reiben, Lesen und wieder Lesen“ der Bibel.

Die Zielrichtung des Ganzen kommt dann nach der Meditation bei der Weltangefochtenheit des Glaubens heraus. Dahin tendieren der betende und der meditierende Umgang mit der Schrift. Alles Schriftverständnis gewinnt aus dieser Angefochtenheit heraus erst seinen Erfahrungscharakter und damit seine Bestätigung. Aber das Gebet und die Meditation sind dafür unerläßliche Voraussetzungen. Mit der Meditation in dieser ihrer Stellung in der Vermittlung vom Gebet zur Angefochtenheit wollen wir uns beschäftigen.

II. Meditation als Konzentration

Wenn wir uns den Zusammenhang, in dem Luther von der Meditation spricht, näher erklären wollen, so gehen wir zunächst von einem scheinbar ganz äußerlichen Phänomen aus, das aller Meditation eigen ist, ob sie in Ost oder West geübt wird. Dieses Phänomen ist scheinbar rein formal. Aber es erweist sich als sehr tiefreichend wichtig — wir meinen die Konzentration.

Aurobindo hat in einem Brief gesagt, der indische Begriff für Meditation, nämlich *dhyana*, habe zwei englische Entsprechungsworte, die es ausdrückten und übersetzten, nämlich "meditation" und "contemplation". Meditation aber sei „Konzentration des mind auf eine einzige Reihe von Ideen, welche sich um ein einziges Thema drehen“.[4] Von der Kontemplation brauchen wir vorerst nicht zu sprechen; bleiben wir bei der Meditation als Konzentration.

Man meint vielleicht, wir seien ja doch dauernd mit Konzentration befaßt. Aber was hier in der Meditation gemeint ist, das ist eine Sammlung der ganzen Aufmerksamkeit auf einen Gegenstand oder Gedanken für längere Zeit. Und wenn wir uns darauf besinnen, wieweit wir in der Lage sind, einen Gedanken auch nur zehn Sekunden so festzuhalten, daß nicht andere Gedanken oder Bilder von außen oder innen sich dazwischenschieben oder darüberlegen, dann bemerken wir rasch, wie schwer, ja vielleicht wie unmöglich uns das zunächst ist. Die Bilderflut, mit der uns die Außenwelt ständig überschüttet, und die Vorstellungsflut, mit der uns unser Inneres ständig überschwemmt, sind so eminent, daß wir der rasend raschen Abfolge dieser ganzen Bilder überhaupt nicht zu folgen vermögen. Diese Reizüberflutung unseres Bewußtseins ist ja ein Teil des sog. stress, den wir modernen Menschen uns leisten. Und da geben uns die sog. Medien wie Zeitung und Fernsehen täglich noch unendliche Reize aus der ganzen Welt und ihren Schauerkammern hinzu.

Die Meditation ist stets Konzentration, d. h. der Versuch, einen Gedanken eine gewisse Zeitlang festzuhalten! Diese Konzentration beginnt man mit Körperteilen am besten, daß man einen Zeh oder Finger versucht in Gedanken festzuhalten. Erst langsam steigt man von einem Inhalt, der einem selbst körperlich gehört, zu einem gegenständlichen Inhalt, der einem gegenüberliegt, und zu einem entfernteren gegenständlichen Inhalt, ehe man mit gedanklichen Vorstellungen beginnt. Es geht also um das Festhalten eines solchen Inhaltes für eine Minute oder für fünf Minuten oder für länger.

Es ist mit dieser Konzentration, wie wenn man einen Spaziergang einmal geht oder wie wenn man ihn immer wieder geht. Beim erstenmal, da sieht man so einen Weg in den verschiedenen Sinneseindrücken, die er vermittelt, aber es entgeht einem vieles. Beim zweitenmal sieht man anderes, was sich einem einprägt. Eines Tages sieht man nichts Neues mehr, aber man sieht das Vertraute in der ihm jetzt gerade eigenen Stimmung, wo vielleicht gerade ein besonderer Wolkenschatten das Ganze bedeckt. Man erfaßt die Landschaft dieses einen Weges in immer neuen Charakteren. So dringt man, ohne daß die Sinne noch Neues entdecken könnten, auf diesem Wege in bestimmte Tiefen, die sich offenbar nicht mehr durch gegenständliche Bemerkungen vermitteln.

So ist das wohl auch mit Menschen, mit denen wir lange zusammenleben, daß sie sich uns desto länger in desto tieferen Seinsschichten vermitteln, die nicht mehr mit dem Auge oder dem Ohr vermittelt sind. Es gibt also offenbar eine Wahrnehmung des Menschen, die unter der oberen Schicht der Sinneswahrnehmungen verborgen liegt und die erst zutage kommt oder bemerkbar wird, wenn die Sinneswahrnehmung durch ständig gleichartige Beeindruckung zur Ruhe gebracht oder „gewöhnt" ist. Die sog. Konzentration oder Zentrierung der menschlichen Wahrnehmung entdeckt in dem unablässigen Umgang mit Gegenständen und Gedanken

Schichten ihres Seins, die beim rein sinnlichen ersten, zweiten oder dritten Wahrnehmen nicht entdeckbar waren.

Mit der Konzentration geschieht also eine Wahrnehmung, die nicht mehr primär sinnlich vermittelt ist und auch nicht primär im gegenständlich affizierbaren Bewußtsein aufgenommen wird. In dieser Konzentration, in der also ein Gegenstand oder ein Gedanke längere Zeit unablässig festgehalten oder wiederholt wird, gewinnt dieser Gegenstand oder Gedanke neue tiefe Ausdrücklichkeit und in dieser Ausdrücklichkeit neue Realität. Mit dieser Konzentration oder durch sie geschieht „etwas", weil neue Realität wirksam wird. Man kann sich das daran klarmachen, daß ein Mann, der am Morgen, Mittag und Abend die Friedlichkeit des alleinen Daseins meditiert, anders handelt als ein Mann, der der unendlichen Flut von Unheils-, Unglücks- und Verbrechensinformationen seiner Zeitung abends noch zwei Stunden das Anschauen eines Kriminalfilms anfügt. Aber man versteht wohl auch den weiteren Gedanken, daß so ein Mann gar nicht erst zu handeln braucht, daß er eine andere Sphäre um sich verbreitet, wenn er seine Tage so oder wenn er sie so zentriert. Diese Sphäre aber, die ein Mensch „ist", bedeutet ja wohl seine „eigentliche" Wirksamkeit.

Dies ist zwar für heutige Europäer ein im allgemeinen fremder Gedanke. Wir meinen, daß ein Mensch wohl nur da wirksam werde, wo er handele. Wir haben bei all unserer Eile und all dem täglich Neuen verlernt wahrzunehmen, daß ein Mensch durch sein einfaches Sosein und Dasein wirksam wird — er braucht weder etwas zu sagen oder zu tun. Aber wir empfinden davon auch noch im modernen Leben — also etwa in der Untergrundbahn oder im Verkehrsbus — oft spontan so einen heilsamen oder abschreckenden Wirkungseinfluß, der von einem Menschen ausgeht, der uns da ganz still gegenübersitzt.

Wir haben nun schon sehr viel über die Meditation erfahren. Wir verstanden sie als Konzentration, d. h. als langzeitige Wiederholung ein und desselben Themas, was sie ja tatsächlich in allen Fällen ist. Wir bemerkten, daß in dieser Wiederholung eine neuartige Schicht von Wahrnehmung wirksam wird. Wir können auch sagen, daß da eine neuartige Weise von Gegenstands-Vermittlung faßbar wird, mit der wir unsere Umwelt wie uns selbst neuartig oder in neuartigen Schichten zu sehen vermögen. Wir erfassen uns selbst in tieferen, dem Tagesbewußtsein verborgenen Schichten, wo wir mit dieser Konzentration auf Zeit hin umgehen. Dieses bringt eine neue Realität an uns wie an unserer Welt zum Aufscheinen. Und darauf kommt es offenbar an.

Es ist wahr, daß wir völlig extrovertierten Europäer, die Tag für Tag von Neuigkeiten leben, die dauernd unsere Welt und uns selbst meinen verändern zu müssen, grauenhaft wenig von dieser Wahrnehmung wissen. Und dennoch kennen wir alle die Nachklänge solcher Wahrnehmungen. Meditation als Zentrierung des Menschen auf einen Gedanken für längere Zeit konzentriert den Menschen durch die ständige Wiederholung auf Schichten des Seins, die dem raschen Wahrnehmen nach den Sinneseindrücken stets entzogen bleiben müssen. In der Sinneswahrnehmung ist der Mensch auf lauter „äußere" Eindrücke fixiert. Aber was an einem Gegenstand oder Gedanken abgesehen von den „äußeren" Eindrücken da ist, was sich über all die „äußeren" Eindrücke hinaus meldet, das erschließt sich erst der Wiederholung und Konzentration für längere Zeit.

Wir brauchen uns hier wohl nicht mehr damit zu befassen, daß man diese Konzentration recht verschiedenartig realisieren kann. Wie man dabei sitzt oder liegt, ob man dabei möglichst passiv nur zuschaut und sich von allen Denkzugriffen freizuhalten sucht, wie man seinen Atem regelt oder ob man den Vorgang durch das *japa* — das ständige Wiederholen eines Gottesnamens — unterstützt, oder wie man sich sonst verhält, das alles brauchen wir für unseren Gedankengang nicht. Diese verschiedenen Formen sind individuell sehr verschieden. Es gibt dafür keine einheitliche Normierung.

III. Das Meditations-Ziel

Die Meditation ist eine Methode, und zwar die Methode der wiederholenden Konzentration. Diese Meditation ist als Methode auf sehr verschiedenartige Ziele anzuwenden. Wir charakterisieren kurz drei religiöse Systeme, die sich der Meditation bedienen: erstens das Vedānta, wie es in der Māṇḍūkya-Upanishad dargestellt ist, zweitens den frühen Buddhismus, wie er in der mittleren Sammlung der Reden Siddharta Gotama, des Buddha, sichtbar ist, und drittens des Zen-Buddhismus, wie er sich in der frühen chinesischen Form der Koan-Methode zeigt.

In der kurzen Māṇḍūkya-Upanishad [5] wird folgendes Bild entworfen: Als Rahmen dessen, was war, ist und sein wird, steht der heilige Laut OM da. Diese Silbe, die man meditativ pflegen kann, umfaßt alles (v. 1). Sodann wird festgestellt, alles in der Welt sei *brahman,* und das Selbst sei auch *brahman* (v. 2). Dem folgt die Charakterisierung des Subjektes in seinem Wachbewußtsein (v. 3), in seinem Traumbewußtsein (v. 4), in dem beidem zugrundeliegenden Unterbewußtsein (v. 5). Viertens aber liegt dem allen der *ātman,* das Selbst, zugrunde (v. 7). Dieser *ātman* und *brahman* sind eines, und die heilige Silbe OM umfaßt, schafft und bedeutet diese letzte große Einheit. OM entspricht den vier Dimensionen menschlichen Bewußtseins bis zum *ātman* hin.

Diese kleine Upanishad orientiert über die Einheit von Welt und Selbst. Sie gibt zugleich den Weg zu dieser Einheit mit der heiligen Silbe OM an, die merkwürdigerweise auch die zeitliche Tiefe dieses ganzen Einen repräsentiert. Diese Silbe läßt sich meditieren. Die unablässige Konzentration auf diese Silbe führt zur Wahrnehmung der vier Dimensionen des menschlichen Bewußtseins — bis hin zum *ātman*. Die Erfassung des *ātman* führt zur Einheit mit *brahman* und dieses Ganze „ist" OM.

Diese kleine Schrift gibt den Gang meditativen Eindringens in das Eine und Ganze anhand der Silbe OM. Das Ziel dieser Meditation ist dieses Eine, das ebensoviel Welt als Ganzes wie Selbst als Einzelnes „ist". Das Ziel dieser Upanishad ist die Bewältigung des Vielen, des Mannigfaltigen, des Widerstreitenden, des Ausschließenden. Es geht um die Einheit des Ganzen, „das Zu-Frieden-und-Ruhe-Kommen alles differenzierten relativen Seins" (v. 7). Das findet man in dem *advaitam,* dem „ohne-ein-Zweites", dem *ātman* (v. 7).

Dieses Meditationsziel also ist hier ein hochaktuelles philosophisches, religiöses und vitales Problem: Wie kommen wir über den uns zerstörenden Pluralismus dieser Welt zum zureichenden Begriff — das ist das philosophische Problem, zum verbindlichen Ganzen — das ist das religiöse Problem — und zum politischen wie psychischen Frieden — das ist das vitale Problem. Nun: diese Problematik war damals [6] so akut wie heute. Man bewältigte sie mit der auf „ein nicht-Zweites" gerichteten Konzentration. Die religiöse Voraussetzung aber war die Überzeugung von der monistischen Einheit von Selbst und Welt, die zu gewinnen des Lebens Ziel und Inhalt war. Die stetige Wiederholung der heiligen Silbe OM war das Leitseil, an dem der Meditierende dies Ziel erreichte.

Für Siddharta Gotama, der der Buddha genannt wurde, war das Ziel der Versenkung ein anderes. Er meinte, daß der Mensch dem Leiden dieser Welt nur entrinnen könne, wenn er fest erfasse, daß der *ātman,* sein Selbstsein oder sein Subjektsein, ein trügerischer Schein sei. Gleich die erste Rede der mittleren Sammlung macht deutlich, daß man nichts in der Welt auf sich selbst beziehen kann und darf, da es kein Selbst gibt. Was andere das Selbst nennen, ist selbst ein unaufhörlicher Strom von Vergehen und Werden. In diesem Strom gibt es kein Halt, auf das sich irgend etwas beziehen könnte. Wo diese *anatta*-Lehre erfaßt und festgehalten wird, da tritt der Mönch in die verschiedenen Stufen der Schauungen ein, die zur Erleuchtung führen können.

In der berühmten 10. Rede der mittleren Sammlung [7] beschreibt der Buddha den Gang der zur Meditation führenden sechs Handlungen: Die Achtsamkeit auf die Atmung als Mittel zur Konzentration, sodann auf die Körperhaltung, auf die Klarheit des Wissens über alle Handlungen, auf die Körperteile, auf die Elemente des Körpers und auf eine Leiche. Diese Abfolge seziert (von der Atmung und Haltung ausgehend) immer weiter über Handlung, Körperteil und Element zur Leiche als Inbegriff des Vergänglichen. Am Ende sagt der Buddha:

Wahrlich, ihr Mönche, wer diese (vier Vergegenwärtigungen der) Achtsamkeit sieben Jahre übt, bei dem ist eines von zwei Ergebnissen zu erwarten: entweder die Erkenntnis bei Lebzeiten oder, wenn noch ein Rest von Anhaften da ist, die Nimmerwiederkehr.[8]

Die Schule dieser Konzentration führt zu den Inhalten der eigentlichen Meditation, den vier *jhāna*: dem Wachzustande, dem Traumschlaf, dem Tiefschlaf und dem *nibbāna*.[9] Es geht dem Buddha darum, die Unwissenheit zu beseitigen, in der die Menschen die Welt und sich selbst für etwas Festes, Beständiges oder gar Zuverlässiges halten. Welt und Selbst stehen vielmehr im trügerischen Schein und sind unaufhaltsames Vergehen. Als solch Vergehen „sind" sie gar nicht. Diese Erkenntnis gilt es zu fassen. Wenn nämlich Welt und Selbst nicht sind, dann ist auch das Leiden, das sie unausweichlich darstellen, nicht. Wenn aber dieses Leiden keine Macht haben kann, dann ist das einzig Positive — das *nibbāna* — erreicht. Strenge Konzentration nur kann dazu führen, daß dann eines Tages — ebenso unvorhersehbar wie unverfügbar — die *bodhi* einbricht.

Wir erkennen, daß das Ergebnis der Meditation in den beiden Religionen ganz verschieden ist. Dort in der Māṇḍūkya-Upanishad ist es die Einheit von *brahman* und *ātman*, die den einzelnen in der *samādhi* aufhebt in das „Sinnganze". Hier bei Siddharta ist es die Lösung von der Schein-Realität des Ich wie der Welt und darin die Bewältigung des Weltleidens. Die *bodhi* liegt im Zielpunkt als endgültige und ganze Lösung aus dem Bann des *saṅkhara*. Die Meditation ist in beiden Fällen der Konzentrationsweg, der in die Tiefe der Wahrheit führt.

Stellen wir drittens noch die zen-buddhistische Meditation daneben, wie sie nach der altchinesischen Koan-Methode gelehrt wird.[10] Diese Methode besteht darin, die meditativ als die *satori* zu erfassende „Wahrheit" anhand von Erzählungen der großen Zen-Meister zu üben.[11] In diesen Koan ist die Konzentration [12] aber ganz anders gewendet als bisher beobachtet. Gehen wir von einer der bekanntesten Geschichten aus: „Ein Mönch fragte Meister Tozan: 'Was ist Buddha?' Tozan sagte: 'Drei Pfund Flachs.'" [13] In dieser Geschichte wird eine Frage nach dem erleuchteten Menschen mit einer Antwort versehen, die zunächst gar nichts mit der Frage zu tun zu haben scheint. Was haben die drei Pfund Flachs mit der Eigenart eines Erleuchteten zu tun? Aber auf diese Diskrepanz kommt es offenbar an.

In dieser Diskrepanz oder in dem Widersinn von Buddha und drei Pfund Flachs kommt zum Ausdruck, daß die Frage als diese Frage schon falsch war. Auf eine so gestellte Frage kann man alles antworten, denn jede Antwort ist gleich unsinnig. Die Frage ist nämlich noch aus der Distanz von fragendem Subjekt und befragtem Objekt heraus gestellt. Und das ist jedenfalls falsch. Die Voraussetzung des Zen ist die Einheit von Subjekt und Objekt.

Im Bannan-Sho heißt es: „Tozan sagte: 'Drei Pfund Flachs.'" Das ist ohne Zweifel ein solider Eisenkeil, der sich allen unseren Versuchen und Annäherungen widersetzt. Du wirst vielleicht zehn Jahre lang, zwanzig Jahre lang im Abgrund der Dunkelheit kämpfen müssen. Lösche alles unterscheidende Bewußtsein aus und sei Nicht-Geist, sei Nicht-Selbst, sonst wirst du das Wesen dieses Koan nicht begreifen können.[14]

Wenn man das „unterscheidende Bewußtsein" auslöscht, so springt die *satori* hervor: Der Fragende ist Buddha, und damit verbietet sich die Frage, weil er selbst die Antwort „ist". Abgesehen von diesem seinem Sein gibt es keine Antwort auf die Frage.

Aber diese Feststellung ist gewiß auch zugleich falsch. Wenn wir nämlich nun diese Einsicht — also ist der Frager Buddha — inhaltlich aufnehmen wollten, um daraus zu schließen, was der Frager denn nun sei, so wäre alles vertan. Das ist gerade nicht die Meinung. Im Horizont der zen-buddhistischen Meditation liegt nicht die Einheit von Selbst und Buddha als „Etwas", sondern als „Nichts". Dieses Nichts aber ist nicht etwas, sondern Leersein — ganzes Leersein. Die Einsicht in dieses letzte Ganze oder in die Leere kann man nicht aus sich entwickeln wollen. Sie kommt, nein, sie ist immer vorgängig schon da. Nur eines darf man nicht: In die Gegenstandswelt aufbrechen, um im rastlosen Forschen nach dem Stein der Weisen zu suchen. „Draußen" liegt die Wahrheit nicht. Aber sie liegt auch nicht in einem „Drinnen". Suzuki sagt einmal, der Zen übe keine Meditation in dem Sinne, daß er den Geist auf allgemeine Gegenstände konzentriere wie das Selbst oder der Buddha oder das Ganze. Der Zen drehe sich vielmehr um konkrete Alltagsdinge und abstrahiere nicht![15] Vom Gesichtspunkt des Zen aus ist das gewiß einsichtig. Für den Europäer ist das Leersein schwer zusammenzudenken mit dem Sichtbarwerden des einzelnen und des anderen Menschen.[16] Aber darauf kommt es gerade an.[17]

Wir sehen also drei sehr verschiedene Ziele, die in der Māndūkya-Upanishad, in den Reden Siddharta Gotama, des Buddha, und im Zen-Buddhismus durch Meditation erstrebt werden: Die alles erfüllende Einheit von Welt und Selbst, die alles verlassende Scheidung von Welt wie von Selbst und die Gewinnung von Welt und Selbst aus der Leere oder in der Leere. Die Meditation wird als jahrelanges Bemühen angenommen: Ein Bemühen, dem sich Wahrnehmungen öffnen, die dem sinnlich affizierten Wachbewußtsein verborgen sind.

Es wird in diesen Beispielen aber auch ganz klar: Meditation als wiederholende Konzentration ist rein methodisch zu verstehen. Sie kann den verschiedensten und widersprechendsten Inhalten dienen — obwohl die genannten drei Ergebnisse der vedāntischen *samadhi,* der buddhistischen *bodhi* und der zen-buddhistischen *satori* näherem Zusehen doch sehr nahe beieinander sind.

IV. Eine christliche Meditation

Gehen wir nach diesen Überlegungen zu Luther zurück. Es fällt uns auf, daß zwischen dem, was wir über Meditation allgemein und über Meditation in den asiatischen Religionen sagten, und dem, was Luther als Meditation charakterisiert, zwei formale Analogien am Tage liegen.

Die erste Analogie besteht darin, daß auch für Luther Meditation in einer Konzentration auf Grund unentwegter Wiederholung besteht. Meditation ist ein methodisches Umgehen mit dem religiösen Gegenstand, das die ständige Wiederholung desselben als Mittel von Konzentration benutzt. Dabei wird auch in diesem Fall der Effekt eintreten, daß in dieser Wiederholung die vielen Ablenkungen, die durch Sinneseindrücke des Neuen zunächst entstehen, fortfallen. Je öfter der Text wiederholt wird — „in fleißigem Aufmerken und Nachdenken" —, desto geschlossener wird er. Wir lernen ihn „in- und auswendig" kennen und erfassen an so einem Text Schichten, die sich uns im ersten, zweiten oder dritten Lesen nicht erschließen. Aber es ist auch einleuchtend, daß wir uns in dieser ständigen Wiederholung vor dem Text besser und besser kennenlernen werden, daß wir uns vor dem Text neuartig verstehen lernen. Auch dies liegt auf der Hand, da wir uns mit diesem Text nun ja in den verschiedensten Stimmungen und Haltungen befaßt sehen. Diese zunächst scheinbar ganz äußerliche Wirkung der Wiederholung muß sehr hoch eingeschätzt werden. In dieser Wiederholung wird tiefe Konzentration dadurch möglich, daß alles Ablenkende durch äußere Neuentdeckungen an uns wie am Text verschwindet. „Sammlung" nennt man diesen Effekt, und diese „Sammlung" betrifft die einzelnen Eigenarten des Textes wie uns selbst. Sie wird durch das lang wiederholende „fleißige Aufmerken und Nachdenken" möglich, und sie wird tief und tiefer. Das heißt, sie dringt in Textzusammenhänge und in Selbstherausforderungen vor, die sich nur der „Vertrautheit“ erschließen, die der wiederholenden Konzentration sichtbar werden.

Die zweite Analogie besteht darin, daß in dieser Wiederholung und mit ihr nach Luthers Meinung der Geist Gottes in das Textverständnis eintritt. Der Geist Gottes realisiert sich für Luther in jenem Vorgang, in dem einem Menschen ein biblischer Text als das „Wort Gottes für ihn“ einleuchtet. Ein biblischer Text wird nicht mehr äußerlich nach seiner historischen Aussage verstanden, sondern er leuchtet als „mir gesagt“ ein und erschließt den in ihm redenden Gott. Auch für die Vedānta-Frömmigkeit ist die Meditation erst dort zu ihrem Ziel gekommen, wo die *samādhi* [18] eintritt, wie es für den Buddhisten die *bodhi* und den Zen-Mönch die *satori* ist. Diese Akte von „Erfüllung“ des Gesuchten geschehen weithin auch kontingent. Die *bodhi* läßt sich nicht methodisch erzwingen. Und mancher erreicht sie nie oder besser: er wird von ihr nicht erreicht. Das heißt: wie die *satori* oder die *bodhi* ist der Geist Gottes ein kontingentes Ereignis, das im Zielpunkt der Meditation steht. Ohne dieses Ereignis ist die Meditation nichts. Mit diesem Ereignis ist sie ein „Heilsweg“.

Diese beiden Analogien sind rein formal. Inhaltlich läßt sich die christliche Meditation den anderen Meditationen nicht vergleichen. Es geht hier ja primär weder um das Sinnganze der Welt noch um die Erschließung der Tiefenschichten der menschlichen Person, sondern es geht um die Zeugnisse von Wort, Werk und Person Jesu. In den Ereignissen, die sich durch und mit Jesus vollzogen, geschieht das „Heil“ auch heute. Das *extra nos* der *soteria* wird meditiert. Sofern dann der Geist eintritt, wird nicht ein neues Thema sichtbar. Der Geist Gottes hat, wie das zumal im johanneischen Bereich mit dem Parakleten deutlich wird, kein anderes Thema als Wort, Werk und Person Jesu. Aber das *extra nos salutis* wird nun als *pro nobis* apperzipierbar und als *in nobis* empfangen.

Es ist gewiß wichtig, sich über die formalen Analogien hinaus diesen materialen Unterschied vor Augen zu halten. Es geht im christlichen Glauben zunächst und zentral sehr nüchtern um einen geschichtlich beschreibbaren Ereigniszusammenhang, den man sich nur gesagt sein lassen kann. Es geht primär also nicht um Einsichten, die im menschlichen Gemüt oder in irgendwelchen Bewußtseinstiefen verborgen liegen. Die Kontingenz einer Reihe von Geschichten — der Geschichten von Jesus im engsten Zusammenhang mit den Glaubensgeschichten seines Volkes — bildet die Grundlage des christlichen Glaubens. Diese Geschichten werden meditiert und im Eintreten des Geistes unsere Geschichte mit Gott.

Diese inhaltliche Eigenart des Christentums hebt die formalen Analogien zwar nicht auf, zeigt aber zugleich auch, wie tatsächlich nur sehr formale Teile der asiatischen Meditationstechniken in die christliche Meditationspraxis übernommen werden können. Gewiß, man kann Atemtechniken u. ä. sehr brauchbar finden. Aber es bleibt doch eine sehr andersartige Gesamthaltung, wenn der Gegenstand solcher Meditation grundsätzlich *extra nos* ist und wenn dieser Gegenstand sich z. B. auch noch einer historischen Analyse bedürftig erweist. Dies ändert freilich nichts daran, daß die Meditation der ständigen Wiederholung der biblischen Texte als Übung von Konzentration in Richtung auf das Eintreten des Geistes Gottes der Grund der Möglichkeit dafür ist, ob man ein rechter Christ und Theologe wird! Wir müssen nun aber den eigentlich entscheidenden Unterschied noch beobachten. Luther faßt die Meditation ja als die Vermittlung zwischen Gebet und Anfechtung auf. Das heißt: dieser ständige Umgang mit der Bibel kommt im Eintreten des Geistes nicht zur Ruhe. Diesem Akt folgt vielmehr erst als das „Eigentliche": die Erfahrung dessen, was meditiert ist, im gelebten Leben. Diesen dritten Teil nennt Luther die Anfechtung.

Über das Meditieren und das Eintreten des Geistes hinaus wird der christliche Glaube in seiner Weltzugewandtheit erst rechter Glaube. Diese Weltzuwendung des Glaubens charakterisiert Luther hier wie anderwärts als Angefochtenheit. Das Weltgeschehen hat in all seinen „Irrungen und Wirrungen" Macht, den Glauben in seiner Gottesgewißheit tief zu erschüttern und zu quälen. Das heißt Anfechtung. Nicht nur das „groß Kreuz", wo Christen um ihres Glaubens willen verfolgt werden, sondern auch das „klein Kreuz", wo der Alltag mit all seiner Bosheit und seinem Unheil uns nahetritt, hat diese Macht. Die „Welt" hat diese Macht, weil der Christ die Welt nicht ohne Gott oder abgesehen von Gottes Walten in der Welt aufzufassen vermag. Da wird der Gott Israels, der Vatergott Jesu, dem sich der Christ betend zuwandte, dessen Zeugnis er meditierend nachdachte und im Geiste endlich empfing, von der Welt in Frage gestellt. Uns braucht die Anfechtung des Glaubens hier nicht im einzelnen zu beschäftigen.[19] Aber die Tatsache muß uns beschäftigen, daß die Meditation die Vermittlung zu dieser Angefochtenheit ist. Die Meditation stellt die Vermittlung zwischen dem Gebet und der Welterfahrung dar. Sie vermittelt die Zugewandtheit von Gott zur Welt.

In diesem Sachverhalt tritt ein tiefer Unterschied zu der Vedānta-Frömmigkeit und der buddhistischen Sicht zutage. Danach verliert die Welt diese Macht gerade in der Erfüllung der Versenkung. Je mehr sich die Meditation der Erfüllung nähert, desto mehr versiegt die Macht der Welt. Im Zustande der Erfüllung herrscht absolute Weltüberlegenheit, die sich als Schwerelosigkeit oder als telepathisches Überwinden großer Entfernungen oder anderes zeigen kann.

Aber dazu ist dies zu beachten: Im Zen-Buddhismus vermittelt die *satori* ebenfalls eine neuartige Welterfahrung. Das wird plastisch klar in der berühmten Bildgeschichte von dem Hirten und seinem Ochsen.[20] Nach dem Eintreten des vollen Leerseins geschehen nämlich noch zwei Akte: Erstens wird der blühende Baum am Bach, das heißt das einzelne, sichtbar; zweitens wird die Kommunikation mit anderen auf dem Markt und in der Wirtschaft beglückendes Ereignis. Das heißt, daß die in der *satori* vollendete Meditation das freudige Erfahren der einzelnen Schönheit wie der Gemeinschaft eröffnet: Die Umwelt wird erschlossen. In diesen Erfahrungen liegt wiederum eine formale Analogie zur christlichen Meditation vor. Diese Analogie gibt es bezüglich der vedāntischen *samādhi* und der buddhistischen *bodhi* nicht.

Bedeutsam ist auch bei dieser Analogie der inhaltliche Unterschied. Luther beschreibt die Erfahrung von Welt als Angefochtenheit. Das heißt: die Welt steht dem Glauben zunächst entgegen. Diese *differentia specifica* muß erst überwunden werden, ehe der Glaube „fertig" und der Christ oder Theologe „recht" wird. Das ist im Zen-Buddhismus nicht so. Hier ist die offene Zugänglichkeit von Welt gerade als einzelnes und Gemeinschaft die unmittelbare Folge der *satori.*

An diesen Unterschieden, die wir beobachteten, kann man die spezifischen Unterschiede der Welterfahrung der ostasiatischen und der christlichen Kulturen demonstrieren. Man kann sich an dem Hergang der Meditation und ihren Inhalten des eigentümlich formal Analogen trotz und in der sachlichen Differenz vergewissern und bemerken, wie sich diese Differenzen an dem anthropologisch Analogen zur Darstellung bringen.

Anmerkungen

[1] Zur allgemeinen Literatur zur Meditation vgl. den Artikel von W. Trillhaas in RGG[3] III, Sp. 825 f.

[2] Carl Friedrich von Weizsäcker: Der Garten des Menschlichen. München 1977. Uns interessiert hier nur der 8. Teil des Vierten Kapitels: „Gespräch über Meditation" (S. 533—550).

[3] EA 1, 70.

[4] Sri Aurobindo: On Yoga II, Tome 1. 1958, S. 695 f.; abgedruckt in: Integraler Joga H. 2 (1964), S. 110.

[5] Übersetzung und Erklärung vgl. Heinrich Zimmer: Philosophie und Religion Indiens. Zürich 1961, S. 334.

[6] Die Datierung der Māṇḍūkya-Upanishad ist unsicher. Man rechnet sie zu den älteren sog. Atharva-Upanishaden; vgl. H. v. Glasenapp: Die Literaturen Indiens, in: Handbuch der Literaturwissenschaft. Potsdam 1929, S. 73 ff.

[7] Diese 10. Rede ist die Satipaṭṭhāna: The Majjhima-Nikāya, hrsg. von Trenck-

ner im Auftrag der Pali-Text-Society. Oxford 1948. Bd. I, S. 55—63. Der deutsche Abt des Inselklosters Dodanduva in Ceylon hat dieser Rede einen eingehenden Kommentar gewidmet: Nyanaponika, Satipaṭṭhana. Der Heilsweg buddhistischer Geistesschulung. Konstanz 1950.

[8] Bd. I, 62.

[9] K. Sindhvananda hat in seiner Arbeit über den *ātman* diese Stufen herausgearbeitet, die den Stufen der Māṇḍūkya-Upanishad entsprechen. An Stelle des dortigen *ātman* steht hier das *nibbāna.*

[10] Vgl. die kurze, sehr informative Darstellung bei C.-M. Edsman: Die Hauptreligionen des heutigen Asien. Tübingen 1971, S. 102 ff.

[11] Zenkei Shibayama: Zu den Quellen des Zen; die berühmten Koans des Meisters Mumon aus dem 13. Jh. München 1976. D. T. Suzuki hat in seinen Darstellungen des Zen-Buddhismus viel mit diesen Koan gearbeitet. Z. B. in: Die große Befreiung. Leipzig 1939 (passim).

[12] Das Skr-Wort für Meditation *dhyana* hat eine Verbindung zu dem Za-Zen. Dies bedeutet „stille Meditation".

[13] Z. Shibayama: Zu den Quellen des Zen. München 1976, S. 167.

[14] Im Teischo zum Koan von Shibayama (ebd.), S. 169.

[15] Die große Befreiung. Leipzig 1939, S. 59.

[16] Vgl. Shizuteru Ueda: Das Nichts und das Selbst im buddhistischen Denken, in: Studia Philosophica (1974), S. 144—161.

[17] Wir kommen hier also zu ganz anderen Schlüssen als R. Otto in seinem Aufsatz: Numinoses Erlebnis im Zazen, in: Das Gefühl des Überweltlichen. München 1932, S. 241—253.

[18] Der Unterschied der beiden Formen braucht uns hier nicht zu beschäftigen. Gemeint ist aber die *nirvikalpa samādhi,* in der das Selbstbewußtsein im Gegenstandsbewußtsein aufgegangen ist.

[19] Hierzu vgl. meine Untersuchung: Der angefochtene Glaube. Gütersloh 1957, S. 233—294.

[20] Der Ochs und sein Hirte, eine altchinesische Zen-Geschichte. Übersetzt von Koichi Tsujimura und Hartmut Buchner. 3. Aufl. Pfullingen 1976.

DIE ZWÄNGE UNSERES LEBENS (IN OST UND WEST) ALS GEISTLICHES PROBLEM

Eine Meditation

Von HELMUT THIELICKE (Hamburg)

Die Idylle, als welche uns die alte Zeit erscheint, stimmt so nicht. Auch frühere Generationen hatten schon den Sündenfall im Rücken, und in der wärmeren Temperatur der alten Zeit ging die Drachensaat des Widerspielers ebensogut auf wie heute in der pluralistischen oder sozialistischen Gesellschaft. Hätten damals nicht auch schon Ehebruch und Ungerechtigkeit, hätten nicht Intrige und Hartherzigkeit grassiert, und hätte die Sonne nicht auch ehedem schon über Guten und Bösen geschienen, so gäbe es gar nicht so viele spannende Romane, die in diesen Zeiten spielen. Und wenn man gar daran denkt, was die Leute damals für Zahnschmerzen hatten, was der Dorfbader und der Dr. Eisenbart mit ihnen anstellten, wie ihnen die Kinder wegstarben, und wie begabte Leute an ihrem sozialen Aufstieg gehindert waren, dann sind die idyllischen Träume schnell verflogen. Statt reaktionär den alten Zeiten nachzutrauern, wollen wir lieber — und dabei auch gehorsamer und zuchtvoller — die Tatsache zur Kenntnis nehmen, daß Gott der Herr es ist, der uns gerade in die *heutige Gesellschaft,* in die demokratische oder die totalitäre, versetzt hat, auch wenn uns da vieles gegen den Strich geht. Und wenn unser himmlischer Vater es ist, der uns an diesen Ort gestellt hat, dann kann es ja gar nicht allzu schlimm sein: denn die Wellen, die uns manchmal verschlingen und dahin treiben wollen, wohin wir gar nicht möchten, sind ja vom Odem seines Mundes bewegt. Und überdies sind sie seiner gebietenden Hand untertan. Niemand anders als Jesus Christus selbst schläft bei uns im Schifflein.

Warum sind wir also so kleingläubig und furchtsam? Manchmal scheinen wir zwar kaum eine Chance zu haben, so zu leben und auch so zu reden, wie wir wollen und wie es das Gewissen von uns fordert. Aber haben wir vergessen, daß niemand, kein Mensch und kein Regime, in der Lage ist, Gott seine Chancen streitig zu machen, vor allem die *eine* große Chance, daß er uns alles „zum Besten dienen“ läßt, wenn wir ihn nur „über alle Dinge lieben“?

Diese Vorbemerkung mußte ich an den Anfang stellen. Denn damit ist der Ort bestimmt, von dem aus wir denken müssen. Wir können noch so sehr soziologische Analysen betreiben, um noch freie Bewegungsräume in der heutigen Gesellschaft mit ihren Eigengesetzlichkeiten zu entdecken — das alles hilft uns nicht, wenn wir vergessen, daß Gott uns nicht nur beim Zwangskurs unseres Schiffleins *tröstet*, sondern daß er auch der Strömungen und Strudel mächtig ist, die uns Hilflose anzusaugen scheinen. Wenn wir das nämlich vergessen, dann gewinnt auch unser Analysieren und Forschen, dann gewinnen alle unsere Denkbemühungen den Charakter der Sorge und des Sich-Ängstens, dann werden sie trotz allen Scharfsinns zu geistlichen Verwesungsprodukten, die unsere Freude und unseren Mut zersetzen, die uns lähmen und die zu Partisanen des Sorgengeistes werden, während Gott es den Seinen doch „im Schlaf" schenken will (Psalm 127, 2).

Das Wichtigste ist darum nicht einmal, daß wir sorgfältig und nüchtern nachdenken, sondern das Wichtigste ist der *Ort*, an dem wir das tun. Wir können *entweder* im Abgrund der Angst nachdenken; das kann sehr scharfsinnig sein, doch wir werden darüber vielleicht nihilistische Existentialisten und kommen zu einer Philosophie der Angst. *Oder* wir können als die Geborgenen und zum Frieden Berufenen denken, wir können vom Herzen Gottes aus denken, während der Arm des Vaters uns umfängt. Dort denken wir gelassener und darum vielleicht auch objektiver.

Wir kennen das Wort Luthers: „Der Christenmensch ist ein freier Herr und niemandem untertan." Manchmal will uns dieses Wort fast zu stark erscheinen: An was sind wir nicht alles gebunden oder gar gefesselt! Vor allem an Verordnungen, aber auch an das, was unsere Umgebung von uns erwartet, ferner an unseren Terminkalender (um nur einiges zu nennen). Außerdem zappeln wir in den Netzen der Sorge, der Torschlußpanik und der Angst um unsere Kinder. Das Wort, so wie ich es zitiert und aus dem Zusammenhang gerissen habe, ist in der Tat zu stark, jedenfalls ist es so zu einseitig. Und Luther hat es denn auch (wie schon die Fortsetzung des obigen Zitates zum Ausdruck bringt) in einem ganz bestimmten Sinne gemeint: Die Freiheit, von der er spricht, habe ich nämlich *nicht* in der Weise, daß ich in prometheischem Trotz meine Fesseln zerreiße und mich auf eine etwas tolldreiste Art für frei *erkläre*. Das kann Sartre vielleicht tun, und er hat wenig Glück damit; denn es ist ein verzweifeltes Experiment. Ein Christenmensch aber kann *nie* so von der Freiheit reden. Er weiß sich nämlich frei nur in dem Maße, wie er an Gott gebunden ist, wie er sein Kind ist und ihm nach den Augen sieht.

Wir sehen das am Gleichnis Jesu vom verlorenen Sohn (Lukas 15, 11). Der ist so ein rebellischer Knabe, der sich für frei erklärt und der auf die freie Wildbahn der Fremde durchbricht, die herrenlos und ohne Verbotsschilder ist, auf der er sich um niemanden zu scheren braucht, und wo auch niemand sich um ihn schert, wo er also nach Herzenslust frei sein und tun kann, was er will. Wir kennen auch das Ende von diesem Lied: es fing in C-Dur an und endete in h-Moll: an die Stelle des väterlichen Herrn traten nun andere Herren, die ihn knechteten, während er vorher Kind im Hause war. Die Mächte waren: der Hunger, der ihm Bauchgrimmen machte — denn niemand gab ihm ein Stück Brot, es fragte ja wirklich niemand mehr nach ihm; aber das war nun nicht mehr schön, sondern entsetzlich —; ferner der Ehrgeiz, der ihn verzehrte, das Heimweh, das an seiner Seele fraß, und endlich ein großes Gefühl des Verlorenseins.

Es ist wirklich sehr merkwürdig: die Menschen Gottes fühlen sich immer nur dann ganz frei und allen feindlichen Gewalten überlegen, wenn sie an ihren Herrn gefesselt und dadurch mit ihm verbunden sind. „Wir können's ja nicht lassen", sagen sie, als man ihnen die Verkündigung untersagen und den Mund des Zeugen verschließen will (Apostelgeschichte 4, 20; 5, 29). Das heißt doch: Sie sind dem Druck der Gegner gewachsen, weil sie unter dem Druck Gottes stehen, und dieser Druck ist eben stärker. Die Gegner sagen: „Ihr habt es zu lassen; wir sind stärker als ihr", und sie antworten: „Wir *können*'s ja nicht lassen; denn *Gott* ist stärker als wir; er ist aber auch stärker als *euer* Gesinnungszwang." So sind wir frei immer nur als die Gebundenen und gerade nicht als die Bindungslosen; wir sind frei als die mündigen Kinder, aber gerade nicht als die Rebellen. Wir sind zwar nicht frei gegenüber Gott; aber Gott macht uns frei gegenüber den Menschen und ihrem Gemächte. *Wenn wir unter Jesus stehen, stehen wir über den Dingen; wenn wir uns über Jesus erheben, geraten wir unter die Dinge.*

Nun haben die Christen es immer wieder erfahren, daß niemand sie aus der Hand Gottes reißen konnte und daß ihnen also niemand ihre Haupt- und Kardinalfreiheit nehmen konnte, seine Kinder zu sein. Sie haben diese Freiheit sogar in Gefängnissen, Konzentrationslagern und Zuchthäusern ausprobiert; und sie hat sich gerade an diesen Stätten einer äußersten Einengung bewährt.

Warum waren sie in Fesseln frei? Es gibt dafür drei Gründe:

Einmal: Die enge Welt um sie her mochte durch Kerkerwände verschlossen, und ihr Aktionsradius mochte auf ein Minimum reduziert sein. Doch der Zugang nach oben blieb offen. Sie konnten beten, auch wenn alles um sie her schwieg. Sie konnten Gott inmitten aller Pression sogar loben (Apostelgeschichte 2, 27) und waren damit aus der Enge ihrer Ketten in die Weite der Ewigkeit versetzt.

Zweitens: Sie wußten: „Es kann mir nichts geschehen, als was er hat ersehen und was mir selig ist" (Paul Gerhardt). Sie wußten also noch mehr als bloß dies, daß Gott bei ihnen war und ihrer Seele Atemraum gab. Sie wußten, daß er auch Türen und Wände durchschreiten konnte, daß er Richter, Henker und Kalfaktoren wie Marionetten an seiner Hand führte und daß er ihnen nicht nur in ihrem Schicksal Kraft gab, sondern daß er auch selbst dieses Schicksal verhängte und seiner mächtig blieb. Denn auch die Mächte der Bedrückung sind ja in seiner Hand, und Nebukadnezar und Herodes *bilden sich nur ein*, nach *ihrem* Konzept und „Gusto" mit den Kindern Gottes Schlitten fahren zu können; in Wirklichkeit stehen sie selber auf einem Konzept: auf dem höheren Plan jenes Herrn, der sie einen Moment losläßt (Jesaja (54, 7) und ihrer im nächsten Augenblick „lachet" (Psalm 2, 4).

Und noch ein Drittes ist es, was die Kinder Gottes frei sein und sie wie Vögel dem Strick des Voglers entrinnen läßt (Psalm 124, 7): *Sie können Gott loben*, sogar in der Tiefe. Gott loben aber heißt eigentlich nichts anderes, als die Geschichte von ihrem Ende her zu sehn, von dorther also, wo am Throne Gottes alle Drangsal beendet und alle Gebete erfüllt sein werden, weil er nun alles in allem ist.

Dies mußte vorweg gesagt, und es muß uns gewisser sein als die Mächte der Bedrängnis selbst, und wenn wir nun diese Mächte noch einmal an uns vorüberziehen lassen und sie bei dem Versuch beobachten, uns den Spielraum der Gewissensfreiheit zu nehmen.

Es sind auf jeden Fall, wie hart sie auch mit uns verfahren mögen, besiegte Mächte. Und weil diese Mächte unter der Kontrolle und unter dem Triumph Gottes stehen, wird es auch immer Räume des Lobens und des Dankens geben. Mancher möchte im Rückblick auf Gefangenenlager und Bedrängniszeiten diese Tiefen sogar nicht missen. Denn die Freiheit, die Gott schenkt, ist ja auf keinen Fall die Freiheit, daß wir tun dürfen, was wir wollen, sondern daß wir werden dürfen, was wir sollen — seine geliebten und ihn immer lieber habenden Kinder —, und daß wir dadurch frei für das Wesentliche werden. Gerade unter äußerem Druck werden uns dafür die Augen geöffnet, während Menschen, die durch Reichtum, Macht und Privilegien tun können, was sie wollen, im Kot der zeitlichen Dinge steckenbleiben und den Maßstab für Groß und Klein verlieren. Ich denke an einen schon verstorbenen berühmten Playboy und Weltenbummler meiner Generation. Er hatte Geld und Freizeit genug, um sich alles leisten zu können. Aber war er wirklich dem Wesentlichen zugeordnet und glücklich, wenn er nun von Luxushotel zu Luxushotel, von Pferderennen zu Pferderennen fuhr und seiner Frau die wohlgekämmten Luxusmöpse nachtrug? War er etwa freier als ein Christenmensch in irgendeinem Kerker, der für sein Bekenntnis litt und den das Lob Gottes emportrug?

Im Grunde weiß das Neue Testament auf jeder Seite, daß wir Menschen *immer in der Bedrängnis* stehen; aber es weiß auch, daß Gott gerade das, was uns so unter Druck setzt, zu einem Material des Glaubens machen und uns daran die große, souveräne Freiheit der Kinder Gottes verdeutlichen will. Wer nur im Sonnenlicht lebte und sich die reifen Früchte in den Mund wachsen ließe, hätte sozusagen keine Chance, das Dennoch des Glaubens überhaupt zu erlernen. Darum *begnadet uns Gott mit Druck und Anfechtung*; und die wahren Kinder Gottes haben es deshalb immer gewußt, was sie dem Schweren und Bedrückenden verdanken, auch wenn es ihnen meist erst in der Rückschau aufgegangen ist — wie etwa dem Knecht Gottes, Hiob.

Die *Gestalten des Druckes* sind von einer unendlichen Vielfalt. Wir alle kennen sie zunächst aus unserem persönlichen Leben.

Wie manches haben wir uns für unser Leben gewünscht, auf der persönlichen Ebene und auch für unseren Beruf. Aber wir hatten nicht die Freiheit, es zu erreichen, weil die Umstände widrig waren oder weil unsere Begabung nicht ausreichte. Wir alle kennen Durststrecken in unserem Leben, wurden durch Krankheit und Unglück zurückgeworfen. Wir wurden und werden auch mit vielem nicht fertig, was in unserer eigenen Natur liegt: mit übermächtigen Trieben und mit neurotischen Bindungen, mit unserem Temperament und mit unserem Sorgengeist. Wir alle mußten Stationen durchschreiten, in denen wir auf die gnädige Durchhilfe, auf den Beistand und auf die Vergebung unseres Gottes angewiesen waren und die dann auch wirklich Stationen des Segens wurden. Und immer war die Tiefe, aus der wir schrien, die Stätte der Wunder. In ihr gedeihen die Lebenskeime unseres Glaubens.

In diesem Lichte müssen wir auch den Druck sehen, den in der modernen Welt gewisse Strukturen des gesellschaftlichen Lebens auf uns ausüben, und zwar in beiden Sphären unserer zwiegespaltenen Welt.

Im Osten ist das uns Bedrängende jene Organisation der Gesellschaft, die wir als Dirigismus, als Planwirtschaft im weitesten Sinne bezeichnen. Dem einzelnen wird sozusagen kein Raum mehr für eigene Gewissensentscheidung zugewiesen. Er mag am Detail und an praktischen Durchführungen noch Kritik üben können; doch zweifellos ist es ihm verwehrt, das System *als solches* in Frage zu stellen.

Dabei ist das eigentlich Bedrängende nicht einmal, daß er sich gegenüber der sozialistischen Gesellschaftsordnung nicht frei entscheiden kann. Hier wäre vielmehr noch am ehesten darüber zu diskutieren, ob man nicht von ihm verlangen könne, sich auf den Boden der Tatsachen zu stellen und die Gegebenheiten einer solchen Struktur anzuerkennen.

Sehr viel schlimmer ist es, daß man von ihm ein Bekenntnis zu den ideologisch-weltanschaulichen Voraussetzungen dieser Struktur verlangt, daß er sich also zu der innerweltlich-messianischen Sinngebung dieses Systems und damit zum Atheismus bekennen soll und daß er samt seinen (besonders wehrlosen) Kindern der Ausstrahlung dieses Systems allenthalben ausgesetzt ist: in den Schulen und in den Betrieben, angesichts der Spruchbänder auf den Straßen und vor jedem Fernsehschirm.

Trotz allem, was gleich auch über den Westen zu sagen ist, wird man hier eine besonders dezidierte Beschneidung der Freiheit erkennen müssen. Ich möchte sie, um sehr genau zu sein, folgendermaßen ansprechen:

Was auch die westliche Gesellschaftsordnung an Eigengesetzlichkeiten und damit an Momenten des Druckes enthält, so verlangt doch niemand, daß man sich dazu bekennen, daß man sie bejahen und sogar rühmen muß. In allen Spielarten ideologischer Herrschaftssysteme dagegen ist es so, daß der Mensch gezwungen wird, *sich in Wort und Tat zu den Mächten des Dirigismus zu bekennen.* Indem er das muß, wird er im Innenraum seines Gewissens angetastet: er wird dem Anspruch ausgesetzt, das zu verleugnen, was seinem Gewissen heilig ist, und dem zu applaudieren, was er für eine Macht der Unwahrheit hält. Er sieht sich einem gesellschaftlichen Gefüge einbeschlossen, das seine Hand auf die Seelen legt, statt nur das äußere Leben zu ordnen, wie es sein Auftrag wäre. Er sieht sich, strenggenommen, also nicht einem „Staate" gegenüber, wie ihn etwa Luther verstand, sondern einer Pseudokirche, wie sie in alten Antichrist-Spielen beschrieben wird. Und das Bedrängende ist, daß es *keinen Augenblick und keinen Ort* seines Lebens gibt, in dem und an dem er *nicht* diesem Zugriff ausgesetzt wäre. Ja, es gibt nicht einmal eine Wüste, in die er geschickt werden könnte und in deren Durstzone er sich wenigstens diesem Anspruch zu entziehen vermöchte. Es ist mir — schon in der Nazi-Zeit — immer als einer der düstersten Aspekte totalitärer Landschaften erschienen, daß sie nicht einmal mehr Wüsten an ihren Rändern kennen, sondern daß man in ihren Zentren ausharren muß.

Ich sage das nicht in westlicher Selbstüberhebung. Denn ich weiß, daß wir die Freiheit, die *uns* geschenkt ist und die uns diese Gestalt des Bekenntnisdruckes erspart, dauernd mißbrauchen, daß im Namen dieser Freiheit egoistische Wohlstandsvöllerei getrieben wird und daß sich sogar die pornographische Literatur und jugendverderbender Schund auf sie berufen und in ihrem Namen wuchern. Und dennoch weigere ich mich, diese sehr formale und sehr entleerte Freiheit im Namen ihres Mißbrauches zu verachten, wie das manche etwas wirklichkeitsblinde Theologen bei uns tun. Auch wenn der Mißbrauch dieser Freiheit im Jüngsten Gericht einmal ein Hauptthema in der Anklageschrift wider uns sein wird, so weiß ich doch, daß es Gnade bedeutet, wenn Gott uns mit dieser formalen Freiheit die Chance gibt, uns zu ihm und der von ihm gewollten humanitas in Freiheit zu bekennen, und daß die Chance nicht weniger Gnade ist, wenn man sie immer wieder verspielt.

Wenn ich einmal in der DDR bin, fällt es mir sehr schwer, den Menschen, die diesem Druck ausgesetzt sind, Ratschläge zu erteilen. Wenn man nicht mit ihnen zusammen in der Solidarität der gleichen Anfechtung steht, hat man begreiflicherweise Hemmungen, hier etwas zu sagen. Immerhin haben ja auch *wir* einmal unter der Last von Ideologien gestanden und die Anfechtung kennengelernt. Und nur in Rücksicht darauf wage ich es überhaupt, zu einem helfenden Wort durchzufinden.

In einem totalitären Regime sind wir Menschen, auch wir Christen, allzuleicht gebannt von dem Ziel, auf das ein solches System zusteuert. Auch wenn wir im Osten im Augenblick „noch" (dies Wort „noch" spielt dabei eine ungeheure Rolle, es ist aber ein verfluchtes Wort!) gewisse Freiheiten haben, so wissen wir doch, daß das strategische Ziel feststeht: nämlich eine religionsfreie Gesellschaftsordnung, in der das vermeintliche Gift des Aberglaubens aus den Gehirnen ausgeschwitzt ist. Wir lassen uns immer wieder die bekannte Unterscheidung des Gegners zwischen Strategie und Taktik aufschwätzen: daß sein strategisches Endziel die rabiate oder milde Ausrottung des Christentums sei, während er aus taktischen Gründen in die Zwischenzeit immer wieder einmal Stillhalte-Abkommen, sogenannte Perioden des Burgfriedens, der weichen Welle und des Tauwetters einschaltet. Das führt auch bei den Christen immer wieder zu einer begreiflichen psychologischen Folge: daß sie in eine Art Torschlußpanik geraten und den Schicksalsglauben, also einen falschen Glauben, über sich Herr werden lassen. Sie sagen nämlich: Es hat doch alles keinen Zweck mehr. Wir müssen die Dinge treiben lassen. Es bleibt uns nichts anderes übrig.

Ich brauche nicht zu sagen, daß das Ungehorsam ist und daß es Verrat bedeutet an einem Glauben, der die Zukunft der Hand des Herrn anvertraut sieht und die sieghafte Gewißheit hegt: „Der Herr wird sie zerstreuen in einem Augenblick." Wir nutzen dann die gegebenen Möglichkeiten gar nicht mehr. Und wie viele Gelegenheiten gibt uns Gott immerfort, welche weiten Maschen läßt er auch in den klug gesponnenen Netzen immer wieder entstehen; wie spielt er mit seinen geschichtlichen Fügungen, so daß einmal aus wirtschaftlichen, einmal aus außenpolitischen Gründen Momente des Tauwetters eintreten müssen! Durch Gottes Gnade leben wir so „von Aufschub zu Aufschub" (M. Fischer). Wir aber verstehen immer wieder diese Zeichen göttlichen Tuns nicht, weil die Panik eben Unglaube ist und uns darum blind macht.

Ich meine nun, wir würden durch diesen Unglauben auch schuldig an unserem Gegner: Er hat immerhin die Freiheit der Überzeugung grundsätzlich proklamiert und in seiner Verfassung verankert. Man ist auch dem Gegner den Dienst schuldig, ihn bei seinem Wort und vielleicht bei seinem heuchlerischen Wort zu behaften — „zu einem Zeugnis über sie" (Matthäus 10, 18). Wenn wir diesen Dienst nicht leisten, zerren wir ihn nur noch tiefer in seine Verstrickung, so daß er sich schließlich gerechtfertigt fühlt und zu der Annahme verführt sieht: Meine Analyse, daß Religion und Glaube nur eine Vergiftung der Gehirne sei, stellt sich als wahr heraus. Denn das Experiment mit den Christen zeigt mir, daß nur ein wenig Druck genügt, um die psychische Krankheit des Glaubens samt dem „imaginären" Herrn der Gläubigen sich verflüchtigen zu lassen. Hätte es wirklich seine Richtigkeit mit dem Glauben, den die Christen zu haben behaupten, so denkt der Gegner, dann müßte es doch tatsächlich jenes Fundament der Ewigkeit geben, auf das gegründet zu sein die Christen behaupten. Und hätten sie *wirklich* jenen Herrn, dem alle Gewalt gegeben ist im Himmel und auf Erden, dann würde das Winken mit dem Zaunpfahl des kommenden Atheismus sie nicht gar so sehr schockieren, nervös machen und an den Chancen ihres Gottes irrewerden lassen. Wäre dieser Glaube wirklich so seriös und ernst, wie die Christen immer wieder tun, dann dürften sie uns ja den Atheismus gar nicht glauben, weil sie sich sagen müßten, daß *ihr Gott auch ein Herr der Atheisten* sei, daß diese Atheisten ebenfalls in seine Herrschaft einbeschlossen wären und daß sie das als arme Irre nur noch nicht bemerkt hätten.

Wir sind also gar nicht so unfrei, wie wir manchmal denken; wir werden unfrei nur in dem Maße, wie wir die Möglichkeiten Gottes unterschätzen. Es kann sehr viel mehr gesagt werden, als im allgemeinen gesagt wird; und häufig tritt auch die äußere Gefahr nicht einmal ein, die wir erwarten, solange wir wie das Kaninchen auf die Schlange stieren.

Ich überlege mir manchmal, ob dieser Unglaube und diese Unbereitschaft, im Namen Gottes etwas zu riskieren, nicht immer wieder dadurch entstehen, daß wir eine bestimmte Art von Christentum und kirchlicher Institution unversehrt konservieren möchten, und daß wir nervös werden, wenn wir sehen, daß Gott unsere gewohnten Formen zerbricht. Es gibt ja auch so etwas wie einen frommen, wie einen kirchlichen Egoismus. Es ist aber sehr merkwürdig, daß Gott niemals den Blick auf uns selber, nicht einmal auf „unsere Kirche" will. Er weist uns immer an den Nächsten. Ein Glaube, der ohne diesen Dienst am Nächsten, also ohne die Liebe gelebt wird, geht in Verwesung über, und auch das fromme Fleisch stinkt (1. Joh. 3, 7; 4, 8; Jak. 2, 14 ff.).

Ich meine, wir sollten uns unter den Anfechtungen an eine ganz andere Art der Fragestellung gewöhnen; nämlich nicht mehr zu fragen: Wie können wir als Christenheit die Zeit der Bedrückung und Infragestellung überstehen?, sondern: Welchen Dienst bin ich als Christ meinem Nächsten schuldig? Und dieser Nächste ist vielleicht ausgerechnet der kommunistische Funktionär, der mich — gerade in der Art, wie er mich unter Druck setzt — nach meinem Glauben fragt, der wie ein Schießhund darauf lauert, daß ich zweierlei tun könnte: daß ich entweder mit Panik reagiere und in die Resignation ausweiche (dann habe ich meinen Glauben verleugnet); oder daß ich zwar „christliche" Haltung einnehme und stur und unbeweglich stehen bleibe, aber doch so stehen bleibe, daß ich meine „christliche Welt" gegen die bolschewistische verteidige (dann habe ich meine Liebe verleugnet). Dann spürt der andere: das Christentum ist für mein Gegenüber nur eine christliche Ideologie, die er meiner bolschewistischen Ideologie entgegensetzt. Es geht ihm, dem Christen, nicht um mich, nicht um meine Seele, über die sein Gott angeblich trauert und die er also auch selbst in Liebe und Selbstaufgabe suchen müßte — o nein: ich komme als Aufgabe, als Gegenstand der Liebe und des Suchens gar nicht bei ihm vor! —, es geht ihm nur um christliche Selbstbehauptung.

Beide Verleugnungen — die Verleugnung des Glaubens und die Verleugnung der Liebe — beobachtet der andere sehr genau. Vielleicht sind sie ihm dann eine schmerzliche Enttäuschung, weil er in einem hintersten Winkel seines Herzens immer noch die Frage bewegte, *ob die Christen nicht doch die Wahrheit auf ihrer Seite haben* könnten. Vielleicht aber sind ihm diese Verleugnungen auch ein Triumph, weil er sich nun in der Meinung bestätigt fühlt, daß Religion nur das Opium des Volkes sei.

In beiden Fällen aber bin ich als der Christ an meinem atheistischen Bruder schuldig geworden. Und doch ist Christus für ihn gestorben. Ich aber habe ihm nicht glaubwürdig bezeugt, daß ihm die Stunde seiner Heimsuchung angeboten war. Ich habe diese Stunde verraten und habe sie nutzlos verstreichen lassen. Ich habe die Bande nicht angerührt, die ihn an seinen Götzen fesseln.

Gerade wenn ich das so sage, ist mir klar, wie wenig wir Menschen als einzelne solchen Aufgaben gewachsen sind; aber Gott hat uns auch gar nicht als einzelne entworfen, sondern in die *Gemeinde* hineingestellt, die mit uns wacht, deren Zuspruch uns zur Klarheit verhilft und die auch stellvertretend in der Öffentlichkeit das Wort ergreift, wenn der einzelne zu schwach ist. Und sie muß denn auch — als Wächterin auf den Mauern Jerusalems — das Wort ergreifen, sie muß den Mund gegenüber den Machthabern auftun und es klar und stellvertretend zum Ausdruck bringen, wie ein Christ seinen Auftrag versteht und vor welchen Grenzen er steht, wenn er etwa in die Landwirtschaftliche Produktionsgenossenschaften (LPG) geht, um seinem Volk mit den Mitteln sachlicher Arbeit zu dienen. *Die Kirche muß den Mund auftun* — nicht nur, um ihre Glieder zu trösten, die wie Schafe mitten unter die Wölfe geschickt sind, und erst recht nicht nur, um „ihre Interessen" zu wahren, sondern vor allem auch deshalb, um dem Nächsten auf der *anderen* Seite, um den Funktionären und Machthabern den Glauben zu bezeugen und ihn glaubwürdig zu vertreten. Die „Interessen" der Kirche — die sie natürlich hat — werden dann wie nebenbei schon *mit* vertreten. Nur wenn wir *zuerst* nach dem Reiche Gottes trachten, wird uns alles andere zufallen. Aber wirklich nur „nebenbei". Wer christliche Interessen als Selbstzweck vertritt, verrät Christus. Es gibt Dinge, die Gott uns nur als *Neben*produkte zufallen lassen will, die er uns nur „im Schlaf" schenkt und die er unserer Absicht und unserem bewußten Zugriff versagt.

Ich führte bereits aus: Nicht nur die ideologische Gesellschaft setzt uns immer wieder dem Druck der Zwangsläufigkeit aus. Auch die sogenannte „freie Welt" des Westens zeigt in ihrer Gesellschaftsordnung gewisse Züge, die uns die eigene Entscheidung rauben oder ihren Spielraum bedenklich eingrenzen. Sehen wir genau zu, dann stellen wir an unzähligen Punkten fest, daß wir gar nicht so frei sind, wie wir zu sein meinen. Ich kann dafür nur einzelne Beispiele nennen:

Ich denke etwa an die *Wirtschaft*. Da sind zunächst einmal die vielen kleinen oder doch jedenfalls nicht großen Leute, die als Arbeiter und Angestellte kaum beurteilen können, vor welchen Wagen sie gespannt sind, ob das Geschäftsgebaren, dem sie dienen, recht oder unrecht ist, ob die Güter, die sie produzieren, dem Krieg oder dem Frieden dienen. Aber auch die sogenannten „Großkopfeten" und Steuermänner sind nicht entfernt so frei, wie wir denken. Sie sind es ganz bestimmt nicht in ihrem Lebensstil. Wir wissen, wie der Terminkalender sie hetzt und ihnen nicht nur die Zeit des Lebensgenusses und der Besinnung auf das Wesentliche raubt, sondern ihnen auch noch einen Herzinfarkt besorgt.

Aber auch im Prozeß der wirtschaftlichen Vorgänge selbst sind sie sehr unfrei. Die freie Konkurrenzwirtschaft ist auf das Gesetz von Zug und Gegenzug gegründet. Ich kann sozusagen nicht unabhängig von dem, was die Konkurrenz tut, nur nach meiner eigenen Einsicht und meinem eigenen Gewissen handeln. Ich muß ständig „reagieren", und der Spielraum des Reagierens ist sehr begrenzt. Ich stehe etwa — wie in der Schwerindustrie an der Ruhr — allen Ernstes vor der Frage, ob ich nicht den Sonntag abschaffen und die gleitende Arbeitswoche einführen muß —, obwohl ich doch persönlich das dritte Gebot durchaus ernst nehmen möchte. Denn ich sehe für den Fall, daß die Sonntagsruhe eingehalten wird, aus Gründen der Hochofentechnik eine bedenkliche Schrumpfung des Produktionsvolumens vor mir. Das aber könnte im Hinblick auf die ausländische Konkurrenz, die hier weniger Hemmungen hat, ökonomisch gefährlich werden. So sehen wir, wie die Eigengesetzlichkeit von Zug und Gegenzug, von Aktion und Reaktion, auch von Angebot und Nachfrage meinen Entscheidungsspielraum und damit auch meine Gewissensentscheidungen bedenklich reduziert.

So ist es aber nicht nur in der Wirtschaft, sondern überall im Leben. Sogar im Bereich von *Wissenschaft und Technik,* wo man noch am ehesten Freiheitsräume des Denkens und Handelns vermuten möchte. Der Naturforscher sowohl wie der Techniker, so sagt Arnold Gehlen einmal mit einem gewissen Recht, scheint nämlich insofern gleichsam entmündigt zu sein, als er über den Fortschritt der von ihm betriebenen Forschungs- und Anwendungstätigkeit nicht verfügt. Es ist, strenggenommen, nicht der Forscher, der seine Forschung vorantreibt, sondern die Forschung treibt sich selbst voran. Und zwar bewegt sie sich im Zuge einer Kettenreaktion, die von bestimmten Fragestellungen zu Antworten und von da wieder zu neuen Fragestellungen in automatischen Prozessen treibt. Weder „stellt" der Forscher die Probleme, noch „entschließt" er sich zur technischen Anwendung des Erkannten. „Was Problem werden muß, folgt aus dem schon Erkannten, und es liegt in der Logik des Experimentes, daß die exakte Kenntnis bereits die Beherrschung des (technischen) Effekts einschließt. Der Entschluß zur Anwendung erübrigt sich." Er wird uns vom Objekt abgenommen. Vielleicht könnte man auch sagen: er wird weggenommen. Oppenheimer, der Erbauer der Atombombe, hat diese logische Zwangsläufigkeit darüber hinaus einmal auch als ein *unwiderstehliches psychisches Gefälle* dargestellt, wenn er im Hinblick auf seine besondere Aufgabe sagte: Das, was technisch süß ("technically sweet") sei, erweise sich als unwiderstehlich, selbst wenn es die Errechnung und Erbauung der Atombombe sei.

Die erste Form, in der sich die technische Eigengesetzlichkeit vollzieht, ist also die Verbindung von Frage und Antwort, von theoretischer Erkenntnis und technischem Effekt. Eins folgt notwendig dem anderen. Der Forscher scheint nur das Medium zu sein, durch das hindurch sich jene Abfolge vollzieht. Sein eigener geistiger Beitrag ergibt sich lediglich aus der Fähigkeit (der unter Umständen genialen Fähigkeit), die „wartende" Kettenreaktion von Frage und Antwort zu erkennen und zur Auslösung zu bringen. Aber ist er wirklich der verantwortliche Steuermann? Fährt das Geisterschiff des wissenschaftlichen und technischen Fortschritts nicht mit leerer Kommandobrücke?

Die zweite Form, in der sich die Eigengesetzlichkeit vollzieht, drückt sich in jenem Vorgang aus, den ich vorhin durch die Worte Zug und Gegenzug ausdrückte. Dieser Vorgang läßt sich sowohl in der Technik wie in der Politik und der Wirtschaft verfolgen. Ich nenne einige Beispiele: Wenn in einem Sektor der Wirtschaft irgendein wichtiger technischer Fortschritt, sagen wir einmal die Automation, eingeführt wird, dann müssen Unternehmen derselben Branche „nachziehen", um konkurrenzfähig zu bleiben. Hier zeigt sich die geradezu naturgesetzliche Verbindung von Zug und Gegenzug.

Wenn man unter diesem Gesichtspunkt einmal das Weltgeschehen betrachtet, wird man entdecken, daß dieses Gesetz von Zug und Gegenzug, das „Do ut des", das „Wie du mir, so ich dir" alle Lebensgebiete, sogar die persönliche Beziehung zwischen meinem Nächsten und mir, durchdringt. Nur wer das klar sieht, vermag zu würdigen, welches radikal Neue mit dem Evangelium auf den Plan getreten ist. Denn das Evangelium hebt für die Ich-Du-Beziehung dieses Echo-Gesetz auf. Es sprengt diesen Teufelszirkel und legt mir in der Goldenen Regel (vgl. Matth. 7, 12), mit dem Gebot der Gottes- und Nächstenliebe (vgl. Matth. 22, 37 ff.), die Pflicht zu einem neuen Anfang und zu einer freien, wagenden Initiative auf. Was aber hier als schöpferischer Hauch in mein Verhältnis zum Nächsten hineinbläst und alles neu machen kann, das läßt sich nur sehr bedingt auf die überpersönlichen Lebensbereiche der Technik, der Wirtschaft, der Politik übertragen. Der Versuch, diesen Unterschied der beiden Lebensräume gedanklich zu fassen, sie nicht einfach zu scheiden und auseinanderfallen zu lassen, aber zu unterscheiden, dieser Versuch bildet eines der schwierigsten und erregendsten Kapitel in der theologischen Ethik beider Konfessionen. Das Luthertum beschäftigt sich mit dieser Frage in der Lehre von den beiden Reichen, der Katholizismus in seiner Lehre vom Naturrecht. Darauf kann ich hier nicht eingehen. Ich möchte nur angedeutet haben, daß sich hier weite und weithin unerforschte Horizonte jahrhundertelanger geistiger Bemühungen öffnen.

Auf einige Fragen dagegen kann ich hier nicht verzichten, weil sie das Problem der Verantwortung unmittelbar berühren.

Zunächst und als erstes nenne ich die grundsätzliche Frage, wie wir vom Standpunkt christlicher Ethik aus jene Eigengesetzlichkeiten überhaupt zu verstehen haben, die den Menschen derart zu entführen scheinen. Wenn ich recht sehe, gibt es hier zwei Möglichkeiten.

Entweder ich kann diese Eigengesetze als unentrinnbares und insofern mich von aller Verantwortung entlastendes Schicksal verstehen. So hat etwa Machiavelli die Eigengesetzlichkeit der Politik interpretiert (und einige westliche Wirtschaftskapitäne dürften in ihrem Bereich genauso verfahren): Er verstand die Politik als ein Tummelfeld des sacro egoismo und sah demgemäß im politischen Handeln ein sittlich wertfreies Kräftespiel, innerhalb dessen die Kräfte „virtu" und „fortuna", Tüchtigkeit und Glück, sich entfalten. Politik und Wirtschaft werden damit zu einem rein physikalischen Komplex von Vorgängen, in dem Kräfte und Stoffe sich bewegen und bewegt werden.

Bejaht man diesen fatalistischen Charakter der Eigengesetzlichkeit, so heißt das, auf die Technik angewandt, daß der einzige, jenem Eigengesetz entstammende Imperativ lautet, die unter seiner Herrschaft stehenden Prozesse bedenken- und hemmungslos mitzumachen, um auf dieser Ebene alle Konkurrenzen durch dynamische Überlegenheit bestehen zu können. Das bedeutet dann, auf die militärische Technik übertragen, etwa den unbegrenzten Rüstungswettlauf, wenigstens dann, wenn man sich selbst dabei die Chance des Stärkeren einräumen darf.

Oder aber — das ist die andere Möglichkeit — ich verstehe jene Eigengesetzlichkeiten nicht als wertfreie, fatalistische Zwangsläufigkeit, aber auch nicht als ein der Welt eingestiftetes Schöpfungsgesetz, sondern ich sehe in ihnen ein vom Menschen hervorgerufenes Schuld-Schicksal-Verhängnis. Ich scheue mich etwas, das in dieser abrupten Form zu sagen, weil man es eigentlich nicht aussprechen darf, ohne es gleichzeitig genauer zu entfalten und damit den peinlichen Eindruck zu vermeiden, als alarmiere man hier einfach eine dogmatische Vokabel wie die der Sünde. Stünde genügend Raum zur Verfügung, diesen Gedanken theologisch weiterzuentfalten, so würde ich zeigen, wie dem christlichen Gedanken von der Sünde, insbesondere vom Sündenfall und der Erbsünde, gewisse Vorgänge zugrunde liegen, die dem, was wir über die Entbindung der Eigengesetzlichkeiten sagten, erstaunlich ähnlich sind: Auch hier ist es doch so — man denke nur an die Gestalt Adams! —, daß zunächst ein Initialakt erfolgt, in diesem Falle das Essen der verbotenen Frucht, und daß dieser Initialakt im nächsten Augenblick dann ins Überpersönliche hinausgreift und aus einer Entscheidung *des* Menschen zu einer Entscheidung *über* den Menschen macht. Von nun an kommt eben dieser Mensch vom Sündenfall „her" und muß seine Bahn nach dem Gesetz vollenden, nach dem er angetreten ist. Er hat diesen Sündenfall im Rücken und ist nun in sein Verhängnis „geworfen". Im Unterschied zur Tragik aber kann er diese Schuld nicht als ein Geschick von sich distanzieren, sondern muß sie als „sein" Tun, das heißt also als seine *Schuld* übernehmen. Der Adamvorgang wiederholt sich ständig an ihm selbst. Er muß sagen: „Ich bin Adam."

Nun scheint es mir so zu sein, daß ich auch die Eigengesetzlichkeiten, von denen wir sprachen, nicht einfach als ein Schicksal von mir abschieben darf, um zu sagen: Ich kann nichts dafür. Sie sind nicht „ich". Gehen nicht auch sie letzten Endes auf einen Initialakt des Menschen zurück? Drückt sich nicht in dem Gesetz von Zug und Gegenzug, im Echo-Gesetz, nur die makrokosmische Spiegelung meines Herzens aus? Ist es nicht mein eigenes Wesen, das sich in alledem objektiviert? Und muß ich also nicht sagen: Dieses alles bin *ich* — das ist *meine Welt*?

Ich glaube, daß diese Einsicht — diese theologische und christliche Einsicht — in den Schuldcharakter der Eigengesetzlichkeiten schon überaus hilfreich ist und geeignet sein kann, uns zur Freiheit inmitten dieser scheinbar so festgelegten und auf starre Schienen verwiesenen Welt aufzurufen. Denn dann bin ich davor bewahrt, aus dieser Not unserer gefallenen Welt eine Tugend zu machen. Ich kann mich nicht gerechtfertigt fühlen, wenn ich einfach dem Trend jener Gesetzlichkeit folge, wenn ich also schlicht und kurzschlüssig sage: *Weil* es dem Gesetz der Rentabilität entspricht, die gleitende Arbeitswoche einzuführen, schaffe ich den Sonntag ab; *weil* mein Konkurrent sich durch üble steuerliche Manipulationen geschäftliche Vorteile verschafft, muß ich das auch tun, um nicht unter den Schlitten zu kommen. Vielmehr frage ich jetzt so (und ich wähle dafür wieder das Beispiel der gleitenden Arbeitswoche): Wie hat Gott seine Schöpfung gemeint? Hat er sie so gemeint, daß er eine perfekte ökonomische Apparatur will und daß der Mensch nur ein funktionierendes Instrument darin sein soll? Oder hat er sie so gemeint, daß der Mensch sein Ebenbild sein soll, daß die Frage nach seinem Heil, nach der Erfüllung seines geschöpflichen Lebens die Haupt- und Kardinalfrage der Welt sein soll? Daß also die Wirtschaft ihm nur helfen darf, den physischen Existenzraum des Menschen zu erstellen, damit er leben und in seinem Leben das eigentliche Thema seines Menschseins erfüllen kann? Oder noch einfacher: Ist der Mensch für die Wirtschaft oder ist die Wirtschaft für den Menschen da?

Wer einmal die große Infragestellung der Ordnungen dieses Äons und ihrer Gesetze entdeckt hat, wer die Bergpredigt begriffen hat, der kann die Eigengesetzlichkeiten dieser Welt nicht mehr als Selbstzweck verstehen, und der kann die Not dieser Welt nicht mehr zur Tugend machen. Darum darf er das alles auch nicht mehr Herr über sich werden lassen.

Gewiß: Wir können die Eigengesetzlichkeiten nicht einfach als nichtexistent behandeln. Das wäre schwärmerisch und auch in einem geistlichen Sinne unrealistisch. Auch wir Christen müssen jenen Gesetzen unsern Tribut zollen, wir können uns dem Wesen dieser vergehenden Welt nicht entziehen; sonst müßten wir sie verlassen (Johannes 17, 14 f.; 1. Korinther 5, 10). Aber dazu haben wir weder Verheißung noch Befehl. Die konkrete Gestalt unseres Handelns wird immer wieder der *Kompromiß* sein; wir können uns ja nicht einfach heraushalten! Das ist einer der entscheidenden Gründe dafür, daß wir nur unter der Vergebung leben können und daß wir peccatores in re und justi in spe, daß wir also de facto Sünder und erst in der Hoffnung gerecht sind. Doch gerade die Tatsache, daß wir das so wissen dürfen, hält uns gesund. Dieses Wissen ist wie die Gaze in einer Wunde, die nicht zuheilen darf. Wehe, wenn sie zuheilt und wir der Illusion frönen, als sei diese Welt in Ordnung und als dürften wir ihre Ordnung als Norm unseres Handelns verstehen! Wer sie dagegen in ihrer Vorläufigkeit, wer sie als eine „Welt auf Abbruch" entdeckt hat, innerhalb deren wir unter dem Regenbogen der Versöhnung mit Gott leben dürfen, der hält die Frage in sich wach, wo er stehen und wo er keineswegs fallen und umfallen darf, wo er mitmachen darf und wo er streiken muß, wo er nachgeben und wo er im Namen dessen, was Gott mit seiner Welt und mit seinen Menschen vorhat, *widerstehen* muß und das Gesetz der Opportunität nicht Herr über sich werden lassen darf.

So geht es bei dem, was ich die Eigengesetzlichkeit und das Zwangsläufige in der Organisation der Gesellschaft nannte, durchaus um ernst zu nehmende, wenn auch um besiegte Mächte: Wir haben die Freiheit, sie durchschauen zu dürfen und sie zu entlarven als Vorläufigkeiten dieses vergehenden Äons, denen wir wohl einen gewissen Tribut zollen müssen, denen wir aber nicht mehr hörig sein dürfen, denen wir uns unterziehen, als unterzögen wir uns ihnen nicht (1. Korinther 7, 29). Wir wissen, daß Gott seinen Kindern das wirkliche Ziel vor Augen hält und daß er auch in dem Schienengewirr scheinbar vorgegebener und starrer Strukturen „Weg hat allerwegen" und sich die Freiheit nimmt, denen, die ihn lieben, alles zum Besten dienen und sie an den Zielen ankommen zu lassen, die „er sich vorgenommen und die er haben will".

Obwohl wir also jene Mächte und Strukturen teils ernst nehmen, teils nicht mehr ganz ernst nehmen — nämlich in der Gewißheit unserer Berufung nicht mehr ganz ernst nehmen —, so ist doch auf alle Fälle noch dies zu sagen, daß sie keineswegs unser *ganzes* Leben durchziehen. Es gibt nämlich auch noch sehr elementare Bezirke unseres Daseins, die ihnen entrückt sind. Ich meine jene Bezirke, in denen wir es mit Schuld, Leid und Tod zu tun haben, in denen es also um das Allermenschlichste und Persönlichste geht. In diesen Bereichen müssen wir mit unseren Schmerzen, Kümmernissen und Verzweiflungen fertig werden. Da haben wir vor unserem Gewissen zu bestehen und können es doch nicht, und da wissen wir zugleich: Wir haben eine begrenzte Zeit, und was hinter uns liegt, können wir nie mehr zurückholen; denn unsere Zeit läuft auf den Tod zu.

In diesen Bereichen können wir uns nicht auf Befehle von Menschen und auch nicht auf die Strukturgesetze unserer Gesellschaft berufen, da steht auch niemand anders für uns ein, sondern da müssen wir nun wirklich frei entscheiden, ob wir fliehen oder standhalten, ob wir uns fallen lassen oder durch wen oder was wir uns halten lassen wollen.

Wenn ich das so sage, höre ich in Gedanken einen Einwand, und ich bin auch bereit, diesen Einwand ernst zu nehmen. Er lautet wahrscheinlich so:

Jetzt ziehst du dich auf die Zone des Privaten zurück, und wir wollen doch gerade von dir hören, ob wir als Christen im *öffentlichen* und gesellschaftlichen Leben etwas ändern können oder ob wir hier nur passiv sein und den Dingen ihren Lauf lassen müssen. Gewiß, so sagt vielleicht einer: Du hast einiges Tröstliche und Ermunternde darüber gesagt, daß wir durchaus noch Chancen haben und daß nicht alles so zwangsläufig und festgelegt ist, wie es aussieht. Aber jetzt, in deinem zweiten Teil, steuerst du wieder ins Privatleben, in die persönlichen Bereiche von Schuld, Leid und Tod zurück, weil es da offenbar leichter ist, ein bißchen Ellbogenfreiheit für unser Gewissen nachzuweisen. Und einer meiner theologischen Kollegen könnte vielleicht etwas nachdenklich hinzufügen: Das war doch gerade der Fehler der Christenheit und der Theologie des vorigen Jahrhunderts, daß sie unser Verhältnis zu Gott privatisiert und moralisiert hat, daß da das Thema immer nur hieß: „Die Seele und ihr Gott", während wir doch heute die neue Erkenntnis geschenkt bekommen haben, daß der Christ auch in den Strukturen, in den öffentlichen Ordnungen des Lebens stehen, dienen, gestalten und sein Wächteramt üben muß. Nicht nur unsere „individuelle Seele" gehört doch Gott, sondern auch der Staat, die Gesellschaft, dieser ganze Äon überhaupt. Deshalb darf es uns nicht genügen, nur unser individuelles Heil unter Dach und Fach zu bringen und dabei die böse Welt ihr verruchtes Spiel ungestört weiter treiben und in den Abgrund stürzen zu lassen. Das Heil, das Gott durch Tod und Auferstehung seines Sohnes geschenkt hat, ist doch kein Schäfchen, das ich nur für meine Person ins trockene bringen dürfte! Dieses Heil gilt doch auch denen, die ein politisches Mandat haben, gilt den Repräsentanten der „Obrigkeit", gilt den Managern und Funktionären. In dieser Welt da *draußen* haben wir darum unseren Glauben zu bewähren und nicht privat am häuslichen Herd, nach Feierabend und im stillen, isolierten Kämmerlein!

Ich höre das alles sehr wohl, und ich stimme auch der Parole durchaus zu, daß wir nach draußen gerufen, daß wir das Salz der Erde seien und uns nicht in die Abgeschlossenheit des Salzfasses zurückziehen dürfen, um uns zu konservieren, statt die Welt zu salzen.

Und doch hat der Einwand, den ich mir soeben selbst machte, in einem entscheidenden Punkt unrecht. Das will ich erklären.

Es ist ein Irrtum zu meinen, daß überall dort, wo ich mich mit meiner

Schuld, mit meinem Leid und mit meinem Tod auseinanderzusetzen habe, nur die Intimsphäre des Privaten angesprochen sei. Warum ist das nicht so?

Nun: Jedes System — ganz gleich, ob es sich um ein gesellschaftliches Programm oder um eine weltanschaulich-ideologische Konzeption handelt — besitzt ein bestimmtes *Menschenbild.* Ich will es am *Nationalsozialismus* zeigen.

Für ihn war der Mensch nur der Träger von Funktionen und von biologischen Werten. Es gab aber hier (und gibt auch in den andern, uns heute bedrängenden Ideologien) nicht so etwas wie den unendlichen Wert der Menschenseele. Man beurteilt den Menschen vielmehr nach seiner *Verwertbarkeit.* Ist er für seine Funktionen in der Gemeinschaft, im Kollektiv, nicht mehr verwertbar, so gilt er als „lebensunwertes Leben" und wird verschrottet. Nicht der Mensch selbst, sondern die *Funktion* des Menschen ist allein wichtig und interessant. Entsprechend wird das Gewicht der Einzelperson abgewertet. Sie verliert ihre Bedeutung als einmalige Größe, auf die Gott den Akzent der Ewigkeit gesetzt hat. Sie wird zum bloßen Blatt am Baum des Volkes. Das Blatt mag verwelken, abgerissen werden und absterben; das macht nichts, wenn nur der Baum des Volkes, der Baum des Systems und der Gesellschaft stehen bleibt. Denn Blätter wachsen nach, sind ersetzbar und auswechselbar.

Nun habe ich seinerzeit als Seelsorger immer wieder mit Menschen zu tun gehabt, die in dieser Weltanschauung und in diesem Menschenbild ihren Halt sahen. Und ich sah, wie dieses Bild einfach nicht zureichte, wenn die persönlich-privaten Krisen kamen; wenn einer mit seiner Ehe nicht fertig wurde, wenn der Sohn an Leukämie erkrankte und wenn der Vater — nicht einmal auf dem Schlachtfelde! — von seinen unmündigen Kindern wegstarb. Das sind Fälle, die ich selbst erlebt habe.

Ich will das, was ich meine, gerade an dem jungen Familienvater verdeutlichen, an den ich mich aus der Zeit des Krieges erinnere. Er war ein Parteigenosse, den eine tückische Krankheit jäh hinwegraffte. Ich hatte ihn zu beerdigen. Die Nazi-Formationen der SA und der andern Amtswalter, des Kreisleiters und der Schulungsfunktionäre standen um das Grab herum und warteten sichtlich indigniert darauf, was der Pfaffe ihnen zu sagen haben würde. Ich will einige Sätze nennen, die ich damals gesprochen habe:

Ihr sagt, der Mensch sei nur ein Blatt am Baum des Volkes. Wer von euch wagt es, an diesem offenen Grab eines jungen, verheißungsvollen, von den Seinen geliebten Menschen, wer wagt es im Angesicht der Witwe und der Kinder, die um ihren Vater weinen, wer wagt es, hier davon zu sprechen, daß dieser Mann nur ein Blatt sei, das durch ein anderes ersetzt werden könne? Gewiß, seine Arbeit, seine Funktion kann ein anderer übernehmen. Er selbst aber ist unersetzbar so, wie ihn Gott schuf und leben ließ, wie er ihn Ehemann und Vater werden ließ. Vor Gott nämlich ist jeder unendlich wert, denn für jeden ist Jesus Christus gestorben. Und nun mögt ihr selber urteilen, wer recht hat: Gott, der seinen Menschen wert hält und dem keiner zu gering ist — nicht einmal der Geisteskranke in Bethel —, oder *die* Menschen, die im andern nur den Funktionsträger sehen und ihn entsprechend für austauschbar halten, die in ihm nur ein verwehendes Blatt sehen.

Ich glaube, diese Trauergemeinde war recht betroffen. Jedenfalls war sie ziemlich stumm, als sie auseinanderging.

Diese Anthropologie, die im Menschen nur ein Molekül im Kollektiv, nur eine Potenz im Produktionsprozeß und nur die Funktion materieller — sei es ökonomischer, sei es biologischer — Verhältnisse sieht, diese Anthropologie ist ganz einfach *falsch*. Denn sie reicht nicht zu, wenn das Innerste des Menschen zum Thema wird. Und angesichts von Schuld, Leid und Tod *wird* dieses Innerste ja zum Thema. Jeder von uns trägt seine je eigene Schuld. Dabei geht es gar nicht nur um die politische Schuld gegenüber der sozialistischen oder sonstigen Gesellschaftsordnung, der ich mich nicht hundertprozentig einpasse und die ich als Non-Konformist störe, sondern um die je eigene *Schuld*, die ich selbst nur zum Teil und die Gott allein ganz kennt: das ist jener Bereich, in dem ich meine verliehenen Pfunde verschleudere und vergrabe, statt mit ihnen zu wuchern, wo ich meinem Nächsten und Allernächsten Liebe schuldig bleibe, wo ich von Neid und Sorge zerfressen bin und wo ich verleugne und stolz bin. Und auch mein *Leid* ist ein je eigenes, das ich nur ganz allein durchstehe: Obwohl im Kriege Millionen Mütter ihre Söhne verloren haben — es war dennoch nicht ein Kollektiv-Leid, was sie betroffen hatte, sondern jede Mutter trug ihren Schmerz allein, weil sie zu ihrem Jungen ein ganz unverwechselbares und einmaliges Verhältnis persönlicher Liebe hatte; und diese einmalige Liebe teilte sie mit niemandem sonst; darum konnte sie auch ihre Trauer nicht teilen und in der allgemeinen Volkstrauer aufgehen lassen.

Mir ist das alles einmal an einem ganz trivialen Erlebnis aufgegangen: Ich sah im Dritten Reich einmal eine Kompanie Soldaten stramm über die Straße marschieren. Und während die Sonne lachte, schmetterten sie ein Lied. Das ist ja gar nichts Besonderes, es ist nur ein banales Alltagserlebnis. Doch diesmal überfiel mich plötzlich ein merkwürdiger Gedanke. Ich dachte: Diese Kompanie ist ein einziger klingender und rhythmisch bewegter Körper, der einzelne ist in diesem überpersönlichen Gebilde sozusagen aufgelöst, er hat gar nicht mehr seinen eigenen Schritt, seine eigene Stimme, sondern ist in diesem überwölbenden Ganzen aufgegangen. Und einen Augenblick durchzuckte mich der Gedanke: Ist das nicht ein faszinierendes Symbol des Kollektivs? Und du stehst hier am Rande als Christ und glaubst daran, daß jeder vor Gott ein einzelner ist und daß jeder Mensch personhaft einmalig, unverwechselbar und für Gott unendlich wertvoll sei. Ist dieses klingende, dröhnende und im Gleichschritt sich bewegende Gesamt nicht eine Widerlegung dieser christlichen Lehre vom einzelnen und seinem Gott? Aber während die Kompanie um die nächste Straßenecke marschierte und ihr Gesang allmählich verhallte, wurde mir plötzlich klar: Nachher löst sich dieser geballte Haufen wieder auf, und später kehrt jeder in seine Familie zurück, und dann führt jeder sein eigenes Leben, wird schuldig — je auf seine Weise —, wird seinen Kummer und seine Freuden haben — je auf seine eigene Weise. Und schließlich wird er auch seinen Tod sterben — einsam und ohne Begleitung. Und sein letztes Stündlein wird einer Bahnsperre gleichen, die nur ihn allein und ohne Gepäck durchläßt. Da ist der klingende und rhythmisch bewegte Körper des Kollektivs aufgelöst — und vor Gottes Thron hat niemand mehr einen Nebenmann. Doch — er hat einen Nebenmann, einen, der ganz dicht bei ihm steht und ihn nicht verläßt. Aber dieser Nebenmann ist von anderer Art, als es seine irdischen Kameraden waren. Es ist jener Eine, zu dem wir bittend sagen dürfen: „Wenn ich einmal soll scheiden, so scheide nicht von mir."

Dies ist das wahre Bild vom Menschen. Und in diesen entscheidenden Dimensionen lassen die Weltanschauungen den Menschen allein. Hier können sie ihn nicht ordnen und halten und trösten; hier ist er von ihnen preisgegeben.

Indem wir als Christen auf den wahren Menschen zugehen, indem wir von der *Vergebung* seiner Schuld, von der *Überwindung* des Leides und vom *Sieger* über den Tod sprechen, weiß dieser verlassene Mensch sich angerufen. Damit zielen wir auch auf die geheimen Verzweiflungen des Funktionärs. Und darum geschieht etwas sehr Merkwürdiges: Indem wir das nämlich tun und einfach die Botschaft von der Vergebung und Weltüberwindung ausrichten, *da weichen wir die Weltanschauungen und Ideologien aller Art auf, da unterwandern wir sie.* Alle Streitgespräche, alle scharfsinnigen apologetischen Duelle mit den Repräsentanten der anderen Weltanschauung sind nichts gegen das, was Gott hier mit seinem Wort tut: Er bricht in die Bastionen einer feindlich verschanzten Welt ein, weil er sich barmherzig zu dem frierenden Menschen herniederneigt, der in seinen ideologischen Systemen gefangen ist.

Das Evangelium hat nämlich auch das wahre Menschenbild. Darum siegen wir und brechen den Zwang der Systeme, indem wir uns an diese Adresse des wahren Menschen wenden, für den Gott sein Teuerstes dahingegeben hat. Um diesen Dienst zu tun und den Sieg zu verkünden, der die Welt überwunden hat und der darum auch die Systeme der Welt*beherrschung* überwindet, braucht man weder die Spalten der Zeitungen noch die Mikrophone des Rundfunks zu beherrschen. Es genügt, wenn eine Großmutter ihren Enkel das Vaterunser und den Katechismus lehrt. Dann schenkt sie ihm nämlich nicht nur ein Mittel, das ihn gegen alle Ideologien immun macht, sondern sie übt damit den Akt der Unterwanderung, der Aufweichung der weltanschaulichen und ideologischen Systeme aus. Die Großmutter — hier als Symbol verstanden — ja, die Frau überhaupt, die über den Seelen der Kinder wacht, die sie die Hände falten lehrt und sie zu wahren, weil vor Gott stehenden Menschen erzieht — diese Frau ist nicht nur der Hüter der sogenannten privaten Sphäre und des heimischen Herdes, sondern sie gehört zu den geheimen Mächten und Mitteln des Reiches Gottes, das in die Öffentlichkeit wirkt und das Eis der gottlosen Systeme mit den schlichten und unscheinbaren Salzkörnern des ewigen Wortes auftaut.

Darum ist es auch eine Irrlehre zu meinen, daß die *Frau* ihre eigentliche Lebenserfüllung nur darin fände, daß sie in den Produktionsprozeß eingegliedert würde, während sie daheim am Kochtopf und an den Betten ihrer Kinder versklavt sei. Es geht ja nicht nur um den Kochtopf, sondern es geht auch um das Tischgebet; und es geht nicht nur um die Kinderbetten, sondern auch um das Lied „Breit aus die Flügel beide", das sie ihre Kinder an diesen Betten lehrt und in dessen Namen sie mit ihnen verbunden ist. Indem sie diesen Raum aus der Hand gibt, in dem der Keim des Evangeliums gepflanzt wird und zu einem erdüberschattenden Baum werden will (Markus 4, 31 f.), wird sie gerade versklavt und verrät sie ihre Berufung. Dann gibt sie die von Gott ihr anvertraute Schlüsselstellung aus der Hand.

Das richtet sich gleichermaßen gegen Ost und West. *Im Osten* droht die Frau ihrer Berufung und ihrem königlichen Auftrag entfremdet zu werden, indem sie von der Familie hinweg in die Produktion gerufen wird. *Im Westen* aber geschieht das gleiche, wenn sie — ohne aus Not gezwungen zu sein — der Wohlstandsvöllerei frönt, wenn sie für allen möglichen Klimbim des Zivilisationskomforts zur Doppelverdienerin wird und ihr Haus verläßt, um heimatlose „Schlüsselkinder" zurückzulassen. Ohne daß sie es ahnt, begeht sie Schlimmeres als nur den Verrat an ihrer persönlichen Lebenssphäre. Sie hilft unwissend die Straßen zu planieren, auf denen die ideologischen Mächte, die Nihilismen und die Feinde Gottes einmarschieren, auf denen sie gut vorankommen und keinen Widerstand finden. Denn sie hat die Barrieren der Familie niedergerissen, die ihnen Halt geboten hätten. Sie hat ihre Chance verraten, etwas zu ändern und den nur scheinbar zwangsläufigen Prozessen Einhalt zu gebieten. Keime zum heutigen Terrorismus dürften aus diesen Ecken stammen.

Nicht nur die Steuermänner der Geschichte, die „weltgeschichtlichen Individuen" sind es, die das Schicksal der Welt bestimmen, sondern die stillen Hüter und Hüterinnen sind es, die Sanftmütigen des Neuen Testaments, jene Leute also, denen ein Kind oder ein Enkel oder ein Ehegefährte anvertraut ist, deren Seele Gott einmal von ihnen fordern wird. In diesen Bereichen sind die eigentlichen Stellwerke der Welt. Und ihrer vor allem bedienen sich die höheren Gedanken Gottes. Der „Fürst dieser Welt" (Johannes 14, 30; 16, 11) ist machtlos, wenn hier Treue geübt wird. Aber jeder noch so subalterne Teufel feiert Triumphe, wenn wir diese unscheinbaren Bastionen verlassen. Gott macht seine Politik ganz woanders, als die Redakteure der Weltpresse es ahnen.

Noch einen letzten Ort, an dem uns Freiheit verheißen ist, muß ich erwähnen. Ich meine *die Freiheit der Liebenden.* In der Welt herrscht nämlich ein Zwangsgesetz, das man mit den Worten charakterisieren könnte: Wie du mir, so ich dir, oder auch: Wie man in den Wald hineinruft, so schallt es heraus. Damit ist gemeint, daß ich den anderen immer so behandle, wie er mich behandelt. Kommt er mir freundlich entgegen, so schlage ich willig in seine Hand ein. Tritt er mir als Feind gegenüber, so wehre ich ab und hasse ich. Das ist das Echo-Gesetz der Welt, über das Jesus Christus uns belehrt und dem gegenüber er uns sagt: „Ihr aber nicht also!" (Lukas 9, 55). Denn wenn ich so reagiere, dann bin ich ja nicht frei, sondern dann bin ich nur eine Funktion meines Gegenübers und Widerspielers, dann lasse ich mich vom Zwang des Echo-Gesetzes beherrschen. Wer dagegen begriffen hat, was Jesus mit dem Wort meint: „Liebet eure Feinde!" (Matthäus 5, 44), der macht einen neuen Anfang, der „reagiert" nicht einfach, sondern der ergreift eine schöpferische Initiative, der wird also frei.

Nun ist das ja ein sehr hartes Wort: „Liebet eure Feinde!" Und ich muß mich natürlich fragen, wie das überhaupt möglich ist. Ist es nicht Krampf, wenn ich — etwa gegenüber einem ideologischen Gegner, gegenüber einem Repräsentanten des Terrors — alle meine Abwehrinstinkte, alle meine Verachtung und meinen Trotz niederkämpfe und so etwas wie ein Gefühl der Liebe in mir emporpumpe? Natürlich ist das der reine Krampf, und statt der gelösten Züge des Liebenden wird sich auf meinem Gesicht nur eine verzerrte Grimasse zeigen. Mit Moral und Willensentschlüssen läßt sich so etwas wie Feindesliebe nicht praktizieren. Das geht nur auf eine ganz andere Weise, nämlich nur so, wie Jesus Christus es selber tat. Er sah in den Dirnen und Zöllnern, in den Hohenpriestern und Drahtziehern seines Volkes und sogar in den Henkersknechten unter seinem Kreuz (Lukas 23, 34) noch etwas ganz anderes als die Vertreter der feindlichen Front, die ihn vernichten wollten: er sah in ihnen die verirrten und unglücklichen Kinder seines Vaters im Himmel, um die er trauerte. Und weil er sie so in Gedanken von der feindlichen Front ablöste und sie noch in einer ganz anderen Dimension erblickte — dort nämlich, wo sie jene verirrten und unglücklichen Kinder waren —, darum jammerte ihn der verlorenen Seelen, und sein Herz füllte sich mit Erbarmen. Und indem er so zu ihnen stand, konnte das Gesetz des Echos über ihn nicht mehr Herr werden, sondern er war erhoben in die freie Spontaneität der Liebe.

Ich glaube, daß diese Botschaft hilfreich und wichtig ist. Aber niemand kann uns ja die Botschaft von der weltüberwindenden Liebe glauben, niemand kann uns diese Botschaft abnehmen, wenn wir im Stil politischer Selbstbehauptung und also eines feindlichen Reagierens den Antichristen gegenübertreten und uns als christliche Gemeinde in negativer Abwehr behaupten wollen. Nach außen sieht eine solche Form von Selbstbehauptung des Christentums sehr tapfer und glaubensstark aus. Und doch blockiert sie gerade die Botschaft und tötet die Hörbereitschaft des anderen. Denn ein Christentum dieser Art lebt nur aus der Reaktion und aus dem Echo; es richtet sich also nach dem Gesetz irdischer Machtkämpfe und ist darum unglaubwürdig, wenn es die Freiheit der Kinder Gottes predigt.

Darum kommt alles darauf an, daß wir nicht nur „reagieren“, sondern daß wir jene Überblendung vollziehen, die das Auge Jesu vollzog, wenn er seine Feinde sah: daß wir in dem andern den geheimen Bruder unseres Herrn sehen, für den er gestorben ist und den er teuer erkauft hat. Wenn wir uns das schenken lassen, werden wir ein Wunder erleben; wir werden innerlich frei werden vom Druck des andern, und unser Zeugnis wird an Vollmacht gewinnen. Denn eben das wird diesen andern stutzig machen: wenn er sieht, daß es uns nicht um die Konservierung des Christentums, sondern um ihn selber geht, daß wir um ihn trauern und daß uns sein Irrweg nahegeht. Denn das gibt es sonst in der Welt mit ihrem Echo-Gesetz nicht. Das gibt es nur, wo Jesus Christus herrscht und uns in die Freiheit der Liebenden beruft.

Viel mehr, als unsere schwachen Worte es vermögen, ist unsere Liebe berufen, den Eispanzer verschlossener Herzen aufzutauen. *Jesus Christus regiert durch die Liebenden, die in der Welt sind.* Er schenkt ihnen dann auch das Wort des Zeugnisses und die Vollmacht des Zeugen; aber erst *dann.* Wir mögen noch so geschulte Theologen sein und in Diskussionen den Gegner mundtot machen — ohne diese Liebe sind wir tönendes Erz und klingende Schelle (1. Korinther 13, 1). Nur der Liebende hat die Macht, Eis aufzutauen.

So sehen wir überall die Zeichen der Freiheit, die uns verheißen ist. Wir können etwas ändern; denn wir sind nicht mehr die Objekte von Gesetzen, sondern wir sind die Kinder unseres Vaters. Wer Gott zu loben lernt — wie die Apostel im Gefängnis —, der ist frei inmitten aller Mauern und Gitter. Denn der Lobende sieht die Welt von ihrem Ende her, von dorther, wo Gott seine Siege errungen hat und wo die Gläubigen und die Feinde, wo die Beter und die Verächter um seinen Thron versammelt sind. Von diesem Blick auf das Zuletzt lebt unsere Freiheit; hier erholt sich unsere Angst, und hier wird uns der lange Atem derer geschenkt, die wissen, daß einmal die Schlachtfelder der Welt leer sein werden und daß Gott alles in allem sein wird. Wer zuletzt gekrönt wird, der ist König. Dieser Letzte aber wird Jesus Christus sein. Und wem die letzte Stunde gehört, der braucht die nächste Minute nicht zu fürchten.

VOM WAGNIS GANZHEITLICHEN DENKENS

Von Horst W. Beck (Freudenstadt)

Die Schlagworte „Sinnverlust“ und „Entfremdung“ kennzeichnen das Schicksal der Menschheitserfahrung am Ende des zweiten Jahrtausends nach Jesus Christus. Die weltliche Zeitrechnung nimmt auf ihn Bezug. Doch dies mag man abtun als eine der vielen Kuriositäten der Geschichte. Geschichte? Hat der wilde Fluß der Zeit ein verbindliches Datum? Jesus Christus — die Mitte der Zeit? Kann man von ihm aus Anfang und Ziel denken? Wenn wir Anfang, Mitte und Ende denken könnten, ließe sich der tosende Strom der Zeit bändigen: Geschichte enthüllte Sinn. Aber — die schicksalhafte Erfahrung zumindest in den Industrie-Zivilisationen ist Widerspruch: Zum unaufhaltsamen Prozeß der Verwissenschaftlichung und Technisierung aller Lebensbereiche gehört untrennbar der Sog der Vergeschichtlichung.[1]

Vergeschichtlichung indessen ist der Ausstieg aus der Geschichte: alle Erfahrung ist relativ zu den jeweiligen Zeitbedingtheiten. In den Zeitbedingtheiten summieren sich die Fakten, die die Erfahrungswissenschaften thematisieren: Physik, Biologie, Gesellschaftswissenschaften, Verhaltensforschung. Unsinn, in diese matters of facts noch einen tieferen Sinn zu projizieren! Noch dazu einen Sinnfug, der etwas im turbulenten Ereignisstrom Dauerndes behauptet: Vergangenheit, Gegenwart und Zukunft auf Eines hin verknüpft: Geschichte zum Heil — „Heilsgeschichte“. Die Stimmen aus den verschiedensten Lagern sind unüberhörbar, die das Ende allen metaphysischen Denkens proklamieren.[2] Das Sinnkriterium liegt angeblich allein in der faktischen Erfahrung. Welch ein bodenloser Zirkel.

Merkwürdig ist, daß in den nüchternen Sachverhalten, in denen heute menschliches Verhalten in den Gesellschaftsgefügen ausgelegt wird, Erfahrung von Entfremdung durchschlägt. Die wissenschaftliche Lehre vom Menschen im Sozialgeflecht (Anthropologie, Soziologie) trifft in der Summe Feststellungen: so ist der Mensch, so verhält sich der Mensch unter bestimmten Bedingungen. Daß im So-Sein, im So-Verhalten „Entfremdung“ erspürt wird, sprengt die gängige wissenschaftliche Übereinkunft, daß man nur „Fest“stellungen treffen will! Hier sitzt die Ausweglosigkeit der modernen Anthropologie. Versteift sie sich auf bloße biologische und verhaltensgesetzliche Feststellungen, redet sie nicht mehr vom „Menschen".[3] Will man aber vom Menschen aussagen, spiegeln sich die bloßen festgestellten Fakten auf einer tieferen Folie: eben auf einem Urwissen vom eigentlichen Menschen. Nur in der Differenz zwischen So-Sein und Eigentlich-Sein bleibt das Thema „Mensch" auf der Tagesordnung. Die Idee der Entfremdung ist in allen Aufklärungsschüben von Rousseau bis E. Fromm, von Marx bis Bloch auffällig explosiv geblieben.[4] Über „Entfremdung" kann man mit fast allen Zeitgenossen jedweder weltanschaulichen und politischen Einstellung ins Gespräch kommen. Welche Chance! Die Menschlichkeit des Menschen bleibt offen!

Doch in der Dauerspannung der Entfremdungserfahrung ohne Antwort wird der Mensch krank. Der Wiener Nervenarzt Viktor E. Frankl spricht von dem abgründigen Sinnlosigkeitsgefühl, das sich zusehends ausbreitet und in einer existentiellen Frustration ausmündet. Jede Zeit hat ihre Neurose. Unsere Gegenwart die „Sinneurose". Als typisch für die verbreitete Sinnlosigkeitserfahrung zitiert Frankl aus einem Brief eines amerikanischen Studenten:[5] „Ich bin 22 Jahre alt, besitze einen akademischen Grad, besitze einen luxuriösen Wagen, bin überhaupt finanziell unabhängig, und es steht mir mehr Sex und mehr Prestige zur Verfügung, als ich verkraften kann. Was ich mich frage, ist nur, was das alles für einen Sinn haben soll." Nach den Erfahrungen an weit über hundert Universitäten hält Frankl die zitierte Briefstelle durchaus für repräsentativ für die Grundstimmung und das Lebensgefühl, von denen die akademische Jugend heute beherrscht ist.

Frankls Diagnose fordert konsequent „Sinn-Therapie" (Logotherapie). Ein existentielles Vakuum muß mit „Willen zum Sinn" gefüllt werden. Wille zum Sinn als heroische Haltung würde indessen eine totale Überforderung sein, wenn man nicht Sinngestalten als bergender Orientierung begegnen könnte. Entweder trifft einen beglückender Sinn-Anspruch, der aus dem Nichts entreißt, oder man endet schließlich in dem heroischen Nihilismus, wie ihn etwa der französische Molekularbiologe und Nobelpreisträger Jaques Monod als letzte Konsequenz der Biologie in seinem Bestseller ›Zufall und Notwendigkeit‹[6] oder sein Dichter-Landsmann Sartre in aufwühlenden Dramen und Essays unserer Zeit anpreisen.

„Sinnverlust" und „Entfremdung" nannten wir als treffende Schlagworte unserer aufgeregten Zeit in den letzten Dezennien des Jahrhunderts. Zeit empfinden wir Menschen der Gegenwart nicht als den gleichmäßig-dahinplätschernden Strom, in den wir nach urtümlichem Rhythmus der ewigen Tretmühle des Yuga[7] hineingeboren würden, um im immer Gleichbleibenden Sinn und Geborgenheit zu finden. Es gibt Zeitempfinden als Stauchung oder Verdichtung des Zeitstromes. Schon äußerlich gesehen markieren exponentielle Entwicklungskurven vieler lebenprägender Faktoren ein Aufschaukeln unseres gesamten ökologischen Systems zu einer kaum mehr faßbaren Labilität.[8] Unsere Zeit geht schwanger. Was in Schmerzen geboren werden soll, übersteigt die Vorstellungskraft. Utopien (im ursprünglichen Sinne: das Ort- und Gestaltlose) jagen sich: ideologische Endzeitbilder, Paradieses-Hoffnungen, katastrophische Utopien. Der Physiker A. M. K. Müller (Braunschweig) spricht im Gleichnis von der Zeitmauer des Überlebens:

Wir können die geschilderte geistige Situation der Menschheit im letzten Drittel des 20. Jahrhunderts in einem Bild zusammenfassen, das der Naturwissenschaft entlehnt ist, seine Tragweite aber erst entfaltet, wenn es als Gleichnis für den übergreifenden Zusammenhang der alles bestimmenden Zeitlichkeit verstanden wird. Die Menschheit rast heute vermöge der in den „eindeutigen" Begriffen akkumulierten Macht wie ein Geschoß in die Zukunft, das durch die Schubkraft von immer potenzierterer Technologie immer mächtiger beschleunigt wird. Weil aber das, was in Wahrheit Mensch und Welt ausmacht, nicht nur aus dieser von uns losgelassenen „Bestie" in den Begriffen besteht, kann der Beschleunigungsprozeß nicht ad infinitum weitergehen, ohne daß es zu einer alles infrage stellenden Turbulenz kommt. Was für das Flugzeug die Schallmauer ist, verdichtet sich für uns in der Summe der entfesselten zerstörerischen Rückwirkungen objektivierender Wahrnehmung zu einer Zeitmauer, der wir unabwendbar entgegenrasen. Ein Zurück gibt es nicht mehr. Die Krise des Überlebens mündet in die Frage, ob das Schiff der Menschheit an dieser Mauer zerbersten muß oder ob es sie durchbrechen und in eine neue Qualität menschlicher Zeiterfahrung und damit menschlichen Lebens eintreten kann.[9]

In der Krise des Überlebens wird die Frage nach einer ganz neuen Zeiterfahrung aufgeworfen. In modernen Strömungen der Marxistischen Weltanschauung behält die Entfremdungsfrage ihren Rang. Man erkennt eine unheilvolle Eigendrift gegenwärtiger Wissenschaft und Technik. Wird mit der sogenannten Eigengesetzlichkeit von Wissenschaft und Technik nicht Herrschaft und Abhängigkeit produziert? So fragen H. Marcuse, M. Horkheimer und E. Bloch. Dann wäre eine Befreiung des bedrückten Menschen nicht zu denken ohne eine gewaltige Revolutionierung von Wissenschaft und Technik selbst. Im deutschen Neo-Marxismus gebraucht man überraschend heilsgeschichtliche Begriffe: man scheut sich nicht, die jüdisch-christliche Heilshoffnung von der „Resurrektion der gefallenen Natur" ins Visier zu nehmen. Über den schwäbischen Pietismus waren diese Hoffnungsbilder bei Hegel, Franz von Baader und Schelling lebendig. Bei Marx kehren sie in den Pariser Manuskripten wieder. Die Idee einer herrschaftsfreien Wissenschaft und Technik hängt an dem Funken Paradieseshoffnung auf eine *ganz andere* Natur und Wirklichkeit.[10] E. Blochs „Prinzip Hoffnung" hält die Sinnfrage in utopischen

Dimensionen wach. Im letzten bleibt dann aber doch Sprachlosigkeit, manifest im schnoddrigen Umschwärmen biblischer Heilsbilder, die man überschreiten möchte.

Auf das Wagnis ganzheitlichen Denkens kann man sich nur dann einlassen, wenn es tragende Sinngestalten gibt, die anderes sind als Wahnbilder des menschlichen Gedankentriebes. Die biologische und behavioristische Anthropologie kann diesen Anspruch nicht entscheiden! Der Molekularbiologe J. Monod erkennt zwar in den nach seiner Terminologie „animistischen" Gedankenflüssen eine Funktionsmöglichkeit des leider kausal-instinktmäßig nicht determinierten Hirnsubstrates der biologischen Spezies Mensch. Die animistischen Wahngebilde sind objektiv-biologisch „sinnlos" und müssen deshalb heroisch bekämpft werden.[11]

Die verpflichtende Wahrheit uns begegnender Sinnbilder liegt somit ganz in ihrem inneren Anspruch und kann niemals von außen durch irgendeinen rationalen Beweisgang demonstriert werden. Paul Tillich hat diesen Sachverhalt in einem Paradox formuliert[12]: Ein Symbol für eine umgreifende Sinngestalt könne desto mehr Wahrheitstiefe haben, je mehr es sich einer bloß zweckrational-empirischen Bestimmung entziehe. Die Ohnmacht, ja Armut der bekennenden und verkündigenden Sprache gegenüber der Macht des Faktischen führt in die Demut. Nun hängt alles daran, ob ein liebender, gnädiger, sich dem Menschen zuwendender Gott in die gänzliche Schwachheit und Armut menschlicher Sprache hinein „Sinn" stiftet. Wir sind ganz nüchtern: Wahngebilde und heilsstiftende Offenbarung können von einem rein objektivistischen Standort aus nicht unterschieden werden. Hier sind wir für Monods massive Demonstration, was eine rein objektive, das heißt biologisch-behavioristisch ansetzende Anthropologie zu leisten imstande ist, dankbar. Nun können wir drastisch genug formulieren: Das Wagnis ganzheitlichen Denkens steht und fällt mit der Wirklichkeit sinnstiftender Offenbarung.

Die *Norm* ganzheitlichen, das heißt theologischen Redens über den Menschen in seinem Schicksals- und Geschichtsbezug, steht unter der Last eines in die schriftliche und mündliche Tradition eingehämmerten Engrammes: *So spricht Gott.* Biographische Notizen der größten Propheten der vorchristlichen jüdischen Gemeinde — Jesaja, Amos, Jeremia — zeigen eindrücklich genug, wie sich Menschen unter einem Auftrag, unter dem Anspruch, so spricht Jahwe/Gott, winden und ihn nicht einfach abschütteln können. Die Norm theologischen Redens steht bis heute unter solcher Spannung, nämlich für die Zeit zu sagen: so liegen der Horizont des Menschen, sein Schicksal, seine Geschichte, seine Zukunft sub specie aeternitatis![13]

Die einzige Voraussetzung, in die wir uns für die folgenden Darlegungen stellen können, ist diese: Gott *hat* geredet, Gott *hat gehandelt.* Das

Wort- und Tathandeln Gottes ist die letzte Wirklichkeitskategorie.[14] Freilich ist das Wort „Fleisch" geworden. Anders ausgedrückt: ganzheitliche Wahrheit wird sprachlich in den Erfahrungsformen „dieser Zeit". Damit respektieren wir den Auslegungszirkel, in dem alles Menschen- und Weltdeuten steht. Die philosophisch-theologische Denkanstrengung der Gegenwart hat hier einen ihrer Schwerpunkte.[15]

Der Ertrag im Stenogramm: ohne das Wagnis einer vorwissenschaftlichen Sinndeutung des Menschen, das bekannte „Vorverständnis", bleibt der Auslegungszirkel aporetisch. Dies ist ein ergänzender Hinweis, daß eine objektivistische Anthropologie ihren „Gegenstand" nicht hat. K. H. Miskotte hat den Sachverhalt treffend formuliert: „Das erklärende Denken wird grenzenlos, wenn es nicht durch Hören des Wortes Gottes von sich selbst erlöst wird."

So können wir in Demut den naiven Standpunkt vertreten, daß das Denken von den Ausweglosigkeiten des sogenannten hermeneutischen Zirkels erlöst ist, weil es in beglückenden Ganzheitsbildern schwingt. In anderen Worten: es gibt vom Tat- und Worthandeln in Bewegung gesetztes Deuten und Verstehen des Menschen in der Geschichte. In seiner Grundintention ist es bekennendes, lobendes und dankendes Denken und Sprechen. Doch diese Gattung des sprechenden Umganges mit der Wirklichkeit des Menschen verliert nicht seinen konkreten Realbezug zu den objektiven Fakten. Hier lassen wir uns nicht von Scheinalternativen bannen. Wir geben kurz Rechenschaft, wie wir den ganzheitlichen Umgang mit den Sachverhalten dieser Zeit und Welt verstehen. Unsere Hermeneutik lehnt sich dabei bewußt an den durch einzigartige Erfahrungen bewährten Weg Karl Heims an:

Vier Grundschritte sind dabei zu nennen: Wie Paulus dem Griechen ein Grieche und dem Juden ein Jude, so wird Heim dem Physiker ein Physiker und dem Biologen ein Biologe. Nur wird noch radikaler gefragt. So gelangt man an die Grenzen, ja in die Ausweglosigkeit der sog. objektivierenden Methode. Im ersten Schritt wird der Glaube an ein bloß gegenständliches Weltbild entlarvt. Jetzt kann Heim — ein zweiter Schritt — eine „dynamische Wirklichkeitsschau" aufzeigen, die ein Doppeltes leistet: einmal wird deutlich, warum der Glaube an Gott nicht sozusagen von Gnaden der physikalischen Methode leben kann; zum anderen aber wird ebenso entschieden die Denkmöglichkeit des Glaubens freigesetzt. Im dritten Schritt zeigt Heim sodann, daß bei dieser Lage „Glaubensgewißheit" nur aufgrund eines ganz persönlichen Totalexperimentes gewonnen werden kann. Der Mensch ist durch die wissenschaftliche Erkenntnis vor ein letztes Entweder-Oder gestellt: entweder Nihilismus oder Gott; er muß sich auf den Anruf Gottes hin entscheiden. Erst dann ist ein vierter Schritt möglich. Mit der biblischen Offenbarung, die dem Glaubenden sich erschließt, steht der Mensch in einer Ganzheitsschau, in einer Zentralsicht dem Wirklichen gegenüber. Nun gilt es, die gesamte Naturwirklichkeit, wie sie die Wissenschaften erkennen, in den christologisch-eschatologischen Horizont der biblischen Offenbarung einzuordnen. Und hier kommt Heim zu der zuversichtlichen Gesamtaussage, daß die Ergebnisse heutiger Naturerkenntnis durchaus mit dem biblischen Schöpfungsglauben, mit einer kosmischen Christologie und Eschatologie im Einklang stehen.[16]

Wir redeten von „dieser" Zeit, „diesen" Erfahrungsbedingungen. Wir verschweigen nicht, daß wir mit dieser Stilisierung die Sachverhalte, die objektiv-wissenschaftlich „fest"-stellbar sind, auf eine „Ur"-Wirklichkeit beziehen und damit die Entfremdungsthematik akzeptieren. „Ur" bedarf einer Auslegung, auf die wir uns in folgenden Kapiteln einlassen. Hier nur die Vorbemerkung, daß wir Wirklichkeit in der Zeit auf ein Grundbild der biblischen Offenbarung beziehen: den Grund-Mythus vom „Anfang" und „Ende". Dies versperrt uns ein für allemal den Weg des Säkularismus, Mensch und Welt rein „weltlich" verstehen zu wollen. Den nihilistischen Zirkel des Säkularismus haben etwa Heim [17] und Loen [18] entlarvt.

Wenn wir schon die Unbescheidenheit riskieren, wir wüßten „mehr" als die Kinder „dieser" Welt über diese Welt, dann gilt es kurz Rechenschaft zu bieten über die Quellen dieses „Wissens". Aufgrund unseres in massiven Vorverständnissen gefangenen Denkens, nämlich des enthüllten Ur-Wissens in dieser Zeit über diese Zeit, stutzen wir: Wir können uns gar nicht mehr auf den exakten Weg historisch-kritischer Quellensichtung und Interpretation von schriftlichen oder archäologischen Dokumenten begeben. Ganzheitliches Denken kann nur symbolisch auf seinen Ursprung verweisen.

Das weiteste Ursprungssymbol, auf das wir verweisen, ist eben die Ganzheit der biblischen Offenbarung in ihrer Deutung von Welt, Mensch und Geschichte. Das biblische Zeugnis spricht sich durchweg „ur"-geschichtlich und „end"-geschichtlich aus. Claus Westermann hat dies in neuerer Zeit besonders betont: Das Zeugnis von Anfang und Ende in der Bibel ist nicht ein Rahmen, der fallen könnte.[19] Auch wenn wir nicht direkt auf die in Genesis 1—11 entfaltete „Ur"-Geschichte und die „End"-Geschichte der johanneischen Offenbarung Bezug nehmen, gehört der Verweis auf Gottes Schöpfertat und das Heil der Endzeit unablösbar zur gesamten biblischen Botschaft. Die Christus-Verkündigung „Herr ist Jesus" des NTs ist kosmisch-universal im Einklang mit den universalen Heilsbildern der alttestamentlichen Prophetie.[20] Kurz: das biblische Gesamtzeugnis fordert jede Zeit mit einem universalen Grundbild heraus, mit dem alle ideologischen oder religiösen Weltanschauungsentwürfe konfrontiert sind.

Wen die Wahrheit des biblischen Grundbildes gepackt hat, das Denken zwischen Anfang und Ende, die Unterscheidung zwischen „dieser" Zeit und Erfahrungsform und der urbildlichen und endzeitlichen Zeit- und Wirklichkeitsgestalt, der liegt im Streite mit allen sonstigen säkularistischen Totaldeutungen des Menschen in der Geschichte. Wir sind dem Heidelberger Philosophen Karl Löwith dankbar, daß er den Ertrag langjährigen Nachdenkens über den Sinn der Geschichte prägnant genug formuliert hat:

Wer die Voraussetzungen des jüdisch-christlichen Heilsglaubens nicht teilt, findet auf philosophischem und wissenschaftlichem Wege keinen Sinn der Geschichte. Kurz: die Aporie des Historismus ist geschichtlicher Nihilismus, in welcher geistigen Gestalt auch immer (positivistisch, marxistisch, strukturalistisch, existentialistisch oder historisch-kritisch).[21]

Damit ist auch aller Fortschrittsglaube als bodenlose Ideologie entlarvt.

Quelle als kritisches Basismaß aller weiteren Erkenntnisbezüge ist die ur-endzeitliche Weisheit des biblischen Gesamtzeugnisses: das Heilshandeln Gottes mit Mensch und Welt ist somit die Grundkategorie des Wirklichen. Gegen diesen urgeschichtlichen, naiven Positivismus meldet sogenanntes „rationales" Denken von zwei Seiten Widerspruch an: einerseits will man Dignität, absolute Wahrheit des biblischen Wortes durch den Rationalismus einer Inspirationslehre sichern — dies kann sich bis zu einem gesprächsunfähigen Fundamentalismus der Buchstabengläubigkeit steigern. Andererseits steht diesem Rationalismus ein nicht weniger radikaler historisch-kritischer Rationalismus entgegen. Der Überlieferungskomplex der biblischen Schriften wird religionsgeschichtlich total nivelliert und als Material den profanen historisch-kritischen Methoden unterworfen. Die Nivellierung spitzt sich in der Erkenntnis zu: die Kanonsfrage bleibt historisch-kritisch unlösbar. Anders ausgedrückt: die Schrift hat religionsgeschichtlich, form- und traditionsgeschichtlich keine Mitte und damit auch keine kanonische Grenze.[22]

Der Rationalismus des Fundamentalismus möchte mit logisch-beweisendem Argument die kanonische Dignität der Schrift als einer verbindlichen Ganzheit sichern. Die fromme Übung des Wörtlich-Nehmens, der rationale Inspirations-Positivismus, zerschlägt die urweisheitliche Gewalt und Macht des Wortes, weil man über das Offenbarungs-Handeln Gottes logisch verfügen will.

Der Rationalismus der historisch-kritischen Methode hat voraussetzungsgemäß keinen Zugang zur Wahrheit von Ganzheitssymbolen. Im Zuge der Verwissenschaftlichung und Vergeschichtlichung erleidet man methodisch den Austritt aus der Heilsgeschichte. Die Kategorie des Handelns Gottes wird im Sprachsystem zur Leerstelle.

Biblische Offenbarung als ur- und endgeschichtliche Weisheit vom Wort- und Tathandeln Gottes ist Beurteilungsgrund weiter zu nennender Wissensquellen. Das Bekenntnis zu JAHWE, der rettet und Heil schafft, das Bekenntnis „Herr ist Jesus", hat in der alten Bundesgemeinde sowie in der neuen Christusgemeinde universal-kosmischen Rang. Das ur- und endgeschichtliche Denken ist wesensgemäß kosmisch-universal.[23] Heilsgeschichtliche Grundweisheit, Denken im Ganzheitssymbol von Anfang und Ende, rückwärts- und vorwärtsgewandte Prophetie erschließen ein auf Erfüllung drängendes Geschichtsverständnis. Berufung und Erwählung, Verheißung und Erfüllung reißen den sonst verhüllten Sinn von Geschichte auf. Prophetie gewährt nicht nur Einsicht in das gänzlich unableitbare Heils- und Gerichtshandeln Gottes, sondern ist auch Hellsichtigkeit bezüglich der tieferen Zusammenhänge der Schöpfung.

„Weisheit in Israel" [24] ist Freude, Staunen am letzten Sinn alles Geschaffenen.

„Anfang und Ende" sind in dem einander verbunden, daß sie sich auf ursprüngliche Wirklichkeit beziehen, die jenseits unserer Erfahrungsformen „dieser" Zeit liegt.[25] Anfang und Ende werden durch Gottes Heilsgeschichte unterschieden. Das Eschaton überschreitet das Proton. Im Eschaton ist der Urstand heimgeholt und ausgereift. Die göttliche Eigen-Prädikation über die Schöpfung „Siehe es ist sehr gut" [26] ist von eschatologischer Dynamik. Im übrigen ist Gottes Schöpfungshandeln nie und nimmer begreifbar aus der Sichtbarkeit unserer Erfahrungsform. Aus solchem Reduktionismus stammt viel Verwirrung. Unsere Aufgabe besteht mit darin, bestimmte Unterscheidungen im Wirklichkeitsverständnis wachzuhalten. Hier ist nur die Betonung von Interesse, daß der biblisch-theologische Zeit- und Geschichtsbegriff Sphären von Schöpfungsräumen umfaßt. „Zeit schlägt im Erfahrungshorizont unserer sichtbaren Wirklichkeit in Gebrochenheit durch. Man darf ein Sinnapriori von ‚Zeitwirklichkeit' voraussetzen, das Gottes Tat- und Worthandeln, zusammengefaßt als ‚Heilsgeschichte' deklariert", stiftet. Mit dieser Stiftung gewinnen wir erst den Sinnhorizont „Heilsgeschichte". Solches Zeit- und Sinnapriori sprengt das Problem erkenntnistheoretischer Anschauungsformen, wie es seit I. Kant auf der Tagesordnung des abendländischen Denkens steht. Unter diesen Voraussetzungen gewinnen wir Einsicht in die geschichtliche Dynamik von Gottes Offenbarungshandeln. Die Gottesgemeinde im Erfahrungsraum der gefallenen Schöpfung — dieses Symbol wird später ausgelegt — wird in begreifbaren Schüben immer neu in einen weiteren und tieferen Sprach- und Symbol-Horizont gewiesen. Rückwärtsgewandte Prophetie, die universal, schöpfungstheologisch das Urgeschichtliche denken muß, ist ein gewaltiger Schub!

Vorwärtsgewandte Prophetie in der Dynamik von Verheißung und Erfüllung ist kosmisch-universal geweitet und ist ein ebenso gewaltiger Schub. Apokalyptik ist ihre Sprach- und Denkform. Ein tieferer Sinn der Geschichte wird aufgerissen und in „jenseitiger Symbolik“ entfaltet. Warum der Schock vor der Apokalyptik?[27] Endgeschichtliches Denken hat keine andere Sprachform. Offenbarung ist Enthüllung der tieferen Zusammenhänge der Schöpfung in ihrer jetzigen Erfahrungsform.

Offenbarung macht hellsichtig. Seit dem Schub der spätjüdischen Apokalyptik gibt es eine Tradition mystischer Weisheit in Israel. Sie wird fruchtbar im neutestamentlichen Bekenntnis, das in kosmische Dimensionen entfaltet wird: „Jesus ist Herr.“ Es ist visionäre Weisheit. Auch die christliche Gemeinde hat ihre Seher und Propheten (1. Kor. 12). Die Reichs-Gotteshoffnung behält seit dem Apokalyptiker und Mystiker Paulus kreatürlich-leiblichen Bezug, bis hin zur Erlösungsvorstellung des kosmischen Leibes (Römer 8, 18 ff.).[28]

Als kritisches Basismaß aller Erkenntnissichtung nannten wir die urendzeitliche Weisheit des biblischen Gesamtzeugnisses als die weiteste Entfaltung des Heilshandelns Gottes.

Ur- und Endgeschehen ist Bedingung alles Geschehens. Es ist in aller Erfahrung präsent. Die sprachliche Ausdrucksform ist die mythische Erzählung, das mythische Bild. Im Vorstellungsmaterial haben Israel und die neutestamentliche Gemeinde ungebrochenen Anteil an der mythischen Grundweisheit der Völker ihrer Zeit. Deshalb ist der mythische Traditionshorizont der Menschheit für die Wissens- und Wahrheitsgestalt aufschlußreich. Freilich im kritischen Horizont der Schrift, die in der Aufnahme von Material entmythologisiert und mythische Weisheit im Bekenntnis und Zeugnis aufnimmt.

Auch die Grundbegriffe der abendländischen Naturwissenschaft haben ihren mythischen Rang.[29]

Dies gilt noch mehr für die tiefenpsychologischen Deutesysteme der Gegenwart.[30]

Auch die biologische Evolution hat eine metaphysisch-urbildliche Hintergeschichte, die sich in ihren Mechanismen ausformt. Der Mythos ist das aus den Tiefenschichten des Daseins geschöpfte Urwissen, die metaphysische „Innenseite“ der Dinge.[31] Wer den Wahrheitsanspruch des Mythos nicht durch den Kunstgriff einer existentialistischen Hermeneutik bagatellisiert, wird hier in die Frage der Ur-Offenbarung verwickelt. Gibt es so etwas wie „Kern“-Sagen der Menschheit, die, gereinigt von legendären Übermalungen, urtümliches Wissen über die Geschichtlichkeit und Endlichkeit des Menschen enthüllen? Die Kern-Sage vom „verlorenen Paradies“ ist nicht nur Gemeingut aller ethnisch-religiösen Traditionen, sondern bringt in der Vielgestalt moderner Entfremdungserfahrungen und Klagelieder einen gemeinsamen Archetyp ins Schwingen.

Der Mensch jeder Gegenwart durchlebt einen Raum von Wirklichkeiten. Zum Trend der Gegenwart gehört es, daß man die Wirklichkeitserfahrungen auf einen geschlossen-kausalen Horizont bannen möchte. Das Letzt-Wirkliche ist ein Kausalgeflecht. Es ist der Mythos, daß Wirklichkeit nichts „Unheimliches" enthält. Dies garantiert der große, durchschaubare Mechanismus. Dem Wahrheitsanspruch des Mechanismus-Mythos stellen wir uns, indem wir fragen, von welcher Gestalt und Tragweite die kausal systematisierten „Feststellungen" sind. Als unübergehbare Wissensquelle gilt uns das „Faktenwissen". Wir bleiben hellhörig, wo uns das kausal-präparierte Wissen zu „der" Wirklichkeit stilisiert wird!

Offenbar kann man aber nicht alle Bedingungen und Wirkzusammenhänge menschlichen Lebens als „gewöhnliche" Erfahrung fassen und im mechanistischen Ursache-Wirkgesetz neutralisieren. Das „Außergewöhnliche" macht von sich reden. Es ist mehr als vorläufige Unwissenheit, die durch weiteren wissenschaftlichen oder technischen Fortschritt in den Griff gebracht werden könnte. Eine Wissenschaft über das Außergewöhnliche setzt sich durch:

Para-Psychologie, Para-Physik, Para-Biologie. Man würde sie an den Universitäten nicht dulden, wenn nicht die Phänomene, denen diese Para-Wissenschaften sich stellen, eine unübergehbare Wirkmacht beanspruchen würden. Die verobjektivierbaren Gegenstandsbereiche der Physik, der Biologie sowie der Verhaltenswissenschaften stellen einen Oberflächen-Horizont dar, der von einem seelisch-geistigen Wirklichkeitsgrund bedingt ist, der selbst nicht als „Objekt" in die statistischen Gesetzesgefüge eingefangen werden kann. Sich wiederholende und typisierbare Eigenheiten dieses tieferliegenden Erfahrungsgrundes können einigermaßen durch die Para-Wissenschaften begrifflich klargelegt werden. Allerdings sind die Grundbegriffe auf das Typische des Einmaligen, des Kontingenten, auf das im Gegensatz zur physikalischen Verobjektivierung Raum- und Zeitungebundene der mythischen Wirklichkeit gemünzt. Vielleicht ist es die systematisierte Erfahrungsgestalt, das die Para-Erfahrungen mit umgreift![32]

Als letzten Erkenntnisbereich nennen wir für unsere Fragestellung „Weltschöpfung und Weltende" um ihrer Neuigkeit und Brisanz willen die Futurologie. Welches sind die Bedingungen für Prognosen? Inwiefern können sie Zukunft erschließen?

In unserem Bemühen greifen wir auf, was zu seiner Zeit und unter den damaligen Frontstellungen dem württ. Prälaten Friedrich Christoph Oetinger (1702—1782) wesentlich war: Oetingers Programm war die

„organische Vereinigung himmlischen und irdischen Wissens in einer philosophia sacra". Oetinger stand in der Frontstellung einerseits gegen den leibverflüchtigenden spiritualistischen Idealismus des Leibniz-Wolffschen Rationalismus, andererseits gegen den atheistischen Materialismus, wie ihn die angelsächsische und französische Aufklärung des 18. Jahrhunderts hervorbrachte. Am Ende des 20. Jahrhunderts findet sich eine biblisch-christliche Wirklichkeitsdeutung in keiner gänzlich verschiedenen Frontstellung vor. Dies kann man damit begründen, daß der Säkularismus, die geistige Strömung zur Verweltlichung der Welt, die gewaltige Emanzipationssucht weg von allen Bestimmungen der Lebenswelt und Lebenspraxis aus dem Handeln Gottes, zu aller Zeit zwei zunächst sich scheinbar widerstreitende Hauptmotive hat: einerseits die Verselbsändigung des Ichs zu der die Wirklichkeit setzenden Größe, andererseits die Verselbständigung der die Welt tragenden Naturelemente. Die Ich- und Substanzproblematik sind die zwei Labyrinthe des menschlichen Denkens.[33] Hier finden wir Verirrungen und Verstrickungen des sich von Gott lösenden Verstandes. Nur die Formen wandeln sich in der Zeit. Im Idealismus Fichtes hat sich der Versuch des Ichs, in sich selbst die Ewigkeit zu finden, in bestrickender Dämonie ad absurdum geführt. Spätformen des nihilistischen Idealismus sind die Existenzphilosophien der Gegenwart. J. P. Sartres Nihilismus beeinflußt vielleicht am sprachgewaltigsten unsere Zeit!

Die gegenteiligen Tendenzen sind geläufiger: „Materialismus ist Weltvergötterung" (K. Heim).[34] Moderne Spielarten sind der logische Positivismus und die materialistische Basis-Lehre des Marxismus.[35] [36]

Beiden Strömungen ist die Dämonie der Eigenmacht gemeinsam. Der biblische Schöpfungs- und Endzeitglaube steht im Kampf gegen den Säkularismus jedweder Richtung.[37] Im übrigen hat es den Säkularismus beider Tendenzen schon in der griechischen Aufklärung gegeben. Schon Demokrit, Epikur oder Lukrez († 55 v. Chr.) sind materialistische Säkularisten gewesen.[38] Der Glaube an das ewige Ich ist die platonische Form des Säkularismus.[39]

Der Kampf gegen den Säkularismus kann vom biblischen Ausgangspunkt aus nur so geführt werden, daß sowohl das Ich mit allen seinen Bewußtseins- und Motivationsgestaltungen, wie es die heutige Psychologie ausdifferenziert, wie auch die Außen-Elemente, die die Leib- und Naturwirklichkeit aufbauen und wie sie die heutigen Erfahrungswissenschaften ausdifferenzieren, auf die Schöpfer- und Erhaltensmacht Gottes streng bezogen werden. Oetinger sind wir somit in dem Streben verbunden, alles menschliche Wissen — die Erkenntnisquellen haben wir skizziert — unter einem gemeinsamen Ganzheitsaspekt auf Gottes Handeln zu beziehen.

Die Aufgabe bleibt auch dann für den christlichen Lehrer und Verkündiger bestehen, wenn von der Lawine des Faktenwissens aus, die heute immer schneller ins Rollen kommt, ein bedrückender Alptraum im Raume steht und ein Unmöglich postuliert.

Das Wagnis ganzheitlichen Denkens ist dann möglich, wenn die biblische Offenbarung in ihrem urgeschichtlichen und endgeschichtlichen Denken selbst einen umgreifenden Interpretationsrahmen für alle Wirklichkeit bietet.

In dieser Voraussetzung ist unser Denken gebunden. Man mag dies einen heilsgeschichtlichen Positivismus nennen. An der Etikettierung ist nichts gelegen. Begründet ist dieser Standort allein im Wahrheitsanspruch der biblischen Offenbarung. Gott hat in seinem Handeln im Alten und Neuen Bund eine neue Sicht der Wirklichkeit enthüllt: Nichts kann mehr gedacht werden als wirklich außerhalb des Schöpfungs-, des Erhaltungs-, des Zornes-, des Gerichts-, des Liebes- und Erlösungshandelns des Dreieinigen Gottes. Damit ist auch eine „Zentralsschau" — wie die Väter des Schwäbischen Pietismus von F. Chr. Oetinger bis K. Heim sagten — dem glaubenden Menschen eröffnet. Weil das Wort Fleisch geworden ist, gibt es einen Durchblick durch die Geschichte hin auf ein Telos, eine letzte Erfüllung des Wirklichkeitsdramas. Für den Säkularisten ist dies freilich eine massive Ideologie, die bekämpft werden muß.

Heim hat diesen Kampf treffend markiert:

> ... der Säkularismus ist die Form, in der die gefallene Welt sich in dämonischer Weise selbst an die Stelle Gottes zu setzen sucht, von dem sie doch jeden Augenblick ihr Sein empfängt. Solange wir in dem Zwischenzustand zwischen Urfall und Ende stehen, wird es diese Bewegung immer geben. Ja, sie wird sich nach der Schrift noch steigern und sich zuletzt in einer antichristlichen Weltmacht zusammenballen. Vielleicht stehen wir schon am Anfang dieser letzten Entwicklung. Aber wenn wir das sehen, so bedeutet das keineswegs, daß wir uns fatalistisch in die Lage schicken, und den Rückzug antreten. Genau das Gegenteil ist der Fall. Wir stehen hier vor dem Frontangriff der antichristlichen Macht. Das ruft uns zum Einsatz aller unserer Kräfte auf. Was können wir tun? Geistige Prozesse lassen sich im allgemeinen nicht dadurch überwinden, daß man versucht, das Rad der Entwicklung zurückzudrehen, also ein früheres Stadium wieder herzustellen, in dem die Bewegung noch nicht vorhanden war. Die Krankheit kann vielmehr nur dadurch überwunden werden, daß sie zum Ausbruch kommt. Der Säkularismus kann nur dadurch besiegt werden, daß er an seinen eigenen Konsequenzen zugrunde geht und unter seinen eigenen Auswirkungen zusammenbricht.[40]

So steht auch — wie Oetinger sich schon ausdrückte — eine offenbarungsgeleitete Philosophie im Kampf gegen verweltlichte Entartungen.[41] Eine offenbarungsgeleitete Wirklichkeitsinterpretation als Frucht ganzheitlichen Denkens widerstreitet dem Säkularismus, indem sie einerseits das Ich, Gewissen und Willensantriebe im Spannungsfeld zwischen dämonischer Eigenmacht und Führungsmacht des Heiligen Geistes ortet. Indem sie andererseits die sichtbare und gesetzmäßig beschreibbare gegenständliche Wirklichkeit, Natur und Geschichte, versteht als Niederschlag eines tieferliegenden geistigen Ringens um Gestaltwerdung — dämonische Eigenmacht und göttliche Liebes- und Erhaltungsmacht. Es ist dies der Widerspruch gegen die Flucht des Menschen in eine sogenannte eigengesetzliche Welt, in der sich der Mensch als das absolute Subjekt inthronisiert und sich gegen Gott verschanzt. Aber was produziert Herrschaft durch Wissenschaft und Technik? In einer Periode, da ein Drittel der Menschheit hungert, sind die Hälfte aller Wissenschaftler und Techniker in der Rüstungsindustrie beschäftigt! Die Eigendrift von Wissenschaft und Technologie produziert ein Lebenssystem, in dem der Mensch zwischen Macht und Ohnmacht existiert und zwischen abergläubischer Beschwörung der dunklen Kräfte und der Vergötzung schierer Zweckrationalität hin und her gerissen wird. Kein Wunder, daß Stimmen nach einer ganz anderen Wissenschaft und Technik laut werden und man die Resurrektion der desolaten Welt beschwört.[42]

Es ist nicht leicht, den biblischen Begriff von „Welt" zu fassen. Die Welt steht Gott, dem Schöpfer, als geschaffenes Sein gegensätzlich gegenüber. Nun weiß die ganze Bibel von der Dämonie der Eigenmacht in dem geschaffenen Sein. Gottes „gute Schöpfung" ist ein ur- und endgeschichtliches Hoffnungsbild. Aus dieser ur- und endgeschichtlichen Spannung heraus können wir die Welt nicht lieben! Wir können nur entweder Gott lieben oder „diese" Welt.[43] Das Neue Testament unterscheidet „diese Welt" von dem künftigen Reich!

Ganzheitliches, offenbarungsgeleitetes Denken hat nicht „diese" Welt in neutraler Eigengesetzlichkeit zum Gegenstand. Es ist deshalb weder idealistisch, materialistisch noch empiristisch. Es ist aber noch weniger wissenschaftsfeindlich. Nur ist es auf Deutung der faktischen Feststellungen über Welt und Mensch aus dem ur- und endgeschichtlich geoffenbarten Denkrahmen aus.

Bei Oetinger hat die Wirklichkeitsphilosophie drei Wurzeln: (1) die geoffenbarten Grundideen der Heiligen Schrift *(ideae directrices)*, (2) Naturerkenntnis sowie (3) die ganzheitliche natürliche Lebensanschauung *(sensus communis)*. Die so auf die Grundideen der Schrift zentrierte Wirklichkeitserkenntnis schafft die „Zentralschau" *(cognitio centralis)* durch alle Wirklichkeitssphären. Die Begriffe müssen „leiblich"-konkret sein. Deshalb ist die Naturerkenntnis voll mit aufzunehmen. Dabei bleiben die „Außenseite" sowie die „Innenseite" respektiert. Das Leben kann nicht materialistisch begriffen werden und bleibt dem kalkulierenden Verstand ein Geheimnis. Naturerkenntnis braucht deshalb die Komponente der Mystik. Eben dieses doppelte Naturverständnis überliefert die Schrift. Die Begriffe der Schrift sind leiblich-kosmisch. Zur Offenbarung der Schrift gehört untrennbar eine kosmisch-mystische Grundweisheit. Deshalb gibt es keine ganzheitliche Wirklichkeitsschau ohne die Ur-Weisheit der Propheten und Visionäre der biblisch-christlichen Tradition. Das Erlösungswerk des Christus kann nur leiblich-kosmisch begriffen werden. Daraus folgt der berühmte Satz: „Leiblichkeit ist das Ende der Wege Gottes".[44]

Oetingers Kampf gegen den Säkularismus und Rationalismus der Theologie seiner Zeit sowie die eigenständige Wiederaufnahme dieses Bemühens um eine Theologie der ganzen Wirklichkeit durch Karl Heim bleibt ein verpflichtendes Programm. Unter diesem programmatischen Anstoß nennen wir noch einmal zusammenfassend die Wissensbezüge, die es auch im heutigen Kampf gegen die modernen Säkularismen im Zeichen ganzheitlichen, ur-endgeschichtlichen Interpretierens von Wirklichkeit zu berücksichtigen gilt:

1. Das Gesamtzeugnis der biblischen Offenbarung in seinen heilsgeschichtlich-prophetischen sowie in seinen schöpfungs- und endgeschichtlichen Aspekten. Der hermeneutische Schlüssel ist die Gesamtschau: *logos sarx egeneto.*
2. Die pünktliche Beachtung des statistischen Faktenwissens der Erfahrungswissenschaften im verobjektivierbaren Außenbezug: Physik, Biologie, Verhaltens- und Handlungswissenschaften (Technik, Medizin, Pädagogik, Politik).
3. Unter hermeneutischen Voraussetzungen erschlossenes Wissen über Unbewußtes, Motivation und Triebgestalt (Tiefenpsychologie, Psychoanalyse, Parapsychologie).
4. Mythisch-visionäres Überlieferungsgut im kritischen Blick der biblischen Tradition.
5. Geschichtliche und zukünftige Perspektiven.

Anmerkungen

[1] Auf das Schicksal der Vergeschichtlichung macht besonders W. Schulz aufmerksam; W. Schulz: Philosophie in der veränderten Welt. Pfullingen 1972, 4. Teil, S. 470 ff.

[2] G. Picht: Die geschichtliche Natur des Menschen. In: epd-Dokumentation Nr. 23/76. Frankfurt a. M. 1976, S. 5—18.

[3] G. Picht: a. a. O., S. 10.

[4] H. H. Schrey (Hrsg.): Entfremdung (Wege der Forschung Bd. 437). Darmstadt 1975. Insbes. Einführung von H. H. Schrey, S. IX—XVII.

[5] V. E. Frankl: Zur Pathologie des Zeitgeistes. In: Der Mensch auf der Suche nach Sinn. Freiburg 1975, S. 11 f.

[6] J. Monod: Zufall und Notwendigkeit. München 1971.

[7] Stanley L. Jaki beschreibt "The Treadmill of Yugas" als den Denktyp von Zeit in den außerchristlichen Religionen; Stanley L. Jaki: Science and Creation. London 1974, S. 1—24.

[8] D. Meadows: Die Grenzen des Wachstums. Stuttgart 1972.

[9] A. M. K. Müller (Hrsg.): Der Mensch an der Zeitmauer des Überlebens. In: Überlebensfragen II. Bausteine für eine mögliche Zukunft. Stuttgart 1974, S. 59.

[10] M. Horkheimer: Die Sehnsucht nach dem ganz anderen. Hamburg 1970.

[11] J. Monod: a. a. O., S. 204 ff.

[12] P. Tillich: Symbol und Wirklichkeit. 2. Aufl., Göttingen 1962.

[13] H. W. Beck: Norm der Fakten und Norm des Lebens, in: Theol. Zeitschrift d. Theol. Fakultät d. Universität Basel 33 (1976), S. 1.

[14] Darauf zielt A. E. Loens kühnes Buch ›Säkularisation‹ ab; insbes. Schluß S. 225—228. — A. E. Loen: Säkularisation. Von der wahren Voraussetzung und angeblichen Gottlosigkeit der Wissenschaft. München 1965.

[15] Vgl. etwa R. Bultmann, E. Fuchs, H. G. Gadamer.

[16] H. W. Beck: Ein prophetischer Außenseiter. In: Karl Heim: Weltschöpfung und Weltende. 3. Aufl. Wuppertal 1974, S. 7—27.

[17] K. Heim: Der Kampf gegen den Säkularismus. In: A. Köberle: Karl Heim. Hamburg 1973, S. 148—166.

[18] A. E. Loen: a. a. O.

[19] Cl. Westermann: Anfang und Ende in der Bibel. Stuttgart 1969, insbes. S. 10.

[20] Z. B. Jes. Apokalypse, 11, 2—28; 24—27: Daniel und Proto-Sacharja.

[21] H. W. Beck: Norm der Fakten u. Norm des Lebens, a. a. O., S. 5.

[22] Vgl. G. Maier in Auseinandersetzung mit E. Käsemann und Peter Stuhlmacher: Das Ende der historisch-kritischen Methode. Wuppertal 1974, u.: Einer bibl. Hermeneutik entgegen? in: Theol. Beiträge 8 (1977), S. 148—160.

[23] G. Liedke: Schöpfung und Erfahrung. Zum interdisziplinären Beitrag der neueren Arbeit am AT. In: epd-Dokumentation Nr. 31/75. Frankfurt a. M. 1975, S. 8.

[24] G. v. Rad: Weisheit in Isarel. Neukirchen 1970.

[25] C. Westermann: a. a. O., S. 13.

[26] Genesis 1, 31.

[27] K. Koch: Ratlos vor der Apokalyptik. Gütersloh 1970. — H. W. Beck: Prognose, Utopie, Planung, in: Theol. Beiträge 4 (1973), S. 190—200.

[28] Vgl. zu Röm. 8 die Ausführungen K. Heims in: Weltschöpfung und Weltende, a. a. O., II 1.—4.

[29] C. F. v. Weizsäcker: Die Rolle der Tradition in der Philosophie. In: Die Einheit der Natur. München 1971, S. 375 ff.

[30] A. Görres: Physik der Triebe — Physik der Geister. In: An den Grenzen der Psychoanalyse. München 1968, S. 11—30.

[31] E. Dacqué: Das verlorene Paradies. Zur Seelengeschichte des Menschen. München 1953.

[32] H. W. Woltersdorf: PSI ist ganz anders. Modell eines neuen naturwissenschaftlichen Weltbildes. Stuttgart 1975.

[33] E. Heintel: Die beiden Labyrinthe der Philosophie. Systemtheoretische Betrachtungen z. Fundamentalphilosophie des abendl. Denkens. Bd. 1. München 1968. — K. Heim: a. a. O., S. 157.

[34] K. Heim: a. a. O., S. 160.

[35] H. W. Beck: Weltformel contra Schöpfungsglaube. Theologie und empirische Wissenschaft vor einer neuen Wirklichkeitsdeutung. Zürich 1972, S. 233 ff.

[36] H. W. Beck: Marxistischer Materialismus im Schafspelz der Wissenschaft. Christen fragen Marxisten. Wuppertal 1975.

[37] A. E. Loen: a. a. O., S. 11—17.

[38] K. Heim: a. a. O., S. 149.

[39] K. Heim: a. a. O., S. 157.

[40] K. Heim: a. a. O., S. 161—162.

[41] F. Chr. Oetinger suchte in seiner ›Philosophia Sacra‹ die organische Vereinigung himmlischen und irdischen Wissens. Seine Frontstellung ist einerseits gegen den leibverflüchtigenden spiritualistischen Idealismus, wie er zu seiner Zeit im Rationalismus eines Chr. Wolff vertreten wurde, und andererseits gegen den aufkommenden Atheismus und Mechanismus der englisch-französischen Aufklärer gerichtet. Oetinger setzt nun das Programm einer Theologie der ganzen Wirklichkeit, dem sich Karl Heim ebenfalls verpflichtet wußte. — F. Chr. Oetinger, Inquisitio in sensum communem et rationem. Faksimile-Neudruck der Ausgabe Tübingen 1753 mit einer Einleitung von Hans-Georg Gadamer. Stuttgart—Bad Cannstatt 1964.

[42] H. W. Beck: Norm der Fakten und Norm des Lebens (a. a. O.), S. 9.

[43] K. Heim: a. a. O., S. 155.

[44] K. A. Auberlen: Die Theosophie F. Chr. Oetingers. Tübingen 1847 [Anmerkung des Herausgebers: Dieser „berühmte Satz" Oetingers lautet nach der Formulierung im ›Biblischen Wörterbuch‹ (Erstausgabe 1776 anonym unter dem Titel: ›Biblisch-emblematisches Wörterbuch, dem Tellerschen Wörterbuch und anderen falschen Schrifterklärungen entgegengesetzt‹), Neuausgabe von Julius Hamberger. Stuttgart 1849, S. 315 sub voce 'Leib': „Leiblichkeit ist das Ende der WERKE Gottes, wie aus der Stadt Gottes, Offenb. 20, klar erhellet"].

EVANGELISCHE GEISTESWISSENSCHAFT — NUR EIN TRAUM?

Ein offener Brief an Adolf Köberle

Von Friso Melzer (Königsfeld-Burgberg)

Verehrter, lieber Freund!

Vor 20 Jahren steuerte ich zur Festschrift ›Die Leibhaftigkeit des Wortes‹ für Deinen 60. Geburtstag eine Abhandlung bei. Doch nun, da wir Deinen 80. Geburtstag begehen, möchte ich Dich zu diesem ganz besonderen Ehrentag persönlicher mit einem Briefe grüßen, der sich um eines unserer wesentlichen Anliegen bewegt. Wie merkwürdig: ich schreibe diese Zeilen in dem Jahr (1977), da als Jahreslosung das Wort vor unserem geistigen Auge steht, das Deine Arbeit seit jeher geleitet hat: „In Christus liegen verborgen alle Schätze der Weisheit und der Erkenntnis" (Kol. 2, 3)! Und gerade der Kolosserbrief war es, dessen Auslegung ich bei Dir gehört hatte, damals in Basel, wo ich vor meiner missionarischen Aussendung nach Indien meine theologischen Studien abschloß.

Vor 7 mal 7 Jahren begegnete ich Dir zum ersten Mal, als Du auf der Leuchtenburg in Thüringen auf einer jener geistlich so bedeutsamen jährlichen Studenten-Konferenzen der DCSV (Deutschen Christlichen Studenten-Vereinigung) über die Frage „Was ist Wahrheit?" sprachst. Dieser mir so besonders wichtige Vortrag war dann in Deinem Aufsatzbande ›Die Seele des Christentums. Beiträge zum Verständnis des Christenglaubens und der Christusnachfolge in der Gegenwart‹ 1932 im Furche-Verlag erschienen.

Da ich schon sieben Semester studiert hatte — davon drei bei unserem gemeinsamen Lehrer Karl Heim in Tübingen —, hatte ich bereits die ersten Schritte auf dem Wege des neuen Denkens aus der Christus-Offenbarung getan. So folgte ich aufmerksam und mit großer Dankbarkeit Deiner Wegweisung, die Du im 8. Abschnitt dieses Vortrags unter der Überschrift „Die erneuernde Wirkung der Wahrheit auf das weltanschauliche Erkennen" (S. 52—86) so ausgesprochen hast:

Wir müssen damit rechnen, daß in allen Disziplinen und geistigen Anschauungen das Geld, der Ehrgeiz, die Selbstverliebtheit eines Forschers oder einer

Schule, die innere Gottgelöstheit eines Lebens einen ganz verhängnisvollen, fehlerhaften Einfluß auf die Urteilsbildung, auf den sachlichen Fortgang einer Arbeit haben können. Am wenigsten kann sich eine solche Trübung gewiß in den exakten Wissenschaften, in der Logik und Mathematik, in Physik und Chemie, bei den technischen Werkkonstruktionen breitmachen.

Solange wir es nur mit rein formalen Gesetzen oder nur mit dem leblosen Material zu tun haben, spielt die Person des Beobachters und ihre religiöse Gesamthaltung eine viel geringere Rolle als überall da, wo es um *personhafte* Deutungen, Aufgaben und Behandlungen geht, um verantwortungsvolle Erkenntnisse des Rätsels Mensch, wie in der Medizin und Erziehung, in der Wirtschaft und im Recht, in der Geschichtswissenschaft und in der Kulturphilosophie (S. 54).

Nach einem Blick auf die Begriffsverwirrung in den Geisteswissenschaften gerade jener Jahre hast Du in Deinem Vortrag dann auf einen Tatbestand hingewiesen, der in der Wissenschaftslehre nie bedacht wird (weil sie humanistisch vorgeht): „Die Sünde lähmt nicht nur die Tatkraft des Menschen, sie beschmutzt nicht nur seine Seele, sie trübt und verwirrt auch das Denken“ (S. 55 f.).

Ich habe Deine Worte so eingehend angeführt, weil ich meine, wir sollten wieder aufs neue durchdenken, was in jenen geistig so bewegten Jahren vor 1933 erkannt und ausgesprochen worden ist, nicht zuletzt auch durch Dich. Hier findet die neue Bewegung unter der Jugend unserer Zeit (SMD, „Offensive Junger Christen“ u. a.) Anregung und Hilfe für weiteres Forschen und Handeln.

Doch zurück zu unserer Begegnung auf der Leuchtenburg. Nach Deinem Vortrag trat ich an Dich heran und stellte mich vor: ich würde Assistent bei Professor Heim, wenn ich in Breslau die theologische Preisarbeit gewinne und zum Dr. phil. promoviere.

Hier muß ich einschieben, wieso ich von Breslau, meiner Vaterstadt, gerade nach Tübingen gekommen war. In der DCSV hatte ich Martin Thust (1892 bis 1970) kennengelernt, der lange Jahre in Tübingen gelebt hatte und Karl Heim nähergetreten war. Dieser wies mich, weil ich auch einmal in einer süddeutschen Kleinstadt studieren wollte, nach Tübingen und öffnete mir den Zugang zu Heim.

Zum Dank für diese Freundeshilfe erlaube ich mir, auf sein zu Unrecht vergessenes, einzigartiges Werk über Kierkegaard hinzuweisen: Sören Kierkegaard — Der Dichter des Religiösen. Grundlagen eines Systems der Subjektivität. München: Beck 1931, 619 S. Mit einem Kapitel aus diesem Werk promovierte Thust in Breslau zum Lic. theol. Er sollte Studenten-Pfarrer sowie Privatdozent der Theologie werden und wäre es auch gern geworden, wurde aber abgelehnt: als Herrnhuter, der er war, komme er dafür nicht in Frage. So hat die Universität einen Mann verloren, von dem Prof. Heim sagte, er sei einer der seltenen Männer, die original zu denken vermögen. Thust wurde Pfarrer und diente in Schlesien, nach 1945 in Württemberg.

Mir ist unvergeßlich, wie er, der so viel Ältere, mich, den jungen Germanisten, heranzog, damit ich prüfe, ob auch alle Grundbegriffe seines großen Buches rein deutscher Herkunft seien. Selbst Lehnwörter konnte er nicht gebrauchen. So gab ich ihm hinsichtlich des Wortes Angst als eines rein deutschen Wortes das gute Gewissen. Thust sagte einmal: nachdem er — ähnlich wie Heim — Naturwissenschaften, Philosophie und Theologie studiert hatte, möchte er nun noch am liebsten Sprachwissenschaft studieren, denn an der Sprache hänge das Personleben des Menschen.

So lebte ich denn vom SS 1931 bis zum SS 1933 als Assistent in Tübingen, fünf reiche Semester hindurch in der Nähe des großen Denkers und Lehrers Karl Heim! Nach dem anstrengenden Sommersemester mit seinen mehr als 900 Theologiestudenten wanderte ich jedesmal im Alleingang durch den Schwarzwald. Die Woche der einen Wanderung führte mich nach Süden und endete in Basel, wo ich Dein Gast sein durfte. Du zeigtest mit das Goetheanum, und wir sprachen angesichts dieser universalen Bildungsstätte der Anthroposophie über Gedanken, die den Hauptteil dieses Briefes bilden. Wir wurden rasch einig und hofften auf spätere reiche Erfüllung. Unvergeßlich geblieben ist mir noch, wie Du mich an einem Abend mit in den Münstersaal nahmst; dort sprach Rittelmeyer vor einer großen Hörerschaft über die Ich-bin-Worte des Johannes-Evangeliums. Ich weiß nicht mehr, was er im einzelnen gesagt hatte; aber unvergeßlich geblieben ist mir jener Abend vor allem durch eines: Rittelmeyer sprach frei, ganz von innen her, sprach als Ergriffener. Und wieder überkam mich eine Ahnung von der Möglichkeit einer Geistes- und Kulturwissenschaft aus der Christus-Offenbarung heraus.

Als Student war ich fast ganz mit Fragen der Erkenntnis befaßt. So wird verständlich, daß sich, als ich bewußter Christ wurde, gerade in diesem Bereich Entscheidendes abspielen mußte. Da möchte ich etwas berichten, was ich Dir persönlich noch nie erzählt und auch sonst nicht bekanntgemacht habe:

Die Breslauer Universität hielt für die Promotion zum Dr. phil. eine (fast) vergessene Möglichkeit bereit, die ich aufstöberte und in Anspruch nahm: der Doktorand durfte — auf Antrag — aus Anlaß seiner Promotion in der „Aula Leopoldina" eine Vorlesung halten, an die sich eine Aussprache anschloß. So geschah es denn auch hier: Feierlicher Einzug — voran der Dekan der Philos. Fakultät und der Pedell mit dem Universitätszepter, ihnen folgend der Doktorand. Etwa hundert Studenten waren anwesend, Mitglieder der DCSV sowie zahlreiche Altersgenossen, die gleich dem jungen Doktoranden von Neuem träumten. Ich sprach über den „Gegenstand der Literaturwissenschaft" und legte dar, wie jede Weltanschauung in einer ihr gemäßen Weise den „Gegenstand" anders sehe, anders erforsche und deute. So forderte ich auch für den evangelischen Glauben eine ihm gemäße Möglichkeit des Forschens und Lehrens — auch in der Literaturwissenschaft. Der Dekan verstand (weil er Landwirt war) davon nicht viel, merkte aber doch, daß hier etwas Merkwürdiges vorging. So hielt die Fakultät kurz darauf eine Sitzung ab und strich die Möglichkeit solcher Promotion für alle Zukunft. Mein Doktorvater war nicht gekommen, hatte wohl das Ganze nicht ernst genommen, wurde danach aber sehr ärgerlich. Doch waren zwei andere Professoren erschienen: Prof. D. Erich Schaeder, der systematische Theologe (sein Hauptwerk: ›Theozentrische Theologie‹), mit dem ich befreundet war, sowie mein Lieblingslehrer von der Schule her, Prof. Dr. Jos. Klapper (katholisch). Dieser nahm in der Aussprache auch das Wort und stimmte meinen Darlegungen insofern zu, als wenigstens im Blick auf die christlich geprägten Dichter solch eine Haltung wie die geforderte möglich, ja nötig sei.

Zu diesem Ritus, der nach meiner Promotion abgeschafft wurde, gehörte auch — und das war mit sehr wichtig —, daß der Doktorand eine eidesstattliche Erklärung abgeben mußte, die eine Hand auf dem Universitätszepter, die andere mit den drei Schwurfingern erhoben:

Ego — F. M. — juris jurandi loco, spondeo et confirmo me neque dictis necque scriptis contra ac mihi persuasum sit, quicquam docturum, sed omni tempore quod verum esse cognoverim strenue defensurum et litterarum saluti atque auctoritati pro virili parte prospecturum esse.

(Ich — F. M. — gelobe und versichere an Eides Statt, daß ich weder in Wort noch Schrift etwas lehren werde, was meiner Überzeugung zuwiderläuft, sondern zu jeder Zeit tatkräftig verteidigen werde, was ich als wahr erkannt habe, und, wie es einem Manne gebührt, für die unversehrte Erhaltung der Wissenschaft und ihr Ansehen Sorge tragen werde.)

Aula Leopoldina Universitatis Wratislaviensis 23. VII. 1930

Ich habe mich zeit meines Lebens an dieses Gelöbnis gehalten und meine, in unserer wissenschaftlichen Welt würde manches anders laufen, wenn jede Promotion mit solch einer Verpflichtung verbunden würde. Doch auch dies ist nun endgültig Vergangenheit.

Aus jener Vorlesung entstand mein erstes Buch ›Im Ringen um den Geist. Der neue Weg der Literaturwissenschaft‹ (1931). Hanns Lilje, damals Generalsekretär der DCSV, nahm es in die Reihe der von ihm herausgegebenen ›Furche-Studien‹ auf. Im Jahr darauf fand durch ihn auch mein Faust-Kommentar (die erste evangelische Faust-Auslegung) den Weg zum Furche-Verlag. So hatte ich systematisch und exegetisch den neuen Weg in Umrissen angedeutet. Die noch fehlende historische Ergänzung erschien 1933 bei Bertelsmann: ›Kirche und Literatur. Beiträge zu einer künftigen Geschichte der evangelischen Literaturkritik‹. Dieses Buch durfte ich Dir, lieber Freund, widmen. Ich eilte mit dem Schreiben dieser drei Bücher, weil ich meinte, ich würde nicht mehr lange leben. Kalendermäßig stellte sich dieses Gefühl als falsch heraus; seinsmäßig dagegen war es richtig, denn es kam das Hitler-Reich, und mein Weg führte in die Basler Mission nach Indien. Damit war der Fortgang evangelischer Geisteswissenschaft abgebrochen.

Zuvor hatte ich aber noch in meinem Beitrag zur Heim-Festschrift ›Wort und Geist. Studien zur christlichen Erkenntnis von Gott, Welt und Mensch‹, der Festgabe zu seinem 60. Geburtstag, die Du mit Otto Schmitz zusammen herausgegeben hattest, unter dem Titel „Logik und Logos" (S. 327—346) dargelegt, wie jede Logik auf letzten weltanschaulichen Voraussetzungen ruht, und angedeutet, wie sich entsprechend auch ein eigenes wissenschaftliches Denken aus dem Christus-Glauben heraus gestalten müsse. Bestärkt hatten mich in diesem Bemühen nicht zuletzt Darlegungen in Abschnitt IV 6 c in Deinem so kenntnis- wie erkenntnisreichen Werk ›Rechtfertigung und Heiligung‹ (1929). Ich nenne diese Dinge so deutlich, damit die junge Generation hier anknüpfen und die begonnene Arbeit fortführen kann.

In Karl Heim hatten wir bereits einen Bahnbrecher solcher Erkenntnis vor uns. Aber auch ein anderer Systematiker — Paul Tillich — ließ sich in gleicher Richtung vernehmen. Wir finden sein Wort in seinem Buche ›Religiöse Verwirklichung‹ (1930) in der 7. Anmerkung zu seinem Vortrag „Klassenkampf und religiöser Sozialismus", also an einem Ort, wo man so etwas nicht erwarten würde. In dieser Anmerkung von einer ganzen Druckseite Länge steht zu lesen: „Und wenn das Denken aus der ‚Wiedergeburt', aus dem ‚neuen Sein' ausgeschlossen ist, will man es den Dämonen überlassen oder will man sich an die Selbsttäuschung einer reinen Sachlichkeit des Erkennens hängen . . .?" (S. 300). Ich weise auf diese Anmerkung hin, weil sie später in den Ges. Werken, Band II (1962) nicht wieder abgedruckt worden ist.

Sogar im Bereich der sog. „dialektischen Theologie" stieß man zu solchen Einsichten vor. So schrieb Emil Brunner in seinem Werk ›Das Gebot und die Ordnungen‹ (1932): Je näher ein Bereich der Wirklichkeit dem Personhaften steht, „je mehr der wirkliche Mensch erkannt werden soll, desto mehr bekommt der Glaube nicht bloß regulative, sondern konstitutive Bedeutung" (S. 483). Als ich vor meiner Ausreise nach Indien einmal Professor Brunner in Basel begegnete, fragte ich ihn, ob er nicht für die evangelische Geisteswissenschaft weitere Hinweise geben könne. Er antwortete, das sei Sache der betreffenden Fachleute; er als Theologe könne und dürfe nur die allgemeine Richtung weisen. In gleicher Weise hast Du in der Einführung zu Deinem Buche ›Christliches Denken. Von der Erkenntnis zur Verwirklichung‹ (1962) gesprochen:

Die Durchdringung der Erscheinungsfülle der Welt vom Glauben her kann immer nur von Menschen gewagt und in Angriff genommen werden, die in den einzelnen Bereichen der Welt mit höchster Sachkenntnis und Orientierung stehen und die gleichzeitig in ihrem Leben eine so starke und mächtige Begegnung mit dem Evangelium erfahren haben, daß sie nicht anders können, als ihr Berufswissen, und nicht nur ihr Leben, dem Herrschaftsanspruch Christi ein- und unterzuordnen (S. 16).

In Karl Heims Auslegung des Ersten Korintherbriefs wurde mir besonders wichtig, was er zu 1. Kor. 2, 14/15 sagte. Wir lesen in der gedruckten Ausgabe (die auf einer studentischen Nachschrift beruht und mit Heims Erlaubnis 1949 von mir herausgegeben wurde) zur angegebenen Stelle S. 29:

Daß der *psychikos* vom *pneumatikos* unterschieden wird, ist eine Neubildung des Paulus. Das stammt aus Pauli eigener Weltanschauung. Er hat die griechische *sophia* unter diesen Äon gestellt, der mit dem künftigen Äon im Kampfe steht. So läßt sich erklären, daß er auch den Ausdruck *psyche* aus der platonischen Philosophie in Gegensatz zum Neuen stellt. Paulus sagt in diesem Gegensatz: Das *pneuma* gehört zur neuen Gnosis, zur neuen Welt ... Der psychische Mensch, der Seelenmensch, der auf die *sophia* dieser Welt beschränkt ist, vernimmt nicht, was des Geistes Gottes ist. Es ist ihm eine Torheit, und er kann es nicht begreifen.

Und dann legt Heim dar, wie der Mensch, der aus dem Heiligen Geist lebt, Einblick geschenkt bekommt in Gottes Heilsgeschichte und damit in die Wirklichkeit menschlichen Lebens überhaupt. Doch — man lese selber nach, wie Heim hier eine neue Schau eröffnet! (Das Buch soll im Aussaat-Verlag erneut veröffentlicht werden.)

Diese Erkenntnis des Paulus hat für unser Anliegen einer auf das Evangelium gegründeten Geisteswissenschaft besondere Bedeutung. Ich bat Heim einmal, er möchte in seiner Vorlesung „Dogmatik 1" die Folgerungen ziehen und das Wort auch zu solcher wissenschaftlichen Bemühung nehmen. Er lehnte jedoch ab: Die Zeit sei dafür noch nicht reif; auch wäre es eine Gefahr für jugendliche Hörer, solche Aussagen nur nachzusprechen. Ich mußte ihm später recht geben. Auf diesem Wege sollte sich nur der bemühen, der in wissenschaftlicher Arbeit eingeübt ist, der vor allem auch die Grenze allen menschlichen Wesens und damit auch unserer Erkenntnis — auch der geistlich gegründeten — erfahren hat (vgl. 1. Kor. 13, 9: wir erkennen nur aus Stücken).

Soweit die vorwiegend persönlich bestimmten Aussagen dieses Briefes. Ich habe sie für nötig gehalten, damit das Folgende besser verstanden wird. Nun möchte ich andeuten, welche wissenschaftliche Arbeit auf dem Wege solcher evangelischen Geistes- und Kulturwissenschaft zu leisten wäre. Aus der Fülle dessen, was hier noch auf uns wartet, greife ich — in drei Kreisen — heraus, was mir besonders am Herzen liegt. Andere mögen ergänzend weitere Aufgaben nennen.

1. Da sehe ich zunächst die Aufgabe, einzelnen Fragen nachzugehen, einzelne Aufgaben der Erkenntnis zu lösen, *einzelne Gestalten und ihr Lebenswerk zu erforschen.* Dabei werde nicht Wissenschaft um ihrer selbst willen getrieben, sondern solche Forschung stehe immer im Dienst der Liebe zu den Menschen wie zur Wahrheit!

So sollte eine umfassende Untersuchung darüber angestellt werden (und wenn ich jünger wäre, unternähme ich sie selber noch) — und nun erschrick bitte nicht! —, wie Du Jahrzehnte hindurch in einer besonderen Weise auf diesem Wege gewirkt hast: Zwar hast Du keinen Leitfaden einer durch die Christus-Offenbarung bestimmten Erkenntnis für die Geisteswissenschaften verfaßt; aber Du hast getan, was solch einem Leitfaden vorausgehen muß, damit Früchte zu sehen sind, bevor theoretisch entfaltet wird, wie es zu ihnen kommen könne: Du hast in zahlreichen Vorträgen und Einzelstudien das Gespräch geführt (und es ist wirklich ein Gespräch gewesen, ein Zwiegespräch) mit Vertretern der Kultur; hast Brücken geschlagen zwischen Kirche und Welt, zwischen Theologie und Kulturwissenschaft, Brücken, über die das Wort der rettenden Liebe gehen konnte und mit ihm Hilfe für Menschen in ihrer inneren Not.

Wie nun aus Anlaß dieses Briefes Deine Aufsatzbände vor mir liegen — außer den beiden bereits genannten ›Die Seele des Christentums‹ und ›Christliches Denken‹ noch die beiden anderen: ›Der Herr über alles. Beiträge zum Universalismus der christlichen Botschaft‹ (1957) und ›Heilung und Hilfe. Christliche Wahrheitserkenntnis in der Begegnung mit Naturwissenschaft, Medizin und Psychotherapie‹ (1968) — wie ich also diese vier umfassenden literarischen Ernten Deiner Lebensarbeit vor mir sehe, da kommt mir, wie gesagt, der Gedanke: Es sollte einmal untersucht werden, wie bei Dir in solcher Bemühung die erbarmende Liebe im Dienst der Seelsorge (der Seelenrettung), aber angetan mit dem Rüstzeug der Wissenschaften vom Menschen, vor allem von seinem Seelenleben, ich sage, wie bei Dir dieser Dienst aus der Erleuchtung durch „das Licht der Welt“, d. h. durch die Christus-Offenbarung und in der Christus-Nachfolge, geschehen ist. Wohl wirkt hier einzigartige Begabung mit geistlichem Charisma zusammen, so daß keiner Dich nachahmen könnte oder dürfte. Dennoch läßt sich aus solcher erwünschten Untersuchung Entscheidendes ersehen, läßt sich Lebensweisung ableiten, läßt sich also mancherlei auch für die Ausbildung der Seelsorger folgern.

Als weitere Forschungsaufgabe steht Erich Schick (1897—1966) vor mir, das reiche literarische Lebenswerk dieses weitwirkenden Seelsorgers. Ich habe dafür gesorgt, daß aus seinem Nachlaß 22 Bände mit Manuskripten und Nachschriften in der Tübinger Universitätsbibliothek für künftige Forschung aufbewahrt werden (Bestell-Nr. 21 : 14 B 860). Was weiter an bibliographischen Dingen zu bedenken wäre, steht in den ›Mitteilungen und Neuerwerbungen‹ der Universitätsbibliothek Tübingen, Theologische Abteilung, Nr. 4 (1975), S. 54 zu lesen.

Im Blick auf unseren gemeinsamen Lehrer Karl Heim (1874—1958) hast Du bereits eine erste umfassende Darstellung des Mannes, seines Lebensweges und -werkes gegeben (›Karl Heim, Denker und Verkündiger aus evangelischem Glauben‹, 1973). Aber ich meine, es sollte später noch eine große Biographie geschrieben werden, die als Gegenstück zu dem Buche ›Adolf von Harnack‹ (von Agnes von Zahn-Harnack, Berlin 1936) zu entwerfen wäre. Überhaupt hätte der Furche-Verlag die Gesammelten Schriften seines einstigen Autors herausbringen sollen (so wie das Ev. Verlagswerk, Stuttgart, sich für Paul Tillich einsetzt).

Hier muß ich auf eine Not hinweisen: Wir haben noch immer keine Stelle in der evangelischen Kirche, die sich um den Nachlaß ihrer bedeutsamen Denker kümmert. Wo ist Karl Heims Nachlaß geblieben? Die Karl-Heim-Gesellschaft (Sitz in Freudenstadt) sollte in die Lage versetzt werden, nachzuholen, was hier versäumt worden ist. Karl Heims Bibliothek sollte dem Studentenheim in Tübingen, das seinen Namen trägt, übereignet werden. Doch dieses Angebot wurde abgelehnt. Wer ist dafür verantwortlich? Weiß man denn nicht, wie wichtig es für die Forschung ist, nachzulesen, welche Bücher einen Mann begleitet haben, aus welchen Werken er Anregungen entnahm? Warum hat man an höherer Stelle so gar keinen Blick für die Begabungen, die der christlichen Gemeinde in einzelnen Männern und Frauen geschenkt worden sind? Das hat nichts mit Menschendienst zu tun, sondern ist einfach ein Gebot der Klugheit, eben diese Begabungen auszuschöpfen, auch noch nach dem Heimgang ihrer Träger. Dazu gibt es doch die Literatur, damit einer noch lange nach seinem Erdenleben wirken kann.

Weiter weise ich auf Einzelgänger hin, aus deren Schriften Erkenntnis zu gewinnen ist, die uns auf andere Weise nicht zukommt:

Da sei Eugen Rosenstock-Huessy (1888—1973) genannt, den ich noch von Breslau her kenne. Zwar hat sich eine Gesellschaft mit seinem Namen gebildet (Sitz in Bethel); zwar hat Wilfrid Rohrbach ein umfangreiches Werk über ›Das Sprachdenken Eugen Rosenstock-Huessys‹ (1973) vorgelegt: aber das wäre erst der Anfang solcher geschichtlicher Forschung, denn Rosenstock-Huessy ist reicher, als ein einzelner erfassen kann.

Neben ihn trete Hans Ehrenberg, dem ich nach dem Zweiten Weltkrieg in Bad Mergentheim begegnete, wo er in einem Krankenhaus weilte. In seinem Quellenwerk ›Östliches Christentum‹ (1925), das in den Semestern meiner slavistischen Studien in Breslau auf meinem Studiertisch lag und mich bis heute begleitet hat, im Nachwort zum zweiten Bande über die „Babylonische Gefangenschaft der Universität" hat er S. 389 geschrieben:

So wird also der Kampf offen ausbrechen. Das ist nicht zu vermeiden. Und wie Martin Luther gegen Tod und Teufel focht, so werden auch die neuen Kämpfenden sich nicht fürchten; denn „die Pforten der Hölle sollen sie nicht überwältigen". Und für die Martyrien dieses Kampfes, dem sich die Universität vergebens durch Schweigen zu entziehen sucht, werden die einsamen Kämpfer dadurch belohnt, daß der Heilige Geist ihre Lebenswege vereinigt.

Wilfrid Rohrbach hat in seinem bereits genannten Werk ein eigenes Kapitel über „Hans Ehrenbergs ‚christliche Logik' " verfaßt (S. 115 bis 119). Der Anfang ist also auch hier gemacht. Doch man gehe dem ganzen Lebensweg und -werk Ehrenbergs nach!

Ich nenne noch zwei weitere außergewöhnliche Gestalten, aus deren Lebenswerk wir Erkenntnisse gewinnen können, die anderswo so nicht geboten werden: meinen schlesischen Landsmann Joseph Wittig (1879 bis 1949) und meinen alemannischen Freund Max Picard (1888—1965).

Wenn auch zunächst der Satz Prof. Klappers gilt, den er — wie oben bereits erwähnt — bei meiner Promotion sprach und der auf dem Grund-Satz beruht „Gleiches wird nur durch Gleiches erkannt", so möchte ich doch diese beiden Gestalten katholischen Christentums (Wittig und Picard) — dem gegenüber sich aber beide sehr eigenständig verhalten haben — mit zu denen zählen, die uns evangelischen Christen Einzigartiges zu vermitteln haben.

2. Als zweite Aufgabe sehe ich den Dienst, aus solchen Erkenntnissen auf dem Weg der Lehre und Menschenbildung weiterzugeben, was die folgende Generation braucht, um in der rechten Weise in Gymnasium wie Universität zu lehren: Die *Gründung einer staatsfreien Hochschule* oder Akademie oder Seminar — wie man es auch nennen mag —, wo jedes Jahr etwa 24 oder 30 ältere Studenten, durch Stipendien dazu bewegt, geistig-geistlich fortgebildet werden. Für zwei Semester leben sie hier, nachdem sie in sechs Semestern an der Universität wissenschaftlich arbeiten gelernt haben, mit ihren 5 oder 6 Lehrern zusammen. Sie müssen sich durch gute wissenschaftliche Arbeiten bewährt haben und — Christus nachfolgen wollen, auch in ihrer Denkarbeit! Allerdings geht es hier nur um die Geisteswissenschaften. Was katholische Christen wie Anthroposophen schon längst haben — sollten wir evangelische Christen uns darum in der uns gemäßen Weise nicht endlich auch bemühen?

Bald nach dem Zweiten Weltkrieg reichte ich diesen Plan der Leitung der Bekennenden Kirche in Württemberg ein (dem damaligen Dekan in Nürtingen). Leider wurde der Plan abgelehnt. Darum hole ich ihn jetzt nochmals hervor und lege ihn Dir und damit der Öffentlichkeit vor. Man bedenke, was das wäre: In 30 Jahren hätten wir 720—900 so ausgebildete evangelische Lehrer auf unseren höheren Bildungsanstalten!

Grundlegend wäre Theologie für Nicht-Theologen anzubieten: Klärung in den Fragen des Glaubens und Lebens, dazu „spirituelle" (richtiger: pneumatische) Auslegung des Neuen Testaments. Hier würden die Bücher der bisher genannten Männer zur Verfügung stehen, dazu natürlich die mancherlei Bände, die Helmuth Thielicke gerade für Nicht-Fachtheologen geschrieben hat. Dazu aber auch die Auslegung der Offenbarung durch Karl Hartenstein (1894—1952) ›Der wiederkommende Herr‹ (1954 und öfter) sowie von Paul Schütz (geb. 1891) ›Das Evangelium‹ (1940 und öfter, in den Ges. Werken, 1966, Band I, S. 135—565) und die geschichtlichen Kirchen-Werke von Walter Nigg.

Neben den Dienst eines theologischen Lehrers trete — gleichfalls für alle verbindlich — deutschwissenschaftliche (germanistische) Arbeit: Geschichte des christlichen Wortschatzes und Deutung der Dichtungen, zunächst der christlich geprägten Werke. Hier sollte das Lebenswerk von Johannes Pfeiffer (1902—1970) zum Zuge kommen: seine Auslegungen lyrischer Dichtung sind einzig in ihrer Art. Dazu trete Reinhold Schneider (1903—1958) mit seinen Aufsätzen zur Literaturgeschichte aus der Sicht des christ-katholischen Glaubens heraus: ›Dämonie und Verklärung‹ (1947) und ›Über Dichter und Dichtung‹ (1953). Aber auch ein Buch wie ›Macht und Gnade. Gestalten, Bilder und Werte in der Geschichte‹ (1940) sollte den Stipendiaten helfen, den Zugang zu den Werten der Geschichte zu gewinnen. Neben Pfeiffer trete Theophil Spoerri (1890—1974) mit seinem Werk ›Präludium zur Poesie. Eine Einführung in die Deutung des dichterischen Kunstwerks‹ (1929) und Karl Kindt (1900—1959) mit seinem Aufsatzbande voller Überraschungen: ›Geisteskampf um Christus. Weckrufe an das deutsche Gewissen‹ (1938). Damit weise ich nur auf einige der fast vergessenen Geister und Bücher hin, die wir für solche Bildungsarbeit brauchen.

Zu den beiden bereits genannten Lehrern trete noch ein Anglikaner aus England, der englische Sprache und Geistesgeschichte lehrt, dazu — je nach Umständen und Zeitläuften — zwei weitere Vertreter der Geisteswissenschaften sowie ein Lehrer der Philosophie.

Wichtig ist: Die Lehrer müssen Männer wissenschaftlicher Bildung sein und zugleich gläubige Christen, die täglich mit ihren Studenten im Gebet und im Hören auf Gottes Wort Gemeinschaft haben.

3. Als dritte Aufgabe sehe ich vor mir: *wissenschaftstheoretisch darzulegen, wie Erkenntnis und Urteilsbildung auf dem Wege evangelischer Forschung zustande kommen,* wie die so gewonnenen Aussagen (logisch: Urteile) gelten können.

Dazu hat der Philosoph Erich Rothacker ausgezeichnete und unentbehrliche Vorarbeit geleistet: ›Einleitung in die Geisteswissenschaften‹ ([2]1930, Nachdr. 1972), ›Logik und Systematik der Geisteswissenschaften‹ (1948) und ›Die dogmatische Denkform in den Geisteswissenschaften und das Problem des Historismus‹ (1954). Rothacker hat erwiesen, wie jede Weltanschauung die ihr gemäße Methode der Erkenntnis ausbildet. Da mag einer fragen, wie noch verbindliche Wissenschaft möglich sei. Darauf hat Eduard Spranger mit seiner Abhandlung ›Der Sinn der Voraussetzungslosigkeit in den Geisteswissenschaften‹ geantwortet (1929, [2]1963): „Nicht Voraussetzungslosigkeit ist die Tugend der Wissenschaft, wohl aber Selbstkritik ihrer Grundlagen" (S. 21). Der Forscher lege also dar, aus welcher Sicht heraus er forscht und urteilt. Indem er seine Voraussetzungen in den Blick nimmt und offen entfaltet, gestattet er jedem anderen, ihm zu folgen und — wenn auch nur gastweise — an seiner Sicht teilzunehmen.

Ich möchte es in einem Bilde sagen: Vor uns steht ein Dom. Das ganze Bauwerk ist von keiner Stelle aus in seiner Ganzheit zu erkennen. Vielmehr muß man zahlreiche Standpunkte einnehmen, und den Dom von verschiedenen Punkten aus anschauen, wenn man ihn erfassen will. Man geht also von einer Stelle zur anderen. Damit sind aber erst die Außenansichten gewonnen. Ob wir sagen dürfen: nur die pneumatische Sicht führt ins Innere?, so daß kein Mensch von sich aus sie gewinnen kann, sondern sie ist Begnadung? Aber sie wird erst gewonnen, nachdem man die verschiedenen Außensichten kennengelernt hat? Das würde einen gewissen Relativismus der geisteswissenschaftlichen Arbeit bedingen. Wir brauchen einander. In jeder Sicht wird etwas Wirkliches erkannt. Aber die letzte Tiefe oder Höhe, ob sie auch dem pneumatischen Blick sich je erschließt? In ihrer Ganzheit wohl erst jenseits unseres Erdenlebens.

Neben Rothacker steht der andere Philosoph, der uns helfen kann: Hans Leisegang mit seinem Werk ›Denkformen‹ (1928).

Dann aber brach sich die Entdeckung der Du-Ich-Beziehung Bahn, und es wurde erkannt: die Begegnung ist der Weg personhafter Erkenntnis. Dazu hat Emil Brunner Entscheidendes dargelegt: ›Wahrheit als Begegnung‹ (1938, [2]1963). Die 2. Auflage ist um einen ersten Teil über „Das christliche Wahrheitsverständnis im Verhältnis zum philosophisch-wissenschaftlichen" erweitert worden. Dann wird man aber auch auf Bernhard Caspers Werk ›Das dialogische Denken‹ (1967) hören müssen. Ich muß mich auf diese wenigen Andeutungen beschränken, obgleich noch manches weitere Buch zu nennen wäre.

Auch von Karl Heim her ergibt sich ein gewichtiger Hinweis und Anstoß zur Weiterarbeit. Durch eine aufmerksame Kritik der ersten Auflage seines Werkes ›Glaubensgewißheit‹ angeregt, hat Karl Heim in der zweiten Auflage in einem eigenen Kapitel über „Die Eigenart der Vertrauensurteile“ dargelegt, wie diese sich von den bekannten Urteilen der Logik — von den induktiven wie von den deduktiven — unterscheiden, wie sie eine eigene Klasse der Urteile darstellen (in der 3. Auflage 1923, S. 17—30). Sie treten neben die Werturteile, die bisher in den Geisteswissenschaften zuzeiten bejaht, zuzeiten abgelehnt worden waren. Doch hier gilt es, einmal gründlich nachzuforschen.

Was die Geltung der Erkenntnisse angeht, die auf diesem Wege evangelischer Forschung gewonnen werden können, so muß gesagt werden: Diese Erkenntnisse dürfen nicht nachgeredet, sondern müssen im je eigenen Erkenntnisvorgang nachvollzogen werden. So nur bleiben sie lebendig, wirken sie als lebendige Erkenntnis. Durch bloßes Nachreden würden sie totes Wissen, und das macht nur eitel, träge, stolz. Dabei würde sich aber zeigen, daß im Nachvollzug ein jeder dieselbe Wirklichkeit doch wieder ein wenig anders sieht. Dadurch gewinnt geisteswissenschaftliche Arbeit an Farbe und Leben. Bei alledem bleiben wir jedoch immer auf dem Wege, über den Paulus das bereits erwähnte Wort geschrieben hat: Wir erkennen aus Stücken (d. h. unsere Erkenntnis ist niemals umfassend und erschöpfend).

Auf dem Wege solcher Bemühung bleibe ich Dir, verehrter, lieber Freund Adolf Köberle, herzlich verbunden als

Dein Friso Melzer.

GLAUBEN, DENKEN UND HANDELN IM TRINITARISCHEN KONTEXT

Ein theologischer Entwurf

Von Wilhelm Andersen (Neuendettelsau)

Vorbemerkung

Die hier vorgelegte Arbeit knüpft an Veröffentlichungen an, die in der Lebensarbeit des Jubilars eine besondere Rolle gespielt haben. Sein Buch ›Rechtfertigung und Heiligung. Eine biblische, theologiegeschichtliche und systematische Untersuchung‹ (1929) hatte ein Echo, das Dissertationen selten zuteil wird. Es erlebte sehr schnell mehrere Auflagen und wurde in die französische, englische und japanische Sprache übersetzt. Am Ende seiner aktiven akademischen Lehrtätigkeit hat der Jubilar die gleiche Thematik, die ihn auch bei der Behandlung vieler anderer Themenkreise nie losließ, noch einmal direkt aufgegriffen.

Das Ergebnis war die 1965 erschienene Arbeit ›Rechtfertigung, Glaube und neues Leben‹. Aufschlußreich sind einige Sätze aus dem Vorwort: „Es ist von der früheren Arbeit nicht ein Satz stehengeblieben. Auch der Aufbau wurde von Grund auf geändert." Aber trotzdem gilt: „Der Sache nach geht es unverändert um das Thema Rechtfertigung und Heiligung." Der Autor hat bewußt darauf verzichtet, die von ihm selber sehr stark angeregte Fachdiskussion zu registrieren und zu kommentieren. An gelegentlichen Hinweisen wird aber deutlich, daß sie zur Kenntnis und zu ihr Stellung genommen wird.

Die Hineinnahme des Begriffes „Glauben" in den Titel könnte ein Hinweis darauf sein, daß unser Jubilar sich auch sonst bei der Behandlung theologischer Themenkreise zum Ziele gesetzt hatte, dem Glaubensverständnis der Gemeinde zu dienen. Das Streben nach dem Festhalten und der Rückgewinnung der fundamentalen biblischen Wahrheit vom Heilshandeln Gottes in Jesus Christus läßt sich mit dem Bemühen, sich allgemeinverständlich zu äußern, sehr wohl vereinigen. In ähnlicher Weise entsprechen sich der Versuch, überkommene, der Sache nicht gemäße Alternativen abzubauen — nicht zuletzt auch im ökumenischen Dialog — und das Ziel, die universale Gültigkeit des „einen Glaubens" zur Sprache zu bringen.

Vorausgeschickt werden soll schließlich noch, daß diese Studie im Sachzusammenhang gesehen werden möchte mit meinem Beitrag für die Köberle-Festschrift zu seinem 60. Geburtstag ›Die Leibhaftigkeit des Wortes‹ (1958): „Das trinitarische Verständnis der Christusoffenbarung. Eine evangelische Interpretation des Rechtfertigungsglaubens.“ Es spricht sehr viel dafür, daß sich eine Neubesinnung auf die trinitätstheologischen Fundamente und deren Konkretisierung und Aktualisierung in vieler Hinsicht klärend auswirken könnte. Hier bietet sich uns eine tragfähige Basis an, von der aus sowohl inner- wie auch zwischenkirchliche theologische Probleme einer Lösung nähergeführt werden können. In unserem kirchlich-theologisch naheliegenden Umfeld ist es u. a. die Sakramentsdiskussion, die Frage nach dem Verhältnis von Gemeinde, Amt und Dienst, nach dem sachgemäßen Zueinander von Gesetz und Evangelium oder danach, wie die Sorge um das Wohl der Welt mit dem Suchen nach dem Heil zu verbinden ist.

I

Wer über den christlichen Glauben nachdenkt, wird auf ein Geschehen aufmerksam, das den Glauben herausfordert und auf das dieser sich einläßt. Dieses Geschehen ist von universaler Tragweite und betrifft zugleich den einzelnen Menschen in der Einmaligkeit seiner Existenz. In ihm begegnen sich in einzigartiger Weise das Allgemeine und das Individuelle, die erste und letzte Wirklichkeit, von der alles herkommt, abhängt, auf die alles zugeht und die Augenblickserscheinung Mensch, dessen Dasein, Sosein und Zukunft ihm selber eine Fülle von Rätseln aufgibt. Das Wort „Glauben“ bringt dies Geschehen zur Sprache. Als Herausforderung zum Menschsein des Menschen ist es ein Griff nach dem Menschen. Es setzt aber zugleich frei zum Begreifen dessen, der sich ihm zuwendet und auf ihn einläßt und eröffnet Erkenntnisse, die es dem Menschen ermöglichen, seinen Glauben in und vor der Welt zu verantworten.

Wer Glauben in diesem Sinne als Ergriffensein und Ermöglichung zum Begreifen versteht und verstanden wissen will, hat damit bereits in der Diskussion über Ursprung und Wesen des Glaubens in einer bestimmten Weise Stellung genommen. Aber er hat dabei nicht in freier Spekulation einen Willkürakt vollzogen, sondern sorgfältig und lernbereit der Geschichte des Begriffes Glauben Rechnung getragen. In einem ähnlichen Sinne sieht H. Gollwitzer sich in seinem Streitgespräch über Denken und Glauben mit dem Philosophen W. Weischedel bei der Klärung der Ausgangspositionen zu folgender Feststellung genötigt:

Wir müssen zunächst die auffallende Tatsache zur Kenntnis nehmen, daß die Zentralstellung des Wortes „Glauben“ zur Bezeichnung der entscheidenden religiösen Relation ein Unikum des Christentums, genauer gesagt: der biblischen Gottesverkündigung ist (Gollwitzer/Weischedel: Denken und Glauben. Stuttgart 1964, S. 46).

Wenn dann später im Sprachgebrauch „religiös“ und „gläubig“ fast kongruente Begriffe wurden, so ist das die Nachwirkung eines christlichen Sprachgebrauches. Ein damit verbundener Substanzverlust ist unverkennbar.

Dieser kann nur vermieden bzw. wiedergutgemacht werden durch eine sachliche und sprachliche Rückbesinnung auf eben diese biblische Gottesverkündigung. Es ist also eine Orientierung nötig an dem Geschehen, von dem die Schriften des Alten und Neuen Testamentes berichten. Das ist zunächst eine Feststellung, gegen die auch derjenige keinen sachlichen Einwand erheben kann, der am Glauben selbst kein persönliches Inter-esse hat und den Glauben nicht in dem spezifischen Sinne auf sich bezieht, wie die Sprachgeschichte den Begriff gefüllt und geprägt hat. Die begriffsgeschichtliche Rückorientierung ist sachlich naheliegend; wer sich dagegen wehrt, setzt sich dem Ideologieverdacht aus, daß nicht mehr begründbare Vor- oder Grundsatzentscheidungen eine Verstehenssperre errichten. Das wird selbst an dem mit großer Offenheit und Dialogbereitschaft geführten Streitgespräch zwischen H. Gollwitzer und W. Weischedel deutlich.

Man kann Gollwitzer bei seinen Bemühungen um Verstehensmöglichkeiten (dabei werden Philosophie und Psychologie ebenso bemüht wie allgemein menschliche, existentielle Grunderfahrungen) keine steile und von vornherein unzulängliche Denk- und Redeweise vorwerfen. Aber er möchte andererseits im Streitgespräch die theologische Position unverkürzt vertreten. Da der christliche Gottesglaube nicht in einem zeitlosen Verhältnis begründet ist, also keine „Aktivität des Menschseins an sich ist“, sondern gegeben und empfangen wird „als ein konkretes und kontingentes Geschehen“, darum konzentrieren sich seine Überlegungen in dem Begriff „Grundbescheid“ (S. 133).

Er meint nichts anderes als das „Wort Gottes“ in dem jetzt erläuterten Sinne: In dem Geschehen der Erscheinung Jesu Christi ist jedem Menschen grundlegend Bescheid gegeben über sein Leben. „Bescheid“ ist hier nicht gleich „Theorie“, sondern das Wort ist so gemeint, wie wir es für Verfügungen von praktischer Bedeutung verwenden, etwa: eine Bittschrift abschlägig bescheiden, oder jemanden irgendwohin bescheiden. Der „Grundbescheid“ ist also Ergehen und Zusprechen der Grundverfügung über unser Leben. Es ist die Eigentümlichkeit, die Rätselhaftigkeit, zugleich das Wesentliche und das Unaufgebbare des christlichen Glaubens, daß er den Grundbescheid, an dem er sich festmacht, empfängt und vernimmt aus einem innergeschichtlichen Ereignis. Die damit gegebene Spannung zwischen der Universalität des Bescheides und der Partikularität des Ereignisses, zwischen der Beanspruchung einer universalen und prinzipiellen Bedeutung einerseits (*Grund*bescheid) und der Zufälligkeit Un-Notwendigkeit, Anzweifelbarkeit und Wegdenkbarkeit, die doch jedem innergeschichtlichen Ereignis eigen ist, andererseits ist der unerschöpfliche Stoff der Fragen, die dem christlichen Denken hier erwachsen (ebd.).

Man zögert zwar, W. Weischedel, der mit großer Offenheit den Dialog mitgestaltet, den Vorwurf einer ideologischen Befangenheit zu machen. Aber wenn er der dargelegten Position Gollwitzers — fast wie ein Gegenbekenntnis — den „Grundentschluß" (S. 295) zu einer Philosophie der radikalen Fraglichkeit entgegenstellt, dann erhebt sich die Frage, ob die zwar erstrebte Ideologielosigkeit nicht faktisch doch eine Art Ideologie auf einer höheren bzw. tieferen Ebene ist.

Über die Umstände, unter denen dieser Grundbescheid ergangen ist, und darüber, wie es zu einer inhaltlichen Füllung und begrifflichen Prägung des Glaubens als einem „Unikum des Christentums", d. h. der biblischen Gottesverkündigung gekommen ist, läßt sich nun noch einiges mehr sagen. Dieses ist in mancher Hinsicht aufschlußreich.

Hier muß die besondere Struktur der Sprache in Betracht gezogen werden, die von den Menschen gesprochen wurde, an die der Grundbescheid zuerst erging und in deren Mitte es zu beispielgebenden begrifflichen Prägungen kam: Das ist das Hebräische. A. Weiser hebt das Wichtigste heraus, wenn er seinem Artikel im ›Theologischen Wörterbuch‹ über „Glauben im Alten Testament" die Sätze voranstellt:

Das anthropologische Interesse tritt meist hinter der theozentrischen Schau zurück. *Im Sinne des AT ist Glaube stets reactio des Menschen auf die primäre actio Gottes* (Bd. VI, S. 182).

Dem Glauben liegt also ein Widerfahrnis zugrunde. Der Glaube ist ein menschliches Verhalten, das durch die Hinwendung Gottes zum Menschen hervorgerufen wird; und zwar des Gottes, den das Volk Israel als seinen Bundesgott Jahwe erfahren hat und glaubt, und den es als den Gott erkennt und bekennt, der Ursprung und Zukunft und ebenso die bestimmende Gewalt der Gegenwart ist.

Für das Selbstverständnis derer, die in den Schriften des Alten Testaments zu Wort kommen, ist der Begriff Glauben in einzigartiger Weise ein Schlüsselwort. Er bringt einmal Wesen und Verhalten des Gottes zur Sprache, dessen Handeln und Führung das Volk ausgesetzt war und darin Gott und sich selbst erkannte. Das läßt sich an der Struktur des hebräischen Wortes für „Glauben", *häämin*, sehr gut veranschaulichen. In seiner Grundbedeutung *(aman)* besagt es auf Gott bezogen: fest, tragfähig, gültig, zuverlässig, treu. Es sagt den Vorgang einer Bejahung an. Jahwe, der Gott Israels, erweist sich und läßt sich benennen als Gott des Amens, „So sollst du nun wissen, daß Jahwe, dein Gott, Gott ist, der Gott des Amens, der Bund und Barmherzigkeit hält denen, die ihn lieben und seine Gebote halten" (Deut. 7, 9).

So legt die hebräische Sprachgestalt selbst es nahe, von Glauben als Ergriffensein und als Ermöglichung zum Begreifen in einem zu sprechen. Die eine Bewegung löst die andere aus. Das Wort *amen* umschreibt das Ja der Treue, der Selbstzusage Gottes und realisiert dieses zugleich. Die Bibel redet nicht abstrakt vom Sein Gottes an sich, sondern von seiner konkreten Hinwendung zum Menschen und zur Welt. Darum gehören Begriffe wie Bund, Erwählung, Liebe in den gleichen Zusammenhang. Sie verweisen auf die Realitätsbezüge und die Mehrgestaltigkeit des göttlichen Amens.

Bei einer Reflexion über dieses *amen* sind bereits sehr früh die Umrisse eines trinitarischen Kontextes erkennbar geworden, in dem biblisch begründetes Glauben und Denken sich vorfindet und selbst entdeckt. Das *amen* Gottes ergeht nicht ziel- und planlos und es ist außerdem auf seine Motive hin befragbar. Es hat direkt den Menschen zum Ziel, der nach dem Zeugnis der Bibel und der Überzeugung des christlichen Glaubens inmitten der geschaffenen Welt das kreatürliche Gegenüber Gottes ist. Es will bei ihm ein Echo seiner selbst hervorrufen. Gottes *amen*, das in noch näher auszuführendem Sinne seinem Wesen entspricht, will eine Antwort hervorrufen, es will das kreatürliche *amen* freisetzen.

Die hebräische Sprache stellt hier eine Sprachform zur Verfügung, die auch sonst Verwendung findet, wo das Verhältnis Gottes zum Menschen und dessen Bezugnahme darauf in Worte gefaßt wird (vgl. erkennen und bekennen). Das ist die Verbalform des Hiphil, in der ein Widerfahrnis angenommen und bejaht wird. Gleichsam entflechtet heißt *häämin* dann: Der Mensch läßt sich das *amen* Gottes gefallen und wagt daraufhin sein *amen*.

Die an dieser Stelle angebrachte theologische Besinnung über „Glauben und Denken im trinitarischen Kontext" sollte dialogisch und in einer doppelten Richtung erfolgen. Da die Reflexion über den Glauben nicht bestrebt sein kann, einen Katalog von zeitlos gültigen Glaubenswahrheiten zu erstellen, sondern an der Bewegung Inter-esse hat, die von Gott ausgeht und sich dem Menschen und der Welt zuwendet, richtet sie das zentrale Augenmerk auf den Auftreffpunkt der Bewegung. Der Glaube ist nur einer, es gibt ihn strenggenommen nicht in der Mehrzahl. Hier könnte man an Paulus' Sprechen vom Glauben als einer personalen Gestalt (Gal. 3, 23) erinnern oder auf die frühe bekenntnismäßige Formulierung: *Ein* Herr, *ein* Glaube, *eine* Taufe (Eph. 4, 5) hinweisen.

Aber dieser *eine* Glaube, herausgefordert von dem ergangenen Grundbescheid, von dem *amen* Gottes, will sich auf die Motive hin befragen lassen, die die Bewegung von Gott her zum Menschen hin bestimmen. Insofern stößt das Bedenken dieses *amen* auf das Gottsein Gottes. Im personalen Verhältnis des Glaubens wird aber nicht nur offenkundig, wer Gott ist und wie er Glauben hervorruft und ermöglicht, sondern ebenfalls, worin das Menschsein des Menschen besteht, wozu er bestimmt ist und inwiefern der Glaube sein ganzes Menschsein bestimmen will.

Damit wird die Richtung deutlich, die „Glauben und Denken im trinitarischen Kontext" einzuschlagen haben, damit es zu einem Dialog in doppelter Richtung kommt. Wir können das auch so formulieren: Der herausgeforderte und der antwortende Glaube korrespondieren miteinander. Der Glaube kann sich als Glaube in der Welt und vor der Welt nur so ver-antworten — und das heißt Zeugnis gebend, um den Glauben, das Vertrauen, um die Homologie beim Mitmenschen werbend —, daß er sich der Wirklichkeit Gottes, vor der er sich verantworten muß, ständig bewußt ist. Wir bewegen uns damit nicht in einem Bereich logisch zwingender Beweisführung, aber die hier geltend gemachten Überzeugungen haben deshalb keineswegs den Charakter der Willkür. Die Theologie hat keinen Anlaß — auf ähnliche Vorgegebenheiten stößt der reflektierende Mensch in zahllosen Lebensbereichen und Fragestellungen —, die Tatsache zu bestreiten, daß auch sie sich argumentierend in einem Zirkel bewegt. Der Gott, der Ursprung der Herausforderung zum Glauben und das Gegenüber der Verantwortung ist, ist zugleich auch des Glaubens einziger Anhalt und Inhalt.

Um sinnvoll, d. h. inhaltlich relevant vom Glauben und Denken im trinitarischen Kontext sprechen zu können — bzw. noch deutlicher ausgedrückt, um zu bedenken, daß der Dreieinige Gott Ursprung, Gegenüber und Inhalt des Glaubens ist —, bedarf es noch einiger weiterer Mitteilungen. Die Erfahrungs- und Aussagestruktur, in der uns der Begriff Glauben im Alten Testament begegnet, ist zwar unbestreitbar wichtig. Sie hat ihre Gültigkeit im Erfahrungsfeld des Neuen Testaments beibehalten.

Von gleicher Wichtigkeit sind nun aber die geschichtlichen Ereignisse und Erfahrungen, für die dieser Begriff Auffangsform und Verstehensanleitung wurde. Wir können die Geschichtsbezogenheit des christlichen Glaubens — das betrifft ja nicht nur die Faktizität, sondern auch seinen Inhalt — in diesem kurzen Aufsatz auch nicht einmal in seinen wichtigsten Phasen kommentieren. Bezüglich der im Alten Testament bezeugten Widerfahrnisse und der daran gewonnenen Glaubenserkenntnisse sei nur andeutend vermerkt: Der trinitarische Horizont der Glaubenserfahrungen mit Gott begann sich abzuheben, als der Glaube an den Heilsgott Jahwe — den Richter und Retter seines Volkes — sich mit dem Glauben an das Schöpfer- und Herrsein Gottes verband und in Glaubenssätzen zu artikulieren begann (vgl. u. a. Jes. 40, 26 ff.; Gen. 1 und 2). Aber dem nachdenkenden Glauben eröffnete sich nicht nur der Rückblick auf die Schöpfung mit seiner Gegenwartsbedeutung, sondern auch der Ausblick auf die Zukunft, der in anderer Weise gegenwartsbezogen ist (vgl. Jes. 65, 17 und 66, 2).

Die sich hier im Ansatz abzeichnenden Erkenntnisse im Glauben und aus Glauben haben durch das Ereignis Bestätigung, Vertiefung und Erweiterung erhalten, das auf vielfache Weise Inhalt des Neuen Testamentes ist: Jesus von Nazareth. Durch die Person, das Wirken, die Geschichte Jesu — und das nicht zu vergessen, was ihm widerfahren ist —, ist der Begriff Glauben inhaltlich gefüllt und zu einem Angebot für alle Menschen geworden. Ein solcher Satz mag zunächst wie eine unbegründete Behauptung anmuten. Er bekommt aber Sinn — und vielleicht auch Überzeugungskraft, wenn man in Betracht zieht, daß alle neutestamentlichen Schriften um seinetwillen entstanden sind und für den Glauben an ihn einstehen. Das tun sie nicht monoton und in einer prästabilierten Harmonie. Sie stimmen das Lied des Glaubens auf verschiedene Weise an. Dabei werden Denkmodelle, Aussageweisen und Berichterstattungen zu Hilfe genommen, die in Spannung zueinander stehen.

Wer sich auf die Vielfalt der Stimmen hörend einläßt und auf den Unterschied in der Akzentsetzung der einzelnen christologischen Gesamtkonzeptionen achtet, der kann sich der auch an ihn ergehenden Aufforderung zum Denken vom Glauben her und auf Glauben hin nicht entziehen. Das ist eine Zumutung, die mit geistiger Arbeit und Urteilskraft verbunden ist, die nicht im gleichen Ausmaße von jedem Christen verlangt werden kann und muß. Hier ist eine Stellvertretung notwendig, die niemanden in seinem Verstehen und Urteilen bevormundet oder gar entmündigt. Das Ergebnis des sich zum Denken und Lernen herausfordern lassenden Glaubens ist kontrollierbar, es beruht nicht auf irrationalen Einfällen, so gewiß umgekehrt die menschliche Ratio nicht die letztlich Orientierungen setzende Instanz ist.

Wenn man dem Rechnung trägt, dann ist die zusammenfassende Aussage im Sinne eines Grundbescheides legitim: Jesus ist das *amen* der Liebe, der Erwählung, der Versöhnung, der letztgültigen Selbstaussage Gottes, das universale Gültigkeit hat und für jeden Menschen, ohne Rücksicht auf Volks- oder Rassezugehörigkeit, Alter und Geschlecht, Lebensstandard oder Existenzort etc. Ermöglichung und Herausforderung des Glaubens ist.

Der in diesem Sinne universal begründete und universal auf Glauben ausgerichtete Grundbescheid hat als nicht mehr überholbar zu gelten. Er hat Endgültigkeitscharakter. Das nimmt ihm weder etwas von seiner Ursprünglichkeit noch von seiner Aktualität. Hier wäre an das Apostelwort zu erinnern: „Denn sämtliche Verheißungen Gottes sind in ihm zum Ja geworden. Deshalb erhält durch ihn auch das Amen seine Kraft, das wir Gott zum Preise sprechen" (2. Kor. 1, 20; Übersetzung U. Wilckens). Die Endgültigkeit darf aber nicht als statutarische Festlegung verstanden werden. Es soll dokumentiert werden: Gott hat sich endgültig zu erkennen gegeben. Und da, wie bereits mehrfach ausgeführt, es nicht um ein Gottsein Gottes an sich, sondern um sein Gottsein für den Menschen und die Welt geht, ist dem Denken im Glauben und aus Glauben eine Aufgabe gestellt, die niemals als erledigt beiseite gelegt werden kann. Es ist not-wendig, eben um dieses bei vielen noch anstehenden *amen* willen.

Das darf allerdings nicht in dem Sinne mißverstanden werden, als ob alle aus dem Glauben und im Glauben gewonnenen Erkenntnisse prinzipiell fragwürdig und darum immer wieder in Frage zu stellen seien. Ebensowenig, wie sich die Theologie als Denken aus Glauben einem Grundentschluß zu einer Philosophie der radikalen Fraglichkeit unterwerfen darf, hat sie Veranlassung, sich resignierend einem theologischen Agnostizismus zu ergeben, mag dieser sich auch noch so religiös oder fromm geben.

Die These vom Endgültigkeitscharakter des den Glauben ermöglichenden und herausfordernden Grundbescheides, der von seiner Ursprünglichkeit nichts verliert und seine Aktualität bewahrt, bedarf aber noch weiterer Erläuterung und Begründung. Ursprünglichkeit und Aktualität sind eng aufeinander bezogen. Etwas Ähnliches meint der Satz: Die Rückbesinnung auf die Geschichte geschieht um der Beantwortung der Fragen und Probleme willen, die heute und morgen anstehen.

Der Rückbezug des Glaubens auf geschehene Geschichte ist darum nicht nur um seiner Faktizität willen notwendig, sondern auch darum, weil sich dabei dem Denken aus Glauben verbindliche Orientierungspunkte anbieten. Ihre Verbindlichkeit ist zwar nicht von einem — imaginären — objektiven Standpunkt aus beweisbar, sie hat ihre Beweiskraft aber in der analogia fidei.

II

Zunächst ist auf die das Zentrum des Alten wie des Neuen Testaments ausmachende Grunderfahrung des Menschen von Gott her hinzuweisen: Der Glaube ist bezogen auf die heilshafte, Rettung bringende Hinwendung Gottes zum Menschen. Der Glauben herausfordernde und stiftende Grundbescheid ist bereits im Alten Testament von Gott aus gesehen sein freier Entschluß zu retten, Liebe walten zu lassen (Dt. 7, 7—9), Versöhnung und Sündentilgung zu vollziehen (Jes. 43, 24—25), die Bundeszusage (Ex. 20, 2) und vom Menschen aus die Erfahrungswirklichkeit der Errettung, der Erfahrung der Sündenvergebung und der Hineinnahme in die Weggenossenschaft mit Gott.

Es soll nicht bestritten, sondern ausdrücklich unterstrichen werden, daß ein solches Verständnis der Grunderfahrung des Menschen mit Gott von dem Geschehen mitgeprägt ist, das in den Schriften des Neuen Testaments beurkundet wird.

Aber man sollte nicht nur von einer Interpretation des Alten vom Neuen Testament her sprechen, sondern auch die gegenläufigen Interpretationshilfen sehen. Darauf detailliert einzugehen, ist hier nicht möglich. Wichtig ist uns in diesem Zusammenhang, daß der trinitarische Kontext das Heilshandeln Gottes hervorhebt und ins Zentrum rückt. Denken im Glauben und auf Glauben hin stellt die Tat Gottes in den Mittelpunkt der Besinnung, die Lukas das Verhalten Jesu zu den Gesetzesübertretern interpretierend, mit den drei Gleichnissen vom Suchen und Finden des Verlorenen deutet, die Johannes 3, 16 als Liebesbeweis Gottes an die verlorene Welt beschreibt oder von der Paulus als der ein für allemal gültigen Versöhnungstat Gottes spricht, die auf mündliche Bezeugung und glaubende Annahme hin von Gott selber in Kraft steht (2. Kor. 5, 18—20).

Das sind nur wenige biblische Hinweise. Glauben und Denken im trinitarischen Kontext heißt konkret: Sich durch niemand und nichts die bleibende Dringlichkeit der Fragestellung nach der Schuld vor Gott und der Not-wendigkeit der Schuldwegnahme durch Versöhnung und Zuspruch der Vergebung ausreden oder vernebeln zu lassen. Es soll hier die Diskussion von Helsinki, auf die unser Jubilar in seinem genannten Buch kritisch eingeht, nicht noch einmal erörtert werden (vgl. meinen Beitrag: „Das theologische Gespräch über die Rechtfertigung in Helsinki" im Berichtsband Helsinki 1963. Berlin und Hamburg 1964). Aber seine kritischen Bemerkungen zu den Versuchen, die Schuldfrage — weil sie angeblich heute nicht mehr verstanden werde — durch die Sinnfrage oder die Frage nach dem gnädigen Gott durch die nach dem gnädigen Nächsten zu ersetzen, verdienen Beachtung.

Er möchte keine nur „nach rückwärts gewandte Theologie" und sich deshalb neuen Problemstellungen nicht entziehen. Aber daran besteht für ihn kein Zweifel:

Sinngebung des Daseins und brüderliche Gemeinschaft untereinander kann nur auf der Grundlage von Vergebung aufblühen.

Solange der Mensch mit Gott im Streit liegt, im Unfrieden, in der Entzweiung, solange ist ihm der Himmel verschlossen.

Tut sich uns der Himmel auf in dem Wunder der Vergebung, dann können die Lichtstrahlen Gottes auf alle Bereiche des Lebens fallen und sie überglänzen (a. a. O., S. 77 f.).

Wie aktuell das von uns gemeinte Glauben und Denken im trinitarischen Kontext ist, soll an einer Äußerung von J. Scharfenberg deutlich zu machen versucht werden. Er ist einer der Hauptvertreter der „Seelsorge"-Richtung, die sich von einer psychoanalytischen Religionspsychologie entscheidende Impulse erhofft. Seiner Meinung nach könne es deshalb durch betont „fromme" Erziehung zu erschreckenden Lebens- und Leidensgeschichten kommen — er illustriert das an der Schrift von T. Moser ›Gotteskämpfe‹, die er auf den Spuren des Hiob sieht —, weil die christliche Theologie seit langem fehlorientiert sei. Sie sei immer noch weitgehend im Bemühen befangen, die Frage nach Gott im Schuldprinzip festzumachen. Das führe zu einer Verunsicherung im zwischenmenschlichen Bereich und zu einer rücksichtslosen Ausbeutung der sich daraus ergebenden Gefühle (vgl.: Lutherische Monatshefte 17, 1977, S. 4).

Auch wenn Scharfenberg seine Gedanken an einem nicht sehr überzeugenden Beispiel erläutert, so soll die Möglichkeit des Mißbrauches eines Redens von der Schuld und einer Manipulierung mit Schuldgefühlen nicht bestritten werden. Aber hier gilt doch nun der alte Satz: abusus non tollit usum.

Es geht ja nicht darum, ob die Frage nach Gott im „Schuldprinzip" festgemacht werden soll oder nicht. Christliche Theologie sollte sich dagegen ebenso wehren wie gegen die Versuche, sie auf das Prinzip Liebe, Hoffnung oder irgendeine andere Idee einzuschwören.

Aber wo von Gott und der Annahme des von ihm aus ergangenen und ergehenden Grundbescheides an den Menschen die Rede ist, da muß auch Schuld zur Sprache gebracht werden. Die Bibel gibt dafür viele Beispiele, und die Geschichte des Glaubens ist reich an derartigen Erfahrungen.

Hier hat das Gesetz Gottes, das konkrete und unmißverständliche Geltendmachen seiner Gebote seinen Sitz im Leben. Der usus elenchticus legis ist noch nicht überholt und wird seinen Auftrag behalten. Damit soll nicht einem „unerbittlichen Normengott" und dem „psychologischen

Raffinement eines behavioristischen Verhaltenstrainings", das dessen Gesetze „unter die Haut" spritzt (vgl. ebd.) das Wort geredet werden. Aber umgekehrt dürfen hier auch keine falschen Alternativen angeboten werden. Glauben und Denken im trinitarischen Kontext weicht dem Grundproblem von Gesetz und Evangelium nicht aus. Es ist ein sehr fragwürdiges Zeichen von Menschenfreundlichkeit, wenn das von Gott her gültige Gesetz und konkrete Gebot verharmlost oder verschwiegen wird. Die Wirkungstiefe des von Gott ausgehenden Wortes ist ja noch größer. Es geht nicht nur unter die Haut. Von ihm sagt der Hebräerbrief:

Das Wort Gottes ist lebendig und kräftig und schärfer denn ein zweischneidig Schwert und dringt durch, bis daß es scheidet Seele und Geist, auch Mark und Bein, und ist ein Richter der Gedanken und Sinne des Herzens (4, 12).

Das weite Feld einer Lebensgestaltung aus dem Glauben kann hier nur in Umrissen angedeutet werden. Glauben und Denken im trinitarischen Kontext ist mit dem Verkündigungs- und Seelsorgeauftrag der Kirche vermacht. Es bewegt sich im Kraftfeld, von dem das überlieferte urkundliche Wort Gottes, das auf Weiterbezeugung drängt, umgeben ist. Es ist aber ebenfalls auf den Erwartungshorizont der Menschen zu beziehen, wie immer dieser auch aussehen mag. Denn Denken aus Glauben und auf Glauben hin ist motiviert von der Gewißheit, daß Gott selber der Garant für das ans Ziel-Kommen der von ihm ausgegangenen Bewegung ist.

III

Der ersten Antwort auf die Frage nach verbindlichen Orientierungsfaktoren für Glauben und Denken sind nun aber noch zwei weitere hinzuzufügen. Und diese erst machen die Themaformulierung „Glauben, Denken und Handeln im trinitarischen Kontext" ganz verständlich. Wir haben schon darauf hingewiesen, daß bereits im Bereich der Glaubenserfahrungen des Alten Testamentes Erkenntnisse gewonnen wurden, die die Heilszuwendung Gottes in einem Sachzusammenhang mit anderen wesenhaften Aussagen über Gott und seinen Bezug zur Welt sehen und aussprechen.

Hier ist einmal die unlösbare Zusammengehörigkeit von Heilsglaube und Schöpfungsglaube zu betonen. Die Vorstellungswelt und Begrifflichkeit, in der dieser Glaube gedanklich reflektiert wurde und bekenntnishafte Äußerungen hervorbrachte, ist sicher in vieler Hinsicht zeitgebunden. Aber die Gültigkeit der Erkenntnis, daß in dem geschichtlich ergangenen „Grundbescheid", bzw. in dem *amen* Jahwes an Israel

— hier wäre konkret u. a. an den 1. Exodus aus Ägypten und an den 2. aus Babylon zu denken —, der auf den Plan getreten ist, der durch sein schaffendes Wort Himmel und Erde ins Dasein gerufen hat und vor dem Chaos bewahrt, ist damit nicht hinfällig. Sie gründet in der Wahrheit, d. h. im Gottsein Gottes; darum entspricht ihr die Wirklichkeit der Welt, jedem möglichen Widerschein zum Trotz.

Die Geschichte dieser Glaubenserkenntnis und die Weise ihrer Verantwortung vor Gott und in der Welt ist außerordentlich aufschlußreich. Sie hat sich nur so durchhalten können, indem sie sich immer wieder neu durchsetzte. Zwar wird sie in den uns überkommenen Schriften des Neuen Testaments auf mannigfache Weise bestätigt, aber die Spuren der Glaubensauseinandersetzung in der frühen Christenheit sind noch deutlich erkennbar (vgl. 1. Joh. 4, 2 ff.).

Der Hebräerbrief beginnt mit einem Rückzug auf das vielfältige Gotteszeugnis an die Väter durch die Propheten. Dieses aufnehmend und vollendend hat Gott eschatologisch gültig geredet durch den Sohn. Beachtenswert ist nun, wie vom Sohn die Rede ist.

Ihn hat Gott gesetzt zum Erben über alles; durch ihn hat er auch die Welt gemacht. Er ist der Abglanz seiner Herrlichkeit und das Ebenbild seines Wesens und trägt alle Dinge mit seinem kräftigen Wort und hat vollbracht die Reinigung von unseren Sünden und hat sich gesetzt zu der Rechten der Majestät in der Höhe (1, 2—3).

Es dürfte deutlich geworden sein, inwiefern sich dem Glauben und Denken im trinitarischen Kontext ein weiterer Grundaspekt auftut. Der ergangene Grundbescheid des in Jesus Christus endgültig realisierte *amen* Gottes, will in seinem „Weltbezug“ bedacht werden. Es ist für den Glaubenden und sein Verhalten in der Welt von konkreter Relevanz, daß Gott der Schöpfer, Erhalter und Herr dieser Welt ist. Niemand wird wahrscheinlich die brennende Aktualität der darin enthaltenen Forderung bestreiten, jeder sich aber der damit verbundenen Schwierigkeiten bewußt sein.

Um das Problemfeld mit vielleicht schon sehr strapazierten Begriffen anzudeuten: Die Frage nach dem *Heil*, nach der Rechtfertigung des Sünders, nach der Existenz des Menschen vor Gott schließt die Bemühung um das *Wohl*, um alle nur verfügbaren Lebenshilfen nicht aus, sondern ein. So darf es nicht zu Alternativen zwischen Mission, Evangelisation und Entwicklungshilfe kommen, so gewiß hier wie dort Unterscheidungen notwendig und Vermischungen und Identifizierungen zu vermeiden sind.

Einem Denken aus dem Glauben im trinitarischen Kontext ist es aufgegeben, die Motivation für das Verhalten und Handeln aufzudecken und bewußt zu machen. Vielleicht hat die Weltchristenheit, trotz der am Anfang ihrer Geschichte gefallenen Grundsatzentscheidung (gegen Marcion), hier sehr viel aufzuarbeiten und neu hinzuzulernen. Es ist an das zu erinnern, was einige in Israel während der Babylonischen Gefangenschaft bahnbrechend und beispielgebend im Glauben zu denken gewagt haben: Unser Gott, der das Gericht um unserer Schuld willen hat über uns kommen lassen und der sich um seinetwillen dennoch zu unserer Rettung entschlossen hat, ist der eine Gott und Schöpfer aller Kreaturen. So haben neue Welterfahrungen ihren Glauben vertieft und erweitert. Auf dieser Linie sind die Christen der ersten und der zweiten Generation weitergegangen, die — erfüllt von der Endgültigkeit des Heiles in Christus — sich ihrer Welt öffneten und darin das Wirken des Gottes zu erkennen wagten, auf dessen erwählende Zusage sie sich vertrauend eingelassen hatten.

Es ist seitdem eine nie abgeschlossene Aufgabe geblieben, die Welterfahrung im Glauben zu verarbeiten und glaubend zu verantworten. Man wird rückblickend auf die Geschichte der Christenheit und des christlichen Denkens sicher nicht behaupten können, daß sich der Glaube im Wandel der Weltbilder und unter dem Ansturm der auf den Menschen einstürmenden neuen Erfahrungen und den Erkenntnissen gegenüber immer überzeugend verantwortet hat. Er hat sich umgekehrt oft in Verteidigungspositionen drängen lassen, die sich über kurz oder lang dann doch nicht als haltbar und verteidigenswert erwiesen.

Dabei ermöglicht der christliche Glaube — wie ihn der Hebräerbrief artikuliert, als Glaube an den einen Gott, der im Sohn die Reinigung von unseren Sünden vollbracht (das Hauptthema des Briefes), der zugleich der ist, durch den Gott die Welt ins Dasein gerufen hat und alle Dinge trägt mit seinem Wort — eine von der Welterfahrung her nicht begründbare und zu erwartende Weltoffenheit und Weltzugewandtheit. Da der Glaube an den Einen Gott als Schöpfer und Erhalter vergangenheits- und gegenwartsbezogen ist, darf ein Denken im Glauben gewagt werden, daß diese unsere Welt mit ihren neuen Gesichtern und Perspektiven nicht ohne das erhaltende Wort Gottes so ist, wie sie ist. Das ermächtigt und nötigt zu einem positiven Engagement.

Damit sind dem Denken aus Glauben ebenso Aufgaben gestellt wie dem Handeln aus Glauben. Beides hängt sehr eng zusammen. Zwar darf das biblische Wort vom Vergehen der Gestalt dieser Welt (1. Kor. 7, 31) ebensowenig überhört werden wie die Warnung: „Habt nicht lieb die Welt, noch was in der Welt ist — die Welt vergeht mit ihrer Lust, wer aber den Willen Gottes tut, der bleibt in Ewigkeit“ (1. Joh. 2, 15). Aber daraus ist nicht zu folgern, als habe Gott diese Welt als seine Schöpfung abgeschrieben, als sei ein aus dem Glauben motiviertes positives Interesse an der Welt und an der Ausschöpfung der geschöpflichen Möglichkeit kein Gebot, sondern allenfalls ein Adiaphoron.

Die Grundaussagen des Glaubens, wie sie im ersten Artikel des Apostolikums (einschließlich Luthers Erklärung) oder im Nizänum in Worte gefaßt worden sind, haben ihre uneingeschränkte Gültigkeit, aber sie warten auf Auslegung und Konkretisierung, auf ihre Verknüpfung mit den neuen Welt- und Daseinserfahrungen. Hier ist aber auch der theologische Ort, von dem eine andere Wirkweise des Gesetzes, verstanden als Willensäußerung Gottes, bedacht werden will. An anderer Stelle habe ich den Versuch zur Diskussion gestellt, den traditionellen locus der Schuldogmatik von „triplex usus legis" trinitätstheologisch zu interpretieren. Ich verspreche mir davon sowohl eine Auflockerung wie auch eine stärkere Realitätsnähe (vgl.: Das Gesetz im Wirkungsfeld der trinitarischen Gottesoffenbarung. In: Kontinuität im Umbruch. München 1972).

Von der besonderen Funktion des Gesetzes Gottes, die wahre Situation den Menschen vor Gott aufzudecken, die Sünde bewußt zu machen und konkret anzusprechen, war schon die Rede. Eine unverkürzte Lehre vom Gesetz muß aber der ganzen Breite und Mehrgestaltigkeit des biblischen Zeugnisses von der Hinwendung Gottes zum Menschen und zur Welt Rechnung tragen. Es ist darum ebenfalls — und zwar aus Glauben und auf Glauben hin — zu bedenken, daß das Gesetz dem Schöpfungs- und Erhaltungshandeln zugeordnet ist.

Man kann darüber streiten, ob die Wahl der Begriffe glücklich und hilfreich zum Verständnis ist. Das Reden von „triplex usus *legis*" könnte dem Mißverständnis Vorschub leisten, als ob die lex, eine feste, genau definierbare und zu ortende Größe sei. Es ist auch nicht zu bestreiten, daß es durch unterschiedliche Füllungen der Begriffe zu folgenschweren Mißverständnissen und zur Einnahme gegensätzlicher Positionen gekommen ist. Vielleicht kann ein Denken aus Glauben im trinitarischen Kontext dazu helfen, Wege des gegenseitigen Verstehens zu bahnen.

Unbestritten dürfte sein, daß dem Schöpfungs- und Erhaltungshandeln Gottes ein das Leben in dieser Welt gestaltender Wille zugeordnet ist, der sich an alle Menschen wendet. Mit ihm wird jeder Mensch auf mancherlei Weise konfrontiert. Vielleicht ist es schon eine Einengung, hier vom „usus *politicus* legis" zu sprechen. Er muß jedenfalls sehr weit und umfassend genommen werden, weil er den ganzen kreatürlichen Lebensbereich betrifft. Eine scharfe Abgrenzung von dem, was der interpretationsbedürftige Begriff „Naturgesetz" anvisiert, ist ebensowenig möglich wie von Gesetzmäßigkeiten, die ganz allgemein in der menschlichen Welt- und Lebenserfahrung angetroffen werden.

Der dem Schöpfungs- und Erhaltungshandeln Gottes zugeordnete und integrierte Wille Gottes ist aber weder aus den Verhältnissen und Lebensumständen, noch aus einem dem Menschsein eingepflanzten ethischen Bewußtsein einfach abzulesen und als für alle Zeit gültig zu kodifizieren. Aber andererseits ist der Mensch auch nicht bar jeder Erkenntnis dessen, was gut oder böse, recht oder unrecht ist. Er ist, wenn man von Extremfällen absieht, auf seine Verantwortung für seine Mitmenschen, Umwelt und sich selbst ansprechbar. Es ist außerdem eine Erfahrungstatsache, daß im menschlichen Miteinander Gesetze und Ordnungen sich Geltung verschaffen.

Die aus dem Glauben erwachsende Weltverantwortung darf darum mit einer Bundesgenossenschaft aller derer rechnen, die sich zur Vernunft rufen lassen, denen das Wohlergehen der Menschheit am Herzen liegt. Die Motivation für Frieden und Humanität, für soziale und politische Gerechtigkeit mag unterschiedlich sein. Für den Glaubenden ist sie in der Gewißheit begründet, daß Gott als der Schöpfer und Erhalter der Welt den Menschen zu seinem kreatürlichen Gegenüber gemacht und ihn zu seinem Mitarbeiter in der Welt und an der Welt bestimmt hat. Sein Bund mit dem Menschen ist Sinn und Ziel der Schöpfung. Davon läßt Gott sich durch nichts und niemand abbringen, auch nicht durch den, der in ihm nur ein Wunschbild des Menschen sieht. Aber weil diese Weltverantwortung des Glaubens dem Eigeninteresse des Menschen nicht notwendig zuwiderläuft, darum kann es im Einsatz für eine Humanisierung der Verhältnisse eine breite Partnerschaft geben.

IV

Es muß nun abschließend aber noch von einer dritten Dimension gesprochen werden, die sich dem Glauben und Denken im trinitarischen Kontext auftut. Sie prägt die Anfangsworte des Hebräerbriefes bereits entscheidend mit. „Der Sohn hat sich gesetzt zu der Rechten der Majestät in der Höhe" (1, 4). Fast wie eine dogmatische Formel mutet Hebr. 13, 8 an: „Jesus Christus gestern und heute und derselbe auch in Ewigkeit." Aus dem Zusammenhang wird deutlich, daß damit kein in sich ruhendes, übergeschichtliches Sein gemeint ist. Denn diese christologische Aussage steht in enger Verbindung mit der Wegorientierung der Kirche, die Glauben und Denken mitbestimmen will: „Wir haben hier keine bleibende Stadt, sondern die zukünftige suchen wir" (13, 14). Die Zielgerichtetheit und die Erwartungshaltung im Blick auf die Zukunft kommt noch deutlicher im letzten Buch der Bibel, dem Dokument der Hoffnung heraus. In der Offenbarung Jesu Christi haben wir es mit dem Ja und Amen dessen zu tun, der das A und das O ist, der Anfang und das Ende. Gott der Herr, der ist und der da war und der da kommt (vgl. Off. 1, 8).

Die Hinwendung Gottes zum Menschen ist sowohl im Alten wie im Neuen Testament zukunftsorientiert. Gott stellt in der Ansage seines Kommens seine Gegenwart in Aussicht. Die Zukunftsdimension bleibt erhalten, auch wenn die Präsenz Gottes sich in Jesus erfüllt hat und in Wortverkündigung und Sakramentsvollzug erfahren wird. „Wir wandeln im Glauben und nicht im Schauen“ (2. Kor. 5, 7). Dem Denken aus Glauben im trinitarischen Kontext fällt die Aufgabe zu, die hier vorgegebenen Bezüge aufzudecken und bewußt zu machen.

Sie bestehen christologisch in der Zusammengehörigkeit und Unterschiedenheit von Inkarnation, Kreuz und Auferweckung Jesu Christi. In der Menschwerdung Jesu wiederholt und bestätigt Gott sein Ja zur Schöpfung; damit fordert er die Weltverantwortung und Weltzugewandtheit des Glaubens heraus. Im Kreuzestod Jesu hat Gott seine Versöhnungsabsicht, den Willen, der Sünde die Macht zu nehmen, zur Tat werden lassen. Deshalb dürfen alle, die von diesem *amen* der Versöhnung bewußt leben, sich der vordringlichen Aufgabe nicht entziehen, das Wort von der Versöhnung weiterzugeben mit allen daraus sich ergebenden Konsequenzen. In der Auferweckung Jesu, die mit seiner Erhöhung und der Sendung des Geistes in *einem* Wirkungszusammenhang steht, hat Gott dem Menschen die neue Schöpfung als seine und der Welt Zukunft eröffnet.

Damit ist die Zeit einer neuen Weise der Hinwendung Gottes zur Welt angebrochen. Sie ist wohl im *amen* des dreifaltigen Gottes von Ewigkeit her angelegt, aber erst Ostern hat den letzten und endgültigen Schritt in der Bewegung Gottes zur Welt hin eingeleitet. Der Versuchung, deswegen einem Desinteresse an dieser Welt und an den Bedingungen eines menschenwürdigen Lebens in ihr Raum zu geben, muß um Gottes Willen widerstanden werden. Das „weltliche Recht“ Gottes, sein der Schöpfung und Erhaltung der Welt zugeordnetes Gebot hat angesichts des letzten Zieles zwar Vorläufigkeitscharakter. Aber Schutz und Erhaltung des kreatürlichen Lebens schaffen Raum und Zeit für die Bezeugung und die Annahme der Versöhnungstat und halten die Hoffnung wach, daß die ganze Schöpfung unter die Verheißung der Zukunft Gottes gestellt ist. Auf diese Zusammenhänge weist das Osterlied aus dem 12. Jahrhundert hin: „Christ ist erstanden; ... wär er nicht erstanden, so wäre die Welt vergangen; seit daß er erstanden ist, so loben wir den Vater Jesu Christ.“

Es kann nur angedeutet werden, was dem Glauben damit zu bedenken aufgegeben ist. Man kann von der begriffsgeschichtlichen Vorbelastung her darüber streiten, ob es sinnvoll und hilfreich ist, die hier aufbrechende Wirklichkeit mit dem Begriff „tertius usus legis" zu benennen. Aber es ist nicht zu übersehen, daß Paulus sich im Gebrauch des Gesetzesbegriffes eine große Freiheit nimmt. In der Gewißheit, daß in Kreuz und Auferweckung Jesu für alle eine neue Wirklichkeit angebrochen ist, die in Christus Jesus sind, kann er vom „Gesetz des Geistes" sprechen, das frei macht vom Gesetz der Sünde und des Todes (Röm. 8, 2). Zu bedenken ist auch der Sprachgebrauch des Jakobus-Briefes, der vom königlichen Gesetz und dem Gesetz der Freiheit spricht (vgl. 2, 8 und 12).

Aber wir wollen den Streit um die rechte Begriffswahl auf sich beruhen lassen. Entscheidender sind die Glaubensrealitäten und die damit korrespondierenden menschlichen Verhaltensweisen, die für ein Denken aus Glauben auf Hoffnung hin Gewicht bekommen. Der christliche Glaube hat keinen Grund, sich durch eine billige Polemik, er weiche den eigentlichen Problemen der Welt aus, indem er auf ein besseres Leben im Jenseits vertröste, mundtot machen zu lassen. Das dürfte nach den bisherigen Ausführungen deutlich geworden sein. Aber er sollte umgekehrt auch dort zu finden sein, wo menschlich nichts mehr zu hoffen ist. Es ist seine legitime Aufgabe und seine Vollmacht, auch hier Hoffnung wachzuhalten und zu wagen, auf den Gott hin, der sein endgültiges Kommen zusagt.

Er selbst, Gott wird mit ihnen sein; und Gott wird abwischen alle Tränen von ihren Augen; und der Tod wird nicht mehr sein, noch Leid, noch Geschrei, noch Schmerz wird mehr sein; denn das Erste ist vergangen (Offb. 21, 3—4).

Solche Zukunftsperspektiven waren immer dem Verdacht der Illusion ausgesetzt; und sie werden es bleiben. Sie lassen sich durch keinerlei Beweisgänge oder allgemein zugängliche Erfahrungen bewahrheiten. In ihrer Färbung und Ausmalung sind sie ja auch von der menschlichen Sehnsucht mitgeprägt. Aber dennoch darf Denken aus Glauben im trinitarischen Kontext hier nicht verschweigen: Gott war und ist in seiner Offenbarung der Kommende. Seinem Reden und Handeln ist die Zusage seines Kommens zugeordnet.

Vielleicht ist die allgemeine Verstehensatmosphäre dafür in einer für die Zukunft offenen Zeit (vgl. 2. Tim. 4, 2) größer; und die Bereitschaft zum Hören heute, wo der Zukunftsoptimismus weitgehend einem Zukunftspessimismus zu weichen droht, mag zunehmen. Der Glaube sollte sich trotzdem davor hüten, seine „Segel" durch fremde Winde aufblähen zu lassen. Er hat in dem Maße Verheißung und Überzeugungskraft, wie ein Handeln aus dieser — durch vordergründige Erfahrung nicht begründbaren — Hoffnung motiviert wird.

Im Handeln und Verhalten, der der Schöpfung und Erhaltung dieser

Welt zugeordnet ist, besteht eine weitgehende Entsprechung zwischen Christen und Nichtchristen und die Möglichkeit zu Kooperationen. Damit darf der sich dem „tertius usus legis" Verpflichtende — nun verstanden im Sinne der Gestaltwerdung des Willen Gottes im Heiligen Geist — nicht rechnen. Paulus sagt zwar ausdrücklich, daß das Gesetz nicht gegen die Wirkungsäußerungen des Geistes ist (Gal. 5, 23), aber wer sich ihm aussetzt, betritt Neuland; er wagt einen Schritt in Gottes letzte Zukunft.

Wir können das weite Gebiet, das sich hier einem Denken, Glauben und Handeln im trinitarischen Kontext auftut, nur in Umrissen andeuten. Es ist völlig legitim, wenn die Kirche als die verantwortliche Gemeinschaft der Glaubenden bei der Gesetzgebung im Dienst einer schöpfungsmäßigen Humanität mitarbeitet, und doch vom allgemeingültigen Gesetz abweichende Verhaltensweisen und Lebensmodelle in ihrer Mitte zu verwirklichen sucht. Davon, daß es zwischen Christen und Nichtchristen zu Konflikten kommen kann, wenn es um den Erlaß allgemein geltender Gesetze, etwa um Ehe- und Familienrecht geht, soll jetzt nicht die Rede sein. Es besteht kein Grund zur Resignation für Christen, wenn sich ethische Verhaltensweisen, die ihnen im Glauben an Jesus Christus und das Heil Gottes geboten sind, nicht mehr mit den Normen der Gesellschaft decken. Hier hätte der „usus legis elenchticus" seinen Ort, der ja auch den Gedanken wachhalten soll, daß Gottes Güte zur Umkehr und Besinnung verhilft (vgl. Röm. 2, 4).

Wir möchten hier vielmehr darauf hinweisen, daß die Schar der Glaubenden ein Ort in der Welt ist, wo sich menschliche Verhaltensweisen im Gehorsam des Geistes gestalten, die von der kommenden Welt Gottes her bestimmt sind. Das macht z. B. die Arbeit an Menschen sinnvoll, deren Leben und Dasein keinen in dieser Welt mehr erkennbaren Sinn oder gar einen verrechenbaren Wert hat. Hier dokumentiert Handeln aus Glauben, daß jedes Leben unter der Zusage und dem Zuspruch des Kommens Gottes steht und darum Hoffnung hat.

Schließlich sei hier noch an die Menschen erinnert, die — ohne davon großes Aufheben zu machen — „um des Himmelreiches willen" (Mt. 19, 12) auf in der Schöpfung angelegte Rechte und Gebote wie z. B. Besitz, Ehe, Selbstbestimmung verzichten. Für sie hat das Gebot des Geistes den Vorrang erhalten. Daß der damit beschrittene Weg nicht problemlos ist, zeigt die Erfahrung vielfältig. Der Geist ist auf Freiheit angelegt, aber auch das von ihm ins Leben gerufene Leben braucht Formen und damit auch Gesetze und Regelung. Die sich hier ergebenden Spannungen müssen erkannt und immer neu bewältigt werden.

Wir brechen die Studie über Glauben, Denken und Handeln im trinitarischen Kontext hier ab. Mehr als eine Skizzierung des Horizontes und ein Hinweis auf die Problemfelder war nicht beabsichtigt. Das „Credo in unum Deum" ist unerschöpflich. Es ist dem Denken vorgegeben und immer aufgegeben. Daraus und damit zu leben, erfüllt das menschliche Dasein und macht es sinnvoll für heute und morgen.

GOTT IN DER SEELE

Einige Erwägungen zur Imago-dei-Lehre heute

Von Ulrich Mann (Saarbrücken)

In Schriften und in Briefen habe ich oft, mich auf C. G. Jung berufend, die Auffassung vertreten, daß Gott allenthalben und also auch in der Tiefe der Seele, im Innen, wohne und hier ebenso gefunden sein wolle wie im Außen. Es ist dies eine Auffassung, die sich nicht zuletzt von der Tradition der großen Mystiker herleiten läßt, Meister Eckehart und Angelus Silesius zumal; es fehlt nicht an Hinweisen Jungs gerade auf diese beiden Zeugen. Ich warte hierbei ruhig auf Widerspruch von seiten derjenigen Theologen, die besonderen Wert auf das „extra nos" des Versöhnungs- und Erlösungsgeschehens legen, und vor allem darauf, daß das Predigtwort der kirchlichen Verkündigung und nur dies als Offenbarungsmittel gelten dürfe (wobei dann das Sakrament nur „verbum visibile" ist); ich rechne also mit dem Einspruch derer, die, unter dem immer noch nachhaltigen Eindruck der frühen Dialektischen Theologie, energisch gegen alle Innerlichkeitstheologie Front machen, und natürlich auch schon die frühen Ansätze dazu im alten Luthertum heftig zu rügen pflegen, etwa die Lehre vom individuellen Heilsweg, der schließlich zur Unio mystica führt. Doch dieser Widerspruch bleibt zu meiner Überraschung reinweg aus. Man hat auf seiten dieser vermuteten Widerparte offenbar endgültig Stäbe gebrochen, hat abgeschlossen mit allen Auffassungen Andersdenkender — da ja seit Karl Barth das absolute Schlußwort über solche Abweichungen gesprochen ist —, man fühlt sich wohl und zu Hause im eigenen Kreis. Man ist im Salzfaß, gut zugedeckt — man bleibe am besten darin . . .

Es überrascht mich jedoch, daß ich ausgerechnet von Schülern C. G. Jungs immer wieder Hinweise der Art erhalte, es handle sich nicht eigentlich um „Gott in der Seele", sondern, eben im Sinn von Jung, um das „Gottesbild in der Seele". Und zwar kommen diese Hinweise durchweg von kompetenten Vertretern der Jung-Schule, die ich persönlich und sachlich als die zur Weiterführung von Jungs Lebenswerk Berufenen ehre und mit denen im ständigen Gespräch zu stehen ich als hilfreich sowohl für die theologisch-religionswissenschaftliche wie für die tiefenpsychologische

Seite ansehe. Da es kein Geringerer war als unser Jubilar, der mich in einer unvergeßlichen Tübinger Vorlesung auf die Jungsche Tiefenpsychologie hinwies, für sie gewann und mich in sie einführte, fühle ich mich ganz in der von ihm gewiesenen Bahn, wenn ich im folgenden versuchen will, Erkenntnisse, die aus lutherisch-theologischem Denken stammen, für die Erhellung jener Problematik fruchtbar zu machen, um die es auch bei dem Wunsch der Jung-Schüler geht, es solle nur vom „Gottesbild in der Seele“ die Rede sein und nicht eigentlich von „Gott in der Seele“.

Zunächst: Dieser Wunsch liegt durchaus auf der Linie der Lehre von C. G. Jung selbst, daran kann kein Zweifel sein. Jung hat sich oft genug abzusichern versucht gegen den Vorwurf, er treibe Meta-Psychologie, Metaphysik oder gar Kryptotheologie; Belege dafür anzuführen, hieße allzu vieles aus Jungs Werk ausschreiben. Er hat sich geradezu mit Verbissenheit dagegen gewehrt, ihn in diese Sparten einzureihen; er wollte empirisch forschender Psychologe und praktischer Arzt sein und bleiben und als solcher anerkannt werden. Seine kühnen Theorien, die von mancher Seite — besonders von Freudianern — gern als Spekulationen hingestellt wurden, waren für ihn Hypothesen, die er aus empirischen Erkenntnissen folgerte und auch nur solang gelten ließ, als die Empirie ihnen nicht evident widersprach; und so war eine solche scheinbar metaphysische Theorie für ihn genauso wie jede andere wissenschaftliche Erkenntnis immer nur „eine für den Augenblick befriedigende Hypothese, aber kein Glaubensartikel für alle Zeiten“ [1]. Von daher erklärt sich auch, daß Jung jede Verbindung oder gar Berührung mit der seinem Denken in mancher Hinsicht scheinbar so verwandten Geisteswelt der Anthroposophie strikt vermeidet. Dies mag angesichts so mancher Parallelen überraschen [2]; doch gilt es zu bedenken, daß Jung bei der Anthroposophie ja eben jene empirische Basis vermissen mußte, um die es ihm entscheidend ging: Die Art von freiem spirituellen „Forschen“, wie sie die Steinersche „Geisteswissenschaft“ charakterisiert [3], mußte ihm von seinem Standpunkt mit vollem Recht als unwissenschaftlich erscheinen. Jung hatte jedenfalls, besonders angesichts der Gegenfront der Freudianer, seine liebe Not damit, immer wieder ungerechte Vorwürfe zu entkräften, die darauf zielten, seine Seriosität in Zweifel zu ziehen.

Auf der anderen Seite konnte Jung auch kein Interesse daran haben, in Streitereien mit Kirche und Fachtheologie zu geraten, in jene Art von theologischen Auseinandersetzungen also, die, wie die leidige jahrhundertealte Erfahrung zeigt, ohnehin meist unfruchtbar verlaufen und auch, soweit es sich um die Tiefenpsychologie handelt, bis heute noch oft genug unfruchtbar geblieben sind. Was von theologischer Seite über Jung und seine Tiefenpsychologie gesagt wird, zeugt immer noch von weit verbreiteter Verständnislosigkeit[4]: Als rühmenswerte, aber doch noch seltene Ausnahmen sind im deutschen Bereich etwa Otto Haendler und Hans-Wolfgang Heidland zu nennen, allen voran aber wiederum unser Jubilar Adolf Köberle. Jung wich dem Gespräch mit Theologen keineswegs aus, im Gegenteil: fruchtbare Dialoge solcher Art hat er, wie man weiß, heiß ersehnt — nur eben selten gefunden; doch sterilem Gezänk um dogmatische Richtigkeiten wich er mit Fug und Recht aus. Und dazu konnte es ihm nur dienlich sein, sich auf die herkömmlichen Fächergrenzen zu berufen und sich also gegenüber Theologie und Metaphysik strengster Zurückhaltung des Urteils zu befleißigen. Daher dann auch die ernste Bemühung, soweit als möglich nur vom Gottesbild in der Psyche zu handeln und die verfängliche Aussage von „Gott in der Seele" tunlichst zu vermeiden.

Soweit, so recht. Jung hat sich jedenfalls genügend abgesichert, um gegen jene törichten theologischen Anwürfe wirklich gefeit zu sein, Anwürfe vor allem der Art, er „verpsychologisiere" den Gottesbegriff. Daß „Gott in der Seele" bei ihm immer zu verstehen ist als „Gottesbild in der Seele", das ist eine seiner wichtigsten Sicherungen. Diese Sicherung ist objektiv verläßlich: sie ist anwendbar für jede seiner Einzelaussagen; man muß sich ihrer nur erinnern. Und sie ist subjektiv ehrlich gemeint: sie gehört ja zur empirischen Basis von Jungs gesamtem Denken. Man darf hier keinen faulen Trick suchen, weder so noch so herum.

Und doch! Wer Jung gerade da zu folgen versucht, wo er die kühnsten Vorstöße in fruchtbares Neuland ansetzt, der wird auf der Strecke plötzlich inne, daß jene Zone, in der die genannten Sicherungen ihren Sinn hatten, nun doch weit hinter ihm liegt. Er ist, mit Jung zunächst und in seinem Gefolge, dann aber allein weiterwandernd und im Sinn des Expeditionsleiters selbständig neue Zonen erschließend, in Gelände geraten, wo es mit einemmal um ganz anderes, um viel Wichtigeres geht als um säuberliche Fächerabgrenzungen. Um im Bild zu bleiben: in diesem Gelände ist der Suchende alles zugleich und in einer Person, ist Führer mit dem Kompaß, ist Kartograph, Zeichner und Tagebuchführer, ist Organisator und, für andere wie für sich selbst, sogar Expeditionsarzt; will sagen: hier ist die Trennung der Disziplinen belanglos geworden. Hier darf, nun wieder von unserem Thema zu reden, der Tiefenpsycholog wirklich Theolog und Metaphysiker sein, und ist und bleibt doch Seelenarzt nach wie vor. Warum ist das so? Weil der Gegenstand seiner Forschung das so erheischt; weil wir hier in einen Bereich geraten sind, wo zwischen Gottesbild und Gott selbst offenkundig die Unterscheidungsgrenzen fließend geworden sind. Es liegt am Gegenstand; es liegt an jener unermeßlichen Kraft- und Lebensquelle selbst, an jenem Wesensgrund aller Wesen selbst, an jenem unendlichen Ursprung des Seins alles Seienden selbst, wovon wir in Wahrheit reden, wenn immer wir die Vokabel und den Namen *Gott* gebrauchen. Wer wirklich etwas davon begriffen hat, was der Gottesbegriff eigentlich meint, der weiß auch, daß mit dem Wort und dem Namen Gott jene Mitte und jener Ursprung angesprochen sind, von wo aus alle diese Wirklichkeiten, die das Leben bestimmen, in einer einheitlichen Sinnhaftigkeit erlebt werden. Und darüber hinaus weiten sich in dem Augenblick, wo Gott wirklich existenziell gedacht, und damit auch erlebt wird, alle Einzelwirklichkeiten ins Unendliche, und das Unendliche wird zum Einen und Ganzen — *Hen kai Pan*.

Denn Gott, das ist kein abstrakter Begriff, den man ausschließlich gegen allen Augenschein zu glauben hätte oder auch nicht.[5] Daß Gott eine erleb- und erfahrbare Wirklichkeit ist, das geht langsam auch einigen Barthianern und sogar Bultmannianern (man verzeihe die „Ianer") auf; nur daß diese niemals zugeben wollen, daß sie früher ganz anders geredet und gelehrt haben — aber das ist nicht weiter verwunderlich, wir kennen sie ja. Von jener abstrusen Theologisiererei, welche erst, Hegel und Nietzsche mißverstehend, Gott tot sein läßt, ihn dann in der Mitmenschlichkeit und weiter in der Revolution und schließlich in der Utopie von der kommenden sozial heilen Welt wiederfinden will, darf in unsrem Zusammenhang mit Fug abgesehen werden.

Gott also als erlebbare Wirklichkeit: das heißt, als die Wirklichkeit aller Teilwirklichkeiten, als das Sein des Seienden, als das „Sein selbst", und darin als der *Sinn* schlechthin. Daß wir so leben, als wäre Sinn, Sinn schlechthin, Sinn trotz aller Sinnwidrigkeiten, Sinn hinter und eigentlich doch schon mitten in ihnen, das ist ein „logologischer" Gottesbeweis, der bis ins einzelne der Struktur von Kants moralischem Gottesbeweis entspricht.[6] So darf hier in gebotener Kürze einfach thetisch gesagt werden: Wir brauchen Gott nicht zu beweisen, weil wir selbst, als die, die wir sind, auch als sogenannte „Atheisten", der denkbar zugkräftigste und lebendigste Gottesbeweis sind. Mag es damit hier sein Bewenden haben; ich setze für alles Folgende Einverständnis damit voraus, daß Gott ist, und das heißt freilich auch: Einverständnis mit den wesentlichen Implikationen dieser These. Von einigen dieser Implikationen soll im folgenden die Rede sein, von Implikationen nämlich, die mit der Rede von Gott stillschweigend einfach mitgesetzt sind und eben wegen dieser stillschweigenden Mitsetzung allzuoft übersehen werden.

Hierzu nochmals zurück zu unserem Einsatzpunkt. Es geht um die Gottebenbildlichkeit, wenn vom „Gottesbild in der Seele" die Rede ist. Da Gott von uns, das ist eine erste wichtige Implikation, nur erkannt werden kann, soweit er sich uns offenbart, bedeutet das Gottesbild auf jeden Fall auch dies, daß Gott sich mittels dieses Bildes offenbart. Und das ist auch schon das Wesentliche: ich könnte hier abbrechen; Gott muß selbst in der Seele sein, wenn er sich in ihr durch sein Bild offenbart. Aber wir wollen es nun doch etwas eingehender darstellen.

Die Lehre von des Menschen Gottebenbildlichkeit wird im AT nur in der sogenannten Priesterschaft bezeugt.[7] Der Mensch hat danach „Elohimnatur" (v. Rad)[8], das ist die eigentliche Bedeutung. Worin die Elohimnatur liegt? Man darf hierbei mit manchen Auslegern durchaus auch an archaische Vorstellungs-Relikte denken, wonach etwa der keinem Tier in gleicher Weise eignende aufrechte Gang eine Rolle spielt. Gerhard von Rad betont[9] den Zusammenhang von Gen. 1, 26 f. mit 1, 28 und folgert daraus, sicher mit Recht, daß es vor allem die „innere Mächtigkeit" sei, die „gravitas", griechisch *doxa* und hebräisch *kabod*, welche den „Identitätspunkt" zwischen Mensch und Gott darstelle und den Menschen zu seiner Herrschaftsstellung befähige. All dem möchte ich voll zustimmen. Rads Auffassung widerspricht auch in keiner Weise jener erstgenannten Auffassung, die mir besonders gut gefällt: Denn aufrecht stehen, aufrecht auf den Menschen zugehen, das ist ja doch das Wesensmerkmal jedes frühantiken Kultbilds! Also wieder Herrschaftsstellung, gravitas, Elohimnatur; nun aber so, daß wir innewerden: der Mensch steht für den theologischen Autor der Priesterschrift genau an der Stelle, wo in der religiösen Umwelt Israels die Kultbilder stehen! Deshalb also ist es überflüssig, daß handwerkliche Kultbilder von Jahwe angefertigt werden, weil ja die Menschenwelt ohnehin aus nichts anderem als lebendigen Gottesbildern besteht. Wichtig aber ist in unserem Zusammenhang vor allem dies, daß der Mensch nun als Wesen voller Gotteswirklichkeit bestimmt ist. Ein Mehr an Elohimnatur (besser noch: an Gotthaltigkeit des Menschen) läßt sich überhaupt nicht denken.

Der alttestamentlichen Lehre von der Gottebenbildlichkeit des Menschen liegt es noch fern, zwischen Leib und Seele scharf zu unterscheiden und rein spiritualistisch etwa Seele, Geist, Persönlichkeit oder Sittlichkeit als Imago Dei aufzufassen: der ganze Mensch ist gemeint. Und doch ist es nicht einfach unsachgemäß, wenn dann in späterer Zeit dem Gottesbild mehr und mehr geistige Züge beigelegt werden; mit zunehmender Differenzierung im anthropologischen wie theologischen Denken ist dies unvermeidbar, und ist es auch statthaft und sachgemäß, sofern nur der Ganzheitschrakter, der vom Ursprung her dieser Lehre inhärent ist, gewahrt bleibt. Differenzierungen von solcher Art finden wir vor allem bei Philon von Alexandrien, wobei freilich doch eine gewisse spiritualistische Tendenz nicht zu übersehen ist. Hier ist zum Beispiel davon die Rede, daß die „unsterbliche Seele" nach dem „Bild des Seinsgottes", welcher der „Logos" ist, geschaffen sei; dieser Gott-Logos wird von Philon dann auch ganz folgerichtig als „Archetypos“ der Seele bezeichnet.[10] Spiritualistisch ist dann bei dem Platoniker Philon vor allem die dezidierte Aussage, daß des Menschen Körperlichkeit an der Gottebenbildlichkeit keinen Anteil habe, weil Gott eben nicht von menschlicher Gestalt sei; immerhin gilt aber auch für Philon, daß der irdische Mensch, der nach Gen. 2, 7 von Gott angeblasen wurde, Bild Gottes sei und nicht Bild von irgend etwas Geschaffenem, wie immer man sich das dann auch zu denken habe.[11]

Im Neuen Testament wird nun jener schillernde Platonismus, den wir bei Philon fanden, doch durch eine eindeutigere Lösung überwunden, welche erst durch den Gedanken der Mittlerschaft nicht des bloßen Logos, sondern des inkarnierten Christus gewonnen werden konnte. Christus ist für das NT in Wahrheit und im Vollsinn das Bild Gottes, und der Mensch wird zur reinen Gottebenbildlichkeit dadurch zurückgebracht, daß er Ebenbild Christi wird.[12] Wieweit die „natürliche“ Gottebenbildlichkeit des Menschen nach dem Fall erhalten geblieben ist — nach dem AT ist sie durchaus als erhalten zu denken —, wieweit sie verloren oder verderbt oder gar in ihr Gegenteil verzerrt ist, darüber gibt uns der neutestamentliche Befund keinen eindeutigen Aufschluß. Das Interesse liegt offensichtlich im soteriologischen Bereich, es kommt vor allem darauf an, daß der Mensch zum Bild Christi werde. Auch dies kann scheinbar rein moralisch aufgefaßt werden (z. B. Kol. 3, 5.8 f.), aber eben nur scheinbar; in Wahrheit ist bei dem Lehrbegriff „Bild Christi“ doch immer, und gerade im Kolosserbrief, die kosmische Ganzheit mitgemeint.

So ist es denn also ein recht vielschichtiges und für Hintergrundfarben transparentes Bild von der Elohimnatur des Menschen[13], welches nach Abschluß der alt- und neutestamentlichen Kanonsbildung dem theologischen Denker der Folgezeit als Grundmuster vor Augen steht. In der Alten Kirche wurde auf lange hinaus die Lehre von der Gottebenbildlichkeit im Rahmen der Trinitätstheologie und Christologie abgehandelt, und zwar, vor allem im Osten, für lange Zeit noch ganz ohne psychologisches Interesse. Athanasios etwa setzt in seiner trinitarischen und christologischen Programmschrift ›De incarnatione‹ mit der Erwägung ein, daß der Mensch durch Christus zur Ikone Gottes werde, und daß also deshalb Christus ganz von göttlicher Natur sein müsse — dies letztere ist der eigentliche Zielpunkt. Auch Augustin handelt in seiner Schrift ›De trinitate‹ in ähnlichem Sinn von der Gottebenbildlichkeit; aber hier wird nun die Lehre von der Gottebenbildlichkeit doch in weit stärkerem Maß bewußt unter anthropologischen und psychologischen Aspekten abgehandelt.

Mit dieser Schrift Augustins setzt nun eine Denkweise über die Imago

Dei ein, welche sich dann in der gesamten — sich an den afrikanischen Kirchenvater anschließenden — abendländischen Theologie allgemein durchgesetzt hat. Diese Denkweise hat Ernst Benz in einem Eranos-Vortrag sehr klar veranschaulicht.[14]

Es ist das Bild des Spiegels, welches sich hier dem Interpreten nahelegt: „Die Imago Dei ist eine Spiegelung des Urbilds im menschlichen Geist“.[15] Wichtig ist bei dieser Metaphorik vor allem zweierlei: Erstens, nur wenn der Spiegel sich dem Urbild zuwendet, spiegelt sich das Urbild voll im Abbild, nicht aber wenn der Spiegel anderen Gegenständen zugekehrt ist und sich gar eben dadurch etwa getrübt hat; zweitens, zwischen Urbild und Spiegelbild besteht kein Wesenszusammenhang, das Spiegelbild ist und bleibt ein Gleichnis, nicht mehr. Diese Auffassung von der Gottebenbildlichkeit hat Schule gemacht, sie beherrscht im Grund noch heute die dogmatischen Auffassungen sowohl der katholischen wie der protestantischen Theologie in diesem Lehrstück weithin. Benz macht nun in diesem Zusammenhang auf zwei interessante Problemfelder aufmerksam, auf denen in unserer Gegenwart die Mängel der augustinischen „Orientierung am Bild des Spiegels“ (Benz S. 302) evident deutlich werden. Zum einen ist es offensichtlich, daß mit dem vielbeschrieenen „Tod Gottes“, also einem sinnwidrigen Gottesbild, auch völlig neue Menschenbilder in die Theologie einzuziehen beginnen, vor allem auch das Bild jenes Menschen, der, um sich selbst aus seiner klassenbedingten „Entfremdung“ zu befreien, sprich: um sich selbst zu erlösen, Gewalt erst gegen Sachen, dann schließlich, und das in abscheulichster Form, gegen Menschen zu üben hat. So stark scheint also doch in der Tat, und auch in der Perversion, der wirkliche Zusammenhang zwischen Gottesbild und Menschenbild zu sein. — Zum anderen haben die Raumerlebnisse der Astronauten, die über den Fernsehschirm in nahezu jede Wohnung ausgestrahlt wurden und werden, ein völlig neues Weltgefühl entstehen lassen, und im Zusammenhang damit, wie Benz zeigt, auch ein neues Bild vom Menschen im Kosmos, das keineswegs dem zu entsprechen scheint, was man erwarten mochte, nämlich dem einer völligen Verlorenheit des Menschenwesens, das nur noch ein nichtiges Staubkorn ist; vielmehr ist zu erinnern an den ersten Ausruf des Astronauten Clemm beim Anblick der bläulich leuchtenden Erdkugel über der Mondwüste: "Oh, this paradisiacal earth!" Es meldet sich heute unüberhörbar das Bedürfnis nach einer neuen theologischen Anthropologie zu Wort, und zwar im Zusammenhang mit einer neuen theologischen Kosmologie, „angefangen mit einer Theologie der Materie“ (S. 302). Soweit mit Benz. Gerade hier aber darf ich wiederum auf die bahnbrechenden Arbeiten unseres Jubilars hinweisen, der nicht müde geworden ist, den kosmischen Zusammenhang hervorzuheben, ohne den alle Theologie sich zu einer Mixtur spätidealistischer Belanglosigkeiten verdünnen muß.

Also: Es geht heute für die theologisch-dogmatische Arbeit entscheidend darum, eine Erneuerung der Lehre von des Menschen Gottebenbildlichkeit zu leisten, und zwar gerade und genau in der Richtung, die seit Augustin mehr und mehr vernachlässigt worden ist, nämlich dahin, wo die Lehre vom bloßen Spiegel-Abbild überwunden und der wesenhafte Zusammenhang zwischen Urbild und Abbild wieder erkennbar wird. Das ist es, wonach heute im Grund gefragt wird, und die Antwort auf diese Frage allein kann der Menschheit in unserer Zeit dazu verhelfen, sich in der (durch die moderne Astrophysik theoretisch einem kleinen Kreis, und durch die astronautischen Reportagen praktisch jedem Fernsehteilnehmer vermittelten Eindrücke von einer wahrhaft neugewordenen) Welt wieder heimisch zu fühlen [16], im Vollsinn der Wortwurzel, die ja an Heimat und damit an ursprünglich heile Schöpfung denken läßt. Das ist das Brot, welches von den Theologen heute erwartet wird, an Stelle so vieler Steine, die allzu viele unserer Dogmatiker so gern austeilen. Jung hat davon Wesentliches gewußt, und er hat deutlich genug darüber gelehrt, wenngleich (aus Gründen, die wir nun hinlänglich gewürdigt haben) auch immer mit der ihm als notwendig erscheinenden Zurückhaltung. Doch hier muß nunmehr weiter vorgestoßen werden.

Es handelt sich dabei darum, die Lehre von der Gottebenbildlichkeit theologisch in Richtung auf den wesenhaften Zusammenhang von Urbild und Abbild hin zu erweitern. Dafür gibt es bedeutende Leitbilder, auf die Ernst Benz in dem genannten Aufsatz mit eindrucksvollen Beispielen aufmerksam macht; sie finden sich besonders in der Tradition der christlichen Mystik [17], wobei wiederum in erster Linie die Namen von Meister Eckehart und Angelus Silesius genannt werden müssen. Hier braucht bekanntlich nicht lang zu suchen, wer Belegstellen für die Auffassung von Gottes wesenhaftem Insein in der Seele haben möchte.

Das ist nun bei Luther natürlich ganz anders; und gewöhnlich wird auch, wo es um dieses theologische Problem geht, die Lehre vor allem Luthers, aber auch der anderen Reformatoren jener mystischen Einwohnungslehre schroff entgegengehalten, meist mit hohem Bekennerpathos. Und in der Tat sogar mit gewissem Recht, worüber hier nicht einfach hinweggegangen werden soll: der mystischen Lehre von der Gotteseinwohnung in der Seele setzen die Reformatoren vorrangig das „extra nos“ der Gottesexistenz entgegen; zwischen Gott und Mensch kommt es nicht zur Einheit, sondern nur zum Einverständnis des Schöpfers mit dem Geschöpf, des Richters mit dem Gerechtfertigten; nicht Einheit, sondern Begegnung, nicht Substanzverschmelzung, sondern Person-

Gegenüber von Ich und Du, das sind die theologisch sachgemäßen Kategorien im Sinn der Reformatoren.

All dies zugegeben; es gibt aber doch auch noch andere Aussagen, die meist unbeachtet bleiben. Sie finden sich am häufigsten und in kraftvollster Ausprägung gerade bei Luther, am seltensten und dann in zurückhaltender Form bei Melanchthon. Ein Beispiel unter vielen ähnlichen sei hier genannt; es handelt sich um eine Predigt Luthers aus dem Jahr 1526.

In Christus, so hören wir da zunächst in durchaus gewohnter Weise, und nur in ihm wird die „grundlose Güte und ewige Liebe Gottes" erkannt und damit seine eigentliche Natur; das zu erkennen, heißt aber auch sehen, „daß Himmel und Erde voll Feuers göttlicher Liebe" sind — hier klingt nun doch ein Ton an, der sich dem üblichen Lutherverständnis gegenüber überraschend anhört; es geht aber noch viel überraschender weiter: „Also siehst du, daß Gott mit denselben Worten sich selbst und Christus, seinen lieben Sohn, ausschüttet über uns, und sich in uns geusst (!) und uns in sich zeucht, sodaß er ganz und gar vermenscht wird und wir ganz und gar vergottet werden".[18]

Zwei Grundzüge Lutherschen theologischen Denkens kommen in diesen hinreißenden Predigtsätzen unüberhörbar zum Ausdruck. Zum einen, die Initiative und Spontaneität liegt hier völlig auf Gottes Seite, nicht auf der des Menschen: Gott ist es, der vergottet. Zum anderen, die Vergottung des Menschen, die „Theopoiesis" der altkirchlichen Theologie, ist ein dynamisches Geschehen und kein statischer Zustand. Auf unsere Problematik übertragen heißt das: das Gottesbild *ist* nicht einfach in der Seele, es *seelt* sich vielmehr unablässig in sie *ein*.

Diese beiden Grundzüge wird man in dem Fragenbereich der Gottebenbildlichkeit heute von Luther übernehmen dürfen, können, müssen. Sie prägen sich so unauslöschlich ein, daß ein Reden über Gott ohne sie nicht mehr gedacht werden kann, wenn man sie einmal zur Kenntnis genommen hat. Sie prägen schon den Gottesbegriff selbst mit, ja sie erweisen sich dem mit ihnen Umgehenden als Axiome, die einfach mit dem Gottesbegriff schon mitgesetzt sind, auch wenn sie vorher noch nicht so bewußt waren. Was wäre das auch für ein Gott, der nicht schlechthin alles betriebe!

Diesem Grundsatz der göttlichen Allwirksamkeit, ja letztlich Alleinwirksamkeit hat Luther schon vorher in einer seiner gewaltigsten Schriften Geltung zu verschaffen getrachtet: in der 1525 gegen Erasmus verfaßten Replik ›De servo arbitrio‹ (WA 18). Es klingt ungeheuerlich, was Luther hier lehrt: Nichts geschieht in der Welt, weder Gutes noch Böses, was nicht Gott wirkt, und zwar, das ist das Entscheidende (und hier liegt die eigentliche Härte der Lutherschen Position!): *unmittelbar* wirkt, und nicht nur nebenbei oder auf Umwegen. Durch Böse wirkt er Böses, durch den Satan geradezu Satanisches, und doch alles auf sein, Gottes, letztes Ziel hin, und also, da es Gottes Ziel ist, auf ein gutes Ziel. Mitten in diesen Darlegungen findet sich der Ausdruck, daß Gott der „inquietus actor" in allen Kreaturen ist, der niemals ruhende, der eigentlich Handelnde, er allein.[19] „Deus actor inquietus", das ist der Schlüsselbegriff für Luthers Gottesvorstellung.

Von da aus erhellt sich nun auch die für unser Problem entscheidend maßgebende und besonders hilfreiche Darlegung Luthers, in der er zwei Jahrzehnte nach ›De servo arbitrio‹ rückblickend seine reformatorische Wende schildert[20]: es ist die Vorrede zum ersten Band der lateinischen Ausgabe seiner Werke von 1545 (WA 54). Hier berichtet Luther davon, welche Not es ihm bereitet habe, daß Paulus Röm. 1, 16 f. von der „Gerechtigkeit Gottes" spreche, welche im Evangelium offenbart wird. Im Evangelium! Das soll doch heilbringendes Gnadenwort sein; und nun nichts anderes als „Gottes Gerechtigkeit", welche doch wohl nur bedeuten kann, daß Gott die Sünder straft und die Guten lohnt? Also keine Gnade, nur Recht?

Und da nun die Wende, die innere, die Luther natürlich als Gottes Gnadenwirken erkennt („miserente Deo"): Er fühlt sich wie neugeboren („me prorsus renatum esse sensi", WA 54, 186), er weiß sich durch offene Tore ins Paradies eingetreten („apertis portis in ipsam paradisum intrasse", ib.), als er erkennt, daß Gottes Gerechtigkeit nicht die ist, die Gott irgendwie für sich hat, sondern daß von einer Gottesprädikation nur dann recht geredet wird, wenn sie verstanden wird als unmittelbare schöpferische Tat und Wirkensweise des „actor inquietus"! Gottes *Gerechtigkeit* ist also diejenige, durch die Gott uns durch den Glauben *gerecht macht* („justificat per fidem", ib.).

Sofort probt Luther, wie er weiter berichtet, dieses Verständnis am biblischen Sprachgebrauch durch, denn er will ja nicht irgend etwas erfunden haben, sondern lediglich das Schriftwort richtig verstehen. Da findet er: Gottes *Werk* („Opus Dei"), das ist immer das, was Gott in uns *wirkt;* Gottes *Kraft* („Virtus Dei"), das ist das, wodurch Gott uns *kräftigt;* Gottes *Weisheit* („Sapientia Dei"), sie ist es, wodurch Gott uns *weise macht*; und so steht es auch mit den Begriffen „fortitudo", „salus", „gloria Dei".

Soweit Luther; es genügt schon für unser Problem. Was folgt daraus? Gottes *Bild,* das wäre demgemäß also das, wodurch Gott *uns zu seinem Bild macht.* Also ist das „Gottesbild in der Seele" eine unmittelbare Wirkkraft Gottes in uns; noch präziser: es ist in irgendeiner Weise der „actor inquietus“ selbst. Somit ist die Rede vom „Gott in der Seele“ synoptisch[21] gerechtfertigt!

Wir sollten uns diesen Sprachsinn und Bedeutungsgehalt grundsätzlich zu eigen machen, wenn immer wir von Gott und seinem Bild reden. Das hätte zu gelten sowohl in der allgemeinen Religionsphilosophie, wie in der Theologie, wie in der Religionspsychologie, vor allem aber in der Tiefenpsychologie, welche von C. G. Jung her ja in besonderer Weise in die Lage gesetzt ist, den synoptischen Kontakt mit der Theologie zu pflegen.

Gott in der Seele: ich kann mir leicht vorstellen, daß hierüber in manchen Kreisen im Bereich der Tiefenpsychologie Beunruhigung entsteht. Man hatte sich doch so schön auf dem Feld der reinen Empirie niedergelassen; und nun wieder diese Störung! Aber ich möchte es den Partnern und Freunden von der Tiefenpsychologie einfach zumuten, den scheelen Blicken jener Fachpsychologen von heute standzuhalten, für die Psyche nichts anderes als biogenetisch motiviertes Verhalten ist, und Gott so etwas wie eine Märchenfigur, an welche irgendwelche theologischen Dunkelmänner noch glauben. Mehr Mut, Freunde; und mehr Stolz gegenüber solcher Art von „Seelenforschung“ — denken wir an Jung!

Und ich kann mir auch leicht vorstellen, daß hierüber in manchen Kreisen von Zunfttheologen Ärger entsteht. Man hatte sich doch durch die Dialektische Theologie so schön gegen jede Empirie zu verschanzen gelernt; und nun also wieder Erfahrungstheologie! Aber ich möchte es jenen Theologen, welchen eine bloße Begriffstheologie nicht mehr ausreicht, einfach zumuten, daß sie Gott in der Wirklichkeit zu suchen beginnen, und zwar in jener Wirklichkeit, wo er vorrangig zu finden ist, und das ist die Wirklichkeit der Seele, nicht die der Gesellschaftsveränderung oder der Revolution. Also Mut zur tiefenpsychologischen Arbeit, Forschung und Erfahrung! Adolf Köberle hat uns als einer der ersten in diese Richtung gewiesen.

Anmerkungen

[1] Erinnerungen, Träume. Gedanken von C. G. Jung, hrsg. v. Aniela Jaffé. Zürich, Stuttgart 1962, S. 155 (über seine Trennung von Freud).

[2] Diese Parallelen werden dargestellt bei Gerhard Wehr, C. G. Jung und Rudolf Steiner. Stuttgart 1972.

[3] Wobei gar nicht bestritten werden soll, daß die anthroposophische „Forschung" jedenfalls auch wirklich wertvolle Ergebnisse gezeitigt hat, wofür hier nur einmal Namen wie Weleda und Waldorf-Schule genannt sein sollen.

[4] S. hierzu meine einschlägigen Darlegungen, in: Theogonische Tage. Stuttgart 1970, und: Einführung in die Religionspsychologie. Darmstadt 1973.

[5] S. hierzu meine diesbezüglichen Ausführungen, in: Theogonische Tage, S. 156 ff.

[6] Ich habe diesen Gedanken näher ausgeführt in meinem Aufsatz: Auf was warten wir?, in: Südd. Ztg. 9./10. 10. 1976, desgl. in meinem Akademievortrag, abgedr. in: Zeitwende 48 (1977), S. 26—40.

[7] Z. folgenden s. Kittels ThWb II, 378 ff. — Die alttestamentlichen Belegstellen sind: Gen. 1, 26—28; 5, 1 f.; 9, 6; vgl. dazu noch die Stelle Ps. 8, 6 f.

[8] Elohim = Gott (elativer Plural von El).

[9] A. a. O., S. 389.

[10] Stellen bei Kittel ThWb II, 392 f.

[11] A. a. O.

[12] Stellen bei Kittel, 394 ff.

[13] Dem durch von Rad vorgeschlagenen Begriff der Elohimnatur müßte systematisch weiter nachgegangen werden. Der Begriff ist insofern besonders ganz sachgemäß, als P vor der Dornbuscherzählung (Ex. 3) den Namen Jahwe nicht genannt wissen will. Dürfte man von da an nun aber doch auch von „Jahwe-Natur" sprechen? Hiergegen sträubt sich unwillkürlich etwas in uns; aber warum? Hat etwa P lediglich versäumt, seine anfängliche Lehre von der Elohimnatur von Ex. 3 ab in Richtung auf „Jahwenatur" gehörig zu ergänzen? (Die wesentliche Textstelle Ex. 3, 9 ff. ist elohistisch; P fand sie vor und setzte sie voraus). Oder gehört Jahwe im Sinn von P doch so sehr dem Volk Israel allein an, daß *deshalb* von einer allgemeinen Jahwenatur des Menschen nicht gesprochen werden kann? Ich halte die letztere Interpretation für die näherliegende.

[14] S. zum folgenden Ernst Benz, Der Mensch als Imago Dei (Eranos-Jahrbuch 1969). Zürich 1972.

[15] Benz a. a. O., S. 298.

[16] Verbreitet wird solches erneuerte Weltgefühl auch durch beflissene Popularisierungsversuche strenger Naturforschung, im deutschen Fernsehbereich vor allem durch Hoimar v. Ditfurth, in welchem ich einen würdigen Nachfolger des mir in meinen Knabentagen so wohlvertrauten Naturgeheimnis-Entschleierers Wilhelm Bölsche wiederfinde.

[17] Besonders aufschlußreich ist es, in diesem Zusammenhang eine eingehende Darstellung der Lehre der Mormonen zu finden, die, trotz oder auch wegen so mancher uns als allzu primitiv erscheinender „Spekulation", doch ein eingehen-

deres Interesse der dogmatischen Fachtheologie verdient, als ihr bislang entgegengebracht wurde. Benz kann hier aus unmittelbarer Anschauung interessante Verstehenshilfen bieten.

[18] WA 20, 229 (von mir in heutige Schreibweise umgesetzt).

[19] WA 18, 710 f. Luthers im einzelnen exakt abgesicherte All- und Alleinwirksamkeitslehre in ›De servo arbitrio‹ stellt auch eine geeignete Ausgangsposition dar, von der her mit Jungs kühnen Thesen über Gott und das Böse, die er vor allem in ›Antwort auf Hiob‹ vorgetragen hat (Werke 11), die synoptische Auseinandersetzung zu führen wäre, und zwar, was zu betonen nötig sein könnte, keineswegs deshalb, daß Luther gegen Jung doch recht behalten möge, vielmehr um der weiteren Erhellung der Sache willen. Ich habe ansatzweise dazu in meinem Aufsatz, in: Lutherische Monatshefte 16 (1977), S. 109, Stellung genommen; doch das Thema ist damit überhaupt erst obenhin angeschnitten. Die in ›Antwort auf Hiob‹ von Jung eröffnete Diskussion ist im Grund bis heute einfach stehengeblieben: die Tiefenpsychologie der Jungschule wartet offenbar bis dato auf theologische Antwort, die Theologie, sofern sie auf Jung eingeht, hat zur Kenntnis genommen und wartet nun auf tiefenpsychologische Fortsetzung. Mit der vorläufigen Auskunft „Quaternität" ist es offensichtlich noch nicht getan. Wie wäre es denn, wenn man auf tiefenpsychologischer wie auf theologisch-systematischer und religionsphilosophischer Seite einmal, zustimmend oder ablehnend, aber jedenfalls in die Substanz eindringend, auf jenen theogonischen Aspekt einginge, den ich in ›Theogonische Tage‹ (1970) ausführlich dargestellt habe?

[20] Die Streitfrage um die Datierung des an dieser Stelle von Luther geschilderten Erlebnisses darf hier auf sich beruhen bleiben; ich neige immer noch zu der Auffassung, es handle sich um jenes „Turmerlebnis", das man auf etwa 1512/13 ansetzen mag.

[21] Hinsichtlich religiöser Probleme verstehe ich unter Synopse die in wissenschaftlich exakter Methodik herbeigeführte Übereinstimmung religionsphilosophischer, religionswissenschaftlicher, religionspsychologischer und theologischer Aussagen; s. Ulrich Mann, Zur synoptischen Methode in der Religionspsychologie, in: Archiv f. Rel.psychologie 12 (1976).

CHRISTOPRAXIS

Zur Wiedergewinnung sakramentalen Handelns

Von Gert Hummel (Saarbrücken)

I

Die Verlegenheit der evangelischen Kirche gegenüber dem Sakrament ist offenkundig. Im Leben der Gemeinde bewirkt sie ein Doppeltes: Einerseits erschwert sie das ohnehin nicht eben einfache Verständnis der Sakramente für die Menschen unserer Tage, andererseits zeitigt sie die Fortdauer einer Sakramentspraxis ohne wirkliche Erlebnisbedeutung. In scheinbarer Übereinstimmung mit Confessio Augustana VII begnügt sich die Kirche weithin mit der „rechten sakramentalen Administration" — ihrer Agenden und Verordnungen sich getröstend, wo die Geistes-Gegenwart ausbleibt. Auch die Theologie scheint hier kein Nothelfer zu sein. Eine Vielfalt an Meinungen steht in ihr neben- oder gegeneinander. Emil Brunner schreibt treffend, die Sakramentslehre sei „einem Urwald vergleichbar"; [1] Hermann Diem charakterisiert die Situation noch drastischer, wenn er sagt, daß im evangelischen Raum bei der Verwendung des Sakramentsbegriffs „die reine Willkür" herrscht.[2] Kein Wunder, daß die römisch-katholische Sakramentslehre und -übung von Protestanten manchmal mit heimlichem Neid betrachtet wird, weil ihre Interpretationswege im klar konturierten Horizont lehramtlicher Bestimmungen verlaufen; sie ordnet heute vor allem Sakrament und Kirche einander zu und definiert die handelnde Kirche selbst als „Ursakrament".[3]

Nun besitzt freilich auch die evangelische Sakramentslehre ein Kriterium, das ihre Extreme noch miteinander verbindet: das Wort. Daraus kann nur gefolgert werden, daß es die Vielfalt des Wortverständnisses ist, die zur Vielfalt des Sakramentsverständnisses führt.

Wo das Wort, wie bei Karl Barth, in strenger christologischer Konzentration begriffen ist, wird notwendig zugleich die Sakramentslehre in der Christologie festgemacht. Sakrament ist nur Christus selber, freilich in einem bestimmten „logischen" Sinn. So fragt Barth:

Hat die Kirche wohl getan, als sie aufhörte, in der Inkarnation und also in der *nativitas Jesu Christi,* im Geheimnis der Weihnacht das *eine, einzige, ein für allemal* vollzogene Sakrament zu erkennen, von dessen Wirklichkeit sie, die Kirche, als die eine Gestalt des einen Leibes ihres Hauptes, nämlich als Jesu Christi irdisch-geschichtliche Existenzform in der Zeit zwischen seiner Himmelfahrt und seiner Wiederkunft lebt? Hat sie wirklich nicht genug an der Gabe und am Empfang dieses *einen* Sakraments, dessen Wirklichkeit sie der Welt in ihrer Verkündigung und so auch in Taufe und Abendmahl zu bezeugen, dessen Wirklichkeit sie aber weder in Taufe und Abendmahl, noch in ihrer Predigt, noch sonstwie zu repräsentieren, zu wiederholen, in ihrem Tun selbst ins Werk zu setzen hat? [4]

Die Fragen enthalten ihre Antwort in sich. Sie enthalten außerdem Barths Auffassung vom legitimen kirchlichen Vollzug des Sakraments. Alles liegt hier am Zeugnis, an der Predigt.[5] Nativitas Jesu Christi bedeutet für die Kirche: Inkarnation ins gepredigte Wort. Darum fordert in Barths Gefolge Hermann Diem ganz offen, wir sollten endlich „den Begriff des Sakraments für Taufe und Abendmahl fahren lassen" und die einstigen Sakramente als „Weisen der Verkündigung" begreifen lernen, also nicht länger für die „Wortzeichen" von Taufe und Abendmahl, sondern für eine auf diese vor- und zurückweisende Predigt Sorge tragen.[6]

Nicht ganz so einseitig wie im Umkreis der reformierten Tradition um Barth erklärt Paul Althaus — an dieser Stelle der personalen Theologie sich nähernd — das Sakrament. Im § 55 seiner ›Dogmatik‹ definiert er die Sakramente als

die von Jesus Christus empfangenen, mit der Verkündigung des Evangeliums verbundenen sinnbildlichen Handlungen der christlichen Kirche, in denen kraft ihrer Stiftung Gottes gegenwärtiges gnädiges Handeln durch Jesus Christus geschieht und vom Glauben empfangen wird.[7]

Der Gedanke des Verbunds von Verkündigung und Sinnhandlung gibt auf den ersten Blick fraglos einen gewissen Eigenwert des sakramentalen Handelns gegenüber der Predigt frei. Sein Gewicht wird jedoch gleich eingeschränkt durch den Satz:

Entscheidend für das evangelische Verständnis der Sakramente ist die Erkenntnis: auch die Sakramente sind „Wort, d. h. persönliche Zuwendung Gottes zum Menschen, Berufung der Person in seine Gemeinschaft." [8]

Predigt und Sakrament sind gleichermaßen Ruf Gottes, sie sind, wie Althaus im Zusammenhang sagt, verschiedene „Gestalten des Worts"; und für die Rangordnung dieser beiden Gestalten gilt klar: „Die erste und grundlegende ist die mündliche Verkündigung. Neben ihr steht das Sakrament." [9] Gottes Zuwendung und das menschliche Reden stehen einander also näher als jene Zuwendung und das Handeln. Damit definiert letztlich auch hier die mündliche Verkündigung das Sakramentsverständnis. Sinnbildliche Handlungen der Kirche sichern lediglich gewisse Aspekte des gepredigten Wortgeschehens, die vielleicht vergessen werden könnten. So manifestiert sich in ihnen nach Althaus der „Charakter des Wortes als Akt" gegen ein intellektualistisches Mißverstehen der Verkündigung, sie sichern „die Objektivität des Wortes" gegen den Subjektivismus, sie unterstreichen die „Beziehung des Wortes auf den Einzelnen" gegen eine kollektivistische und umgekehrt die „kirchenbildende Bedeutung" des Worts gegen eine individualistische Religiosität, und sie bezeugen schließlich die „Leibhaftigkeit des Wortes" gegen den Spiritualismus.[10] In allen fünf Besonderheiten bleibt ausdrücklich die gepredigte Gestalt des Worts leitend. „Das Sakrament ist verbum actuale." [11] Darum kann es abschließend auch heißen, daß der Mensch „im Notfalle" das verkündigte Predigtwort selbst „gleichsam als Sakrament empfangen" könne.[12] Umgekehrt geht das natürlich nicht. Denn nur das verkündigte Wort ist zum Heil unbedingt notwendig, nicht aber das Sakrament.

Im Unterschied zu dieser Ausfaltung des Worts in eine gepredigte und in eine darin eingefangene tätige Gestalt hat Werner Elert als einer der profiliertesten Vertreter des Luthertums in unserem Jahrhundert die Selbständigkeit des Sakraments deutlicher herausgestellt.[13] Elert geht davon aus, daß der Kirche außer der Verkündigung „auch die kultischen Handlungen der Taufe und des Abendmahls aufgetragen (sind)". Diese Handlungen sind aber nicht „bloße Anhängsel der Wortverkündigung", keine „Abart des Wortes"; sie sind der Predigt nicht unter-, sondern wirklich nebengeordnet. Ihre Eigenständigkeit gründet darin, daß es in ihnen nicht eigentlich um mündliche Rede, sondern um ein praktisches Tun geht. Darum gilt nach Elert sogar, „daß der Vollzug dieser Handlungen insofern unabhängig von ihrem theologischen Verständnis (ist), als er nicht daraus begründet werden darf". Ausgangspunkt für das Verständnis des Sakraments sind vielmehr zwei „Tatsachen": die „Anordnung durch Christus" und der „Vollzug durch die Kirche". Beide stehen in „Kontingenz", nicht in einem deduktiven Verhältnis zu Predigt oder Lehre der Kirche. Predigt und Sakrament lassen sich also nur negativ systematisieren, insofern die Sakramente „nicht im Widerspruch" zu jener stehen dürfen. Wo ein solcher Widerspruch auftauchen sollte, erscheint sogar „a priori ... das Dogma revisionsbedürftig"; „die Tatsachen der Einsetzung und des Vollzugs von Taufe und Abendmahl sind keiner Revision fähig". Aus der Kontingenz von Predigt und Sakrament erschließt sich somit Elerts theologische Deutung der Sakramentshandlungen: Sie sind „Mittel zur Erfüllung von Verheißungen".[14] Diese Deutung verbindet sie nun aber mit den Verheißungserfüllungen des verkündigten

Worts; dasselbe gilt für die Merkmale: „Empfangshandlungen" zu sein, in den „Herrschaftsverband Christi" einzufügen und glaubensexterne „Gnadenmittel" darzustellen.[15] Die aktionale Eigenständigkeit der Sakramente gegenüber der verbalen Verkündigung und Lehre ist also aufgehoben in einer höheren Einheit. Das Abendmahl ist Verheißungserfüllung als Aktion der „Synaxis", das heißt, des geschehenden Anbruchs der endgültigen Gemeinschaft der Kirche als des einen Leibes Christi in seiner welthaften Gestalt;[16] die Taufe ist Verheißungserfüllung als Aktion von Christi „Tod und Auferstehung" in ihrem Anbruch beim einzelnen Menschen.[17]

Von einem anderen Ausgangspunkt her erhellt schließlich auch Paul Tillich die Eigenständigkeit des Sakraments und seine Zusammengehörigkeit mit dem Wort.[18] Er behandelt diese Frage im Abschnitt über die „Medien des göttlichen Geistes", durch die dem Menschen heilsame Wirklichkeit zuteil wird. Diese Medien unterliegen grundsätzlich keiner Begrenzung. Die evangelische Zweiheit von Wort und Sakrament spiegelt lediglich die allgemeine Wahrheit ab, daß „Wirklichkeit entweder durch die lautlose Gegenwart der Objekte als Objekte oder durch die sprachliche Selbstmitteilung eines Subjektes gegenüber einem anderen vermittelt wird".[19] Auf beiderlei Weise begegnet dem Menschen das göttliche Heil. Die gegenständliche, sprachlose Weise dieses Begegnens in den Lebensdimensionen „unterhalb" des Geistes[20] ist dabei — nota bene — die umfassendere und vorgängige. Das bedeutet, daß überall dort sakramentale Wirklichkeit manifest wird, wo ein Gegenstand zum Träger des göttlichen Geistes, also im eminenten Sinne *Symbol* wird.[21] Dazu ist prinzipiell jedes Objekt, aber auch jede Person, jede Handlung und jedes geschichtliche Ereignis fähig. Dieser weite Sakramentsbegriff hat nach Tillich alle engeren Bestimmungen in den religiösen Gemeinschaften zu begründen, nicht umgekehrt. Aber das besagt nun nicht, daß das sakramentale Geschehen des Worts völlig ermangelt. Denn wie der Geist potentiell im Psychischen und Leiblichen anwesend ist, so auch das Wort im sakramentalen Gegenstand: als „lautloses Wort". Sakrament und Wort sind dimensional zu unterscheiden, aber nicht zu trennen. Ja, das Wort ist auch für Tillich „neben den Sakramenten der andere und letztlich wichtigere Mittler des göttlichen Geistes".[22] Denn es ist das eigentliche Begegnungsmedium der geistigen Dimension. Und der Mensch ist wesentlich Geist. Auch für das Wort gilt, daß grundsätzlich alle Worte die Möglichkeit bergen, Begegnungswort, Wort Gottes, Symbol des Geistes zu sein.[23] Der Symbolbegriff verbindet mithin Sakrament und Wort in Tillichs Theologie; die Dimensionslehre sorgt für den qualitativen Vorrang des Worts als Medium des Gottesgeistes.

II

Beim Rückblick auf die vorgestellten theologischen Positionen wird man Gerhard Ebeling kaum zustimmen können, wenn er sagt:

Die evangelische Sakramentslehre scheint dem Dilemma ausgeliefert zu sein, entweder durch ein rein symbolisches Verständnis die Sakramente zu entwerten und im Grunde überflüssig zu machen oder sie in einer Weise als notwendige Ergänzung zu dem bloßen Wortgeschehen zu verstehen, daß dadurch das reformatorische solo verbo — sola fide in Frage gestellt wird.[24]

Denn schärferes Zusehen zeigt im Widerspruch zu dieser scheinbaren Alternative, daß zum Beispiel das symbolische Verständnis bei Tillich die Sakramente aufwertet, während die Eigenständigkeit des Sakraments bei Elert erst das reformatorische solo verbo — sola fide ins rechte Licht stellt, indem es die falsche Gleichsetzung von Heilswort und Predigt auflöst. Diese Beobachtungen bestätigen die eingangs geäußerte These, daß es die Vielfalt des Wortverständnisses ist, welche dem evangelischen Sakramentsverständnis den Stempel aufdrückt. Das aber kann nur bedeuten, daß auch das Defizit der evangelischen Kirche und Theologie hinsichtlich des Sakraments vom Wortverständnis verursacht wird.

Dem damit aufgerissenen Problemfeld nähern wir uns zunächst durch eine Verdeutlichung der angezeigten Unterschiede dieses Wortverständnisses und einigen theologiegeschichtlichen Grundlegungen. Im Kern der Barthschen Position erkennen wir dabei die Tendenz zur Auflösung des Handelns in Rede hinein, welches gleichbedeutend ist mit der Auflösung des Sakraments ins bloße Wort hinein. Heilsames Tatwort ist offenbar allein Gottes Sache; dem Menschen bleibt nur das Predigtzeugnis davon. Demgegenüber sind bei Althaus verbales und aktuales Wort des Menschen unterschieden; daraus folgt, daß der Begriff des Worts eine zweifache Bedeutung besitzt: Er meint Gottes personale Zuwendung und die zwiefältige Verwirklichung derselben. Allerdings wirft die enge Relation von Gottes Personwort und Menschenrede ihre Schatten mächtig über die handelnde Auslegung und fängt diese in jene ein. Wesentlich deutlicher unterscheidet fraglos Elert das Reden und Tun der Kirche; beide sind eigenständige Weisen der menschlichen Verwirklichung göttlicher Verheißungen. Aber der Begriff der Verheißung zeigt doch an, daß Elert die Bedeutung der beiden menschlichen Verwirklichungsgestalten in einem speziellen Wortverständnis aufhebt, jene Unterscheidung also nur für den Umkreis der Verwirklichung trifft. Bei Tillich schließlich sind Reden und Handeln des Menschen ebenfalls deutlich unterschieden; beide können Vermittler des göttlichen Geistes sein, dieses als lautlos-sakramentales, jenes als lautlich-sprachliches Wort. So interpretieren sich hier

Wort und Gottesgeist gegenseitig, und es ist also das Geist-Wort, welches auf zwiefältige Weise konkret wird, je nach Aktualisierung der menschlichen Lebensdimensionen. Somit lassen sich *vier Typen der Wortlichkeit des Sakraments* unterscheiden: (1) ein als gesprochenes Wort verstandenes und praktiziertes Pseudo-Sakrament; (2) ein als worthafter Anruf verstandenes, als Handlung praktiziertes Sakrament; (3) ein als Verheißungsvollzug verstandenes und praktiziertes Sakrament; (4) ein dimensional im Sakramentshandeln mitanwesendes Geistwort. Die beiden ersten Typen stehen dem menschlichen Handeln als Ausdrucksgestalt des Glaubens reserviert oder gar feindlich gegenüber, die beiden letzten dagegen offen und freundlich. Gleichwohl gründen alle in einem Verstehen des Worts. Das reformatorische solo verbo — sola fide vermag offenkundig auf vielfältige Weise bewährt zu werden.

Von daher verwundert es nicht, daß allerorten die Berufung auf die Reformation laut wird. Einige Hinweise dürfen an dieser Stelle genügen.

Als Stütze für die christologische Konzentration des Sakramentsverständnisses und einer daraus ableitbaren prädikativen Exklusivität findet sich ein wichtiger Beleg in Luthers ›Disputatio de fide infusa et acquisita‹ von 1520. Dort heißt es in den Thesen 17 und 18: „Nullum sacramentorum septem in sacris litteris nomine sacramenti censetur ... Unum solum habent sacrae litterae sacramentum, quod est ipse Christus Dominus.“ [25] Auch die Schrift ›De captivitate Babylonica ecclesiae praeludium‹ aus demselben Jahr enthält in Form eines biblischen Vorbehalts gegenüber der römischen Siebenzahl und Luthers „pro tempore“ festgehaltener Dreizahl der Sakramente den Satz: „Quanquam, si usu scripturae loqui velim, non nisi unum sacramentum habeam, et tria signa sacramentalia.“ [26] Hat man an dieser Stelle den Kontext mitzuhören, um zu erfahren, daß das Gesagte der 18. These der zitierten Disputation entspricht, so drücken Melanchthons ›Loci communes‹ in der Fassung von 1521 den gleichen Gedanken wieder offen aus. Im Abschnitt „De signis“ schreibt der Verfasser: „Quae alii sacramenta, nos signa appellamus aut, si ita libet, signa sacramentalia. Nam sacramentum ipsum Christum Paulus vocat.“ [27] Schließlich kann auch auf Calvin verwiesen werden, der in der letzten Ausgabe seiner ›Institutio christianae religionis‹ (1559) sagt: „Christum sacramentorum omnium materiam, vel, si mavis, substantiam esse dico: quando in ipso totam habent suam soliditatem, nec quidquam extra ipsum promittunt.“ [28] Allerdings darf nun nicht verschwiegen werden, daß Luther seinen biblischen Vorbehalt weder systematisch weiterverfolgt noch auswertet, daß Melanchthon in seinen späteren Bearbeitungen der ›Loci‹ oder in den Bekenntnisschriften die genannte Differenzierung völlig preisgibt und drei oder gar vier wirkliche Sakramente aufzählt [29], und daß auch bei Calvin trotz des Gewichts, das auf der Predigt liegt, kein Zweifel an der christologischen Relevanz der leibhaften Zeichen besteht.[30]

Aus diesem Grund fällt es nicht schwer, für die Auffassung von der relativen Eigenständigkeit der Sakramente ebenfalls reformatorische Zeugnisse zusammenzutragen. Gegen Ende der Schrift ›De captivitate‹ definiert Luther: „Proprie ... ea sacramenta vocari visum est, quae annexis signis promissa sunt.“ [31] Im ›Bekenntnis‹ von 1528 heißt es zu dieser Frage: „Das die zwey sacrament bleiben, Tauffe und abendmal des HERRN neben dem Euangelio, darynnen uns der heilige geist vergebung der sunden reichlich darbeut, gibt und ubet.“ [32] Und im ›Großen Katechismus‹ von 1529 schreibt Luther zweimal unter Berufung auf Augustin: „Accedat verbum ad elementum et fit sacramentum“, wobei er im Taufartikel hinzufügt: „hoc est res sancta atque divina“.[33] Parallel dazu steht von Melanchthons Hand in CA XIII gegen Zwinglis Bezeichnung der Sakramente als bloßen christlichen „notae professionis inter homines“, daß die Sakramente „sint signa et testimonia voluntatis Dei erga nos, ad excitandam et confirmandam fidem“; noch deutlicher in der ›Apologie‹ zu CA XIII: „Sacramenta vocamus ritus, qui habent mandatum Dei et quibus addita est promissio gratiae“.[34] Dazu gesellt sich wieder Calvins Auffassung aus dem einschlägigen Kapitel der ›Institutio‹: Wir sagen, so definiert er gleich eingangs, „(sacramentum) externum esse symbolum, quo benevolentiae erga nos suae promissiones conscientiis nostris Dominus obsignat, ad sustinendam fidei nostrae imbecillitatem“; Calvin zitiert ferner Augustin in der Form: „accedat ... verbum ad elementum et fiet sacramentum“ und fügt etwas später hinzu: „sacramentum igitur exercitia sunt quae certiorem verbi Dei fidem nobis faciunt“. Abschließend stellt er Wort und Sakrament noch einmal gegenüber und zusammen mit dem Satz: „non esse alias sacramentorum quam verbi Dei partes: quae sunt, offerre nobis ac proponere Christum“.[35] Wir verzichten in diesem Zusammenhang auf eine genauere Zuordnung dieser Stellen zu den Positionen des praktizierten Personworts oder des Verheißungsvollzugs, da dies nicht ohne ausführliche Analyse der Situation und des Kontextes geschehen könnte, für die Absicht der weiteren Darlegungen aber nichts austrägt.

Daneben kommt es nicht unerwartet, daß wir für Tillichs Verständnis des Sakraments kein direktes Zeugnis bei den Reformatoren finden. Die dimensionale Anwesenheit des Worts im Sakrament und dessen Charakter als Medium des Geistes sind in dieser Form moderne Denkstrukturen, die nicht ohne weiteres ins Mittelalter transponiert werden können. Immerhin treffen wir die aus Tillichs Denken folgende prinzipielle Offenheit der

Zahl sakramentaler Gegenstände und Begehungen auch bei Calvin an, dessen christologische Interpretation diesen erstaunlichen Schritt erlaubt und zugleich überholt.[36] Doch weist die von Tillichs Theologie intendierte Verbindung von protestantischem Prinzip und katholischer Substanz[37] darauf hin, daß sein Sakramentsbegriff bewußt und ohne Scheu die Nähe zu den scholastischen „efficatia signa gratiae" enthält. Dabei neigt er zweifellos eher der scotistischen Vorstellung einer „Assistenz" des göttlichen Geistes in den sakramentalen Gegenständen und Geschehnissen zu, als der thomistischen, nach der Gottes Geist den „signa" beständig inne wohnt.[38] Entscheidend aber ist, daß er mit den Reformatoren den substanzialen und statischen Seinsbegriff der Sckolastiker nicht teilt, auf dem letztlich der Gedanke von der Wirkmacht der Sakramente „ex opere operato" beruht, sofern ihnen kein menschlicher Widerstand („obex") entgegensteht. Von hier aus werden Nähe und Ferne zum scholastischen Verständnis deutlich. Tillichs medialer Sakramentsbegriff und die dimensionale Anwesenheit des Worts im Sakrament bewähren vor allem die Freiheit des göttlichen Geistes, das heißt die Freiheit der Gestaltwerdung der Gnade und des Glaubens im sakramentalen Geschehen. Mit anderen Worten: Wenn die scholastische Formel der „efficatia signa gratiae" auf Tillichs Sakramentsverständnis zutrifft, dann nur, sofern der letzte der drei Begriffe die Formel entscheidet.[39] Für ein solches Verständnis der Sakramente läßt sich in den reformatorischen Schriften in der Tat dort ein Zeugnis finden, wo das „sola fide" oder „sola gratia" des Sakraments alle anderen Überlegungen in den Hintergrund rückt. Es darf genügen, hinzuweisen auf Luthers Satz: „Non sacramentum sed fides sacramenti iustificat", den er bei seiner Auseinandersetzung mit dem scholastischen Begriff der „efficatia signa gratiae" ausspricht.[40] Daneben sei noch einmal Calvin zitiert, der im Zusammenhang der oben gegebenen Eingangsdefinition und wieder unter Berufung auf Augustin das Sakrament „rei sacrae visibile signum, aut invisibilis gratiae visibilem formam" nennt.[41]

Der Tatbestand, daß alle Typen des gegenwärtigen Sakramentsverständnisses reformatorische Zeugnisse beitragen können, verbietet den diesbezüglichen Ausschließlichkeitsanspruch eines einzigen Typs von selbst. Das Gegenteil kann nur behaupten, wer sich eine Entscheidung darüber zutraut, ob wir Luther, Melanchthon oder Calvin näher sind, wenn wir uns an ihren reformatorischen Ansatz oder an die späteren Auslegungen desselben halten. Wichtiger als eine solche Entscheidung erscheint jedoch die Markierung eines gemeinsamen intentionalen Unterschiedes zwischen den Sakramentsverständnissen von damals und heute: Erbringt in der Gegenwart, wie wir sahen, die Bemühung um den Sinn der *Wortlichkeit* das jeweilige Verständnis des Sakraments, so ist unverkennbar, daß alles reformatorische Nachdenken auf ein neues Verstehen des Sakraments als *Zeichen* gerichtet ist. Am signum-Charakter des Sakraments scheiden sich die Geister nicht nur zwischen Katholiken und Evangelischen, sondern auch der Evangelischen untereinander. Diese Pointe der Diskussion darf nicht zugunsten einer sakramentalen „Logik" verdrängt werden. Auch geht sie nicht einfach auf das Konto der kontroverstheologischen Situation von damals. Vielmehr spiegelt sich darin die für das Mittelalter selbstverständliche, wenn auch nicht ungebrochene theologische Relevanz des Sinnenfälligen und Dinghaften wider.[42] Das gilt es festzuhalten. Die allseits feststellbare Berufung auf Augustin macht deutlich, daß wir in ihm die Wurzel dieser hochmittelalterlichen Tendenz in der Sakramentstheologie vermuten dürfen.

Augustin nennt in seiner ›Christlichen Unterweisung‹ bekanntlich „res" und „signa" die Grundmodi der Wirklichkeit.[43] Dabei bedeuten die „res", den platonischen Ideen gleich, die eigentliche oder wahre Wirklichkeit, das Sein in allem. Die „signa" dagegen — die nicht wirklichkeitslos sind, denn nur das Nichts ist ohne „res" — sind Hinweise auf die „res", nicht mehr, aber auch nicht weniger. Dies gilt für alles Seiende und so auch für das menschliche Dasein; die Dialektik von „res" und „signa" stellt sich in der anthropologischen Dialektik von Geistseele und Leib dar.[44] Der Hinweischarakter der „signa" aktualisiert sich nun, indem an ihrer sinnenfälligen Gegebenheit die gemeinte Wirklichkeit dem Menschen zum Verstehen kommt. Dies gilt für natürlich-vorhandene und absichtlich-gesetzte Zeichen („signa naturalia aut data") gleichermaßen. Die letzteren sind allerdings die unter Menschen häufigeren. Ihr Verstehen wird vorwiegend durch den „sensus aurium" vermittelt. Aus diesem Grund besitzt nach Augustin die Sprache oder das Wort zwischen und für Menschen den „principatus significandi".[45] Der Vorrang impliziert, daß alle „signa data" ihre „res" irgendwie „verbal" zum Verstehen bringen. Das muß nicht unbedingt durch Sprechen geschehen. Sofern also ein „signum datum" primär etwa den „sensus oculorum" betrifft, kann es darum ein „visibile verbum" genannt werden.[46]

„Verba visibilia" sind nach Augustin auch die kirchlichen Sakramente. Die Herleitung zeigt, daß ihre Wortlichkeit nicht allzu eilfertig wörtlich interpretiert werden darf. Sie meint zunächst allgemein die Signifikanz der Sprache für das Verstehen der gemeinten Sache in den sinnenfälligen Gegebenheiten. Doch muß nun sofort hinzugefügt werden, daß damit die Wortlichkeit der Sakramente nach Augustin noch nicht vollständig beschrieben ist. Denn zugleich gilt, daß in diesem Falle auch die „res", das heißt die göttliche Gnade sich als Wort offenbart. Gnade ist worthaft, denn sie ist Gottes Evangelium in Christus, Glauben wirkende Wirklichkeit als Botschaft („verbum revelatum vel fidei"). So sind die Sakramente als „verba visibilia" bei Augustin durch drei Faktoren konstituiert: die sinnenfälligen Elemente, die sprachliche Signifikanz und die Wortlichkeit der „res", die Augustin auch „res sacra" nennt.[47] Es ist bekannt, daß dabei die Wortlichkeit der „res sacra" das Sakrament vor allem sichert gegen das Mißverständnis einer entischen Analogie von „res sacra" und „elementa", dies um so mehr, als die Elemente nach Augustin der „res sacra" nicht völlig unähnlich sind.[48] Ein derartiges Mißverständnis bedeutete zwangsläufig nicht nur die Verdinglichung der Gottesvorstellung oder die Magisierung der Elemente, sondern vor allem das Verdrängen des signifikatorischen Prinzips des „sensus aurium". An diesem liegt für Augustin jedoch alles. Denn mit ihm steht und fällt sein signum-Verständnis.

Der unterschiedliche Stellenwert im Verhältnis der drei Konstitutiva erlaubt grundsätzlich viererlei Verstehensmöglichkeiten für das sakramentale Zeichen, das „verbum visibile": (1) einen realistischen Typ, bei dem die „res sacra" sich in die „elementa" inkorporiert und das besagende Verstehen des Zeichens am Umgang mit dem Sichtbaren vermittelt wird; (2) einen spiritualistischen Typ, bei dem die „res sacra" ins verstehende Wort eingeht, die „elementa" des Zeichens dagegen bestenfalls als kontingente Größen aufgefaßt werden; (3) einen realpräsentischen Typ, bei dem die „res sacra" potentiell den „elementa" des Zeichens einwohnt und aktuell mittels des verstehenden Worts an diesen erschlossen wird; schließlich (4) einen verbalpräsentischen Typ, bei dem die „res sacra" sich geschichtlich im verstehenden Wort manifestiert und die „elementa" des Zeichens diesem Vorgang zum Anlaß dienen. Es ist einsichtig, daß im zweiten und vierten Typ die kognitive Komponente des „principatus significandi" stärker heraustritt als in den beiden übrigen Typen. Alle vier — und selbstverständlich manche Mischformen — treten im Lauf der Kirchen- und Theologiegeschichte zutage.[49] Augustins eigene Auffassung gehört offenkundig dem dritten Typ zu. Dies belegt der klassische Satz: „Accedit verbum ad elementum et fit sacramentum."[50] Der Satz muß, wie Textzusammenhang und geschichtlicher Ort ausweisen, als Begründung und Proklamation des Sakraments zum „verbum visibile", zum „signum datum" im theologisch legitimen Sinne verstanden werden. Das „Wort" ist hier also im zweifachen Sinne wirksam: als immer schon einwohnendes und als aktualisierendes. Mit dieser Auslegung lenkt Augustin die in seiner Zeit vielerorts auf eine Magisierung tendierende Sakramentsauffassung der Volksfrömmigkeit und mancher Kirchenväter[51] zu der nach seiner Meinung sachgemäßen biblischen Gestalt zurück. Das signum-Verständnis dient dabei als entscheidende hermeneutische Hilfe. Kein Wunder, daß sich an diesem Begriff die weitere theologische Entwicklung insbesondere im Abendland orientiert.

III

Fassen wir den Gang dieser Entwicklung bis zur Gegenwart ins Auge, so läßt sich gleichsam parabolisch bis zur Reformation — trotz Augustin — wieder eine stärkere Elementarisierung, seither eine fortschreitende Verbalisierung des Verständnisses der sakramentalen Zeichen verfolgen. Heute ist der vierte Typ weithin herrschend geworden und kann mancherorts seinen Hang zum zweiten nicht leugnen. Diese Tendenz zu einem kognitiven Verbalismus betrifft natürlich nicht nur die Sakramentslehre in der Theologie. Hier zeigt sich vielmehr die allgemeine Vorherrschaft des bewußtheitlichen Denkens unserer Zeit oder, wie Paul Tillich treffend sagt, die Vorherrschaft der „technischen Vernunft".[52] Ihr läuft notwendig eine Verkürzung des Wirklichkeitsbegriffs parallel. Von hier aus stellt sich die Frage, ob das sakramentale Defizit in Theologie und Kirche entgegen der verbreiteten Auffassung, daß seine Überwindung an einer weiteren Subtilisierung des Wortbegriffs hängt, nicht die sachgemäße Wiedergewinnung der elementaren Wirklichkeit des Sakraments erfordert. Diese Wiedergewinnung ist nach allem gewiß nicht gleichbedeutend mit dem magischen Verständnis der Elemente. Andererseits schließt die von Augustin eingeleitete Tradition des signum-Verständnisses offensichtlich die Gefahr der Verbegrifflichung des Sakraments ein. So erscheint es uns aufgegeben, hinter die von ihm gewonnene Position der abendländischen Entwicklung noch einmal zurückzufragen.

Wer so fragt, muß sich auf das neutestamentliche Verständnis des Sakraments einlassen. Für das damit anstehende Problem ist zunächst der Artikel μυστήριον von Günther Bornkamm im ›Theologischen Wörterbuch zum Neuen Testament‹ zu Rate zu ziehen.[53] Bornkamm untersucht die mehr als zwei Dutzend Wendungen im Neuen Testament, in denen der Begriff vorkommt. Er erhellt, daß in der einzigen synoptischen Stelle, sowie besonders bei Paulus und den nachpaulinischen Briefen, aber auch in der Johannesapokalypse μυστήριον als *Offenbarungs*begriff verwendet wird und meistens direkt, manchmal indirekt christologische, immer aber eschatologische Bedeutung hat. Der spezifische christologische Inhalt betrifft bei Paulus vor allem Kreuz und Auferstehung, im nachpaulinischen Schrifttum regelmäßig die Herrschaft des erhöhten Christus über Völker und Welt.[54] Wichtig ist dabei die Beobachtung einer Verknüpfung von μυστήριον und κηρύσσειν an zahlreichen Stellen, was freilich nicht bedeutet, daß die Predigt oder gar ein zuständiger Prediger die Offenbarung kundmacht, sondern daß das Geheimnis der Offenbarung *sich* — und zwar auf vielfältige Weise — bezeugt.[55] Zugleich ist festzustellen, daß sich μυστήριον nirgendwo in den eigentlichen Sakramentstexten oder gar als Oberbegriff für Taufe und Mahlfeier findet. So kann Bornkamm schließen:

Aufs Ganze gesehen, ist μυστήριον ein im NT seltener Begriff, der nirgends Beziehungen zu den Mysterienkulten erkennen läßt. Wo solche Beziehungen erkennbar sind (wie z. B. in den Sakramentstexten), findet sich der Begriff nicht; wo er aber begegnet, fehlen sie.[56]

Damit ist fürs erste ein eher negatives Ergebnis gewonnen: Der neutestamentliche Befund verbietet es uns, das Sakramentsverständnis auf dem Wege über das lateinische Wort „sacramentum" einfach aus dem griechischen μυστήριον herzuleiten. Das Offenbarungsgeheimnis reicht weiter und tiefer als alle seine menschlichen Erscheinungsweisen; daß es sich kerygmatisch erschließt, meint zuerst, daß es den Menschen *be*-deutet, also teilhaben läßt an seinem Wesen und Inhalt. Daraus muß umgekehrt gefolgert werden, daß nicht allein die menschliche Rede, sondern auch das Verhalten oder Tun zur Auslegung des Offenbarungsgeheimnisses dienen können.[57]

Bornkamms Bemerkung, daß die Sakramentstexte im Neuen Testament eine Nähe zu den Mysterienkulten anzeigen, führt unsere Überlegung an dieser Stelle einen wichtigen Schritt weiter. Ausführlicher als er geht allerdings Rudolf Bultmann auf diesen Sachverhalt ein.[58] Er legt dar, daß Taufe und Mahlfeier in der frühen Gemeinde in der Tat hinsichtlich ihres Vollzugs in zahlreichen Zügen den außer- und vorchristlichen Mysterienfeiern nahestehen, daß auch die paulinische Kritik diese Beziehung nicht schlechthin eliminiert und daß im nachpaulinischen Schrifttum des Neuen Testaments genügend Belege dafür vorhanden sind, daß in der christlichen Religion neben der mündlichen Verkündigung gleichberechtigt das Heilsangebot der sakramentalen Feier steht. Ein Christentum, das nicht auch in dieser Hinsicht in den Umkreis der antiken Religionen eingezeichnet werden könnte, hätte schlechterdings keinen verständlichen religionsgeschichtlichen Ort.[59] Die Unterschiede werden dadurch gewiß nicht billig verwischt. Daß Taufe und Mahlfeier von allem Anfang an mit der Bedeutung oder Teilhabe an Tod, Auferstehung und Herrschaft Jesu Christi verbunden sind,[60] zeigt an, daß für Christen das Heil nicht aufgrund einer rituellen Apotheose der Mittel oder Begehungen verbürgt wird. Das Kerygma sichert die Sakramentsfeier gegen ein solches Mißverständnis.[61] Andererseits kann aber kein Zweifel daran bestehen, daß jene Bedeutung nicht dadurch zustande kommt, daß zum Sakrament eine Predigt gehalten wird. Vielmehr ist der Vollzug der Feier selbst Kerygma.[62] Das will sagen: Für frühchristliches Erleben und Verstehen signalisiert keineswegs das Sakrament ständig die Wortverkündigung. Wort und Sakrament stehen in Beziehung und Distanz, gehören zusammen und sind eigenständige Dimensionen der Anwesenheit und Gestaltwerdung des Christusgeheimnisses. Beide in die Predigt zu regredieren, bedeutete die Verkehrung der neutestamentlichen Weite in die Enge eines modernen Logizismus.

Diese Beobachtungen nötigen dazu, noch genauer nach der besonderen Dimension zu fragen, in der sich das sakramentale Kerygma ausdrückt. Geleitet von dieser Fragestellung fällt Licht auf die zumeist übersehene Tatsache, daß in den neutestamentlichen Sakramentstexten der Hauptakzent nicht, wie man von Augustins Definition her als Alternative zum Wort anzunehmen geneigt ist, auf den Elementen liegt, sondern auf dem *Handlungsgeschehen* mit den Elementen. Exemplarisch können dafür die vor allem als liturgische Topoi zu interpretierenden Erzählungen von Taufe und Mahlfeier Jesu gelten.[63] Hinzu tritt der philologische Befund, daß die das Handeln ausdrückende Verbform der beiden Geschehnisse weit häufiger in den Texten vorkommt als die entsprechenden Substantiva.[64] Das will sagen: Beim βάπτισμα geht es primär um das Untertauchen im und das Auftauchen aus dem Wasser als kerygmatisch bedeutsamen Handlungsvorgängen; beim πάσχα geht es um den kerygmatisch bedeutsamen Umgang mit Brot und Wein. Sakramentales Geschehen ist Ritus in des Begriffes umfassender Bedeutung.[65] Die „Ökonomie" der göttlichen Geheimnisse, wie der Epheserbrief Menschwerdung, Tod, Auferstehung und Herrschaft des Christus klassisch nennt,[66] äußert sich mithin nicht allein im Logos, sondern gleichermaßen in der Praxis. Der Christologie steht die *Christopraxis* gleichberechtigt zur Seite. Als die Haushalter der Gottesgeheimnisse bewähren die Glaubenden das Mysterium in Wort *und* Sakrament; anthropologisch gesprochen: in den Dimensionen von Sprache und Handlung als den Grundweisen der Verwirklichung des Menschseins.[67]

IV

Beide sind nicht einfach eins — so gewiß es der eine und ganze Mensch ist, der sprachlich und handelnd lebt, und so gewiß es gilt, daß jede Handlung etwas besagt und die Sprache etwas ins Werk setzt. Welches ist dann aber das Proprium der Handlung? Am Gegenüber zur Sprache läßt sich dies am besten veranschaulichen. Sprache meint nicht einfach Sprechen. Die Sprache ist das „Haus des Seins“ und als solches das „Welt-bewegende“, die „Nahnis“ oder das „An-wesen“ des Seins, sagt Heidegger.[68] Im Sprechen kommt also das Wirkliche auf den Weg, zeitigt sich das Sein ins Seiende. Darum birgt das gesprochene Wort die Zwiefalt, sowohl ein Bestimmtes auszudrücken, als über dieses hinaus zu zeigen. Als der das Wort Gebrauchende nimmt der Mensch das Sein selbst wahr und überschreitet zugleich — bewußt oder unbewußt — je seine eigne Vorfindlichkeit und die seiner Welt. Das Wort zu nehmen ist wesentlich und eigentlich Verweis, Ekstase, Transzendenz. Darum drückt das Wort die Zukunfts- oder Hoffnungsgestalt des Menschen aus. Darum vermag mittels des Worts Kontinuität gestiftet zu werden im vielfältigen Geflecht des Wirklichen — und der Entwurf eines Ganzen.[69] Wo immer aber die Dimension der Sprache verabsolutiert wird, verkürzt sich das Verstehen von Mensch und Welt in ihr Futurum. Theologisch entspricht dem der Futurismus des Gottesbildes oder die Unterschlagung der Menschwerdung im Christuskerygma oder das Mißverständnis der Kirche als reiner Geistgemeinschaft.[70] Gleichsinnig mit einem derartigen Futurismus ist der Mangel an Raum und Gegenwart.

Geschieht es also mittels des Worts, daß der Mensch mit sich selber, mit seinesgleichen und der Welt kommuniziert, indem er das Wirkliche auf den Weg bringt und transzendiert, so geschieht es nun mittels des Handelns, daß er kommuniziert, indem er das Wirkliche konzentriert. Handlungen sind die Ortschaft des Seins. Im Handeln gewinnen Mensch, Mitmensch und Welt ihre Leiblichkeit und Mitte.[71] Handelnd sind darum zugleich Vergangenheit und Zukunft, Außen und Innen des Wirklichen, einige und jeweilige Gegenwart. Auch gilt, daß der Mensch handelnd ursprünglicher ist als im Gebrauch des Worts. Dies ist sowohl eine phylogenetische wie ontogenetische, eine prinzipielle wie aktuelle Wahrheit.[72] All dies enthält die Größe und zugleich die Versuchung des Leibhaft-Gegenwärtigen. Wo immer ein Verabsolutieren der Handlungsdimension das Wort ausschließt, entartet der Mensch und die Welt zum bloßen Gegenstand. Theologisch entspricht dem der Objektivismus des Gottesbildes oder die Produktion von Jesulogien aller Art oder das Mißverständnis der Kirche und Gesellschaft als irdische Gestalt des endgültigen Reiches. Trotz zahlreicher Beispiele für diese Verkürzungen in unseren Tagen — die eher den Charakter oberflächlicher Reaktionen haben —, muß im Gefolge des aufklärerisch-technischen Denkens gerade auch in der Kirche kräftiger vor der wortlichen Einseitigkeit gewarnt werden. Die Dimension der Sprache will die der Handlung verdrängen; die Leiblichkeit des Christusmysteriums geht verloren. Eine wirkliche Theologie aber muß beidem gerecht zu werden versuchen. Das heißt: Eine Theologie des Sakraments muß dem Handeln den ihm gebührenden Rang einräumen.

Was uns also angesichts des sakramentalen Defizits von Kirche und Theologie nottut, ist nicht so sehr ein rechtes sakramentales Denken, sondern ein sakramentales Handeln.[73] Doch wenn die oben gegebene, erste Beschreibung vom Wesen des Handelns gilt, werden wir kaum sagen können, wir wüßten, wie das zugeht. Mehr noch als das Wort ist das Handeln Wagnis und Experiment. Die Zeitlichkeit und Zukünftigkeit des Wirklichen kritisiert und überholt jede geschaffene Mitte und Leiblichkeit, sei es früher oder später. Wenn irgendwo, dann gilt für das Handeln, daß seine Geltung und Bedeutsamkeit nicht festzuhalten ist. Vermag es je Endgültiges auszudrücken? So liegen Sinn und Unsinn, Gestalt und Ungestalt, Geheures und Ungeheures im menschlichen Handeln radikal beieinander.[74] Es gibt kein Handeln, das dieser Wahrheit entgeht. Auch das sakramentale Handeln ist davon nicht — etwa kraft einer besonderen Gestalt — ausgenommen. Das heißt: Ob eine Handlung für Menschen und Welt endgültig-bedeutsame Wirklichkeit verleiblicht und ver-mittelt, also Christopraxis verwirklicht, liegt einzig am Erlebnis solcher Bedeutsamkeit. Darum vermag grundsätzlich jede Handlung zum sakramentalen Handeln zu werden. Dies bringt uns in die Nähe zu Paul Tillichs Aussage, daß alles Wirkliche zum Träger des göttlichen Geistes werden könne.[75] Nur daß wir meinen, es sei sachgemäßer, diese Wahrheit nicht an die Materialien des Handelns zu binden, sondern an das Handeln als den dem Sein selbst Raum schaffenden, ver-mittelnden und verleiblichenden Umgang mit dem Wirklichen.

Wenn wir dennoch erklären, daß in den klassischen christlichen Sakramenten, also in Taufe und Mahlfeier, das Handeln als Leibwerdung und Vermittlung des Endgültig-Bedeutsamen in maßgeblicher Weise anschaubar werden kann, dann deshalb, weil hierfür eine Geschichte der Erfahrung ins Feld zu führen ist. Nichts sichert den Fortbestand einer solchen Geschichte — auch nicht das Wort. Was von daher beschreibbar wird, sind Hinweise auf das Verstehen dieses Sachverhalts — und vielleicht Er-innerungen.

In der Taufe, so erinnern wir uns dann vielleicht, begibt sich der Mensch in den bedeutsamen Umgang mit dem Wasser. Wasser gilt den Menschen der frühen Kulturen und Religion bis hin zur Antike als der Urstoff des Geschaffenen.[76] Der Umgang mit dem Wasser offenbart darum dem ganzheitlich-mythischen Gewahrwerden die Wirklichkeit in ihrer Doppelheit als Ordnung und Chaos, Geschenk und Bedrohung des Lebens, Gutes und Böses. Die leibhafte Wirklichkeit ist nicht ein-fältig. Der Umgang mit dem Wasser läßt also zugleich teilhaben an der Wahrheit, daß Seiendes nur gegenwärtig ist am Abgrund des Nichts, und daß Leben nur angesichts oder trotz des Todes Raum hat. Solche Erfahrung bedeutet Begegnung mit dem Göttlichen. Denn was wir göttliches oder ewiges Leben nennen, entspringt der Erfahrung der Macht, welche die Zwiefalt des Wirklichen in ihrem Unterschied und in ihrer Zusammengehörigkeit umfaßt und auf-hebt. Auch der biblischen Religion ist diese Begegnung Gottes vertraut.[77] Im Christuskerygma verdichtete sie sich, als die Zeiten hierfür erfüllt waren, zu unüberholbarer Menschennähe. Der Ritus des Unter- und Auftauchens vermittelt und verleiblicht diese Erfahrung. Er ist Einstiftung in die Macht des umgreifenden Lebens.[78] Jede Handlung lebt im Grunde von dieser Ur-Handlung, ob bewußt oder unbewußt. Auch unsere technische Zivilisation und unser aufgeklärter Verstand vermögen diese Wahrheit nicht völlig zu vernichten. In der Tiefe unserer Selbst- und Welterfahrung bleiben wir ihr zugehörig. Dafür gibt es genügend Beweise.[79] Deshalb bleibt es sinnvoll, kleine Kinder zu taufen. Deshalb ist es unsinnig, die Taufe zur Wortprozedur oder gar zum Aufnahmeakt in die verfaßte Religionsgemeinschaft zu pervertieren. Wenn wir freilich heute, im Unterschied zur Alten Kirche und zu den außerchristlichen Religionen jener Zeit, den Taufritus nicht mehr als Tauchbad zu üben wagen, dann sollten wir auf neue Symbole hoffen — und inzwischen wenigstens mit schlechtem Gewissen weitertaufen, oder es sein lassen, falls uns dies unmöglich ist.[80]

In der Mahlfeier, so erinnern wir dann vielleicht, begibt sich der Mensch in den bedeutsamen Umgang mit Brot und Wein. Brot gilt dem ganzheitlich-mythischen Gewahrwerden als die Speise schlechthin und darin eingeschlossen als die Grundgestalt des Gewordenen.[81] Mit dem Brot umzugehen, es herzustellen aus Saat und Ernte, Mahlen und Backen, es zu brechen, darzureichen und zu essen, bedeutet die Teilhabe und Teilgabe an der Gegenwärtigkeit des Seienden schlechthin. Der Umgang mit dem Brot offenbart die Wahrheit des Da im unendlichen Beziehungsgeflecht der Wirklichkeit. Solche Erfahrung bedeutet Begegnung mit der Präsenz des Göttlichen. Denn das, was wir göttliches oder ewiges Leben nennen, ist nur mitten im Hier und Jetzt erfahrbar. Auch der biblischen Religion ist diese Erfahrung bekannt.[82] Selbst die technische Zivilisation mit ihrer anonymen und maschinisierten Herstellung des Brots und der Oberflächlichkeit seines Erwerbs und Verzehrs kann uns von dieser Erfahrung nicht restlos trennen. Und der Wein?[83] Er gilt dem ganzheitlich-mythischen Gewahrwerden als die Grundgestalt der Wandlung des Gewordenen. „Im Wein lebt etwas von der Grenzenlosigkeit, die das Urweltliche wiederbringt“, sagt Walter Friedrich Otto.[84] Mit dem Wein umzugehen, Reben zu pflanzen und Trauben zu schneiden, den Saft zu keltern und den Prozeß des Gärens zu meistern, Wein einzuschenken, darzureichen und zu trinken, bedeutet die Teilhabe und Teilgabe am Verwandeltwerden des Gegenwärtig-Seienden. Der Umgang mit dem Wein offenbart die Wahrheit vom Aufbruch aus jedem Da der Wirklichkeit. Und auch solche Erfahrung ist Begegnung mit dem Göttlichen und dem biblischen Verstehen nicht fremd.[85] In der Tiefe unseres modernen Daseins lebt diese Erfahrung ebenso weiter wie jene, die der Umgang mit dem Brot vermittelt — kaum zufällig sogar lebendiger. Beide Erfahrungen kommen in der Mahlfeier, im Essen des geteilten Brotes und im Trinken des Weins bedeutsam zusammen. Das will sagen: Nur was gegenwärtig-leibhafte Wirklichkeit ist, kann dahingegeben werden in den Aufbruch; und nur Verwandeltes ist je und je lebendige Wirklichkeit und Gegenwart. Der Umgang mit Brot und Wein weist so auch auf die Verfremdungen hin, die menschliches Handeln immer neu mit dem Entweder-Oder von Vergegenwärtigung und Verwandlung verwirklicht — und zugleich auf die Auf-hebung solcher Verfremdung. Im Christuskerygma verdichtete sich diese Bedeutung, als die Zeiten erfüllt waren, zu unüberholbarer Menschennähe. Der Ritus des Brotessens und Weintrinkens ist seither Gegenwart und Wandlung unserer selbst und durch uns auch unserer Welt. Wo immer die Mahlfeier ins Wort erstarrt, kann solches nicht erlebt werden; ebensowenig dort, wo die Materien oder der Raum des Handelns steril sind, und sei es aus behaupteter Heiligkeit.[86] Wir sollten nicht erstaunt sein darüber, daß das Ereignis der bedeutsamen Mahlfeier statthaben kann, wo Menschen einander Brot und Wein reichen — auch ohne die überlieferten kirchlichen Formen und Bezeichnungen.

Taufe und Mahlfeier mögen nach dem Dargelegten auch die Archetypen des Handelns genannt werden.[87] Damit ist behauptet, daß der Umgang mit dem Wasser oder mit Brot und Wein als Grundweisen der Vermittlung und Verleiblichung des Wirklichen in allen Menschen angelegt ist. Damit ist nicht behauptet, daß die symbolischen Gestaltungen und auch nicht die Materien dieser Handlungen, wie sie in unserer religiösen Tradition zu Hause sind, überall und zu allen Zeiten dieselben waren, sind oder bleiben. Symbole werden geboren, haben ihre Lebensdauer und sterben. Sie sind keine machbaren, sondern zu-fallende Gestaltweisen des Handelns.[88] Wann immer darum die ver-mittelnde, verleiblichende Kraft eines Symbols zu Ende geht, ist das Lamento nicht am Platz. Auch künstliche Erhaltung ist dann nicht das Gebot der Stunde. Sind wir heute, Taufe und Mahlfeier betreffend, an diesem Punkt angelangt? Manches spricht dafür: Unser Hang zur Verbegrifflichung und zum Formalismus; die Statistik; die Verlegenheit der Theologie. Noch mehr jedoch spricht dagegen: Erfahrungen, die freilich zumeist außerhalb der Kirche gemacht werden; die Wiederentdeckung von Fest und Spiel in der Religion; das allmählich wachsende Mitleben-Dürfen unserer Gefühle und Intuitionen. Es gilt, diese verschüttete Tiefe ans Licht zu heben. Der Jubilar dieser Festschrift hat dafür zeitlebens eingestanden. Er hat wohl deshalb theologisch nie Furore gemacht. Aber manche Zeitgenossen sind ihrer Zeit voraus. Und die Weisheit der Religion liegt nicht auf der Gasse.

Anmerkungen

[1] Vgl. E. Brunner, Dogmatik III. Zürich 1960, S. 71.

[2] Vgl. H. Diem, Die Kirche und ihre Praxis. München 1963, S. 48.

[3] Vgl. K. Rahner, Kirche und Sakrament. Freiburg 1960, bes. S. 11 ff.

[4] K. Barth, KD IV/2, S. 59. Barth radikalisiert an dieser Stelle übrigens seine eigene Haltung, die ihn noch in KD II/1, S. 58 von der Menschheit Christi als dem „ersten“ Sakrament reden läßt.

[5] Barths Tauflehre in KD IV/4, die die Taufe als ersten Akt des Bekenntnisses ausarbeitet, ist von daher fraglos konsequent. Ähnlich übrigens R. Bultmann, Glauben und Verstehen I. Tübingen 1961, S. 167.

[6] Vgl. H. Diem, op. cit., bes. S. 131 ff., 164—199 ff.

[7] Vgl. P. Althaus, Die Christliche Wahrheit. 6. Aufl. Gütersloh 1962, S. 537.

[8] Op. cit., S. 537.

[9] Op. cit., S. 538.

[10] Vgl. op. cit., S. 538—542.

[11] Op. cit., S. 542.

[12] Vgl. op. cit., S. 546.

[13] Vgl. W. Elert, Der christliche Glaube. Hamburg 1960, § 62, S. 354—360; die folgenden Zitate S. 354—356.

[14] Op. cit., S. 360.

[15] Vgl. op. cit., S. 358 ff.

[16] Vgl. op. cit., S. 388 ff.

[17] Vgl. op. cit., S. 447 ff. Ähnlich wie Elert argumentiert E. Brunner in seiner Dogmatik, Band III. Zürich 1960, S. 71 ff. und Kapitel IV, S. 76 ff. Dasselbe gilt grundsätzlich auch von E. Schlink, Die Lehre von der Taufe. Kassel 1969. Allerdings erweitert Schlink das Konstitutivum der „Anordnung“ (Taufbefehl) durch das der „Begründung“ der Taufe, welche ihre „alttestamentlichen Voraussetzungen und die Geschichte Jesu Christi mit umfaßt“ (op. cit., S. 15). Desgleichen will auch E. Sommerlath in seiner Darstellung der lutherischen Lehre vom Sakrament nicht von einem „bestimmten“ und „vorgefaßten Sakramentsbegriff“ ausgehen, sondern zuerst die „einzelnen der Kirche eingestifteten Gnadenhandlungen“ untersuchen, um danach ihre „gemeinsamen Züge in einem Sakramentsbegriff zusammenzufassen“, wobei das Wort freilich wieder eine „entscheidende Bedeutung“ besitzt; vgl. RGG V, Sp. 1326 ff., bes. Sp. 1327.

[18] Vgl. bes. P. Tillich, Systematische Theologie III, S. 144—153; und: Natur und Sakrament, in: GW VII, S. 105—123.

[19] Systematische Theologie III, S. 144.

[20] Vgl. dazu op. cit., S. 21—41.

[21] Vgl. op. cit., S. 147; dazu: Die Frage nach dem Unbedingten, in: GW V, S. 43 ff., 187 ff.

[22] Op. cit., S. 148.

[23] Vgl. op. cit., S. 149 ff.; siehe auch Bd. I, S. 187 ff.

[24] G. Ebeling, Wort Gottes und Tradition. Göttingen 1964, S. 217.

[25] WA 6, 86, 5 ff.

[26] WA 6, 501, 37 f.

[27] Studienausgabe Bd. II/1, hrsg. von H. Engelland, 1952, S. 143, 29 ff.

[28] Institutio IV/14, 16; zit. nach CR XXX, Calv. op. omnia, Vol. II, col. 952 f.

[29] Vgl. Studienausgabe II/2, 501, 6 ff.; Melanchthon nennt hier Taufe, Abendmahl, Absolution und Ordination.

[30] Das Gewicht des gepredigten Worts für das Sakrament verteidigt Calvin gegen die „Tyrannei des Papstes" vor allem in Inst. IV/14, 3 f., die Relevanz der Zeichen gegen Zwingli und Bucer in IV/14, 5—13.

[31] WA 6, 572, 10 f.

[32] WA 26, 508, 27 ff.

[33] Die Bekenntnisschriften der ev.-luth. Kirche (= BSELK), 5. A. 1963, S. 694 und 709; dazu auch in den Schmalkaldischen Artikeln, vgl. BSELK, S. 449 f.

[34] BSELK, S. 68 und 292.

[35] Inst. IV/14, 1.4.6.17; vgl. op. cit., coll. 942. 943. 945 und 953.

[36] Vgl. Inst. IV/14, S. 18 ff.

[37] Vgl. Systematische Theologie III, S. 16 f., 146 u. ö.

[38] Vgl. Duns Scotus, Sententiae IV dist. 1, qu. 2 ff.; Thomas von Aquin, Summa theol. III, 62, 4, ad 1.

[39] So gesehen läßt sich sagen, daß bei Duns Scotus der erste, bei Thomas dagegen der zweite Begriff die Formel trägt, was zugleich für die jeweilige Ontologie symptomatisch ist.

[40] Vgl. WA 6, 531 ff., das Zitat WA 6, 532, 29.

[41] Inst. IV/14, 1; vgl. op. cit., col. 942.

[42] An dieser Stelle kann der Hinweis nicht fehlen, daß es gerade das theologische Anliegen von Adolf Köberle ist, wider die Einseitigkeit des Wortbezugs in der evangelischen Theologie für die Dignität des Sinnenfälligen und Dinglichen zu streiten.

[43] Vgl. zum folgenden bes. Augustin, De doctrina christiana I et II (d. h. die Bücher über die „res" und die „signa", um 397 n. Chr.); zur Sache U. Duchrow, Sprachverständnis und bibl. Hören bei Augustin. Tübingen 1965.

[44] Vgl. De doctr. christ. I, 2 f.

[45] Vgl. De doctr. christ. II, 3.4. Zur Sache U. Duchrow, op. cit., S. 62 ff., 149 ff.

[46] Vgl. De doctr. christ. II, ibd., ferner: In Joannis Evang. Tract. 80, 3, 6 f.

[47] Vgl. z. B. De civitate Dei 10, 5.

[48] Vgl. den 98. Brief (an Bonifatius I., Bisch. von Rom), 9: „Si enim sacramenta quamdam similitudinem earum, quarum sacramenta sunt, non haberent, omnino sacramenta non essent."

[49] Wir nennen für den ersten Typ Ignatius, Justin, Irenäus, Tertullian oder Radbert und Johannes Scotus Eriugena; für den zweiten Typ Klemens, Origenes, aber auch etwa Zwingli und manche Schwärmer; den dritten Typ vertreten zum Beispiel Ratramnus, Thomas von Aquin oder Luther und Melanchthon, den vierten Duns Scotus oder Calvin.

[50] In Joannis Evang. Tract. 80, 3; vgl. zur Sache auch BSELK, S. 450, Anm. 1.

[51] Dazu O. Böcher, Über Herkunft und Bedeutung der christlichen Taufe, in: Deutsches Pfarrerblatt 69 (1969), S. 104 ff., bes. S. 106 f.

[52] Vgl. P. Tillich, Systematische Theologie III, S. 144 ff.

[53] G. Bornkamm, Artikel 'mysterion ktl.', in: ThWB IV, S. 809—834; zur Sache jetzt auch G. Finkenrath, Artikel 'mysterion', in: Theologisches Begriffslexikon zum Neuen Testament (ThB), 4. Aufl. 1977, S. 476—479.

[54] Vgl. G. Bornkamm, op. cit., S. 823—830.

[55] Vgl. op. cit., S. 827. Zur Sache auch L. Coenen, Artikel 'kerysso', in: ThB, S. 1276—1287, bes. S. 1279.

[56] G. Bornkamm, op. cit., S. 831.

[57] Vgl. L. Coenen, loc. cit.

[58] Vgl. R. Bultmann, Theologie des Neuen Testaments. Tübingen 1953, bes. S. 40 ff., 132 ff., 306 ff. oder 405 ff. Zur Sache siehe auch H. Conzelmann, Grundriß der Theologie des Neuen Testaments. München 1967, S. 295 ff. 322. 356; ferner: W. Marxsen, Das Abendmahl als christologisches Problem. Gütersloh 1963; und G. Haufe, Die Mysterien, in: J. Leipoldt u. a. (Hrsg.), Umwelt des Urchristentums I. Berlin 1965, S. 101—126.

[59] Die wenig hilfreiche These, daß das Christentum keine Religion sei — vgl. v. a. K. Barth, Die Kirchliche Dogmatik I/1, S. 304, 327 u. ö. — sollte endlich fallen. Anders argumentieren längst etwa P. Tillich, Systematische Theologie III, S. 107 ff. oder U. Mann, Religion als theologisches Problem, in: Christentum und Religion. Regensburg 1966, S. 33 ff.

[60] Ohne Vollständigkeit anzustreben, sei besonders hingewiesen auf Mt. 28, 18 ff.; Röm. 6, 3 ff.; 1. Kor. 15, 29; Gal. 3, 26 ff.; Kol. 2, 11 ff. od. 1. Petr. 3, 21 f. für die Taufe, dazu Joh. 6, 51 ff.; 1. Kor. 10, 16 f.; 1. Kor. 11, 23 ff. für das Abendmahl.

[61] Es soll aber dahingestellt bleiben, inwieweit ein solches Mißverständnis tatsächlich und ursprünglich in den antiken Mysterien gegeben war. Was ist hier Abartung durch die Volksfrömmigkeit? Was ist hier langgeübtes polemisches Denkklischee? Vgl. zur Sache W. F. Otto, Der Sinn der Eleusinischen Mysterien, jetzt in: Die Gestalt und das Sein. Darmstadt 1955, S. 313—337; ferner J. Vermaseren, Mithras. Stuttgart 1965.

[62] Am deutlichsten so: 1. Kor. 11, 26.

[63] Vgl. Mk. 1, 9 ff. parr. und Mk. 14, 17—26 parr. Zur Sache außer den einschlägigen exegetischen Kommentaren auch meine Schrift: Konfirmation heute. Tübingen 1965, S. 5 ff.

[64] Vgl. A. Oepke, Artikel 'bapto ktl.', in: ThWB I, S. 527—544, bes. S. 537; ferner J. Jeremias, Artikel 'pascha', in: ThWB V, S. 895—903.

[65] Vgl. dazu vom Verf., Theologische Anthropologie und die Wirklichkeit der Psyche. Darmstadt 1972, bes. S. 424—432.

[66] Eph. 3, 9. Zur Sache vgl. O. Michel, Artikel 'oikonomia', in: ThWB V, S. 154 f.

[67] Auf diese beiden Grunddimensionen verweist bereits der alttestamentliche Paradiesmythos Gen. 2, 15. 19 f.

[68] Vgl. M. Heidegger, Das Wesen der Sprache, in: Unterwegs zur Sprache. Pfullingen 1959, S. 157—216, die zitierten Begriffe v. a. S. 166, 198 ff., 211.

[69] Vgl. zum ganzen Problem J. Stenzel, Philosophie der Sprache (1934). Nachdruck Darmstadt 1964, bes. S. 14—42; B. Snell, Der Aufbau der Sprache. Hamburg 1952; E. Fuchs, Hermeneutik. Bad Cannstatt 1954; P. Tillich, Systematische Theologie I, S. 148—150, 202.

[70] Der „futurologische Sog" (R. Wittram) in der Theologie der Gegenwart ist vielfach sichtbar; wir verweisen auf die Positionen von R. Bultmann oder F. Gogarten, ferner J. Moltmann oder W. Pannenberg. Einzelbelege erübrigen sich an dieser Stelle.

[71] Wir verweisen in diesem Zusammenhang auf den kenntnisreichen und wegweisenden, als Grundlegung einer dialogischen Handlungstheorie auch für das theologische Denken hochbedeutsamen Aufsatz von D. Böhler, Philosophische Hermeneutik und hermeneutische Methode, in: H. Hartung u. a. (Hrsg.), Fruchtblätter. Freundesgabe für Alfred Kelletat. Berlin 1977, S. 15—43.

[72] Vgl. dazu G. Heberer u. a. (Hrsg.), Anthropologie. Das Fischer Lexikon 15, Frankfurt 1966, bes. den Artikel: „Abstammung des Menschen", S. 9—38; P. Overhage/K. Rahner, Das Problem der Hominisation. 3. Aufl. Freiburg 1965. Zur wichtigen tiefenpsychologischen Seite dieses Problems vgl. v. a. E. Neumann, Ursprungsgeschichte des Bewußtseins. 2. Aufl. München 1974.

[73] Anders G. van der Leeuw, Sakramentales Denken. Kassel 1959, und in seinem Gefolge allgemein das theologische Vorgehen besonders im protestantischen Bereich.

[74] Hier wäre ein Ansatzpunkt für das Verstehen menschlicher Schuld, das nicht immer nur Begriffe umkreist oder — offensichtlich unausrottbar — davon redet, daß Sünde von ab-sondern sich herleite, anstatt von sein (vgl. F. Kluge, Etymologisches Wörterbuch der deutschen Sprache. 19. Aufl. Berlin 1963, S. 765). Bislang hat offenbar einzig P. Tillich Hinweise in die sachgemäße Richtung gegeben; vgl. Systematische Theologie II, S. 52 ff.

[75] Vgl. P. Tillich, Systematische Theologie III, S. 144 ff.

[76] Vgl. M. Eliade (Hrsg.), Die Schöpfungsmythen (Quellen des alten Orient I). Darmstadt 1977; zur Sache auch L. Goppelt, Artikel 'hydor', in: ThWB VIII, S. 313—333, und O. Böcher, Artikel 'hydor', in: ThB, S. 1370—1373.

[77] Wir verweisen exemplarisch auf die fraglos in diesem Sinne zu verstehende Erzählung des Durchzugs Israels durch das Meer in Exodus 14.

[78] Das meint in Wirklichkeit die Taufe „in den Namen" des dreieinigen Gottes; vgl. H. Bietenhard, Artikel 'onoma', in: ThB S. 958—963, bes. S. 962 f.

Unsere deutsche Formel mit der Präposition „auf" macht den ursprünglichen Sinn völlig unverständlich.

[79] Diese werden insbesondere von der tiefenpsychologischen Erfahrung bereitgestellt. Vgl. dazu die jetzt im 16. Band der Gesammelten Werke veröffentlichten Beiträge von C. G. Jung, Praxis der Psychotherapie. Zürich/Stuttgart 1958.

[80] Von hier aus gesehen ist der im Gefolge Karl Barths aufkommende Vorschlag einer Entartung der Taufe in den Bekenntnisakt des erwachsenen Christen das radikale Gegenteil von dem, was nottut. Dieser Vorschlag erhellt nur, wie kopflastig und damit eng unser theologisches Menschenbild und das Verständnis von Religion geworden ist.

[81] Vgl. J. Behm, Artikel 'artos', in: ThWB I, S. 475 f., ferner F. Merkel, Artikel 'artos', in: ThB, S. 143—145.

[82] Vgl. exemplarisch die alttestamentliche Erzählung vom Manna (Exodus 16, Numeri 11, vgl. auch Deuteronomium 8, 3); ferner die neutestamentlichen Speisungswunder.

[83] Vgl. H. Seesemann, Artikel 'oinos', in: ThWB V, S. 163—167; ferner zur Sache W. Herrmann, Götterspeise und Göttertrank in Ugarit und Israel, in: ZAW 72 (1960), S. 205—216.

[84] Zitiert bei A. Schimmel, Artikel 'Wein und Weinenthaltung', in: RGG VI, Sp. 1572; vgl. zur Sache auch den ganzen Artikel.

[85] Vgl. das Bild vom eschatologischen Freudenmahl in Jesaja 25, bes. aber das Kanawunder in Joh. 2, 1—11.

[86] Von daher sollte wirklich überlegt werden, ob es das Erleben des mit der Mahlfeier Gemeinten direkt hindert, wenn man nicht mehr „schmecken und sehen kann, wie freundlich der Herr ist". Von daher wird zugleich auf ganz neue Weise deutlich, was es bedeutet, wenn Menschen bei der Eucharistie vom Weingenuß ferngehalten werden.

[87] Zum Verständnis des Archetypischen, das hier im Sinne von C. G. Jung gemeint ist, vgl. mein Buch: Theologische Anthropologie und die Wirklichkeit der Psyche, a. a. O., bes. S. 272—305.

[88] Vgl. dazu besonders P. Tillich, Das Wesen der religiösen Sprache, jetzt in: Die Frage nach dem Unbedingten (Band V der GW), S. 213—222.

VON DEN QUELLEN ZUM WESEN DER APOKALYPTIK

Von Otto A. Dilschneider (Berlin)

Wenn der meinem Freunde Adolf Köberle und mir gemeinsame, hochverehrte Lehrer Karl Heim Eschatologie lehrte, pflegte er uns drei Modelle einer biblischen Enderwartung vorzustellen.

Das Modell der *Regeneration,* wie wir es bei den großen Propheten antreffen, das auf eine Wiederherstellung paradiesischer Verhältnisse auf unserer Erde abzielt. So wird ein Friedensreich entstehen, in dem selbst Löwen friedliche Geschöpfe sein werden. Solches können wir etwa bei Jesaja Kap. 11, 6—8 nachlesen. Kurzum: hier geht es um eine innerweltliche Erlösungshoffnung.

Das Modell der *Evolution* treffen wir vornehmlich in den Schilderungen des Danielbuches in jener großen Schau der Vierreiche-Lehre an. Die eschatologische Entwicklung läuft über Babylon, Persien, Griechenland und Rom schließlich hin zum Ende der Weltgeschichte, an dem der Menschensohn als Beherrscher des Friedenreiches erscheinen wird. Peter von der Osten-Sacken ist den Quellen des Danielbuches nachgegangen und hat auf den Deuterojesaia verwiesen. Das wäre insofern interessant, als sich dann eine an das Modell der Regeneration anknüpfende Weiterentwicklung des Evolutionsgedankens ergäbe, der auch schon zur Apokalyptik hinüberführt.[1] Diese großartige Schau einer Vierreiche-Entwicklung hat sich über Luthers Vorreden zum Danielbuch bis in die Historiographien des 17. Jahrhunderts erhalten.

Das Modell der *Apokalyptik,* das die radikalste Lösung aller Zukunftserwartungen bringt, nämlich den Untergang der alten und die Heraufkunft einer neuen Welt. Man spricht hier von einem alten und neuen Aion. Solche Darstellungen treffen wir in den Evangelien in der sog. synoptischen Apokalypse an (Mt. 24 — Mk. 13 — Lk. 21), in den paulinischen Texten vornehmlich dort, wo von den Aionen gesprochen wird (R. 12, 2 — 1. Kor. 1, 20 — 2. Kor. 4, 4) und natürlich in der Johannes-Apokalypse, wo gesagt wird: „Dann sah ich einen neuen Himmel und eine neue Erde, denn der erste Himmel und die erste Erde waren vergangen" (Kap. 21, 1).

Während die Modelle der Regeneration und Evolution zumeist in außerkirchlichen, chiliastischen Bewegungen eine nicht unwesentliche Rolle spielen, hat sich nach Karl Heims Tode 1958 die theologische Forschung vornehmlich der Apokalyptik zugewandt. Und dies berechtigterweise, denn es ist ein eschatologisches Modell von höchst dramatischer Bedeutung, das sich über viele Jahrhunderte hinweg bis in das neutestamentliche Zeugnis hinein erhalten hat.

So legte Johann Michael Schmidt (einem sicheren theologischen Instinkt folgend) 1969 eine erkenntnisreiche Arbeit über die jüdische Apokalyptik vor. Klaus Koch stellte 1970 energisch die Frage, ob man auch weiterhin bereit sei, „ratlos vor der Apokalyptik“ zu beharren, und vermittelte uns fundierte Einblicke in das apokalyptische Schrifttum des Judentums. Walter Schmithals unternahm aus zuverlässiger Textkenntnis eine Einführung und Deutung der Apokalyptik, und auf die bereits erwähnte Darstellung von Peter von der Osten-Sacken über die alttestamentliche Umweltliteratur ist noch einmal aufmerksam zu machen.[2]

Wir haben es hier mit einem Bereich zu tun, der sich über viele vorchristliche Jahrhunderte erstreckt, in das spätjüdische und schließlich christliche Schrifttum hineinreicht und eine Fülle von Material aufzuweisen hat. Aus alledem können hier nur einige tragende Gedanken für eine systematisch-theologische Erfassung des Apokalyptikproblems aufgegriffen werden. Dabei soll, über die bisherigen Forschungen hinausgehend, der Versuch unternommen werden, anhand iranisch-parsistischer Quellen ein neues Modell der christlichen Apokalyptik zu erstellen. Denn schon heute ist unbestritten, daß wir den Mutterboden der biblischen Apokalyptik in der parsistischen Mythologie zu suchen haben.[3]

Mit der Eroberung Babylons durch die Perser im Jahre 539 v. Chr. kommt auch Palästina unter den Einfluß persischer Kultur. Auf die Perser folgen Alexander der Große 333 v. Chr. und später die Ptolemäer. Jahrhundertelang wird das Kultleben Israels äußerlich durch den wiederaufgebauten Tempel, innerlich durch das Bekanntwerden mit iranisch-religiösen Vorstellungen geprägt. So konnte Gerhard v. Rad sagen:

> Wie sollte das bei der intensiven Symbiose im Raum des persischen Großreiches anders gewesen sein! Hier stieß Israel ... auf kosmologische Vorstellungen mit ausgesprochen eschatologischer Prägung, und die Tatsache der Übernahme bestimmter parsistischer Vorstellungen durch Israel steht außer Frage.[4]

Wir fragen also, welche eschatologischen und kosmologischen Vorstellungen und parsistischen Ideen von Israel übernommen wurden, die in das spätjüdische, apokalyptische Denken und schließlich ins neutestamentliche Schrifttum gelangten.

Die Antwort hierauf bietet sich sofort an, wenn wir bedenken, daß alle apokalyptischen Texte vom Untergang der alten Welt, des alten Aion und von der Heraufkunft einer neuen Welt, eines neuen Aion reden, so wie es in der Johannes-Apokalypse beispielhaft gesagt wird:

Dann sah ich einen neuen Himmel und eine neue Erde, denn der erste Himmel und die erste Erde waren vergangen (Kap. 21, 1).

Das Charakteristikum apokalyptisch-eschatologischer Enderwartung stellt sich in einer kosmischen Katastrophe dar, in der der alte Welt-Aion zugrunde geht und ein neuer Welt-Aion entsteht. — Davon reden zahlreiche Texte des Spätjudentums in lebendigen Bildern und Vorstellungen. Es sei nur auf das 4. Buch Esra verwiesen, in dem wir zahlreiche solcher Texte antreffen.[5]

Dabei ist bemerkenswert, daß in den apokalyptischen Texten ein besonderes Wort für Welt anzutreffen ist. Es erscheint das Wort *Aion,* das über den üblichen Weltbegriff hinaus auf ein großes, gewaltiges, raumzeitliches Weltenreich hinzudeuten scheint. Um alle diese Elemente apokalyptischen Denkens verstehen und würdigen zu können, müssen wir uns an die Quellen des Parsismus begeben. Es wird sich zeigen, daß wir von hierher ein völlig neues Bild eschatologisch-apokalyptischen Denkens gewinnen werden.

Die Frage nach den Ursprüngen der spätjüdischen Apokalyptik führt uns in eine der bedeutendsten Epochen iranischer Religionsgeschichte, in der der Hochgott *Zurvan* eine führende Rolle spielt. Darüber liegen uns Arbeiten von R. Reitzenstein, Geo Widengren und R. C. Zaehner vor, die das reiche mythologische Material aufgearbeitet und dargestellt haben.[6] Auf ihre Forschungen müssen wir hier zurückgreifen und dabei das herausgreifen, was für uns wesentlich ist. Dann ergibt sich das folgende Bild.

Mit der Hochgottheit Zurvan ist uns eine den ganzen Kosmos erfüllende raum-zeitliche Gestalt gegeben, die zunächst monotheistische Züge trägt, soweit dies überhaupt denkbar ist. Dann aber beginnt sich diese Alleinherrschaft des Hochgottes aufzulösen. Es vollzieht sich eine Art Persönlichkeits-Spaltung, bei der dieser Hochgott zwei Söhne gebiert. Damit treten wir in jenen dualistischen Polytheismus ein, der der iranischen Religionswelt charakteristisch ist. Jetzt erscheinen zwei Söhne dieses Zurvan, womit dieser Mythos für uns wichtig wird. Stellen wir die beiden Söhne kurz vor:

Der eine, *Ahriman* genannt, ist der Beherrscher des Bösen, der andere, *Ohrmazd* mit Namen, beherrscht das Reich des Guten. Von beiden wird berichtet, was keineswegs verwundert, daß sie miteinander in einem heftigen Kampfe liegen. Dieser Kampf währt an neuntausend Jahre. Dann siegt das Reich des guten Ohrmazd über das des bösen Ahriman. Nach dieser Herrschaft der Bosheit von neuntausend Jahren bricht eine unbegrenzte Herrschaftszeit des Guten in der Welt an.

Auf diesen Kampf um Gut und Böse der beiden Göttersöhne müssen wir fortan unsere besondere Aufmerksamkeit richten. Hierzu ist dreierlei zu sagen:

(1) Ahriman und Ohrmazd als Beherrscher von Gut und Böse stellen kosmische Reiche dar. Es sind personifizierte Aionen.

(2) Ahriman und Ohrmazd sind feindliche Götter-Brüder, die gegeneinander streiten.

(3) Ohrmazd besiegt Ahriman und damit bricht das Friedensreich an, das über Jahrtausende herrscht.

Bislang übersehen und von grundsätzlicher Bedeutung ist die Kampflage selber, in der sich diese Göttersöhne gegenübertreten. Sie kämpfen miteinander und das bedeutet gegeneinander. In solcher feindlichen Konfrontation ringen sie um und zugleich auch auf dem Kampfplatz, der diese unsere Erde ist. Nehmen wir hinzu, daß es sich bei diesen feindlichen Götter-Brüdern um kosmische Bereiche, also um Aionen handelt, dann würde sich dieser Mythos wie folgt darstellen lassen:

Ahriman		Ohrmazd
——————→	Welt	←——————
Aion des Bösen		Aion des Guten

In dieser Aufzeichnung des iranischen Götter-Kampf-Mythos haben wir das Urmodell der spätjüdischen und der darauffolgenden christlichen Apokalyptik vor uns. Das wird für die weiteren Ausführungen wichtig sein.

Martin Noth berichtet uns in seiner Geschichte Israels, daß dieses Volk mit der gesamten vorderorientalischen Welt zwei Jahrhunderte lang unter persischer Herrschaft stand, die den Religionen und Kulten der unterworfenen Völker gegenüber äußerst duldsam war.[7] Bekannt ist der Erlaß des Perserkönigs Kyros zur Wiederherstellung des Jerusalemer Tempelheiligtums, von dem uns auch im Esra-Buch (6, 4) berichtet wird.[8]

Das ist nicht unwesentlich für den geistigen Austausch zwischen Sieger und Besiegten, zwischen Herrscher und Beherrschten. Denn nur so wurde der Boden bereitet, auf dem die geistig führende Schicht Israels, die sich um den Tempel scharte, aufnahmebereit war für Ideen und Vorstellungen, die aus der iranischen Welt hinüberdrangen. Und dazu gehörte auch neben vielen anderen dieser hier vorgetragene Götter-Mythos.

Auch in Israel gab es Hoffnungsbilder einer eschatologischen Zukunftserwartung. Bekannt zur Perserzeit war das schon erwähnte Modell der

Regeneration. Wohl erst später nach der Perserzeit gesellte sich das Modell der Evolution hinzu. Hier im iranischen Göttermythos vom Kampf der beiden Aionen bot sich ein drittes, ein apokalyptisches Modell an. Die entscheidende Frage aber ist: Wie hat sich die Übernahme dieses iranisch-apokalyptischen Modells in die Welt des israelitischen Glaubens und Kultus vollzogen? — Johann Michael Schmidt ist dieser Frage nachgegangen.[9] — Letzte Einsichten in diesen Rezeptionsprozeß stehen aber noch aus. Er enthält ein interessantes, aber auch schwieriges Problem, bei dem zumindest eine sehr wichtige Tatsache zu beachten ist: Wie konnte und wie hat Israel bei diesem so beachtlichen Rezeptionsvorgang den Schritt von einer polytheistischen, hier dualistischen Mythologie in den Monotheismus seines Jahwe-Glaubens vollzogen und vollziehen können? Sicher ist, daß die führende Priesterschicht Israels bei strenger Bewahrung des jahwistischen Eingottglaubens an das alleinige Walten dieses Gottes in der Geschichte festgehalten hat, so wie es diese beiden Jesaja-Stellen bezeugen:

Wer hat solches gewirkt und vollbracht? Er, der die Menschengeschlechter ins Dasein gerufen hat von Anbeginn an, ich, der Herr, der ich der Erste und bei den Letzten noch derselbe bin (41, 4);

So hat der Herr gesprochen, der König Israels und sein Erlöser, der Herr der Heerscharen: Ich bin der Erste und bin der Letzte, und außer mir gibt es keinen Gott" (44, 6).

Hier waltet eine Geschichtsschau des Propheten, in der die Götter der anderen Völker keinen Raum mehr haben. Dies stellte Gerhard v. Rad zu diesen Jesaja-Texten fest.[10] Möglicherweise haben gerade diese Jesaja-Stellen bei der Rezeption des iranisch-apokalyptischen Modells eine richtungweisende Rolle gespielt. Möglicherweise aber haben sie auch auf die christliche Apokalyptik eingewirkt, wie noch aufzuzeigen ist.

Mehr läßt sich zur Zeit über diesen so bedeutenden Rezeptionsvorgang noch nicht sagen. Das Schrifttum der spätjüdischen Apokalyptik wird bei der Erforschung dieser Zusammenhänge weiterhin zu befragen sein. Gesicherteren Boden aber gewinnen wir erst bei dem Übergang zur christlichen Apokalyptik, die sich bekannterweise unmittelbar aus dem Spätjudentum herleitet.

Nach diesen Hinweisen auf die Ursprünge kommen wir zum Eigentlichen unseres Anliegens, zum *Wesen der christlichen Apokalyptik* selber. Ihr Charakteristikum wurde schon angedeutet als eine Katastrophe, in der der alte Aion vergeht und ein neuer Aion entsteht. Viel wichtiger aber als dieser Gemeinplatz aller Darstellungen ist die Frage: Wie haben wir uns den Aionen-Aufbau bei dem Ablauf dieses kosmischen Dramas vorzustellen? Die Antwort kann nur vom bereits vorgestellten iranischen Urmodell des Kampfes der beiden Göttersöhne her gegeben werden, denn dieses Modell liegt (durch das Spätjudentum vermittelt) auch den christlichen Zeugnissen zugrunde. — Das Wichtigste, was sich aus der Übertragung des iranischen Urmodells auf die Struktur des christlichen Modells ergibt, ist die Gegenläufigkeit, in der sich die beiden Aionen aufeinander zu bewegen. Der neue Aion stößt gegenläufig in den alten und der alte entsprechend gegenläufig in den neuen Aion hinein:

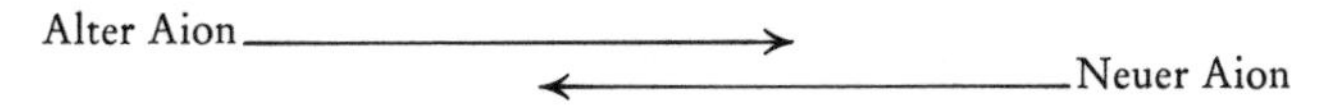

Diese Gegenläufigkeit in einem antagonistischen System ist bislang noch nicht auch in den sonst guten Charakterisierungen der Apokalyptik, wie wir sie etwa bei Moltmann antreffen, erkannt worden.[11] Immerhin stellt dieser Antagonismus eine Wende im eschatologischen Denken dar. Nicht in der Theologie, wohl aber in der Philosophie, treffen wir diese Vorstellung an. Wir meinen Ernst Bloch und sein Hauptwerk ›Das Prinzip Hoffnung‹.[12]

Ernst Bloch, der uns im ersten Band seines Werkes mit dem utopischen Bewußtsein bekannt macht, worunter er den sich im Denken vollziehenden Vorgriff, die Antizipation der Zukunft versteht, kommt notwendigerweise auch auf das eschatologische Denken der Theologie zu sprechen. Er sagt:

... wie könnte die Welt vollendet werden, ohne daß diese Welt, wie im christlich-religiösen Vor-Schein, gesprengt wird und apokalyptisch verschwindet.[13]

Wie stellt sich Bloch dieses apokalyptische „Verschwinden" der alten Welt vor? Er führt aus:

... das Letzte war allemal ein Gegenstand jener Religionen, die auch der Zeit eine Zeit setzen, und so vor allem der jüdisch-christlichen Religionsphilosophie ... denn das Ultimum (das Letzte) ist in der gesamten jüdisch-christlichen Philosophie, von Philon und Augustin bis Hegel, ausschließlich auf ein Primum und nicht auf ein Novum bezogen; infolgedessen erscheint das Letzte lediglich als erlangte Wiederkehr eines bereits vollendeten, verloren oder entäußert gegangenen Ersten.[14]

Und Bloch fügt hinzu:

... Das Omega des Wohin erläutert sich nicht an einem urgewesenen, angeblich allerrealsten Alpha des Woher, des Ursprungs, sondern konträr: dieser Ursprung erläutert sich erst am Novum des Endes ... ihr Novum, ihr Ultimum befindet sich aber einzig an der Front des Geschichtsprozesses ...[15]

Was Bloch in seinen oft eigenwilligen Formulierungen sagen will, wäre dies: Die jüdisch-christliche Eschatologie hat das Zukünftige vom Vergangenen, das Ultimum vom Primum und das Omega vom Alpha her zu deuten und verstehen versucht. Um es kurz zu sagen: die christliche Eschatologie ist eine Einbahnstraße, die in der Richtung vom Ursprung der Welt hin zu ihrem Ende verläuft. Entscheidend aber ist, so Ernst Bloch, daß wir das Zukünftige, also das Ultimum und Novum, in einem Geschichtsprozeß zu denken haben, der von der Front der Zukunft her auf uns zustößt. Damit ist auf jene Gegenläufigkeit, jenen Antagonismus hingewiesen worden, von dem bereits die Rede war. Übernehmen wir die Begrifflichkeit Ernst Blochs, dann erhalten wir das folgende Modell:

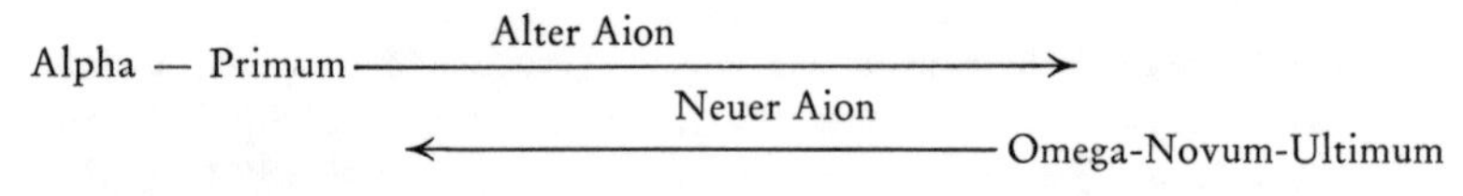

Ernst Bloch bedient sich in seiner Darstellung der apokalyptischen Symbolik des Alpha und Omega, die uns aus vielen apokalyptischen Texten, insbesondere aber aus der Johannes-Apokalypse, bekannt ist, wo es gleich zu Anfang heißt:

> Ich bin das A und das O spricht der Herr, der da ist und der da war und der da kommt, der Allmächtige (1, 8);

Bis zum Schluß hin wird diese Symbolik durchgehalten:

> Ich bin das A und das O, der Erste und der Letzte, der Anfang und das Ende (22, 13).

Die Frage nach dem Ursprung dieser Symbolik läßt zunächst an die Prophetenstellen bei Jesaja 41, 4 und 44, 6 denken, die wir bereits angeführt haben. Hier wird der Gott Israels als der Erste und der Letzte einer universalen Geschichtsschau bekannt. —

Andere Autoren verweisen auf eine direkte oder indirekte Ableitung aus hellenistischen Quellen.[16] Wie auch immer die Frage nach dem Ursprung zu beantworten ist, so steht doch eines fest: Mit der Alpha-Omega-Symbolik ist der iranisch-dualistische Polytheismus überwunden und die Alleinherrschaft Gottes durchgesetzt worden.

Wir können nunmehr das angestrebte Modell der christlichen Apokalyptik erstellen, wie es sich aus der parsistischen Mythologie herleiten läßt. Dabei sind drei Dinge wichtig:

Erstens haben wir es mit zwei Göttersöhnen Ahriman und Ohrmazd zu tun, die raum-zeitlich umgreifende kosmische Größen und Mächte darstellen. Wir sprechen von Aionen.

Zweitens folgt aus dem Kampfmythos dieser beiden Göttersöhne die Gegenläufigkeit, also der Antagonismus der Aionen.

Drittens wurde bei der Rezeption dieses Mythos der Polytheismus überwunden und die Alleinherrschaft Gottes durchgesetzt.

Die christliche Apokalyptik bedient sich zum Aufweis der Alleinherrschaft Gottes über alle Aionen der Alpha-Omega-Symbolik. Aus alledem erhalten wir nunmehr das nachfolgende Modell der christlichen Apokalyptik:

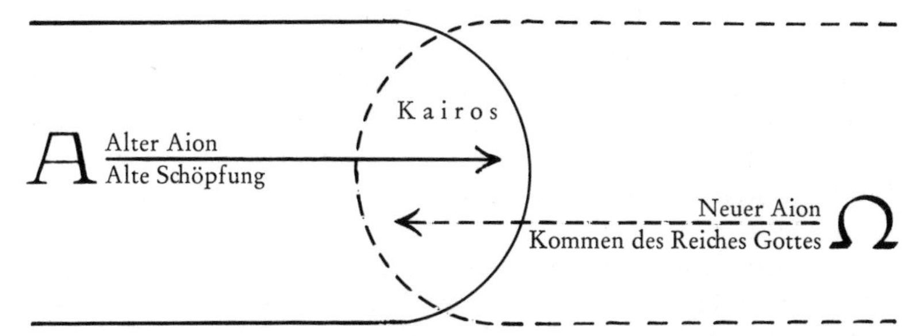

Das Modell zeigt uns den Einbruch des neuen Aion von der Front des Omega her in den alten Aion, der vom Alpha herkommt. Wo sich diese beiden Aionen treffen und überschneiden, ereignet sich, was wir seit jeher im Sprachgebrauch des Neuen Testamentes den *Kairos* nennen. Kairos ist Zeitpunkt, Zeitabschnitt in einem heilsgeschichtlichen Sinn. In der Ankündigung der Geburt Jesu durch den Engel, der im Tempel zu Zacharias spricht, wird von dem Kairos der Erfüllung dieser Verheißung gesprochen (Lk. 1, 20). — Profan gesprochen, wäre Kairos eine Schicksalsstunde. Hier aber ist es eine Stunde des Heils der Menschheit. Denn zu diesem Kairos erscheint als Verkörperung des neuen Aion Jesus Christus. So kündet der Kairos den Anbruch des neuen Aion, aber auch bereits den Sieg über den alten Aion und dessen kosmischen Untergang an.

Eine Neugestaltung der Eschatologie, die von den Quellen und dem Wesen der Apokalyptik ausgeht, müßte sich eingehend mit diesem Aionen-Modell befassen. Sie müßte eine Aionologie in Anschlag bringen, in der die Verhältnisse der Wirklichkeitserfahrung, das Raum- und das Zeitproblem neu durchdacht werden.

Die Christenheit muß sich in ihrem Glauben und Denken mehr als je bewußt werden, daß sie in zwei grundverschiedenen Zeitsystemen lebt. In dem Raum-Zeit-Kontinuum des alten Aion und in der Heilszeit des neuen Aion. Kalendarisch wird das immer wieder zu den Jahreswenden bewußt, wenn das Kirchenjahr (dem neuen Aion zugehörig) am 1. Advent, vier Wochen vor Neujahr (dem alten Aion zugehörig) am 1. Januar, beginnt.

Hier müßte die vorhandene Forschung zum Zeitproblem wieder aufgegriffen und unter aionologischen Perspektiven weitergeführt werden.[17]

Es geht aber nicht nur um Zeitprobleme, sondern um Wirklichkeitsstrukturen und Wirklichkeitserfahrungen ganz besonderer Art. Hier muß an Karl Heim erinnert werden, der bereits den Versuch unternahm, das gegenständliche Weltbild zu überwinden, um zu einer dimensionalen Wirklichkeitserfahrung zu gelangen. Karl Heim ist bis zu einem dynamischen Weltbild vorgestoßen, in dem die Wirklichkeit im Rhythmus von Werden und Gewordensein erscheint.[18] Geht man den Dingen nach, so wird sich zeigen lassen, daß wir es mit aionologischen Wirklichkeitsstrukturen zu tun haben, die sich uns in der hebräischen Sprache wie in einer linguistischen Widerspiegelung von Wirklichkeitserlebnissen begegnen. Schließlich gehören alle Fragen, die unentwegt um die Wunderberichte des Neuen Testamentes kreisen, in diesen Bereich einer aionologischen Wirklichkeitserfassung und Erlebnisses. *Um es einmal in Abkürzung zu sagen: Die Ontologie der Theologie finden wir in der Aionologie.*

Seit jeher haben wir uns das Geheimnis der Transzendenz als Vertikale und den Bereich der Immanenz als Horizontale verbildlicht. Das astronautische Zeitalter hat uns diese Bildersprache vollends aufgelöst. Im aionologischen Modell der Wirklichkeiten treffen wir das Geheimnis der Transzendenz an, das dem Wesen des Religiösen schlechthin zugehört, in der Horizontalen des neuen Aion, der in den alten Aion einbricht.

Was aber ist das Wesen dieses neuen Aion, der sich im Kairos als der Stunde, da die Heilszeit mit dem Kommen Jesu Christi anbricht, ankündigt? Die Antwort hierauf ist von umgreifender Bedeutung für die Christenheit.

Heute erfahren wir die Wirklichkeit Gottes nicht (wie einstmals das Volk Israel) in Gotteserscheinungen und Theophanien. Wir sind auch nicht mehr Zeitgenossen der Jüngergemeinde Jesu Christi von einst. Wir sind, um mit Kierkegaard zu sprechen, Schüler zweiter Hand. Uns trennen vierzig bis fünfzig Generationen von dem historischen Jesus von Nazareth. Der heilsgeschichtliche Ort, an dem wir uns heute befinden, wird durch das Pfingstgeschehen bestimmt. Die Christenheit kommt von Pfingsten her. Die uns überkommene Rede von „Tod und Auferstehung“ sagt nicht alles, was vom Leben Jesu Christi zu bekennen ist, weil der, der am Kreuze starb und zu Ostern auferstand, zu Pfingsten in Kraft und Gestalt des Heiligen Geistes zu seiner Gemeinde einkehrte. Dieses Pfingstereignis gehört mit hinein in den zweiten Artikel des Apostolikums als die Brücke, die dann hinüberführt zum Bekenntnis des dritten Artikels: „Ich glaube an den Heiligen Geist“. Die Kraft und die Herrlichkeit des Reiches Gottes, die zu Pfingsten offenbar wird und anbricht, bekundet sich in der

Herrschaft des Heiligen Geistes. Und eben diese Kraft und Macht des Heiligen Geistes ist es, die den neuen Aion durchwaltet und erfüllt, der nichts anderes darstellt als das Kommen des Reiches Gottes.

Nur ein wenig sollte hier das uns überkommene Blickfeld der Apokalyptikforschung erweitert und an Einsichten bereichert werden. Das aber war nur möglich, indem wir (von den parsistischen Quellen ausgehend) neue Erkenntnisse aus der Herkunft dieses Bereiches gewinnen und übertragen konnten. Wollten wir nunmehr den großen Bogen vom Parsismus über Israel bis hin zur Christusbotschaft spannen, dann könnten wir abschließend sagen:

Im Wesen und in der Struktur der christlichen Apokalyptik tritt an die Stelle iranischer Mythologien mitsamt ihren Polytheismen der Pantokrator Christus als der Herr des neuen Aion des Heiligen Geistes. Er wird den alten Aion überwinden, der in einer kosmischen Katastrophe versinkt, um der Herrschaft des Gottes- und Friedensreiches Platz zu machen. Aus einem mittelalterlichen Lebensgefühl heraus haben uns die großen Meister diese Verkündigung in ihren Werken gestaltet — Albrecht Dürer, Hieronymus Bosch und viele andere mehr. Gewiß vermögen wir solches nicht zu wiederholen. Wohl aber wird es unsere Aufgabe bleiben, diese Verkündigung vom Wirken des Christus als des Herrn und Siegers des neuen Aion des Geistes auf unseren Kanzeln in eine Sprache umzusetzen, die unsere Zeit hören und verstehen kann. Dies wird gerade darum um so wichtiger sein, als es gilt, neue Glaubenshoffnungen zu erwecken in einer Zeit, wo die Früchte eines heraufgekommenen Nihilismus im Sinnverlust des Daseins auszureifen beginnen.

Anmerkungen

[1] Peter von der Osten-Sacken, Die Apokalyptik in ihrem Verhältnis zur Prophetie und Weisheit. 1969.

[2] Johann Michael Schmidt, Die jüdische Apokalyptik. 1969; Klaus Koch, Ratlos vor der Apokalyptik. 1970; Walter Schmithals, Die Apokalyptik. Einführung und Deutung. 1973; Peter von der Osten-Sacken, a. a. O.

[3] R. Reitzenstein, Das iranische Erlösungsmysterium. 1921, S. 231; Th. W. Bd. I, S. 198; Gerhard v. Rad, Theologie des AT. Bd. II. 1965, S. 328; Geo Widengren, Die Religionen Irans. 1965, S. 201; Joh. Mich. Schmidt, a. a. O., S. 206—208; Walter Schmithals, a. a. O., S. 92.

[4] Gerhard v. Rad, a. a. O.

[5] 4. Buch Esra: 4, 26—37; 6, 1—8; 7, 10—16; 13, 1—11; 13, 25—34.

[6] Zunächst ist darauf aufmerksam zu machen, daß die Vokalisation des Hoch-Gott-Namens wechselt zwischen Zurvan und Zervan-Zirvan. — R. Reitzenstein, Das iranische Erlösungsmysterium. 1921; Geo Widengren, Die Religionen Irans. 1965; ders., Die iranische Geisteswelt. 1961; R. C. Zaehner, Zurvan. 1955.

[7] Martin Noth, Geschichte Israels. 1954, S. 304—312.

[8] Ebd., S. 276 ff.

[9] Joh. Michael Schmidt, a. a. O., S. 99 ff.

[10] Gerhard v. Rad, Theologie des AT. Bd. I. 1962, S. 225.

[11] Jürgen Moltmann, Theologie der Hoffnung. 1965, S. 120—24.

[12] Ernst Bloch, Das Prinzip Hoffnung. Bd. 1—3. 1960.

[13] Ebd., Bd. I, S. 235.

[14] Ebd., Bd. I, S. 221.

[15] Ebd., Bd. I, S. 223.

[16] R. Reitzenstein, Poimandres. 1904, S. 286; Th. W. NT, Bd. I, S. 3 (Beitrag von Gerhard Kittel).

[17] Werner Gent, Die Philosophie des Raumes und der Zeit. 1962; Max Jammer, Das Problem des Raumes. 1960; H. W. Schmidt, Zeit und Ewigkeit. 1927; Gerhard Delling, Das Zeitverständnis des NT. 1940; Oscar Cullmann, Christus und die Zeit. [3]1962; Ernst Lerle, Das Raumverständnis im NT. 1955; Hedwig Conrad-Martius, Die Zeit. 1954; dies., Der Raum. 1958; C.-H. Ratschow, Anmerkungen z. Theol. Auffassung des Zeitproblems, in: Z. Th. K. 1954, S. 360; H. Echternach, Zum Problem der Zeit, in: Theol. Lit. Ztg. 1955, S. 727; Ulrich Mann, Theol. Religionsphilosophie im Grundriß. 1961, S. 182; Erwin Schneider, Die Bedeutung der Begriffe Raum und Zeit und Ewigkeit i. d. christl. Verkündigung und Lehre, in: Kerygma und Dogma. 1958, S. 281.

[18] Karl Heim, Glauben und Denken. [4]1938, S. 110 und 173.

III

ETHISCHES

DER CHRISTLICHE UNIVERSALISMUS UND DIE SOZIALETHIK

Von Heinz-Dietrich Wendland (Münster i. W.)

Wenn das Urteil richtig ist, daß der christliche Universalismus die ganze Theologie durchherrscht und bestimmt, so können davon die Ethik und Sozialethik selbstverständlich nicht ausgenommen werden. Dann ist aber die Frage zu stellen, wie sich der christliche Universalismus in der Sozialethik auswirkt und wie er diese formt. Diese Formung ist wiederum von der Art und Eigenart des christlichen Universalismus abhängig, über die wir uns in aller Kürze Rechenschaft geben müssen.

I

Der christliche Universalismus trägt erstens *eschatologischen* Charakter. Universal ist das Reich Gottes, denn die kommende, erlösende Herrschaft Gottes hat es mit der ganzen Welt und mit allen Menschen zu tun; es vollendet sich in der Neuschöpfung des ganzen Kosmos (Apc. Joh. 21 u. 22; vgl. 11, 15). Dieser total realisierte Universalismus gehört der eschatologischen Zukunft an. Das Telos ist das die ganze neue Schöpfung erfassende und umfassende Reich Gottes. Die vollendete Endherrschaft Gottes ist quantitativ und qualitativ gleichermaßen universal. Es gibt nichts, das von ihr ausgeschlossen wäre. Die Bitten des Vaterunsers um das Kommen des Reiches, das Geschehen des Willens Gottes und die Erlösung vom Bösen sind dann allumfassend erfüllt. Die Strukturen des alten Aion der Sünde und des Todes sind aufgehoben; Gegenmächte gegen das Reich Gottes existieren nicht mehr. Dies gilt auch vom Tode, dem „letzten" und d. h. wohl auch größten Feind der Herrschaft Gottes und Christi (1. Kor. 15, 26), die ein Reich des absoluten Lebens ist, ohne jede Verzerrung durch Sterben und Vergänglichkeit.

Die eschatologische Dynamik des Reiches Gottes führt auf dies Endziel, freilich auf oft verborgenen Wegen; alles, was die Gottesherrschaft hier und jetzt wirkt, ist noch „tectum cruce" (Luther) und nimmt fragmentarische, geschichtliche Gestalten an. Gleichwohl ist die Seins- und Wirkungsweise des Reiches Gottes inmitten des alten Aion immer potentiell universal. Es kann seinen universalen Charakter niemals preisgeben; nur auf Zeit ist dieser verborgen, eingeschränkt und fragmentarisch. Diese Bedingung des „Noch-nicht" kann die Durchsetzung der universalen, eschatologischen Endgestalt des Reiches Gottes nicht hindern, andernfalls wäre Gott nicht Gott.

Dieser eschatologische Universalismus ist mit dem protologischen Universalismus aufs engste verbunden: Gott ist der Schöpfer des Alls, alles dessen, was ist und lebt (Apc. Joh. 4). Der Schöpfer der Welt ist auch ihr Neuschöpfer. Darum muß das ganze Gottesvolk, ja müssen alle Wesen dem ewigen Schöpfer Lob, Preis und Anbetung darbringen (Phil. 2, 9 ff.).

Die Schöpfermacht Gottes ist eschatologischer Natur, denn sie führt die Welt dem Ende und d. h. der Neuschöpfung entgegen. In diesem Sinn gilt die Formel des Barnabasbriefes: „die letzten Dinge wie die ersten". Die Allmacht des Schöpfers ist ebenso universal wie die Allmacht des Erlösers und Neuschöpfers. Weil Gott der Schöpfer ist, darum ist die Enderlösung auch nicht bloß negative Befreiung von . . ., nämlich vom Tod und allen dämonischen Gewalten, sondern der unendliche Reichtum der neuen Schöpfung, des neuen, vom Licht Gottes erfüllten und erhellten Alls.

Der eschatologische Universalismus schließt jede Art von absolutem Dualismus aus. Solange wir noch in der alten Weltzeit leben, gilt der vorläufige, zeithafte Dualismus Leben gegen Tod, Gnade gegen Sünde, Erlösung gegen Leiden, der auf die zukünftige Aufhebung seiner selbst verweist, da ja das Evangelium mit seiner rettenden Kraft schon in dieser Weltzeit wirkt und deren Aufhebung verkündigt. Ebenso schmecken wir im Mahl des Herrn schon die Kräfte und das Leben der zukünftigen Erlösung. Beide, Evangelium und Sakrament — dies gilt auch von der Taufe — sind potentiell universal, insofern sie das Reich Gottes in die Welt bringen und für alle Menschen bestimmt sind. Demnach muß dem „Noch-nicht" das „Schon-jetzt" entgegengesetzt werden. Dieses ist reale Teilhabe und Voraus-Empfang der endzeitlich-universalen Voll-Erlösung, sie tendieren und zielen auf die Vollendung des Heils, die aber mit der Neuschöpfung der Welt identisch ist.

Der Universalismus, von dem hier die Rede ist, ist zweitens *christologischer* Art und somit konzentriert in der Person Jesu Christi. Durch seinen Tod und seine Auferstehung ist er zur Würde des göttlichen kyrios gelangt, dem der ganze Kosmos huldigt (Phil. 2, 5 ff.). Seine Herrschaft ist universal, denn sie erstreckt sich auf die ganze Welt. Darum heißt er „der König der Könige" und „Herr der Herrn". Was er ist, das ist er zur Ehre Gottes des Vaters; er begehrt die Weltherrschaft nicht für sich selbst. Er ist der Erlöser der Welt; Heil und ewiges Leben, die er bringt, sind für *alle* da, und unter allen Völkern soll sein Name verkündigt werden. Zur

Universalität Christi gehört das universale Evangelium, die Botschaft des Heils für die ganze Welt.

In dieser Weltzeit ist die universale Herrschaft Christi verborgen unter Leiden, Kreuz und Tod. Der Vollmachts- und der Herrschaftsanspruch Christi sind umstritten. Wo der Auferstandene und Erhöhte wirkt, da kämpfen die Antichristen gegen ihn. Doch der Glaube hält die Gewißheit der Hoffnung fest, daß die Herrlichkeit Christi offenbart werden wird; er bekennt hier und jetzt die noch verborgene Endherrschaft Christi. Wider alle Ideologien und alle falsche Messianität hält er das eschatologische Telos fest, in dem aller Widerstreit aufgehoben und der jetzt noch verborgene Christus sichtbar gemacht wird.

Die jetzt noch verdeckte und verborgene Universalität Christi bedeutet auch, daß seine Herrschaft in *dieser* Welt unvollendet und partikular ist. Die weitverbreitete Kraftlosigkeit der Kirche zur Mission macht diese Partikularität besonders deutlich offenbar. Der Universalität Christi entspricht der Universalismus der Gnade. Sie ist für alle bestimmt und wird allen angeboten, sie ist geschichtlich begrenzt durch die freie Entscheidung des Menschen zum Glauben oder Unglauben. Der Universalismus Christi und der Gnade ist frei von aller diktatorischen Zwangsgewalt, wie sie Menschen und die von ihnen geschaffenen Systeme über Menschen ausüben, was für die Auseinandersetzung der christlichen Sozialethik mit politischen und sozialen Ideologien von großer Bedeutung ist. Das gleiche gilt für das soziale Handeln der Kirche in und an der Gesellschaft und ihren Gruppen. Der Universalismus der Gnade kann nicht durch den Gebrauch politisch-sozialer Gewalt realisiert werden, oder das universale Angebot der Gnade würde völlig pervertiert. Die Verkündigung der Gnade und der Aufruf zum Glauben müssen von der Vaterunser-Bitte begleitet werden: „Erlöse uns von dem Bösen!" Die Kirche soll die Botschaft von der universalen Gnade zu allen Völkern tragen. D. h., daß ihre Sendung auf die ganze *Menschheit* und nicht bloß auf einige Gruppen oder Völker gerichtet ist. Ihrer Berufung und Sendung nach ist die Kirche universal, doch ihre geschichtliche Gestalt, ihr Umfang, ihre Reichweite sind begrenzt, fragmentarisch und partikular, und dies gilt nicht nur dort, wo sie bedrängt und verfolgt wird. Denn die Macht des Unglaubens ist groß und hat vielerlei Gestalt.

Um so wichtiger ist es, daß die Kirche in der Verkündigung wie im sozialen und diakonischen Handeln ihren universalen Auftrag festhält und in der Hoffnung auf die Universalität der Herrschaft Gottes in Christus den Weg ihres Dienstes geht. In aller geschichtlichen Konkretisierung und Begrenzung ihres Dienstes an einzelnen und gesellschaftlichen Gruppen muß sie diese Begrenztheit immer von neuem durchbrechen.

Dasselbe gilt von ihrer eigenen partikularen Gestaltung und Zerrissenheit in viele Kirchen. Sie muß diese durchbrechen bzw. überwinden durch die Richtung auf das universale Ziel der *einen* Kirche, so wie sie als die eine Gemeinde Christi gestiftet ist: ein Gott, ein Herr, ein Glaube, eine Kirche.

In der Durchbrechung historischer und institutioneller Grenzen erweist sich der universale Auftrag der Kirche als wirksam und lebendig. Dies ist ein notwendiges Element ihrer dynamischen Bewegung auf das eschatologische Telos hin. Der heilige Geist treibt sie aus allen historischen Fixierungen und Begrenzungen hinaus auf neue Wege, in neue Räume und in neue Formen ihres Dienstes. Der heilige Geist ist die Kraft in der historischen Kirche, sich selbst zu überwinden und zu wandeln, immer neue Formen der Verkündigung und des Handelns zu suchen.

Die Universalität muß die Partikularität der Kirche kritisch in Frage stellen und durchbrechen. An dieser inneren Bewegung in der Kirche müssen auch die Sozialethik und das soziale Handeln der Kirche teilhaben. Nur in der handelnden Hoffnung des Sich-selbst-Überschreitens kann sie Kirche bleiben und das universale Telos im Auge behalten.

Die Notwendigkeit, die historischen Festlegungen kritisch zu realisieren, ja sie zu durchbrechen, wenn sie die Kirche an der Erfüllung ihres Auftrages hindern, hebt nicht die andere Notwendigkeit der historisch-sozialen Realisierung auf. Denn die Kirche muß in die verschiedensten geschichtlichen Situationen und Verhältnisse eingehen, in Kontinenten, Ländern und Völkern Gestalt annehmen, in verschiedenen Kulturen gegenwärtig sein, wenn anders sie das Evangelium zu den Menschen bringen will.

All dies geschichtliche Handeln der Kirche bleibt freilich begrenzt, partikular und fragmentarisch, ja sie ist heute von der Erreichung der ganzen Menschheit weiter entfernt denn jemals zuvor. Die Menschheit wächst rapide, und die Christenheit ist eine Minorität. Sie würde jedoch sich selbst und ihren Auftrag verraten, wenn sie nicht mehr in der Menschheit ihr Gegenüber sehen würde. Da aber die Menschheit unübersehbar differenziert, ja zerspalten ist, so ruft dies in der Kirche ständig die Ausbildung neuer geschichtlicher Formen der Verkündigung, des sozialen Handelns und der Gemeindebildung hervor. Die beiden Bewegungen des Hineingehens und des Hinausgehens sind also mit der Sendung der Kirche gegeben und daher vielfältig aneinander gebunden.

Die Theologie aber hat kritisch zu prüfen, ob die jeweiligen geschichtlichen Formungen der Kirche der Erfüllung ihres Auftrages dienlich sind. Es ist ständig nach dem Wie ihres Gegenwärtigseins in den verschiedenen Weltsituationen zu fragen.

II

Es fragt sich nun, was das über die Universalität, Christi und die Kirche Gesagte für die christliche Sozialethik bedeutet. Wir können aus räumlichen Gründen nur einige knappe Hinweise geben.

Auch die Sozialethik ist bestimmt durch die beiden oben genannten Bewegungen der Kirche, die aus ihrem Auftrag folgen. Sie vermittelt als kritische Theologie der Gesellschaft zwischen dieser und der Kirche in gegebenen historisch-sozialen Situationen (vgl. dazu H.-D. Wendland, Wege und Umwege. Gütersloh 1977, S. 198 ff.). Sie prüft die Möglichkeiten und Notwendigkeiten des sozialen Dienstes der Kirche in einer bestimmten Gesellschaft. Sie fragt nach Weisen des Handelns, die dem sozialen Frieden dienen. Sie fragt nach Menschen und Gruppen, deren Notlage nach Hilfe ruft. Sie deckt konkrete Schäden und Pervertierungen des Menschseins in der jeweiligen Gesellschaft auf. Die Universalität ihrer Aufgabe und ihres Denkens besteht zunächst darin, daß sie das *Ganze* der Gesellschaft ins Auge faßt. Ihr Ziel ist diejenige Veränderung der Gesellschaft, welche dieser hilft, zu einer *humaneren* Gesellschaft zu werden und antihumane Strukturen aufzulösen. Sie weiß dabei, daß sie nicht das Reich Gottes auf Erden herstellen kann. Aber sie macht die Universalität der Liebe gegenüber allen Nöten und Unmenschlichkeiten der vorhandenen Gesellschaft geltend und formt, unter dem Liebesgebot stehend, konkrete, gestaltbare Weisungen und Forderungen der sozialen, christlichen Humanität, wobei sie alle Ideologien, welcher Art und Herkunft auch immer, kritisch destruiert. Sie nimmt dabei den humanethischen Begriff der *salus publica* kritisch auf und bejaht die Richtung dieses alten Begriffs auf das Ganze der Gesellschaft. Damit diese Zielsetzung nicht abstrakt und leer werde, faßt sie immer konkrete Schäden der Gesellschaft (entartete Formen der Herrschaft, ökonomische Notlage einzelner Gruppen, Arbeitslosigkeit, Inhumanität von Arbeitsbedingungen, Ausbeutung von Arbeitnehmern u. v. a.), Probleme und Nöte ins Auge, um nach Abhilfe zu suchen. Vorhandene Strukturen der Gesellschaft kann sie nie absolut setzen, diese müssen vielmehr kritisch am Maßstab der sozialen Humanität geprüft werden. Dies gilt aber auch von allen Reformideen oder revolutionären Glücksutopien. Das Denken der Sozialethik muß also durch die Dialektik von Universalität und Konkretheit bestimmt sein. Daher ist bisher auch nur von einem einzelnen historischen Gesellschaftskörper die Rede gewesen.

Wenn aber der Dienst der universalen Kirche immer auf das Ganze der Menschheit gerichtet sein muß, was folgt daraus für die Sozialethik?

Sie muß heute lernen, weltweit zu denken; sie muß die menschliche

Gesellschaft im ganzen ins Auge fassen und die *Welt*verantwortung der Kirche neu auslegen. Die Grenzen von Konfessions-, Landes- und Volkskirchen muß sie hinter sich lassen. Hunger, soziales Elend, Unfreiheit und Unterdrückung sind heute Weltphänomene, die nur ein weltweites Denken erfassen kann. Mächtige, mit Gewalt zum Gesetz erhobene Ideologien beherrschen Hunderte von Millionen Menschen und ersticken jede Regung von Freiheit im Denken und Handeln. Wir leben in einem Zeitalter der Diktaturen. Die Demokratie ist vom Faschismus und vom Kommunismus bedroht. Im großen Sog der Industrialisierung werden uralte Stammes- und Dorfordnungen sowie vortechnische Wirtschaftsweisen zerstört. Der Prozeß der Urbanisierung zieht Massen von Menschen in die Großstädte und füllt die Slums, wo sie größtenteils der Verelendung und der Arbeitslosigkeit preisgegeben sind.

Die große ökumenische Expertenkonferenz über die Probleme von Kirche und Gesellschaft in einem revolutionären Zeitalter (Genf 1966) hat diese und viele andere soziale, ökonomische und politische Probleme umfassend analysiert. Sie hat eindringlich gezeigt, daß die christliche Sozialethik heute und in aller Zukunft *ökumenische* Sozialethik sein bzw. werden muß. Dieser Prozeß geht sehr langsam vor sich. Die partikularen, ethischen und sozialethischen Denktraditionen in den Kirchen sind ebenso einseitig wie rückwärtsgewandt. Christen mit weltweitem Denken und weltweiten Erfahrungen sind in vielen Kirchen selten. Eine wahre Fülle von neuartigen Problemen und Aufgaben liegt vor uns, zu deren Bewältigung wir neuer Begriffe bedürfen.

Die ökumenische Sozialethik ist universal und konkret zugleich, weil das Gebot der Liebe allen Menschen gilt, die jedoch in sehr verschiedenen Gesellschaftsformen und geschichtlichen Situationen leben. Die heutige christliche Sozialethik muß weltweite Nöte und Gefährdungen des Menschen kennen, zugleich aber immer auch begrenzte Gesellschaftskörper und konkrete einzelne Gruppen in den verschiedenen Gesellschaften erfassen. Die europäischen Kirchen werden heute z. B. mit den sozialen Problemen Afrikas und der dritten Welt überhaupt konfrontiert. Ihr sozialethisches Denken muß mithelfen, die Probleme der dritten Welt sachgerecht zu erfassen und zu bestimmen versuchen, wie eine humane und sozialgerechte Entwicklungshilfe beschaffen sein bzw. arbeiten soll. Sie muß sich mit dem weißen und schwarzen Rassismus auseinandersetzen.

Hinter solchen Andeutungen stehen zahlreiche Einzelprobleme, die hier nicht dargestellt werden können. Hieraus entsteht die dauernde, nie endende Aufgabe, das Einzelne mit dem Ganzen zu verbinden, d. h. die konkreten Probleme in dieser und jener Gesellschaft in Zusammenhang mit weltweiten Bewegungen und Phänomenen zu verstehen. Auch hierin zeigt sich die Universalität der modernen ökumenischen Sozialethik. Dem Heute zugewandt, vollzieht sie die konkrete Vergegenwärtigung des Liebesgebotes und der handelnden Liebe in begrenzten geschichtlichen Formen. Sie lebt in allen Konkretionen aus der Universalität des Evangeliums und der Kirche.

Es fragt sich, wie sich der Universalismus der christlichen Sozialethik zu jener Hilfe verhält, die einzelnen Notleidenden oder besonderen Gruppen zugedacht wird. Die Menschheit ist immer repräsentiert durch Rassen und Völker, durch Gruppen und einzelne. Der soziale Dienst der Kirche sucht die Menschheit daher in ihren konkreten, geschichtlichen Gliederungen auf. Der christliche Universalismus ist keine Abwendung vom einzelnen Menschen; er sucht vielmehr die Menschheit im konkreten Menschen, sieht diesen aber zugleich in seiner sozialen Existenz und fragt nach seiner sozialen Wohlfahrt in einer geschichtlichen Gesellschaft und Situation. Zum ökumenischen Charakter der heutigen Sozialethik gehört es, daß sie allenthalben in der Welt für die *Rechte des Menschen,* vor allem für seine soziale, politische und geistige Freiheit im Denken und Handeln eintritt. So wird sie zur Partnerin aller derer, die für die gesamtmenschheitliche Geltung und Durchsetzung der Menschenrechte kämpfen. Sie folgt damit den Leitbildern der personalen Freiheit, der sozialen Gerechtigkeit, der universalen Mitmenschlichkeit und der Liebe zu allen, die der Hilfe bedürfen. *Die Liebe schließt diese humanen Leitbilder in sich ein und reinigt sie von allen ideologischen Elementen,* die zu einer unchristlichen Absolutsetzung des Menschen führen könnten. Das gleiche gilt von einer Ideologie, die im Namen der Gleichheit die Freiheit des Menschen zerstört und ihn der Entmenschlichung preisgibt. Auch der Kampf für die Menschenrechte kann nur in concreto geführt werden, wofür Amnesty International als Beispiel dienen mag. Im Eintreten für die Menschenrechte wird das universale Ziel sichtbar: Freiheit und Gerechtigkeit für *jeden* Menschen. Kommen wir diesem Ziel näher, so auch dem der Menschheit als einer humanen Gesellschaft aller Menschen.

Könnte die Kirche den Kampf für die Menschenrechte nicht Organisationen wie den Vereinten Nationen und dem internationalen Gewerkschaftsverband u. a. überlassen? Doch die Kirche ist dazu berufen, der Anwalt des Menschen zu sein, des ganzen Menschen, des Menschen in seiner Bedingtheit durch die sozialen Gefüge, in seiner Abhängigkeit von ihnen.

Die Verkündigung des Reiches Gottes kann immer nur diesen ganzen Menschen meinen und treffen, und das Gebot der Liebe ist auch darin universal, daß es die Kirche zum sozialen Dienst am geschichtlichen Gesamtdasein des Menschen verpflichtet. Aber der Universalismus der Kirche wie des sozialen Denkens und Handelns der Kirche steht *im härtesten Kampf und Widerstreit.* Nicht nur die ungeheuere Macht des Unglaubens, wie z. B. des militanten und des lautlosen Atheismus, erhebt sich gegen ihn, vielmehr ist er auch konfrontiert mit der Pervertierung und Dämonisierung gesellschaftlicher Ordnungen und Strukturen. Eine theologisch begründete christliche Sozialethik kann ohne diese Einsicht nicht bestehen. Andernfalls würde sie den christlichen Universalismus zu einer optimistischen Utopie degradieren und den Realismus der christlichen Weltsicht preisgeben. Dieser kennt nicht nur das personal Böse, das sich in gesellschaftlichen Strukturen verleiblicht hat und von diesen her die Menschlichkeit des Menschen bedroht. (Ich schließe mich in dieser Sache, wie schon in früheren Schriften, an Paul Tillich an.)

In pervertierten Formen der Herrschaft und der Macht werden ganze Völker unterdrückt; die personale Freiheit des Menschen ausgelöscht, ihre politischen und sozialen Ausstrahlungen, z. B. in der Freiheit des Denkens, der Religion, der politischen Überzeugung und des politischen Handelns werden beseitigt. Wer dem herrschenden System und seiner Ideologie widerspricht, wird ins Gefängnis geworfen oder muß sein Vaterland verlassen. Mitbestimmung, Teilhabe an der politischen Willensbildung gibt es nicht.

Aber nicht nur an totalitäre Systeme der Unterdrückung und an die Gewaltherrschaft in Militärdiktaturen ist zu denken. Der anarchistische Terrorismus stellt jede menschliche Ordnung in Frage und schreckt vor Entführung und jeder Art von Mord nicht zurück; Leben und Würde des Menschen gelten ihm nichts.

Doch nicht nur die Freiheit, auch die soziale Gerechtigkeit ist bedroht. Dies gilt auch von der westlichen Welt. Die Freiheit kann durch den individuellen wie durch den Gruppenegoismus entstellt und verdorben werden. Ebenso kann die Ausnutzung der eigenen Machtposition die soziale Gerechtigkeit in Gefahr bringen oder deren Durchgestaltung zugunsten einer Klasse oder machtbesitzenden Gruppe verhindern. (Weitergehende Analysen sind hier nicht möglich.)

In dem unaufhörlichen Ringen mit dämonischen Mächten und Strukturen darf die Kirche nicht der Resignation verfallen. *Resignation wäre Unglaube.* Mit ihrer Verkündigung und ihrem sozialen Handeln zur Humanisierung der Gesellschaft, zur Gegenwehr gegen die zunehmende Brutalisierung des Lebens kann und darf die Kirche *Zeichen setzen,* welche die unzerstörbare Gegenwart des Reiches Gottes und der Liebe bezeugen. Das Dämonische, wo immer es sich zeigt, muß aufgedeckt und beim Namen genannt werden. Die Kirche hat die Vollmacht dazu, bedarf aber des prophetischen Geistes, um den sie bitten muß, damit diese Vollmacht verwirklicht werde. Die Liebe, die für den Nächsten eintritt, ist sehende Liebe, welche die pervertierten Strukturen der Unterdrückung oder der Verelendung wahrnimmt und angreift, um gefährdeten Menschen ein menschenwürdiges Dasein zu ermöglichen.

Die Kirche kann sich mit Partnern verbünden, die, unter humanethischen Zielbildern stehend, soziale Reformen anstreben. Im Unterschied zu diesen sieht sie immer den Menschen Gottes vor sich, den Gott geschaffen und zu seinem Reich berufen hat. Ein wenig mehr Freiheit und soziale Gerechtigkeit in geschichtlicher Gestalt ist mehr wert als irrealistische soziale Utopien. Doch bedeutet dieser Realismus keine Preisgabe des universalen Zieles der humanen Gesamtgesellschaft. Von diesem aus gesehen werden die sozialethischen Teilprobleme und Teilhandlungen in ihrem tiefen Zusammenhang sichtbar: Die dämonische Pervertierung ist wider die Schöpfung Gottes und wider das Reich Gottes gerichtet.

Macht die universale Kirche durch Wort und Tat allenthalben offenbar, zu welchem Ziel die Menschheit berufen ist, so zeigt sie, daß dämonische Entmenschlichung des Menschen nicht den Sieg über die Welt erringen kann. Diese wird die Welt Gottes sein, in welcher der Mensch zur vollkommenen Freiheit gelangt, die mit der vollkommenen Gerechtigkeit für alle versöhnt ist.

Im eschatologischen Geschehen der Vollendung des Reiches Gottes offenbart sich, daß der christliche Universalismus auch in seiner weltzeitlichen Begrenztheit und Verborgenheit aus der allumfassenden Wahrheit des Evangeliums vom Reich Gottes gelebt hat und lebt und selbst durch diese wahr ist.

UMGANG MIT DER NATUR

Ein Kapitel theologischer Ethik

Von WILHELM DANTINE (Wien)

Seit langem regt sich im christlichen Bewußtsein ein tiefes Unbehagen hinsichtlich der Rolle, die der „Natur" durch eine komplexe und wechselvolle Geschichte hindurch von seiten des christlichen Denkens zuerkannt worden war. Sicherlich waren bei der Weckung und Schürung dieses Unbehagens auch eine Fülle von außerchristlichen geistigen Strömungen von beachtlichem Einfluß. Aber primär drängte die eigene theologische Kritik an den überlieferten Denkweisen, insbesondere die Ergebnisse biblischer Exegese, auf eine resolute Neubesinnung. So war etwa die Wiederentdeckung der „Leiblichkeit" in der theologischen Anthropologie, darüber hinaus jedoch als umfassende und tragende Kategorie des göttlichen Handelns in der Geschichte, eine wesentliche Stufe zu einer bisherigen Neubesinnung — und wir alle wissen, welchen maßgeblichen Anteil daran gerade unser Jubilar hatte, dessen Ehrung auch die nachfolgenden Überlegungen dienen sollen.

Man kann davon sprechen, daß sich das christliche Denken in den letzten Jahrzehnten auf breiter ökumenischer Basis einer gegenüber früheren Epochen positiveren Beurteilung des „Natürlichen" zuzuwenden begonnen hat; schon die Auseinandersetzung mit einem ideologischen Naturalismus und Biologismus im neunzehnten Jahrhundert und erst recht mit deren politischen Folgen in der Mitte des zwanzigsten, konkret im Kampf mit der nationalsozialistischen Weltanschauung und in letzter Zeit mit dem sog. „Rassismus" aller Spielarten, zwang und zwingt dazu, alter und neuer Naturvergötzung in einer vertieften Weise zu widerstehen. Es geht dabei nicht nur um die Abweisung diesbezüglicher Idolatrien, sondern auch um die Aufnahme verständlicher Anliegen, die hinter jenen spürbar waren. Inzwischen haben sich jedoch uns allen noch ganz andere Aspekte, ja neue Dimensionen erschlossen, wie sie bis vor kurzem aller Welt und damit auch dem christlichen Denken nahezu unbekannt waren. Die Rasanz der technologischen Entwicklung hat in relativer Plötzlichkeit zur ernüchternden, ja alarmierenden Entdeckung von Grenzen des Wachstums, bzw. zu einem allgemeinen Erschrecken über das Maß der von

Menschen verursachten „Umweltverschmutzung" geführt. Die unmittelbaren und noch nicht absehbaren Folgen dieser historisch wohl erstmaligen Infragestellung des bisher verfolgten technologischen Weges (wie etwa der gegenwärtig tobende Kampf um die weitere Anwendbarkeit der Kernenergie) können hier nicht unmittelbar erörtert werden. Jedoch sind im Zusammenhang damit tiefe geistige Probleme aufgebrochen, die auch bisherige christliche Selbstverständlichkeiten betreffen und manches radikal in Frage stellen, was einmal abendländischer und christlicher Common sense war. Letztlich betrifft dies den Umgang des Menschen mit der Natur überhaupt; wenn dieser hier als eine spezifische Aufgabe der Neubesinnung einer theologischen Ethik verstanden werden soll, dann liegt wie selbstverständlich zutage, daß dabei die dogmatischen Grundlagen mit einbezogen werden müssen.

1. Es ist unerläßlich, die bisherige Geschichte des christlichen „Umgangs mit der Natur" einer genaueren Prüfung zu unterziehen, wobei wir uns freilich auf die Herausarbeitung weniger großer und wirkungskräftiger Linien beschränken müssen. Nun ist es nicht etwa so, wie nicht selten behauptet wird, daß das Phänomen „Natur" völlig außerhalb des christlichen Glaubensverständnisses und der theologischen Reflexion gelegen hätte. Im Gegenteil: man wird sogar die Behauptung zu verfechten haben, daß das christliche Denken vom Moment seiner ersten nachhaltigen Geschichtswirksamkeit an mit einer sehr klaren und bedeutungsvollen Naturtheorie auf den Plan getreten ist; die Frage ist allerdings dann so zu stellen, ob nicht gerade diese, die Natur positiv bewertende und sie in den christlichen Glauben integrierende, Konzeption es gewesen sei, die zu deren problematischer Rolle im Laufe der christlichen Geschichte geführt hat. Wir werden jedenfalls diese Frage zuerst zu stellen haben.

1.1. Man wird daher als erstes Stichwort dasjenige vom *Naturrecht* nennen müssen und damit einen mächtigen Strom geistiger Konzeption ansprechen, der von größter Bedeutung wurde. Sicherlich handelt es sich hier nicht einfach um eine von vornherein feststehende, eindeutige und einlinige Vorrangstellung dieser außerordentlichen und in ihrer Weise höchst fruchtbaren Grundidee, sondern wir haben es auch hier mit einer wechselvollen Geschichte zu tun, die von Siegen, Niederlagen und zäher Dauer geprägt ist. Erst mit Thomas von Aquin und der noch lange Zeit hindurch fast unbeschränkten Herrschaft des Aristotelismus beginnt ein eindeutiger Siegeszug, der trotz der Rückschläge durch die Reformation, und zeitweise auch im Katholizismus, aufs Ganze gesehen stets, wenn auch jeweils in neuer Gestalt, eskalierte. Im nachtridentinischen Katholizismus hat die Schule von Salamanca für eine so stabilisierende Wirkung gesorgt, daß es bis heute nahezu zu einer Identifizierung von Naturrecht und katholischem Denken kam, was beispielsweise erklärt, daß man nach 1945 von einer „triumphalen Wiederkehr" des Naturrechtes sprechen konnte. Im Protestantismus war es Melanchthon und die prägende Kraft seines theologischen, ethischen, pädagogischen und juristischen Denkens, die trotz der kritischen Einwände aus zentraler reformatorischer Sicht den nachreformatorischen Protestantismus zu einem Hort des Naturrechts machte; dadurch wurde auch die Voraussetzung für den späteren tiefgreifenden Säkularisierungsprozeß geschaffen, der die christliche Farbe wieder abwusch und zu einer Renaissance des „profanen" Naturrechts im Sinne der vorchristlichen Antike führte. In der Aufklärung wurde auf diesem Boden jener umfassende Humanismus geschaffen, der für die ganze moderne Zivilisation die universale Möglichkeit bot, katholische, protestantische und nichtreligiöse Vorstellungen so miteinander zu verbinden, daß ein Mindestmaß von gemeinsamer Weltsicht, die sich eben an der „Natur" orientierte, auch ein Miteinander in politischer und gesellschaftlicher Hinsicht ermöglichte; man kann dieses breite und variable Miteinander etwa an der Geburt und dem Fortleben der sog. „Menschenrechte" studieren.

Gegenüber einer heute weitverbreiteten (und aus historischen Gründen durchaus verständlichen) Meinung, es handle sich dabei vorwiegend, oder gar ausschließlich, um eine nur juristische Grundidee, ist energisch zu betonen, daß das Naturrecht zunächst und vor allem einen „ethischen" Entwurf darstellt, der seinerseits wiederum aus einer naturphilosophischen Wurzel erwuchs. Aus der Frage nach einem ursprünglichen Prinzip, nach dem, was „am Anfang war" und zugleich immer gültig bleiben wird, sowie aus ihrer entsprechenden Beantwortung auf dem Erkenntnisboden des Kausalitätsnetzes als einer Grundstruktur oder als „ordo" alles Seienden, auch die Gottesidee als „unbewegten Beweger", bzw. als prima causa fundierend, erwuchs die Einsicht von einem „der Natur gemäß Richtigen (Gerechten)" und damit die Erkennbarkeit eines Kanons des „Guten" schlechthin. Die „Natur" wurde also zum Quellort von Religion, Moral und gesellschaftlichem wie persönlichem Recht. Höher, so scheint es, kann man „Natur" gar nicht ansetzen, wirkungsmächtiger kann sie für das Insgesamt menschlicher und welthafter Existenz gar nicht bewertet werden. In der Tat lebt man im Strom und Sog solchen Naturrechtsdenkens in und von dem Bewußtsein, mit dieser Art von Naturehrung ihr nicht nur den ihr gebührenden Platz in der gesamten Seinsordnung einzuräumen, sondern überdies von der Überzeugung, damit ein bleibendes Fundament für alle denkende und handelnde Verantwortung menschlichen Lebensvollzuges gewonnen zu haben.

Indes handelt es sich bei dieser „Natur" (physis) um ein abstraktes

Konstrukt der philosophierenden Vernunft, was sich bereits überzeugend an dem auf diesem Boden erwachsenen Gottesbegriff verdeutlicht. Für uns heute ist dies etwas schwierig zu verstehen, weil uns inzwischen ein anderes Naturverhältnis und im Zusammenhang mit der modernen Naturwissenschaft ein ganz anderer (ein, wenn man einmal abkürzend so formulieren darf: „lebenssatter") Naturbegriff vermittelt wurde, der sich auch in seinen Auswirkungen auf viele Lebensgebiete — man denke nur etwa an den „Positivismus" in seinen vielen Spielarten — gegen das Naturrechtsdenken erhoben hat. Wie viel oder wenig dieser positivistische Widerspruch für die Theologie maßgebend wurde, steht jetzt nicht zur Debatte; er apostrophiert aber jedenfalls eine Art von „Manko" an „Natur" ausgerechnet in jener abstrakt-metaphysischen Naturtheorie. Wir würden heute (für uns verständlicher) sagen: das Naturrechtsdenken hatte die „Natur" dem ihr zwar nicht identischen, aber doch wohl notwendig korrespondierenden Element der „Geschichte" entfremdet. Dabei soll eingestanden sein, daß wir aus Gründen der Raumersparnis hier eine ganze Kette historischer Zwischenphasen des Denkens mit diesem lapidaren Urteil übersprungen haben; aber man kann sich etwa an den Hintergründen der Entstehung von Rechtspositivismus und Historismus die hier obwaltenden Zusammenhänge in Erinnerung rufen und verdeutlichen.

Von nachhaltiger Bedeutung für unsere Überlegungen ist jedenfalls die Feststellung, daß jene erhabene Naturtheorie die Natur selbst keineswegs in ihrer ganzen Bedeutungsfülle in das abendländische Denken eingebracht hat, so daß auch das christliche Denken in seiner zunehmenden Hörigkeit gegenüber der naturrechtlichen Theorie ebenfalls in steigendem Maße das „Natürliche" auszuhöhlen begann, ja, daß es ihm nahezu verlorenzugehen drohte. Der biblische Gedanke der „Schöpfung", der zwar ebenfalls keineswegs mit „Natur" identifiziert werden darf, jedoch jenes Natürliche in seiner ganzen komplexen Fülle mit einschloß, wurde in gleichem Maße, in welchem er bekanntlich durch jenes naturrechtliche Denken in seinem Wesensgrunde uminterpretiert und nahm an diesem Auszehrungsprozeß teil. Wie der Schöpfer zur prima causa, oder auch zum „summum ens", umgedacht wurde, so auch wurde die gesamte „Kreatur" zu einem konstruierten Abstraktum, an dem wesentlich nur ihre Ursprungsabhängigkeit religiös und ethisch interessierte. Die Geschichte der Theologie belegt diesen Vorgang, von der Theorie einer „natürlichen Gotteserkenntnis" bzw. überhaupt von einer „theologia naturalis" an bis zur Rationalisierung des Denkens und bis zur Moralisierung des christlichen Ethos.

1.2. Ein zweites wichtiges Element soll jetzt angeleuchtet werden: der Einfluß des kosmischen und anthropologischen *Dualismus*. Wir können uns nunmehr kürzer fassen, weil die vorangegangenen Einsichten erklärlich machen, welche geringe Widerstandskräfte das christliche Denken gegenüber der moralischen und essentiellen Diffamierung des Natürlichen zu mobilisieren wußte, wenn, in verschiedenartigen Vorstößen und Stoßrichtungen, die gnostische, manichäische oder neuplatonische Infragestellung der Natur als solcher auf den Plan trat. Bekanntlich gelang nur mit Mühe eine schwächliche Bejahung von Natur und Geschichte, da die formale Weitergeltung der Schöpfungslehre wenigstens dies erzwang. Unterschwellig wurde jedoch eine faktische Identifizierung von Natur und Unmoral, von Natur und dem Nichtigen, eingeleitet, oder die Natur mindestens dessen verdächtig gemacht, Nest oder gar Quelle des Bösen darzustellen. Es ist nicht nötig, auf historische Einzelheiten zu verweisen; es sei jedoch angemerkt, daß auch der reformatorische Protest gegen das dualistische Denkschema nur teilweise geschichtsmächtig wurde: auch und gerade im Protestantismus sind trotz seines Eiferns gegen diesbezügliches katholisches Irren in dieser Hinsicht durchaus analoge Phänomene bekannt und von nicht zu unterschätzendem Einfluß gewesen.

Doch auch hier sind es nicht so sehr extravagante Einzelerscheinungen, die für unsere Problematik interessant sind — man darf sie freilich auch nicht geflissentlich verschweigen; vielmehr ergibt das für unsere Thematik Wichtige erst eine Zusammenschau der wesentlichen Wirkungsgeschichte. Der sog. Dualismus mußte zwangsläufig die pralle Fülle des „Natürlichen" nicht nur dort, wo er unmittelbar zu Durchbruch und Herrschaft gelangte, perhorreszieren und sie als Sünde schlechthin diffamieren, wie etwa die Erotik, sondern er bewirkte auch auf jenen vielen Nebenschauplätzen, auf denen er sich nicht unmittelbar durchsetzen konnte, eine Art von Stillhalteabkommen: man wagte auch sonst nicht, mit der „Natürlichkeit" unbeschwert, gelassen oder gar fröhlich umzugehen. Sie war auch dort, wo man aufgrund biblischer Erinnerungen gar nicht so schlecht über sie dachte, sozusagen in ihrer Reputation so angeschlagen, daß man es nicht wagte, ihr etwas Positives, Bejahendes zuzubilligen, ihr einen echten, wenn auch kritischen, Respekt entgegenzubringen. Das Natürliche wurde — das war das Äußerste, was positiv zu erreichen war — zum toten, abstrakten „Substrat" einer leider nicht ganz zu umgehenden Voraussetzung allen Lebens; es wurde zu einer „Sache". Es ist nicht unwichtig, sich dabei vor Augen zu halten, daß diese Art von „Versachlichung" den oben schon erwähnten Prozeß der „Entgeschichtlichung" noch erheblich verstärkte. Man kann sich dies u. a. sehr gut an der Entwicklung der „Hamartiologie", der Lehre von der „Sünde", verdeutlichen. Die Eindringlichkeit, in der Wesen und Erscheinungsform des „Bösen" geschildert wird, leuchtet zwar die „fleischliche" Konkupiszenz nach ihren sämtlichen

Möglichkeiten aus, läßt aber gerade den Ernst und die Tiefe der geschichtlichen Tat des Menschen weithin außer acht. Das Böse wird weitgehend auf die Triebwelt reduziert und darum in allen Winkeln menschlicher Verdrängungskomplexe aufgespürt und dort festgemacht — das eigentliche Verantwortungsfeld des geschichtlichen Handelns, in welchem das Natürliche zu seinem Recht kommt oder aber auch entscheidendes Unheil stiftet, bleibt mehr oder weniger *gleichgültig*.

1.3. Damit stehen wir aber vor einem entscheidenden, ja fundamentalen Faktum; dieses knapp zu umschreiben, wird unser letzter, rückwärtsgerichteter historischer Beitrag sein. Jene vom Naturrechtsdenken fundierte, durch die Attacken des Dualismus zusätzlich geschwächte Position der „Natur“ führte dieselbe in ein allgemeines und abstraktes Vorfeld des christlichen Glaubens, auf den man zwar diesen als Überhöhung aufzubauen gedachte — man denke an den Begriff der „Übernatur“ —, das sich aber andererseits allmählich dem Zugriff der Offenbarung entzog — man denke etwa an die Entwicklung des Gedankens einer „pura natura“ im katholischen Raum oder an den allmählichen Verlust des „usus primus legis politicus“ als einer noch ernsthaft theologischen Kategorie innerhalb des Protestantismus, bzw. an die Entwicklung einer dualistischen „Zwei-Reiche-Lehre“. Die „Natur“ entfloh dem Zugriff des Evangeliums; eine bloß formale Geltung des Schöpfungsartikels zehrte zugleich an seiner Substanz. Man kann die Folgen sehr drastisch an der Weise demonstrieren, in welcher der biblische Auftrag zur Weltbeherrschung und Weltverantwortung an den Menschen, das sog. „dominium terrae hominis“, zu einem willkürlichen Recht des Menschen entartete, die „Natur“ auszuplündern und sie unter Verzicht auf jede nähere Sinngebung und darum auch jegliche Verantwortung einfach und schlechthin zu „benutzen“. Die naturrechtlichen Grundlagen des römischen Eigentumsrechtes, des „ius utendi, nocendi et delendi“, wurden durch das biblische Wort von dem Untertansein der Erde unter die Herrschaft des Menschen quasi-legitimiert, während Restbestände des Schöpfungsglaubens die weitgehend unreflektierte Überzeugung von der Unerschöpflichkeit der Natur sicherten. Die religiöse, philosophische und moralische Selbstverständlichkeit, mit der die moderne Technokratie die Natur benützte und benützt, hat ihre eigentlichen Hintergründe in der christlichen Geschichte des Naturdenkens, an der sich heute freilich nicht- oder antichristliche Weltdeutungen wie selbstverständlich beteiligen.

2. Die geschilderte historische Naturentfremdung des christlichen Denkens erweist sich im Blick auf die biblischen Ursprünge und die eigentlichen spirituellen Impulse des Evangeliums zugleich als eine Geschichte christlicher Selbstentfremdung. Darum liegt sie auch keineswegs schicksal-

haft als Sperre auf dem weiteren Weg des christlichen Glaubens in die Zukunft der Welt. Im Zeichen von Buße und Wiedergeburt kann daher nochmals neu angesetzt werden, um brachliegende Felder des theologischen Erkennens durchzupflügen und aufzuarbeiten.

2.1. Wie schon angedeutet wurde, ist dem kreatorischen Element des christlichen Glaubens eine irgendwie geartete Identifizierung von Natur und Divinum wesensfremd. Daher ist es auch nicht möglich, in jener für die hellenisch-römische Antike so charakteristischen ontologisierenden und metaphysizierenden Weise zu Grundstrukturen des Seins und Sollens zu gelangen: „Natur" ist nie Basis und Ausgangspunkt maßgeblicher Einsichten. Was überhaupt an Wesentlichem und Entscheidendem zu denken und zu sagen ist, auch das, was von „Natur" zu halten ist, kommt nie aus dieser selbst, sondern aus der Erfahrung der Rettungsgeschichte, des Heiles „extra nos", bzw. aus der Ankündigung der Vollendung und damit aus spiritueller Gewißheit. Was „Schöpfung" ist, wird „geglaubt", weil „Heil" und „neue Schöpfung" zur Basis einer Weltauslegung in engem Zusammenhang mit gebotenem Welthandeln geworden ist. „Natur" wird absolut und unbedingt auf einen sekundären Platz verwiesen; man könnte zugespitzt formulieren: gerade ihr eignet nicht „Ursprüngliches" im Sinne von „principium", auch wenn sie „in principio", d. h. mit dem Weltursprung durch die „Schöpfung" gleich der „Zeit" mitgesetzt ist. Ihre sachliche „Nach-Ordnung" schließt jede bestimmende und daher auch jede „wesenhafte" Bedeutung im Sinne eines prinzipiellen „ordo" aus.

2.2. Das bedeutet nun keineswegs, daß sie dieser ihrer sekundären Stellung wegen etwa ins „Außerhalb" des göttlichen Handelns und der menschlich-welthaften Existenz geriete; „sekundär" darf hier nicht als „inferior" oder „nebensächlich" gedeutet werden. Im Gegenteil: „Natur" wird in göttliches wie menschliches Handeln in ihrer ganzen Bedeutsamkeit und in ihrer Gesamtheit mit einbezogen. Sie begleitet nicht etwa nur göttliche Offenbarung oder stellt ihre Elemente, wie beispielhaft im Sakrament, zur Verfügung, sondern sie füllt den Zeitraum der „Geschichte" mit ihrer jeweiligen vollen Präsenz. Geschichte ist demnach niemals naturlos zu denken — wohl aber kann Natur geschichtslos verstanden werden, wie das Naturrechtsdenken zeigt. Indem „Natur" in ihrem innigen Konnex mit „Geschichte" theologisch als „Schöpfung" qualifiziert wird, wird sie auch als solche in keiner Weise problematisiert. Sie wird deshalb niemals als solche mit dem Bösen und dem Nichtigen schlechthin identifiziert, obwohl sie (wie auch die Geschichte) vergeht. Sie ist daher keineswegs die Brutstätte des Bösen oder der spezifische Anlaß menschlicher Sünde; sie hat vielmehr Anteil am Guten und Bösen, an der Dämonie wie auch an der Glorie. Sie wird mit dem ihr eigentümlichen Reichtum und in all ihrer

Potentialität am Gang des Heilsgeschehens beteiligt. Sie ist daher weder abstrakt noch neutral, sondern hineingerissen ins Heilsgeschehen wie auch ins Verderben, und zwar in ihrer je verschiedenen Präsenz im Bereich des Kosmischen, der menschlichen Gesellschaft und der personalen humanitas.

2.3. Darum verliert „Natur" in trinitarisch bestimmter Glaubenssicht auch nicht ihre „Natürlichkeit". Der schon öfters angedeuteten Differenz von „Natur" und „Natürlichkeit", die bewußt vage anzusetzen ist, kommt freilich lediglich der Charakter einer reflexen Antwort auf jene geschilderte Abstraktion von „Natur" zu; es geht hier nur darum, aufzuzeigen, daß christlicher Glaube es nicht nötig hat, die Natur in irgendeiner Weise zu denaturieren, um überhaupt mit ihr umgehen zu können. Die in ihr spezifisch aufsteigenden Gefahren sind ebenso ernst zu nehmen wie ihre für alles Gute offene Potentialität; letztere ist keineswegs in einem domestizierten Minderungszustand, sondern in ihrer Fülle und Kraft für den christlichen Glauben von außerordentlicher Relevanz; dies ließe sich u. a. an Begriff und Wirklichkeit des Ästhetischen exemplarisch demonstrieren. Natur muß keineswegs bloß toleriert werden; sie ist eben auch nicht bloße Voraussetzung, die durch „Gnade" überhöht zu werden verdient, vielmehr verfügt sie über eine ihr eigentümliche Würde und über eine relative Autonomie, die sie befähigt, eigenständig „Gnade" zu begleiten. — Aus dieser Sicht ergeben sich Konsequenzen, die nunmehr umfassend zu bedenken sind.

3. Wir können jetzt dazu übergehen, eine *erste Grundthese* für den „Umgang mit der Natur" zu formulieren. Sie lautet ganz schlicht: „Natur" muß in der Sicht christlichen Glaubens in ihrer vollen Erscheinungsweise respektiert werden. Ehe wir aber entfalten können, was dies konkret und zugleich umfassend genug beinhaltet, müssen noch einige (bisher bloß implizit vorausgesetzte und noch kaum angedeutete) Einsichten in unsere Überlegungen mit eingebracht werden.

3.1. Wie schon gesagt, ist „Natur" korrelativ auf „Geschichte" bezogen: wie sich Geschichte nie außerhalb und abgesehen von Natur darstellt, so ist auch Natur stets auf Geschichte bezogen; in beiden Fällen ist allerdings eine große Variationsbreite des gegenseitigen Beziehungsfeldes von vornherein anzusetzen. So ist schon dem beliebten Schlagwort von einer „reinen Natur" zu widersprechen: es ist ein aus der (begreiflichen) Sehnsucht, der jeweiligen Geschichtlichkeit zu entrinnen, geborenes phantasievolles Konstrukt ohne Realitätswert. Nicht nur erfährt der Mensch als geschichtliches Wesen jeweils „seine" Natur als Teilmoment seiner eigenen Geschichte — selbst und gerade dann, wenn er mit seinen (d. h. mit künstlichen) Mitteln sich eine „naturbelassene" Umgebung schafft oder sie aufsucht —, sondern die Natur selbst ist ja ebenfalls kein starres, gleichbleibendes System, sondern ein durchaus dynamisches Beziehungsfeld mit einer eigenen „Geschichte" — zweifellos einer Geschichte sui generis, die keineswegs ohne weiteres der des Menschen gleichzusetzen ist. Es ist kein Zufall, wenn wir heute nach einer langen Zeit strenger Trennung von historischer und Naturwissenschaft mit ganz neuen Denkmodellen konfrontiert werden, die als erste tastende Versuche anzusehen sind, Natur und Geschichte wieder zusammenzudenken: der Griff des Menschen nach den planetarischen Räumen nötigt dazu nicht weniger als der „ökologische Schock", der plötzlich über uns gekommen ist.

3.2. Sofern der Mensch mit der Natur zu tun hat — sei es etwa die eigene Biologie, sei es die kosmische Futurologie —, wird sie von ihm mitgestaltet, mitbestimmt. Sowenig er sie je total zu beherrschen vermag, sondern immer auch von ihr beherrscht, ja „besessen" sein wird, sowenig bleibt sie von ihm unberührt, hat er auch nur ein Auge auf sie geworfen; sie ist und bleibt nicht mehr dieselbe, sondern verändert sich unter seiner Hand. Daß es sich dabei um einen ungeheuren, vielgestaltigen, durch Erfolge und Mißerfolge in gleicher Weise gekennzeichneten, keineswegs linearen Prozeß handelt, der längst nicht zum Abschluß gekommen ist, läßt sich unschwer erweisen. Wesentlich für unsere Thematik ist jedoch, daß sich dieser durch viele Bruchstellen charakterisierte Prozeß seinem Wesen nach unaufhaltsam und irreversibel vollzieht; der historische Tatbestand, daß dieser Vorgang regional sehr variabel verläuft und beispielsweise unter Wüstensand oder tropischem Urwald ganze versunkene Kulturen von Kämpfen, Siegen und Niederlagen des homo faber Zeugnis ablegen, beweist jedoch keineswegs, wie manche meinen, die grundsätzliche Umkehrbarkeit jenes menschlichen Geschichtstrends. Solange Menschen überhaupt geschichtlich handelnd unterwegs sind, wird er anhalten — was freilich die grundsätzliche Möglichkeit einer die Menschheit zur Gänze hinwegraffenden Universalkatastrophe, verursacht etwa auch durch menschheitliche Selbstzerstörung, keineswegs ausschließt. Dies aber wäre eben das Ende der gesamten Menschheitsgeschichte — und es ist sicherlich auch nicht unbegreiflich, daß solche apokalyptische Schreckensvisionen uns heute angesichts der Entwicklung von zerstörerischen Möglichkeiten moderner Technologie außerordentlich beunruhigen. Wenn aber solche Apokalypsen heute, etwa religiös, dazu ausgeschlachtet werden, um eine fatalistische Zuschauerrolle zu propagieren, so kann christlicher Glaube dagegen nur protestieren. Es würde sich ja in den Folgen um nichts anderes handeln als um einen menschheitlichen, universalen, wenn sich auch lange hinziehenden Suizid.

3.3. Christlicher Glaube überläßt es zwar der menschlichen Vernunft, die rationale Möglichkeit eines katastrophalen Sturzes der Menschheit in ein absolutes Nichts grüblerisch als prinzipiell möglich zu bedenken; jedenfalls setzt er ihr auch keine rationalen Argumente entgegen. Hingegen glaubt und hofft er auf eine Welt- und Menschheitsvollendung, mag diese auch durch kosmische Katastrophen hindurchführen. Die Reich-Gottes-Erwartung baut auf die Verheißung eines „neuen Himmels und einer neuen Erde, in welchen Gerechtigkeit wohnt", wenn er auch gleichzeitig um die Unadäquatheit aller diesbezüglicher apokalyptischer Bilder weiß. Die Unanschaulichkeit der „Endgeschichte" verbindet sich durchaus mit der Gewißheit der eschatologischen Utopie, die aus der kommenden Ferne ihr Licht schon auf die Gegenwart wirft. Geschichtliche Gegenwart ist aber jederzeit vom Menschen selbst zu gestalten und zu verantworten; es kommt aber nun entscheidend darauf an, ob solche Verantwortung an dem Fluch apokalyptischer, und d. h. letztlich nihilistischer Ängste scheitert, oder ob sie von Hoffnung getragen übernommen und realisiert wird. Damit rückt Begriff und Vorstellung von menschlicher Verantwortung in den Vordergrund. Daß diese ein kategorisches Element menschlicher Geschichtlichkeit darstellt, wird heute in der gesamten Weltgesellschaft allmählich zu einer tiefen und tragenden Überzeugung. Es muß freilich zugegeben werden, daß damit (aufs Ganze gesehen) erst die zwischenmenschliche und gesellschaftliche Ebene als betroffen verstanden wird. Natur wie Kosmos erscheinen hier noch weithin ausgeklammert — die historischen Hintergründe dafür haben wir in unserem ersten Abschnitt aufzuzeigen versucht. Unsere bisherigen theologischen Überlegungen drängen jedoch nun auf einen weiteren, entscheidenden Schritt, auf eine weitere wesentliche Dimension.

3.4. Wir stoßen hier zunächst auf ein allgemeineres ethisches Problem, bei dessen Erörterung eine eigentümliche Unsicherheit zutage zu treten pflegt. Sachgemäß besteht in der Theologie die generelle Überzeugung, daß menschliche Verantwortung sich „vor" Gott, also „coram deo" bzw. „in foro dei", zu rechtfertigen hat. Als zuständig für Verantwortung ist dann der „Glaube" anzusehen; aus dieser an sich richtigen Auffassung ergibt sich jedoch leicht eine personalistische Engführung, die zur Folge hat, daß ein wesentliches Moment menschlicher Verantwortung, nämlich die Verantwortung „für" jemanden oder eine Sache zu kurz kommt. Man darf daran erinnern, welche Ängstlichkeit auch heute noch dann besteht, wenn die soziale Dimension unter der Chiffre „für" einbezogen werden soll — die Sorge lautet: dieses „für" würde leicht in ein heimliches „vor" verwandelt, so daß also Mitmenschlichkeit oder Gesellschaft als die eigentlichen Autoritäten des Verantwortungsbezuges eingeschleust und etabliert würden. Immerhin hat sich wenigstens teilweise die soziale Dimension als Kategorie jenes „für" durchsetzen können. Der entscheidende Schritt weiter bestünde nun darin, die Dimension der Natur und des Kosmos ebenfalls in dieses „für“ einzubeziehen. Denn wenn die Natur in jenem Maße zur Geschichte der Menschen gehört, wie wir oben gesehen haben, und sie daher ebenfalls als integriertes Element der menschlichen Geschichte zu beurteilen ist, dann muß das naturhaft-kosmische Element mit in die menschliche Gesellschaftsverantwortung grundsätzlich und darum auch mit folgenreichen Konsequenzen einbezogen werden.

Wir haben oben (am Schluß von 1.3.) darauf verwiesen, wie das traditionelle christliche Naturdenken, an dem, nebenbei bemerkt, auch der Marxismus ohne weitere Skrupel bis heute partizipiert, zu einer Versachlichung und Verdinglichung des „Natürlichen“ geführt hat, so daß die pure Ausbeutung der Schätze der Erde eine nahezu selbstverständliche Folge wurde — manche sprechen heute von den „gnadenlosen Folgen der Vorsehung“. Dem technologischen Willen zur „Machbarkeit aller Dinge“ war also ideell vorgearbeitet worden; aufgrund dieser Geschichte haben die Christen wenig Anlaß, auf die gerne geschmähten pragmatischen Technokraten Steine zu werfen. Wohl aber könnten sie heute aufgrund der aufgezeigten technologischen Einsicht eine *Innovation* im menschlichen Naturdenken einleiten und dafür auch die *Verantwortung* mitübernehmen. Das „dominium hominis terrae“, das sich heute schon über unseren Planeten Erde hinaus in den planetarischen Raum zu erstrecken beginnt, umfaßt vom biblischen Ansatz her zweifellos die kosmisch-naturhafte Dimension der Welt. Es ist nicht zu bezweifeln, daß Weltbeherrschung und Weltverantwortung in der Sicht christlichen Glaubens den geschichtlichen Verwandlungsprozeß durch Kultur und Zivilisation inklusive eines technokratischen Grundmodells mitbegründet. In den Verantwortungsbereich des Menschen gehört jedoch keineswegs er selbst allein, noch auch bloß die menschliche Gesellschaft, sondern ihrer beider naturhaft-kosmische Umwelt als ganze. Das aber bedeutet, daß die Frage nach dem menschlichen Umgang mit der Natur in der theologischen Ethik Vorrangigkeit erlangt hat.

4. Es muß für unsere hier verfolgte Absicht genügen, in wenigen Strichen einige Perspektiven für menschliches Handeln aufzuzeigen, wobei sich für eine ethische Reflexion eine Reihe von Aufgabengebieten zeigen. Wir sind diesbezüglich noch vielfach am Anfang. Abschließendes kann gar nicht erwartet werden.

4.1. Ein erster kurzer Blick sei auf die schon mehrfach knapp anvisierte Gegenwartssituation geworfen. Während sich ähnliche Überlegungen wie die unseren allenthalben zu entwickeln beginnen, erleben wir eine eigentümliche Mischung von apokalyptischer Weltangst und wiedererwachender Naturromantik. Die seltsamerweise alle Sorgen hinsichtlich des steigenden Wahnsinns der Wettrüstung durch nukleare Waffen weit übersteigenden Ängste vor den Folgen der sog. „friedlichen“ Atomenergie würden keineswegs in diesem Maße in den Vordergrund treten, würden sie nicht aus einer allgemeinen Furcht vor den in der Zukunft sich abzeichnenden Konsequenzen des technokratischen Systems und der eben damit verbundenen Hoffnung auf die Möglichkeit der Um- und Rückkehr zur „reinen“ Natur gespeist werden. Die zweifellos zu Recht aufgeschreckte Ökologiediskussion mit ihrer Einsicht in die Problematik des bisherigen technologischen Verfahrens, das die natürlichen Ressourcen bedenkenlos ausbeutet, wird nicht zuletzt deshalb so populär, weil — wieder einmal und diesmal wohl noch nachhaltiger und heftiger als bisher — der Sinn des technokratischen Prozesses als solcher in Frage gestellt wird. In Frage gestellt doch auch durch eine Erfahrung des Schreckens mit einer die menschliche Rationalität lähmenden Pseudohoffnung auf eine mögliche Idylle des „Grünen“. Neben durchaus sinnvollen und verantwortlich-rationalen Überlegungen zur Erhaltung von mehr „Lebensqualität“, auch und nicht zuletzt durch Bereitstellung von mehr naturbelassenen Frei- und Spielräumen für die Menschen, aber ebenso etwa durch vermehrte Anstrengungen in der Forschung zur Gewinnung neuer Energiequellen, die nicht jene Gefährdungen der Kernenergie beinhalten, werden viele Menschen mit irrealen Träumen gesättigt, die ein mögliches Aussteigen aus der technologischen Geschichte vortäuschen.

Angesichts dieser Lage bringt die von der Theologie erkannte *Ausweitung der ethischen Verantwortung auf die naturhaft-kosmische Dimension* die Chance mit sich, einerseits der betriebsblinden technokratischen Ausbeutungsstrategie ein begründetes Veto entgegenzusetzen, andererseits jedoch der naturschützerischen Gebärde durch Einbringung einer sowohl rationalen als auch einer ethisch fundierten Naturverantwortung ihren romantisch-geschichtsflüchtigen Boden zu entziehen. Während der Sinn menschlicher Weltverantwortung auch und gerade im Sinne der technischen Umgestaltung der Natur grundsätzlich bejaht wird, kann nunmehr „Natur“ sowohl hinsichtlich ihrer erkannten Beschränktheit als einer ebenfalls „geschichtlichen“ Größe, als auch im Blick auf ihre heilenden Möglichkeiten neu in Erscheinung treten.

4.2. Unabweisliches Postulat wäre freilich die *Entwicklung einer Ethik für die Wissenschaft und das technologische Denken und Handeln.* Es soll nicht verkannt werden, wie schwierig theologische Schritte in diese Richtung noch sein werden; erinnert man sich dessen, daß erstmals in Dokumenten des II. Vaticanums und der vom Weltkirchenrat nach Genf einberufenen Konferenz „Kirche und Gesellschaft“ um die Mitte des letzten Jahrzehntes offiziöse positive kirchlich-theologische Aussagen über Naturwissenschaft und Technologie formuliert worden sind, so ermißt man das Maß an Umkehr, das in der christlichen Denktradition dazu nötig ist. Seither sind viele ernst zu nehmende Denkanstöße in dieser Richtung erfolgt. Hier weiter zu arbeiten, ist nicht zuletzt auch eine Herausforderung des wissenschaftlichen Ethos der Theologie selbst.

4.3. Begreiflicherweise stehen die gewaltigen Probleme der technologischen Rüstung, der Möglichkeit und Nutzung neuer Energiequellen und der Ressourcen für die Ernährung der künftigen Weltbevölkerung wie überhaupt die gesamtgesellschaftliche wie die kosmische Futurologie im Brennpunkt aller Interessen. Es dürfen darüber aber nicht die ganz allgemeinen Probleme der menschlichen Biologie, der Anthropologie insgesamt wie auch der spezifische Aspekt der Bewahrung der personalen Dimension des Individuums zu kurz kommen. Man wird in einer abschließenden theologischen Überlegung nicht vor der Aussage zurückschrecken dürfen, daß *die Theologie der Schöpfung als ganze in ein neues Reflexionsstadium getreten* ist, bzw. zu treten hat. Nach einer langen Tradition, in der man diese schlicht als vorgegebene, unausschöpfbare Voraussetzung mehr oder weniger fatalistisch hingenommen und dadurch auch in gewissem Sinne tabuisiert hat, ist sie selbst neu und in neuer Weise in die theologische Verantwortung mit einbezogen. Das „Überleben“ der Welt- und Menschheitsgesellschaft wird zu ihrem unvermeidbaren Thema; das rituelle Rezitieren der Begriffe „Schöpfung und Erhaltung“ kann und darf nicht mehr genügen. Eine Theologie, die aus der Hoffnung auf die Weltvollendung im Kommen des Reiches lebt, wird aus einer erneuerten Schöpfungslehre Richtlinien für einen menschlichen Umgang mit der Natur zu erarbeiten wissen.

ÖKOLOGISCHE ETHIK IN DER SICHT DER THEOLOGIE

Von Heinz-Horst Schrey (Heidelberg)

I. Ökologische Ethik als Verantwortungsethik

Der englische Ökologe J. N. Black hat auf der 1970 stattgefundenen Ökumenischen Arbeitstagung über ›Die Zukunft des Menschen und der Gesellschaft in einer wissenschaftlich-technischen Welt‹ Ökologie definiert als Lehre vom Zusammenhang und der Haushalterschaft in der Natur. Daraus ergibt sich die Frage: wie kann und soll der Mensch hier seine Verantwortung wahrnehmen, die den Kreislauf der Natur und sein eigenes Leben und das Überleben seiner Nachkommen umfaßt? Ökologische Ethik hat es also sowohl mit der menschlichen Verantwortung gegenüber der Natur wie gegenüber dem Menschen selbst, seinen Ansprüchen, Bedürfnissen, Produktions- und Konsumgewohnheiten, aber auch gegenüber den künftigen Generationen zu tun. Man kann also von einem dreifachen Aspekt ökologischer Ethik sprechen: (1) dem Naturaspekt, (2) dem anthropologischen und (3) dem futurologisch-eschatologischen Aspekt. Dringlich wurde die ganze Fragestellung vor allem durch die Einsicht, daß weder der frivole technische Fortschrittsoptimismus, noch die politisch-technische Resignation, noch auch der ahnungslose christliche Optimismus Haltungen sind, mit denen die Problematik der Gegenwart zu bewältigen ist. Der Heidelberger Biologe Ernst von Weizsäcker schlug hier eine vierte Möglichkeit vor: die Kooperation zwischen Wissenschaftlern aller Fachrichtungen und Politikern, zwischen Politikern und Technikern sowie zwischen Christen und Nichtchristen. Im Sinn der Konsensustheorie sollte sich aus diesem Dialog so etwas wie ein plausibles Handlungsmodell entwickeln.[1]

Wenn man die ökologische Ethik systematisch einordnen will, dann gehört sie zum Typus der Verantwortungsethik, nicht zu dem der Gesinnungsethik. Es geht um ein Verhalten, das nicht nur nach den subjektiven Bedingungen des Handelns in der „Gesinnung" fragt, sondern nach den Folgen des Tuns in der Lebenswelt des Menschen. „Verantwortung ist das Bewußtsein dafür, daß die Folgen des Handelns übernommen werden, auch wo die Ursachen vielleicht anderswo liegen."[2] Kann unser

Handeln allein vom Gedanken der „Fortschreibung der Gegenwart" bestimmt sein, die aber keine Zukunft mehr ergibt? Oder geht es — vielleicht erstmalig in der Geschichte — um eine „bewußte Fortschreibung der Schöpfung", die vom Menschen denaturiert, verzerrt, ausgepowert und an ihr Ende gebracht worden ist? Wenn letzteres zutrifft, dann kann man in der Tat von einem epochalen Zuschnitt des gegenwärtigen ethischen Bewußtseins reden, gleichsam von einem Evolutionssprung in der Entwicklung des menschlichen Bewußtseins in seinem Verhältnis zu Natur und Umwelt. Rendtorff ist überzeugt, daß die Frage nach den Maßstäben, die in der Wirklichkeit gelten sollen, zu einer Analyse dieser Wirklichkeit führen muß, die dann ihrerseits zu einer Kritik des Handelns weitergehen muß. Man kann theologisch also fragen: Ist die Welt, in der wir leben, Gottes Welt? Und haben wir sie so behandelt, als ob sie Gottes Welt wäre? Dabei wird eines deutlich, was gerade den epochalen Wandel in Hinsicht auf die ökologische Ethik kennzeichnet: das Handeln der Menschen war immer eingebunden in Institutionen, sei es der Staat, die Ehe, das Eigentum oder was immer sonst. Die Institutionen definieren das Handeln, geben ihm seinen Kontext vor, innerhalb dessen es nun darum geht, den Geist der Liebe zu bewähren.[3] Erst in unserem Jahrhundert ist eine Situation entstanden, in der sich die Ethik aus dem Ethos der Institutionen gelöst hat. Es meldet sich das Bewußtsein der Freiheit zu Worte, die im konstruktiven Umgang mit der Welt am Werk ist. Das ist nachzuweisen an der Emanzipation der Gesellschaft gegenüber dem Staat, an der Verselbständigung der Berufsfähigkeiten gegenüber dem Beruf als Stand, der Verselbständigung der Sexualität gegenüber dem Ehestand und der Familie, aber auch der Verselbständigung der Religion von der Kirche. Wenn man diese Erkenntnis auf die Probleme der ökologischen Ethik anwendet, müßte das heißen, daß unsere Verantwortung für unser Handeln in Hinsicht auf die Umwelt nicht mehr allein von Gesichtspunkten der Ökonomie oder der Technik oder der Besitzverhältnisse gesteuert werden darf, sondern einem neuen „ökologischen Imperativ" unterliegt, den T. Rendtorff so definiert: Analysiere die Folgen deines Handelns, weil nur das Handeln allgemein gut ist, das sich an seinen Folgen mißt und sich von ihnen korrigieren läßt! Aus diesem formalen Grundsatz folgt nun die auf die konkrete Lage bezogene Frage: Wie steht es angesichts des Folgenreichtums menschlichen Handelns mit den humanen Ressourcen unserer Welt? Sind sie ebenfalls der Expansion fähig, oder sind sie erschöpft und ausgebeutet? Die Widersprüchlichkeit, die sich bei der Beantwortung dieser Fragen ergibt, etwa wenn entschieden werden soll, ob ein schönes Waldtal überschwemmt und zu einem Strom erzeugenden Stausee umgewandelt werden soll, wobei Fauna und Flora zerstört werden, oder ob ein Energiemangel in Kauf genommen werden muß mit allen damit verbundenen Folgen für Produktion und Wohlstand der Bevölkerung, soll durch sinnvolle und vernünftige Kommunikation unter den gegenwärtig lebenden Menschen unter Berücksichtigung der Zukunft in einem gemeinsamen Leben gelöst werden.[4]

Ist die Aussicht auf das Zustandekommen eines vernünftigen Konsensus in einer bestimmten ökologischen Situation aber so wahrscheinlich, wie Rendtorff das darstellt? Offenbar keineswegs, wie das von R. Heeger durchgespielte Beispiel des Vindelälf in Schweden zeigt, aber auch an den westdeutschen Diskussionen über den Bau von Kernkraftwerken sichtbar wird. Worin besteht die Uneinigkeit zwischen den Befürwortern und den Gegnern einer ökologischen Veränderung? Darin, daß die Befürworter und die Gegner miteinander konkurrierende Vorstellungen über die Wirkung eines Ausbaus eines technischen Werkes haben, miteinander konkurrierende Hypothesen über zukünftige Tatbestände vertreten. Haben die Hypothesen der Befürworter oder die der Gegner einen höheren Grad von Wahrscheinlichkeit? In den Argumenten der Befürworter und der Gegner zeigt sich vor allem eine Uneinigkeit in der Prioritierung von Werten. Man ist uneinig darüber, welche Werte Priorität vor anderen Werten haben — die Beschaffung von Energie, die Beschäftigung der Lokalbevölkerung oder die Erhaltung gefährdeter Arten, der Freizeit- und Forschungswert der wilden Natur, die Erhaltung völkischer Minderheitengruppen. In einem solchen Fall ökologischer Uneinigkeit wird vor allem *Sachlichkeit* geboten sein, die im freimütigen Klarlegen von Hypothesen und Perspektiven, Wertungen und Normen liegt. Zur Sachlichkeit gehört die Abwägung und Erörterung aller erreichbaren Fakten, dessen, was man tun soll, was der Fall sein wird, was wichtig ist, was gut sein wird und was darum richtig ist. Es muß also die Vielfalt von Wirkungen, die vorhersehbar sind, gewichtet und gewertet werden. Die Maxime dieser, wie Heeger sagt, „universalistischen teleologischen Theorie der moralischen Pflicht" lautet: das moralische Ziel, das wir in allem unserem Tun suchen sollen, ist das größtmögliche Übergewicht an Gutem über Übel — nicht nur für mich, nicht nur für uns und auch noch für andere, sondern überhaupt, im Universum als ganzem. Eine Handlung kann nur dann gewagt werden, wenn nach sorgfältiger Abwägung aller erreichbaren Daten keine Handlungsalternative besteht, die zu besseren Wirkungen führen würde. Zu dem Universalismus dieser ethischen Entscheidung gehört nicht nur die Rücksichtnahme auf die Menschen in dieser und in künftigen Generationen, sondern auch auf die nicht-menschliche Natur. Die durch den Stausee zu gewinnende zusätzliche elektrische Energie ist für die Wohlfahrt der gegenwärtigen Generation von großer Bedeutung, die Erhaltung von Arten von Leben, die ökonomische, soziale und kulturelle Vielfalt in der Entfaltung einer völkischen Minderheit und das Erlebnis der wilden Natur sind für die gesamte Zukunft unserer Biosphäre von größter Bedeutung. Hier ist nun der Punkt erreicht, an dem Ethik und Politik sich kreuzen, denn die endgültige Handlungsentscheidung liegt ja nicht beim einzelnen, sondern bei den Politikern. In dieser ganzen Erörterung ist allerdings eines deutlich geworden: daß die Politiker nicht nur nach Interessen- und Machtgesichtspunkten entscheiden, sondern ihre Wertprioritierung nach ethischen Maßstäben treffen sollen. Auf jeden Fall muß das ökologische Ergebnis einer politischen Entscheidung mit der ethischen Stellungnahme vereinbar und von ihr her legitimierbar sein. In einer Demokratie, die sich als sozialer Rechtsstaat versteht, sollte die politische Entscheidung niemals nur nach Gefälligkeit gegenüber pressure-groups, durch Einschüchterung oder ökonomische Begünstigung gewisser monopolistischer Gruppen erfolgen, sondern im Sinne der ökopolitischen Verantwortung. Bürgerinitiativen sollten sich nie zum Mittel der Gewalt hinreißen lassen, vielmehr bleiben sie so lange stark, als sie argumentativ vorgehen, also die von ihnen gewählte Wertprioritierung sachlich begründen können. Andererseits sollten sich die politischen Entscheidungsgremien nicht durch das Auftreten radikaler, gewaltanwendender Gruppen verwirren oder verhärten lassen, die friedlichen Bürgerinitiativen mit den Radikalen zu identifizieren oder deren Auftreten zum willkommenen Vorwand zu nehmen für unsachliche, interessengebundene Entscheidungen.

II. Der Naturaspekt ökologischer Ethik

Es kann in diesem Zusammenhang nicht darum gehen, ein Gesamtkonzept der Stellung des Menschen in der Natur, seiner Sonderstellung usw. zu entwerfen, sondern nur darum, die „Dialektik der Natur" anzudeuten und in Hinsicht auf die ökologische Ethik zu reflektieren. Die Alternative, vor der die Menschen heute stehen, kann so formuliert werden: ist die Natur Objekt menschlicher Herrschaft oder Heimat des Menschen, zu der er als ein Teil von ihr gehört? [5] Immer schonungsloser hat sich der Mensch zum Herrn und Besitzer der Natur gemacht, beginnend schon im Mittelalter, als die Rodung der Wälder in den Mittelmeerländern zum Zweck der Holzgewinnung für die venezianischen und türkischen Flotten anfing, sich potenzierend seit der industriellen Revolution, da Kohle, Eisen und Erdöl in steigendem Maße gebraucht werden. Hinzu kommt die lawinenartige Vermehrung der Menschheit mit einem täglichen

Zuwachs von rund 200 000 Menschen, eine Tatsache, die ihrerseits die immer radikalere technische Ausbeutung des Globus zu rechtfertigen scheint. So ergibt sich die Relation: je mehr Menschen, um so weniger Natur. Die Entfremdung von der Natur wird immer größer, je mehr diese als Rohstoff und Ware verdinglicht wird. Aus der vom biblischen Schöpfungsauftrag herzuleitenden Legitimation menschlicher Herrschaft über die Erde ist Ausbeutung und Raubbau geworden, als seien die Vorräte dieser Erde unbegrenzt und als wohnten wir nicht in einem Raumschiff, dessen Vorräte an Bord zusehends und unabwendbar schwinden. Carl Amery hat nicht umsonst von den „gnadenlosen Folgen des Christentums" gesprochen; denn erst seit der Tabu-Charakter der Natur gebrochen wurde, ist auch die heilige Scheu im Umgang mit der Natur gefallen, die für primitive Kulturen oder auch für die Antike bestimmend war.[6] Wahrscheinlich verhält es sich mit dieser These ebenso wie mit Max Webers Herleitung des Kapitalismus aus dem Puritanismus; entscheidend dürfte hier historisch der Prozeß der Säkularisierung sein, der bestimmte Prämissen wegfallen ließ, die für das biblische Verständnis von „Herrschaft über die Erde" maßgebend waren. Daß tatsächlich ein Zusammenhang besteht zwischen der Naturentfremdung und der gesellschaftlichen Entfremdung, betont Löbsack: Der Reduktion der Natur zum bloßen Objekt entspricht die Verobjektivierung und Entindividualisierung der Menschen im neuzeitlichen Produktionsprozeß; sie sind beide zu Sachen geworden und zu austauschbaren Funktionen. Daraus ergibt sich als Zukunftsprogramm: Die Natur muß ihre Fremdheit aufgeben, das System der Naturzwecke muß mit dem Reich der Interessen der Menschen integriert werden, bzw. umgekehrt. Das System der Herrschaft von Menschen über Menschen muß ebenso abgebaut werden wie das zur endgültigen Katastrophe führende Herrschaftsverhältnis des Menschen über die Natur. Natur muß auferstehen in Menschheit und Umwelt.

Verweist Amery auf die christlichen Ursprünge unseres entfremdeten Verhaltens von der Natur, so O. Jensen[7] auf die theologische Engführung im Neuprotestantismus der Jahrhundertwende, für den Wilhelm Herrmann und dessen Marburger Schüler Rudolf Bultmann stehen. Bei beiden herrscht ein sowohl restriktives wie ein auf menschliche Existenz beschränktes Verständnis von Gott und Welt vor. Darin findet Jensen eine der Wurzeln der heutigen Umweltkrise. Zugrunde liegt beide Male die bei Kant vorherrschende Entgegensetzung von vernünftiger Humanität und vernunftloser Natur. Das führt bei Bultmann zu dem, was er „Entweltlichung" nannte. Natur wird nur als Widerstand, der zu überwinden ist, als Arbeitsfeld, das wir zu beherrschen suchen, und als Material und Mittel für die Zwecke des Menschen verstanden. Der Mensch versteht sich ihr gegenüber entweder als Pilger (vgl. John Bunyans ›Pilgrim's Progress‹), der das Jammertal dieser Welt möglichst rasch hinter sich zu bringen bestrebt ist, oder als Ingenieur, oder als beides zugleich. Er faßt die Natur nur noch instrumental auf, verschließt aber vor ihrer Gefährlichkeit und Revanche-Macht die Augen. So hat dieser so sympathisch anmutende existenz-kritizistische Humanismus teil an der gedankenlosen Naturunterdrückung, die heute zweifellos die größte Gefahr für Erde und Menschheit ist. Die Theologie muß heute ihre Mitschuld an der ökologischen Krise und ihre Mitverantwortung für deren Überwindung übernehmen, indem sie diese Haltung einer Ideologiekritik unterzieht, und zwar gleichermaßen in den Erscheinungsformen der „entkosmologisierenden" Theologie, der kapitalistischen Praxis und der marxistischen Theorie, die alle dem Aberglauben von der Manipulierbarkeit der Natur verfallen sind als einer Größe, die ausschließlich um des Menschen willen da sei. Es bedarf also eines neuen Denkmodells, einer neuen Ethik der Natur, worin die Vorstellung von der Heiligkeit der Natur, die im säkularen Denken des Westens ganz abgeschafft war, wieder zum Tragen kommt. Nur ein solches religiöses Verständnis der Welt ermöglicht das harmonische Zusammenleben von Mensch und Natur, Zusammenarbeit statt Ausbeutung.[8] Sollte die herkömmliche biblisch orientierte Theologie diese Wende nicht vollziehen können, so schlägt Jensen vor, eine universal-ökumenische Religionsphilosophie zu entwickeln, die sich auch von nicht-christlichen Religionen, von griechischem kontemplativem Denken, von mystischer und pantheistischer Religiosität, von Franz von Assisi und östlichen Traditionen inspirieren läßt.

Es geht also darum, Ansätze, die schon bei Schlatter, Heim und deren Schülern (z. B. A. Köberle) entwickelt wurden, dort allerdings entweder mehr anthropologisch oder metaphysisch-spekulativ gemeint waren, wieder aufzugreifen und auf die gegenwärtige Fragestellung zu übertragen.[9]

Ist der Mensch Teil der Natur oder steht er ihr exklusiv gegenüber? Gibt es eine Kontinuität oder Diskontinuität zwischen Mensch und Natur? Der amerikanische Theologe J. B. Cobb[10] meint, es gebe (biblisch gesehen) ebenso viele Beweisgründe für eine inklusive wie exklusive Anthropologie; einerseits ist der Mensch als Geschöpf geschaffen wie alle anderen auch, andererseits aber ist nur dem Menschen die Gottebenbildlichkeit zugesprochen, nicht den Tieren. Und zu dieser gehört ja auch das Mandat der Herrschaft über die Erde. Auf der Suche nach einer „ökologischen Philosophie" stößt Cobb auf die Philosophie Whiteheads. In dieser evolutionistischen Philosophie gibt es keine scharfe Trennungslinie zwischen dem Unbelebten und dem Belebten. Daraus schließt Cobb, daß unsere Sorge für das Lebendige übergehen muß in eine Sorge für den ganzen Prozeß und das Ganze der Wirklichkeit ... Wir sind Mitkreaturen eines lange währenden kreativen Prozesses und teilen miteinander eine gemeinsame Geschichte und vielleicht eine gemeinsame Bestimmung (S. 147).

Daraus ergibt sich ein neues Engagement der Christen für die Schöpfung. Während der säkulare Atheismus den Menschen einerseits in die Tierreihe einstuft, andererseits ihn in der technokratischen Einstellung zu einer Verdinglichung der Natur führt, gilt für den christlichen Glauben, „daß wir nach besten Kräften das Leben in seiner Vielfalt und Intensität, in seiner Bewußtheit und Liebe fördern" (S. 163 f.). Cobb ist Anhänger einer neuen „natürlichen Theologie", aus der heraus er seine These vom Engagement für die Umwelt entwickelt. Er wendet sich ausdrücklich gegen eine einseitig christozentrische Theologie, die schuld sein soll an einer Gott-ist-tot-Theologie. Glaube an Gott heißt, daß wir darauf achten, wie der kreative Prozeß in allen Kreaturen wirksam ist.

Über diese theologische Begründung ist es zum Streit gekommen. In seinem Vorwort zur deutschen Übersetzung des Buches von Cobb bezweifelt Klaus Scholder, ob die hier angedeutete Naturphilosophie dem Bild und Verständnis des gegenwärtigen Menschen entspreche. Sollte die auch in der Bibel bezeugte Sonderstellung des Menschen in der Natur revidierbar sein? Scholder meint, nicht ein Aufgeben der bisherigen Rolle als Herren der Natur sei der für die Zukunft gebotene Weg, sondern umgekehrt eine Radikalisierung des dominium terrae.

Dies wird, fürchte ich, nicht die Zeit franziskanischer Vogelpredigten sein (so sehr unser Herz daran hängen mag), sondern die Zeit hart, schnell und energisch arbeitender Politiker, Techniker, Ökologen und Agronomen (S. 14).

Scholder plädiert nicht für eine natürliche Theologie, sondern weist der Christologie im Zusammenhang mit der Radikalisierung des Gedankens vom dominium terrae eine zentrale Bedeutung zu.

Denn nur in Christus vermögen wir zu erkennen, was Gott mit der Schöpfung vorhat, und das heißt, in welchem Sinne wir das dominium terrae auszuüben haben. Dieser Sinn mag hier angedeutet sein mit den Begriffen des Erhaltens, des Versöhnens und des Friedensstiftens.

Dieser christologischen Zentrierung des Problems widerspricht G. Altner[11]:

Welche Probleme der technischen Welt wären schon durch die Beschwörung von Kreuz und Auferstehung Christi gelöst worden?! Dokumentiert nicht die neuere Kirchen- und Theologiegeschichte die Ratlosigkeit der christlichen Theologie vor den Fragen des technisch-naturwissenschaftlichen Fortschritts?! (S. 14).

Altner nimmt vor allem Anstoß an der angeblichen Kapitulation Scholders vor den „hart, schnell und energisch arbeitenden Technikern usw.“. Dieses technologische Pathos müßte durch eine Einstellung ersetzt werden, die sich des Geschichtszusammenhangs zwischen Natur und Menschheit neu bewußt wird und die Offenheit der gemeinsamen Zukunft als ihr Verantwortungsfeld akzeptiert. „Rückkehr in die Natur oder Loslösung von der Natur sind beides unangemessene Ausbruchsversuche im Herrschaftsbereich zwischen Natur und Geschichte“ (S. 18). Offenbar wird hier der Schulstreit zwischen der Theologie Karl Barths und der Paul Tillichs rekapituliert, wobei Scholder mehr der christozentrischen Position Barths, Altner stärker der Tillichschen Methode der Korrelation zuzuneigen scheint. Nach Ansicht Altners werden darum weder Cobb noch Scholder dem Anspruch auf eine Versöhnung zwischen Natur und Geschichte gerecht, weil sie „jeweils nur einen Teilabschnitt des zu durchmessenden Hin- und Hergangs zwischen Natur und Geschichte zurücklegen“.

Ist der Streit zwischen Altner und Scholder unlösbar? Ich meine, daß er zu lösen wäre, wenn etwas tiefer nachgedacht würde über die Kategorie Herrschaft, die von Scholder reklamiert, von Altner perhorresziert wird. Altner meditiert zwar geistvoll über die Versuchung Jesu, wo es ja auch um die Frage nach Herrschaft und Macht ging, und sieht den Sieg Jesu über den Versucher darin begründet, daß sich Jesus „Gottes geschichtsmächtiger Herrschaft beugt“ (S. 149). Leider ist kein Wort darüber zu lesen, wie Jesus selbst Herrschaft auslegt und praktiziert, nämlich als Dienst. „Ihr wisset, daß die weltlichen Fürsten herrschen und die Oberherren haben Gewalt. So soll es nicht sein unter euch. Sondern so jemand will unter euch gewaltig sein, der sei euer Diener“ (Matth. 20, 25 f.). Die Meditation dieses Logions hätte einen doppelten Dienst tun können: einmal wäre an ihm deutlich geworden, was Christologie in diesem Kontext bedeutet, sodann was christlich verstanden Herrschaft heißt. An Christus und seinem Beispiel wird ausgelegt, daß „dominium terrae“ nicht egoistischer Machtgebrauch ist, sondern Dienstbereitschaft gegenüber den Menschen, aber auch der Natur. Christus hebt die Kategorie der Herrschaft nicht auf, sondern schmilzt sie um, und was im Wort Jesu sich in erster Linie auf Menschen bezieht, kann im modernen Kontext der Umweltfrage auch auf die nichtmenschliche Natur angewandt werden. Damit sind die beiden Alternativen aufgehoben, um die es bisher immer ging: das evolutive Eingehen in die Natur, die Aufhebung der Distanz von Mensch und Natur einerseits, und die zur Ausbeutung und Vernichtung gewordene Herrschaft über die Natur. In dem Gebrauch der Kategorie Herrschaft bleibt die Distanz von Natur und Mensch erhalten, auch die

Rechtfertigung der Nutzbarmachung von Natur für Zwecke des Menschen, aber in der Auslegung von Herrschaft als Dienst widerfährt der Natur als dem Bereich von Hege und Pflege ihr Recht.

III. Der anthropologische Aspekt

Schon unter II ist von der Stellung des Menschen gegenüber der Natur die Rede gewesen. Es ist offenkundig geworden, daß wir nicht nur an einem technischen, sondern an einem metaphysischen Mangel leiden, insofern wir uns nicht im klaren sind über das Verhältnis des Menschen zur Natur in einer technischen Kultur. Natur begegnet uns ja nicht als „reine Natur", sondern ist gesellschaftlich vermittelt als die von uns bearbeitete und veränderte Natur. Ernest Schumacher hat in seinem Referat auf der Vollversammlung des ÖRK in Nairobi 1975 auf die Verunsicherung der abendländischen Kirchen hingewiesen, die dadurch entstanden ist, daß diese Kirchen Teil der westlichen technischen Kultur sind und diese darum schlecht kritisieren können. Es ist zu einer schweigenden Übernahme der herrschenden Weltsicht gekommen, und es hat sich keine klare, einheitliche Stimme erhoben, um zu warnen oder unangepaßt zu sprechen. Schumacher weist auf zwei Dinge hin: Einmal besteht ein Zusammenhang zwischen menschlicher Gerechtigkeit und Erneuerung der Erde wie zwischen menschlicher Ungerechtigkeit und Umweltverschlechterung. Wenn der Mensch dem Menschen gleichgültig wird, dann wird auch die Welt dem Menschen gleichgültig. Weiter besteht ein Zusammenhang zwischen unserer Vorstellung von der Natur und der Art, wie wir mit der Natur umgehen. Hier unterscheidet sich die Naturideologie des westlichen Christentums in nichts von dem der umgebenden säkularen Welt: es ist ein technokratisches Naturverständnis.[12]

Wir haben eingangs festgestellt, ökologische Ethik sei Verantwortungsethik. Wenn es um den anthropologischen Aspekt ökologischer Ethik geht, muß vordringlich der Begriff der Verantwortung diskutiert werden. Daß Verantwortung letztlich theologisch einen eschatologischen Ursprung hat als Offenbarwerden „vor dem Richtstuhl Christi, auf daß ein jeglicher empfange, nach dem er gehandelt hat bei Leibesleben" (2. Kor. 5, 10), hat G. Picht betont [13]. Aus dem Gedanken der Verantwortung im letzten Gericht konnte die Vorstellung entstehen, daß das menschliche Leben insgesamt der Vorbereitung der letzten Verantwortung im forensischen Sinne dienen müsse. Der Begriff der Verantwortung ist ambivalent als Verantwortung für eine Sache oder einen anderen Menschen und als Verantwortung vor einer Instanz, die den Auftrag gleichsam das Lebensmandat erteilt hat. Mit dem Begriff der Verantwortung stehen wir vor dem Geheimnis der Geschichte, weil der Mensch ein Wesen ist, das als Naturwesen Möglichkeiten in der Natur verwirklicht, die durch die Natur allein nicht verwirklicht worden wären und erst durch den Menschen verursacht wurden. Geschichte ist — mit Hegel zu reden — der Prozeß der Selbstentäußerung des Geistes in die Natur. Damit ist Verantwortung nicht nur Verantwortung für Menschen, sondern auch für Sachen, für die Erhaltung der Natur, der Tiere und Pflanzen, für Rohstoffe, Wasserhaushalt, Klima. In dem Maße, in dem die Machtergreifung des Menschen über die Natur wächst, wächst auch seine Verantwortung für die Natur. Verantwortung hat es mit Macht zu tun, denn nur wo wir einer Sache mächtig sind, über sie verfügen können, kann man uns auch auf Verantwortung ansprechen. Da wir uns immer mehr der Natur und ihrer Möglichkeiten bemächtigen, wächst im selben Maße auch unsere Verantwortung; diese ist also ein dynamischer Begriff, kein statischer. Picht weist dann noch besonders darauf hin, daß der Mensch deshalb Verantwortung hat, weil er ein Wesen ist, das sich in seinem jeweiligen Bereich vor immer wechselnde Aufgaben gestellt sieht, die er lösen muß. Picht betont vor allem den futurologischen Aspekt von Verantwortung, nicht nur Aufgaben zu erfüllen, für die wir zuständig sind, sondern auch neue zu erkennen, für die noch niemand zuständig war, von deren Lösung aber das Schicksal der Menschheit abhängt. Dazu gehören Probleme der Ernährung der Weltbevölkerung und Schaffung eines Weltzustandes, in dem Kooperation möglich ist. Verantwortung übersteigt heute das individuelle Subjekt. Ihr Subjekt ist die Weltöffentlichkeit geworden mit einem Weltgewissen, das eine Verantwortung zu erkennen vermag, für die sich bisher keine Regierung zuständig fühlt. Es gibt also eine Verantwortlichkeit, die jede konkrete Zuständigkeit übersteigt.

Wenn Picht den futurologischen Aspekt von Verantwortung so stark betont, dann scheint allerdings ein anderer vernachlässigt zu sein: die Festgelegtheit des Menschen auf Vergangenheit, nämlich daß er nach dem Gesetz, nach dem er angetreten, weiterhandeln muß, unter einem immanenten Systemzwang steht, der seine Freiheit begrenzt und nicht einfach willentlich neue Handlungsreihen einleiten kann, durch welche die Kontinuität mit dem Bisherigen unterbrochen wäre. Hier steht die Verantwortung gegen Neues hart im Konflikt mit der durch Vergangenheit festgelegten Verantwortung. Wenn Bevölkerungswachstum und Wirtschaftswachstum ein unauflösliches Syndrom bilden, dann werden ökonomische Gesichtspunkte sich hart im Raume stoßen mit ökologischen. Man kann versuchen, dieses Syndrom aufzulösen, etwa indem man Maßnahmen gegen die Bevölkerungsexplosion einleitet, doch solange hier kein Erfolg zu sehen ist, wird das Wirtschaftswachstum vor allem in den Entwicklungsländern ein notwendiges Korrektiv gegen den Hunger sein. Dabei wird hier sichtbar, daß es deutlich ein Gefälle gibt bezüglich der Dringlichkeit ökologischer Erwägungen: in den Ländern des Welthungers werden ökonomische Gesichtspunkte wichtiger sein als ökologische, während in den Ländern mit hypertrophem Wirtschaftswachstum ökologische Gesichtspunkte vorrangig werden. Daß hier ein „Weltungleichgewicht" zwischen hochentwickelten und unterentwickelten Ländern besteht, ist immer wieder auf internationalen Konferenzen über Fragen des Umweltschutzes zutage getreten.

Ist mit dieser Analyse von Verantwortung wirklich die Formalität überwunden, die mit dem Begriff der Humanität verbunden ist? G. Rohrmoser ist jedenfalls der Überzeugung, daß das nicht der Fall sei. Ist die Weltöffentlichkeit mit dem ihr eigenen Weltgewissen mehr als eine ohnmächtige Utopie, wenn sie als Subjekt von Verantwortung angesprochen wird? [14]

Ökologische Ethik kann nicht einfach als eine Fortschreibung bisher üblicher Verhaltensweisen angesehen werden. Die Entfremdung von Mensch und Natur ist soweit fortgeschritten, daß aus dem Mandat der Herrschaft die Ausbeutung und Zerstörung geworden ist. Der Appell an die Menschheit, aus der neu erfaßten Ganzheit von Natur und Geschichte zu leben, hat die bereits vollzogene Entfremdung beider hinter sich. Kann sich der also entfremdete und an seine Entfremdung gewöhnte Mensch so ohne weiteres aus seinen gewohnten Bahnen lösen? Altner schlägt vor, daß die Mitmenschlichkeit auch mitkreatürlich sei, im Sinne einer planetarischen Solidarität alles Geschaffenen. Es kommt darauf an, neue „Normen der Mäßigung" zu finden.[15] Altner sieht das Proprium einer christlich motivierten Umweltethik nicht in der inhaltlichen Besonderheit einzelner Forderungen, sondern

> in dem spezifischen Augenmaß für die unabgeschlossene Vieldimensionalität des Lebens, wie es durch die Einstellungen von Glaube, Hoffnung und Liebe garantiert wird. Wer im Kreuz Christi jene vielfach geahnte und doch nie erfaßte Einheit von Gott, Mensch und Welt antizipatorisch verwirklicht sieht, der kann in den Einstellungen von Glaube (Gewißheit des Lebens), Liebe (Solidarität) und Hoffnung (Offenheit) das unabgeschlossene Stückwerk menschlicher Umweltethik betreiben, ohne die Vollendung vorwegnehmen zu müssen (Altner, a. a. O., S. 180).

Wenn Altner hier eine theologia crucis als Grundlage einer neuen Umweltethik propagiert, so scheint er sich zu widersprechen, denn eingangs hatte er gegen Scholder Günter Howe zitiert, der nicht sehen kann, wie durch die Beschwörung von Kreuz und Auferstehung die Probleme der technischen Welt gelöst seien (so Altner S. 14). Nunmehr kann er selbst aber auch keine andere theologische Lösung anbieten. Wahrscheinlich ein heilsamer Widerspruch, wenn eine Explikation in Hinsicht auf das anstehende Problem geleistet wird. Jedenfalls ist dann auch klar, wer Subjekt und Träger einer solchen Ethik sein muß: nicht jedermann, denn die theologia crucis ist nicht jedermanns Sache, sondern verweist auf den inneren Kern der Christengemeinde, die hier offenbar Vorbild und Beispiel für die Bürgergemeinde werden soll. An dieser Stelle wird eine sachliche Schwierigkeit der Bemühungen um die ökologische Ethik im theologischen Sinne sichtbar: sie leidet unter der Spannung zwischen Exklusivität ihrer inneren Begründung und der Universalität ihres Anspruchs. Wird ökologische Ethik theologisch vom Zentrum des christlichen Glaubens her begründet, dann verliert sie zugleich an Allgemeinheit ihrer Aussagekraft, was sie an Tiefe gewinnt. Eine Begründung im Gedanken der Ehrfrucht vor dem Leben, weil wir alle leben inmitten von Leben, das auch leben will, und ein Verweis auf die Naturhaftigkeit unseres Daseins liegt im Rahmen des rational Nachvollziehbaren, während die Gedanken der theologia crucis nur gemeindeintern realisiert werden können. Daß die christliche Gemeinde in dieser Frage aber eine exzeptionelle Stellung, eine avantgardistische Position gegenüber der „Welt" habe, ist bisher nirgends deutlich gemacht worden. An dieser Diskrepanz der Argumentation leidet m. E. das vorliegende Schrifttum. Man muß wissen, was man will. Will man die „Welt" ansprechen, dann muß man es so tun, wie es die „Welt" verstehen kann. Oder man führt ein esoterisches Theologengespräch, das die Kirchenmauern nicht durchdringt und keine weltliche Wirkung zeitigt.[16]

Eine neue Ethik, die nicht mehr ausschließlich am Nutzwert der Natur für den Menschen orientiert ist, sondern diese in ihrem Eigensein gelten läßt, setzt ein neues Bewußtsein voraus und zugleich eine Bereitschaft zu Opfern und Verzichten.[17] In der Skizzierung dieser künftigen Ethik sind sich fast alle Ökologen einig. Cobb plädiert für einen neuen Lebensstil, den er als „ökologische Askese" bezeichnet (a. a. O., S. 82). Das impliziert das Aufgeben der für Kriegsvorbereitung geleisteten Verschwendung von Rohstoffen, Änderung des Transportwesens durch Verstärkung der öffentlichen Verkehrsmittel gegenüber privaten, neue Formen der Stadtplanung, indem eine Einheit von Wohn-, Arbeits- und Einkaufsplatz angestrebt wird. Weiter gehört dazu eine strenge Holzbewirtschaftung, Recycling als Wiederverwendung von bereits gebrauchten Materialien, Verstärkung der Dienstleistungsgewerbe gegenüber der Primärproduktion, um von der Wegwerfgesellschaft wegzukommen zu einer „Reparaturgesellschaft". Da Erdöl ein unwiederbringlich sich erschöpfender Rohstoff ist, muß die

Gewinnung von Erdöl nicht gesteigert, sondern ebenso wie der Elektrizitätsbedarf reduziert werden; daneben ist die Gewinnung von Solarenergie zu fördern. Jedenfalls müssen sich vor allem die Menschen in den Ländern der „unbegrenzten Möglichkeiten" an den Gedanken gewöhnen, daß eine weitere Steigerung von Technologie und Produktion nicht sinnvoll ist, vielmehr dürfte der jetzt erreichte Stand „auf lange Sicht als Norm des sinnvoll Möglichen gelten" (S. 89).

Weil wir „an eine echte ontologische Grenze auch unseres materiell-technisch bestimmten Daseins" stoßen, fordert W.-D. Marsch eine „Ethik der Selbstbegrenzung".[18] Marsch stellt die Frage der Ökologie in den Rahmen der Heilsgeschichte. Einerseits ist der Mensch ein mit der Freiheit der instrumentellen Vernunft begabtes Wesen, das die Grenze des Lebens wahren soll, diese Grenze aber überschreitet, für die Folgen dieser Freiheit aber nicht aufkommen kann und folglich im Geschick des unvollendeten, unheilen und entfremdeten Lebens weiterexistieren muß. Marsch sieht deutlich, daß es mit dem ethischen Appell allein noch nicht getan ist. Zwar gibt es genug empirisch-prognostische und für jeden verstehbare Belege dafür, daß menschliche Freiheit heute „Freiheit zum kollektiven Selbstmord" geworden ist; aber der Schritt von dieser Einsicht zur Bekehrung zu einer Ethik der bewußten und gekonnten Selbstbegrenzung ist nicht so leicht — sowenig sie es für das erste Menschenpaar in der Ur-Kultur des Landes Eden war.

> Jene Ethik ist — so dringend sie mit allen Meinungsmachtmitteln der Kirche und aller vernünftigen Institutionen propagiert werden muß — nicht machbar. Denn sie setzt voraus, daß *homo faber* in und mit seiner Umwelt ein anderer werden kann, daß ihm noch etwas bevorsteht, was er selber nicht ist (S. 20).

Es müßte also um das gehen, was man in der Tradition der christlichen Theologie als „Neuschöpfung in Christus" bezeichnet hat, womit ein Anfang bezeichnet ist, der des Menschen Möglichkeiten grundsätzlich übersteigt. So wie der Gekreuzigte zugleich der Auferstandene und Kommende ist, so darf von den Christen ein gutes „Ende der Geschichte" antizipiert werden, ohne daß wir die Hände in den Schoß legen, auf eine Hoffnung gegen den Augenschein setzen, auf eine Vernunft bei notorisch unvernünftigen Menschen hoffen.

IV. Der futurologisch-eschatologische Aspekt

Der industrielle und technische Fortschritt, der in zunehmendem Maße die Bedingungen unserer Lebenswelt gefährdet, lebt bewußt oder unbewußt von einem ungeklärten Verhältnis zur Zukunft. Voraussetzung moderner Naturbeherrschung, der die Erkenntnis der Natur und ihrer berechenbaren Gesetze dient, ist die Hoffnung, daß mit der Besitzergreifung über den Bereich der Natur dem Menschen alle Bequemlichkeiten der Erde und eine verbesserte und verlängerte Gesundheit zuteil werden. Daß die Maximierung der Naturausbeutung und der Einbau technischer Konstruktionen in die natürliche Lebenswelt des Menschen zur Zerschlagung eben dieser Lebenswelt zu führen droht, ist eine heute in Kreisen der Wissenschaft weitverbreitete Einsicht.[19] Dabei ist heute die technologische Vorausschau nur ein Teilstück umfassenderer Perspektiven: der gesellschaftlichen, der menschlichen und umweltlichen, wobei die wirtschaftliche Vorausschau ("forecasting") wohl am weitesten entwickelt ist. In diesem Rahmen wird die Technologie der Zukunft anders gesehen als bisher. Wurde bisher vor allem gefragt, was technisch machbar und ökonomisch tragbar ist, so stellen sich nunmehr vordringlich die Fragen, was von gesellschaftlichen, menschlichen und umweltlichen Gesichtspunkten aus erwünscht oder nicht erwünscht ist. Hier deutet sich ein grundlegender Wandel im Verhältnis des Menschen zu der mit Hilfe der Technologie geschaffenen künstlichen Umwelt an.[20] Jedoch zeigen sich beim Übergang von der theoretischen Erkenntnis zur politischen Praxis erhebliche Schwierigkeiten. Das Beispiel der USA, daß die Einflüsse prognostischer Gruppen am Widerstand politischer und wirtschaftlicher Interessengruppen scheitern, und man nicht gewillt ist, von „intellektuellen Besserwissern" Ratschläge anzunehmen, die oft tiefgreifende Veränderungen bestehender Praktiken verlangen würden, dürfte nicht auf die USA beschränkt bleiben. Hier tritt die Zukunftsforschung in ein neues Stadium „kritischer Zukunftsforschung" ein, wo es darum geht, die Gestaltung der Zukunft durch den Abbau überalteter und uneinsichtiger Machtstrukturen in Ost und West zu ermöglichen. Gegenüber dieser neuen Lage versagen bisher die Systeme in Ost und West gleichermaßen, da sowohl der Kapitalismus wie der Kommunismus dem technokratischen Denken verhaftet sind, das dem ökonomischen Faktor gegenüber dem ökologischen den Vorzug gibt. Wenn Karl Steinbuch feststellt, daß

> die Steuerung des technischen Fortschritts nur sinnvoll ist als Ergebnis einer rationalen Systemanalyse, bei der die zukünftige Entwicklung geistig vorweggenommen und in Kenntnis sachlicher Zusammenhänge und bewußter Wertsysteme optimiert wird [21],

so bleibt er mit dieser an sich richtigen Aussage noch vor dem Problem der politischen Realisierung dieser Einsichten stehen, und es erscheint unfair, R. Jungk einen „unreflektierten Haß auf die Wissenschaftler" vorzuwerfen, denn das Ressentiment Jungks richtet sich in erster Linie gegen die Technokraten in Politik und Wirtschaft, die sich futurologischer Einsicht widersetzen.

Ob wir es hier mit einem geistigen Versagen zu tun haben, weil

> wir als Bürger einer technischen Welt in einer Zeit leben, in der die Phantasie der Wirklichkeit nicht mehr nachkommt und deshalb die Kraft zum verwandelnden Vorgriff verloren hat[22],

oder ob „auf unserer heutigen Gesellschaft ein nie dagewesener Machtdruck ruht"[23], bei dem die dämonische Machtsteigerung durch Technik zu einer Unempfindlichkeit gegenüber dem Tragischen der Situation geführt hat, sei dahingestellt. Picht hat recht, wenn er feststellt, daß der Mensch über seine Vernunft und seine Freiheit nicht zu verfügen vermag und daß uns die wahre Zukunft des Menschen unbekannt ist.

> Damit eröffnet sich aber zugleich ein Ausblick auf jene Formen der Antizipation von Zukunft, die schlechterdings jenseits der Möglichkeit eines Wissens von Zukunft liegen: Vision, Prophetie und Eschatologie.[24]

Stehen wir vor einem „Vietnam der Technik", wenn die ökologische Katastrophe durch Ausstoß von lebensfeindlichen Schmutz- und Schadstoffen zur Zerstörung der Umwelt führt?[25] Gehen wir einer total verwalteten Welt entgegen, weil die immanente Lage der Geschichte die Menschheit dazu zwingt? Müssen nicht die ungeheuren Kräfte der Nuklearenergie, wenn sie nicht zerstörerisch wirken sollen, von einer wirklich rationalen Zentralverwaltung in Obhut genommen werden?[26] Welche Chancen der Realisierung hat aber eine solche Totalverwaltung der Welt? Sie würde eine Einheit von Macht voraussetzen, die es heute noch nicht gibt und die wohl erst als Ergebnis eines III. Weltkrieges in Erscheinung treten würde, falls es nach einem solchen noch Sieger gäbe. Der polnische Philosoph Kolakowski ist skeptisch: Wenn mit dem System, das es zu überwinden gilt, jenes umfassende Informationssystem der technisch-wissenschaftlichen Welt gemeint ist, dessen Ausbau eben diese Welt in eine Gestalt zwingt, in der sie verwaltete Welt wird, dann wird eine solche Revolution nie kommen, die dieses System in der vor uns liegenden Weltzeit überwindet. Auch keine Reform kann dies bewerkstelligen; denn jede Reform muß sich einer zunehmenden Weltverwaltung als Instrument des Überlebens bedienen.[27]

Wir stehen angesichts der futurologischen Dimension heute vor einer Polarisierung der Prognosen. Auf der einen Seite werden derzeit herrschendes Industriesystem und Ökosystem als sich ausschließende Alternativen gesehen, angesichts derer man sich für eine von beiden entscheiden müsse[28], auf der anderen verheißen optimistische Futurologen goldene Zeiten für alle.[29] Wie dem auch sei, so unterscheidet sich die heutige Situation doch grundsätzlich von früheren, als es in Zukunft der Menschheit möglich sein wird, auf doppelte Weise Selbstmord zu begehen: einmal durch die kriegerische Entfesselung der Atomenergie, dann durch den Wachstumstod, der nicht nur fatalistisch als unvermeidliches Geschick über uns kommen wird, sondern durch Sorglosigkeit, Leichtsinn, Egoismus und geistige Trägheit herbeigeführt werden kann. Was in der Bibel als apokalyptische Vision vom Weltuntergang Bild und Literatur zu sein schien, das kann sich nunmehr fast wörtlich genauso realisieren.

Wir scheinen in einem unheimlichen Schnittpunkt zu stehen, in dem sich die Parusiereden Jesu und der Apokalypse mit tatsächlich realisierbaren Vollzügen der Gegenwart treffen und wo das Ende der Geschichte, die Aberntung der Erde zur potentiellen Gegenwart werden kann.[30] Ist es religiöse Pathetik, wenn gesagt wird: der Ruf des Herrn kann überhört werden, nicht aber der Donner des nuklearen Feuers, vor dem heute die Erde erzittert? Man kann sich fragen, ob von dieser Konvergenz biblischer Apokalyptik und moderner Weltbeendigungsmöglichkeiten her die von der Existenztheologie vertretene These von der theologischen Irrelevanz kosmischer Ereignisse noch durchgehalten werden kann. Ist das mögliche Ende des Kosmos und das mögliche Ende der Menschheitsgeschichte wirklich nicht Gegenstand besonderer theologischer Aussagen?[31] Zeigt sich hier nicht wieder der Weltverlust einer existenz-kritizistischen Theologie, für die Eschatologie nur die individuelle Betroffenheit des Glaubenden durch den Ruf zur Entscheidung ist? Ist der Hinweis auf die tödliche Bedrohung der Menschheit nichts anderes als Ausdruck einer Sektenmentalität, von der man sich möglichst zu distanzieren hat?[32]

Man sollte dabei jedenfalls zwei Dinge bedenken: einmal daß Wachstums- und Nukleartod keine Naturkatastrophen sind, unabwendbar und unaufhaltsam auf uns zukommend, wie eine Lawine uns überrollend, vor der es kein Ausweichen gibt, sondern es sind vom Menschen selbst zu verantwortende Ereignisse. Wir sollten hier nicht falsch „theologisch“ reagieren, indem wir betonen, daß es doch *Gott* sei, der das Gericht herbeiführt und daß es vor ihm kein Entrinnen gibt. Daß Gott in, mit und unter menschlicher Aktivität handelt, gehört zu den Geheimnissen des verborgenen Gottes. Ließe sich unser Handeln aber von daher motivieren, so käme das einem stoischen oder islamischen Fatalismus gleich, der vergißt, daß

das Sonderwesen Mensch zu einem Überraschungszentrum der Schöpfung erschaffen ist. Weil und solange es den Menschen gibt, kann von der Welt aus in jeder noch so späten Stunde, wie zum Unheil so zum Heil, faktische Wendung geschehen.[33]

Daraus ergibt sich als zweites, daß wir kein Recht haben, in Resignation zu versinken oder in eine apokalyptische Panikstimmung zu flüchten, sondern daß das Ineinander von göttlichem und menschlichem Handeln als lebendige geschichtliche Dialogik begriffen werden muß, in der menschliche Freiheit ihre positive Rolle zu spielen hat, wenn nur der eschatologische Vorbehalt verstanden wird: Tut Buße, denn die Herrschaft Gottes ist nahe!

Anmerkungen

[1] Vgl. K.-M. Beckmann, ÖRK-Arbeitstagung über ›Die Zukunft des Menschen und der Gesellschaft in einer wissenschaftlich-technischen Welt‹, Genf 1970, Bericht in: Ztschr. f. ev. Ethik 14 (1970), S. 303—307.

[2] T. Rendtorff, Umwelt und die Folgen der Freiheit. Maßstäbe für die Lebensgestaltung, in: EvKom 4 (1971), S. 571—575 (573).

[3] Vgl. CA XV: De rebus civilibus — Evangelium non dissipat politiam aut oeconomiam, sed maxime postulat conservare tamquam ordinationes Dei et in talibus ordinationibus exercere caritatem.

[4] Vgl. dazu R. Heeger (Uppsala): Ökologische Verantwortung. Analytisch-normative Überlegungen. Referat bei der Jahrestagung 1976 der Societas Ethica.

[5] So Th. Löbsack, Die Natur: Objekt von Herrschaft oder Heimat?, in: Radius 18 (1973), S. 10—20.

[6] Carl Amery, Das Ende der Vorsehung. Die gnadenlosen Folgen des Christentums. 1972.

[7] O. Jensen, Theologie zwischen Illusion und Restriktion. Analyse und Kritik der existenz-kritizistischen Theologie bei dem jungen Wilhelm Herrmann und bei Rudolf Bultmann. 1975.

[8] Vgl. G. Liedtke, Von der Ausbeutung zur Kooperation, in: E. v. Weizsäcker (Hrsg.), Humanökologie und Umweltschutz (Studien zur Friedensforschung, Bd. 8). 1972.

[9] Wenn Schlatter davon spricht, daß wir uns der „Weisung der Natur" unterwerfen sollten, so bezieht sich das vor allem auf das Recht der natürlichen Sinnlichkeit (vgl. Die christliche Ethik. 1929, S. 83 u. a. O.). — Bei Köberle bezieht sich die „Öffnung für die Korrelation: Christus und der Kosmos" (Christus und der Kosmos, in: Der Herr über alles. Beiträge zum Universalismus der christlichen Botschaft. 1957) vor allem auf die psychosomatischen Zusammenhänge und die Überwindung der Trennung von Natur und Geist in Medizin und Seelsorge.

[10] J. B. Cobb, Der Preis des Fortschritts, Umweltschutz als Problem der Sozialethik. 1972.

[11] G. Altner, Schöpfung am Abgrund. Die Theologie vor der Umweltfrage. 1974.

[12] Zit. nach: Mitteilungen der Bad. Landeskirche 1976, Heft 2, S. 36 f.

[13] G. Picht, Der Begriff der Verantwortung. Festschrift für H. Kunst. 1967, S. 189—213.

[14] G. Rohrmoser, Das Dilemma der verwirklichten Humanität. In: Rohrmoser, Barner, Drieschner, Meyer-Abich: Weltveränderung durch Technik. Das Dilemma der Humanität. 1971, S. 57—71.

[15] So A. Portmann, Naturschutz wird Menschenschutz. 1971, S. 43.

[16] Vgl. auch O. Fr. Bollnow, Ethik der Ehrfurcht vor dem Leben. Überlegungen zu Albert Schweitzers Werk. In: Ev. Kom. 9 (1976), S. 527—530.

[17] So auch G. Altner, Zwischen Natur und Menschengeschichte. Perspektiven für eine neue Schöpfungstheologie. 1975, S. 93 ff.

[18] W.-D. Marsch, Ethik der Selbstbegrenzung. Theologische Überlegungen zum Umweltschutz. In: Ev. Kom. 6 (1973), S. 18—20.

[19] Vgl. etwa G. Altner, Bekehrung der Technokraten? Vom Auftrag der Intellektuellen im Fortschrittsprozeß. In: Ev. Kom. 10 (1977), S. 11—13.

[20] S. R. Jungk, Technologie der Zukunft. 1970.

[21] K. Steinbuch, Mensch, Technik, Zukunft. Probleme von morgen. 1971, S. 16.

[22] So G. Picht, Prognose—Utopie—Planung. Die Situation des Menschen in der Zukunft der technischen Welt. 1967, S. 38.

[23] So P. F. Drucker, Das Fundament für morgen — Die neuen Wirklichkeiten in Wirtschaft, Wissenschaft und Politik. 1958, S. 278; zit. nach D. von Oppen, Der sachliche Mensch. 1968, S. 192.

[24] A. a. O., S. 61 f.

[25] So Kl. Müller, Die Präparierte Zeit. 1973.

[26] So M. Horkheimer in einem Interview mit dem ›Spiegel‹ (1970, Nr. 1—2).

[27] Zit. nach Kl. Müller, a. a. O., S. 596 f.

[28] S. C. Amery, Natur als Politik. Die ökologische Chance des Menschen. 1976: Entweder das Industriesystem bricht vor dem Ökosystem oder das Ökosystem bricht vor dem Industriesystem zusammen. Die Logik des Überlebens der Menschheit erfordert deshalb die raschestmögliche Zerstörung des Industriesystems, und zwar fast um jeden Preis.

[29] So H. Kahn, Angriff auf die Zukunft. 1972; H. Cavanna (Hrsg.), Die Schrecken des Jahres 2000. 1977.

[30] Vgl. B. Philberth, Christliche Prophetie und Nuklearenergie. 1964.

[31] So H.-J. Birkner, Eschatologie und Erfahrung, in: Wahrheit und Glaube. Festschrift f. E. Hirsch. 1963, S. 31—41.

[32] Zum ganzen Komplex vgl. M. Schloemann, Wachstumstod und Eschatologie. Die Herausforderung christl. Theologie durch die Umweltkrise. 1973.

[33] So M. Buber, Prophetie und Apokalyptik, in: Sehertum. Anfang und Ende. 1955, S. 59.

IV

PRAKTISCH-THEOLOGISCHES

GEMEINDE ALS KRITISCHES PRINZIP EINER OFFENEN VOLKSKIRCHE

Zur Transformation einer „Kirche für das Volk" zu einer „Kirche des Volkes"

Von Christof Bäumler (München)

1. Die These, die Volkskirche sei eine „Institution der Freiheit" (Trutz Rendtorff) muß für diese Gesamtheit ihrer Mitglieder erst noch realisiert werden. Die Herstellung einer wahren Pluralität der Volkskirche liegt zwar als Möglichkeit in ihrem Ansatz begründet, ihre Verwirklichung jedoch als unabschließbare Aufgabe vor ihr.

Trutz Rendtorff antwortet auf die Frage „Welche Kirche wollen wir?" „... lapidar und konkret: die Volkskirche." [1] Gemeint ist

> ... die umfassende, durch die Praxis der Kindertaufe in ihrer weiten Mitgliedschaft definierte, durch Überlieferung und institutionelle Ausformung gebildete und überall präsente sichtbare Kirche.[2]

Diese Volkskirche sei das Haus, in dem christliches Leben und Bewußtsein seinen geschichtlichen Erfahrungen und Voraussetzungen begegnet. In ihrer Praxis finde die Christenheit in Zuspruch und Widerspruch ihre je eigene Identität. Sie biete Raum für die Ungleichzeitigkeit des Gleichzeitigen, ohne dem sektenhaften Druck zur Konformität zu erliegen. In ihrer weiten Landschaft könne die christliche Wahrheit ihre vielfältigen Wege ziehen, ohne in die öde Einförmigkeit von Kleingärten eingezäunt zu werden. Kurzum:

> In Richtung dieser Gesichtspunkte kann man die Volkskirche als eine Institution der Freiheit bezeichnen, wenn man nur einen wirklich freien Begriff von Freiheit in Anschlag bringt statt einer solchen Zwangsvorstellung der Freiheit, die deren Abwesenheit überall dort konstatiert, wo statt einer Stimme, die meist die eigene ist, auch andere auftreten, eine Freiheit, die teils ermutigend, teils mühevoll als jene Gegenseitigkeit erfahren wird, die von jeweils einer Seite als Abhängigkeit erscheint.[3]

Das Gegenbild zu diesem geräumigen, mit ererbtem Mobiliar reich ausgestatteten, in einem weitläufigen Park gelegenen Haus der Volkskirche, in dem sich freie Bürger im geselligen Verkehr begegnen, ist offenbar der eingezäunte Schrebergarten bornierter Kleinbürger, die die kleine Welt mit der Welt überhaupt verwechseln und mit dem Fanatismus der Rechthaber alle, die anders sind als sie, dem Irrtum und dem Verderben überlassen.

Ich gestehe freimütig zu, daß ich als freier Christ und als freier Bürger, der ich gerne sein möchte, lieber in dem schönen Haus der Volkskirche mit Leuten verkehren will, die zwar anders sind als ich, aber die mich nach der Devise Schillers „Zeige selbst Freiheit, schone fremde Freiheit!" behandeln, anstatt hinter dem Zaun meines Schrebergartens meinen eigenen Kohl zu begießen, von den Nachbarn beargwöhnt oder beneidet.

Die Vorstellung, die Trutz Rendtorff mit dem Begriff „Volkskirche" verbindet und die er in den Begriff „Institution der Freiheit" faßt, ist mir durchaus sympathisch. Ich bezweifle jedoch, daß sie die Realität der Kirche beschreibt, in der wir leben. Gewiß: auch beinahe jedes Proletarierkind, das in diesem Lande geboren wird, erwirbt durch die Taufe Wohnrecht im Hause der Volkskirche, aber die Aussicht, daß es sich jemals dort heimisch fühlen wird, ist außerordentlich gering. Schon ein flüchtiger Blick auf die Zusammensetzung jener Gremien, die im Hause der Volkskirche das Hausrecht ausüben, beweisen dies. Ähnlich steht es auch mit der Zusammensetzung des in diesem Hause arbeitenden Personals, wenngleich hier soziale Aufsteiger immer noch überrepräsentiert sind. Aber dieser Umstand verschärft das Problem eher noch, ob ein wirklich freier Begriff von Freiheit in der Volkskirche praktisch in Anschlag gebracht wird. Unter dieser Fragestellung gleicht das vermeintlich offene Haus der Volkskirche schon eher einem Herrenhaus, in dem jedenfalls die repräsentativen Räume nur bestimmten Leuten zugänglich sind.

Nun will ich keineswegs das geräumige Haus der Volkskirche mit seinem weitläufigen Park verlassen und statt dessen vorschlagen, Schrebergärten einzurichten, in denen sich Christen unter jeweils bestimmten Parolen vereinigen. Jedenfalls verbinde ich diese Vorstellung keinesfalls mit dem Begriff der Gemeindekirche. Mein Interesse besteht vielmehr darin, zu überlegen, wie erreicht werden kann, daß jeder Bewohner des Hauses der Volkskirche, also jeder Getaufte, von seinem Hausrecht in vollem Umfang Gebrauch machen kann. Denn der wirklich freie Begriff von Freiheit ist die Freiheit von jedermann in diesem Volk, das sich Kirche nennt, insbesondere die Freiheit der jeweils anderen. Deshalb verstehe ich Gemeinde als kritisches Prinzip der Volkskirche, und plädiere nicht für eine sektenhafte Gemeindekirche als einer Alternative zur pluralen Volkskirche.

Max Horkheimer hat einmal gesagt: „Der wahre Pluralismus gehört dem Begriff einer zukünftigen Gesellschaft an."[4] Das gilt auch, meine ich, für die Volkskirche, mit einem wichtigen Unterschied freilich. Während nach Horkheimer die kritische Vernunft im dialektischen Prozeß von Freiheit und Unterdrückung den wahren Pluralismus einer zukünftigen Gesellschaft durch politische Praxis herausarbeitet, hätte die Christenheit den in Jesus Christus Gestalt gewordenen wahren Pluralismus in ihrer Praxis nachzuvollziehen. Die Frage, ob beide Ansätze einander ausschließen, oder, wie ich vermute, miteinander dialektisch vermittelt werden könnten, muß ich hier offenlassen.

Christliche Praxis ist unter den gegenwärtig historisch-gesellschaftlichen Bedingungen eine volkskirchliche Praxis, sofern jedermann die Chance bekommt und ergreift, an der Realisierung der in ihr gegebenen Freiheit teilzunehmen. Dazu aber bedarf es gemeinsamer Erfahrungen, die in der Gemeinde gemacht werden können.

1.1. Die „Gemeinde der Freunde Jesu" (Jürgen Moltmann) ist das kritische Prinzip, an dem sich die Praxis der Volkskirche zu orientieren hat, wenn sie ihrem Anspruch, Institution der Freiheit zu sein, entsprechen will.

Soll sich die Volkskirche also als jene „Institution der Freiheit" darstellen, so bedarf es dazu nach meiner Auffassung eines kritischen Prinzips zur Analyse, Kritik und Transformation ihrer Praxis. Dieses kritische Prinzip nenne ich mit Jürgen Moltmann die „Gemeinde der Freunde Jesu". Bei der Beschreibung dieses Prinzips geht Moltmann aus von CA VII. Die congregatio sanctorum wird qualifiziert durch die Formel „in qua evangelium pure docetur et recte administrantur sacramenta". Das heißt:

> Die Versammlung der Gläubigen und das Geschehen von Wort und Sakrament konstituieren und interpretieren sich gegenseitig.[5]

Moltmann argumentiert hier so: CA VII konstituiere zwar die Gemeinschaft der Christen, präzisiere sie jedoch inhaltlich nicht genauer. Dies geschehe durch die These 3 der Barmer theologischen Erklärung. Sie lautet:

> Die christliche Kirche ist die Gemeinde von Brüdern, in der Jesus Christus in Wort und Sakrament durch den Heiligen Geist als der Herr gegenwärtig handelt.[6]

Hier werde durch das Wort „Bruder" die christliche Gemeinde als eine Gruppe von Menschen bestimmt, in der keine Herrschaftsstrukturen bestehen. Indes habe der Begriff „Bruder" immer noch zwei Mängel: einmal bezeichne er nur das männliche Geschlecht, obwohl er natürlich darüber hinaus gehen möchte und sozusagen stillschweigend die Schwestern einbezieht und dann hafte der Bezeichnung Bruder etwas Unausweichliches an: Brüder könne man sich nicht aussuchen, insofern sei im Verhältnis von Brüdern immer auch ein Moment des Zwanges mitgegeben.

Diese beiden Mängel seien im Wort „Freundschaft" aufgehoben:

Zum Freund wird man aus freiem Entschluß, und seine Freunde sucht man selbst. Menschlich gesehen ist Freundschaft kündbar. Das Leben in der Freundschaft Jesu wurzelt jedoch in der freien Hingabe seines Lebens „für seine Freunde". Darum kann auch Unfreundlichkeit diese Freundschaft Jesu nicht zerstören. Die Seinen bleiben in seiner Freundschaft, wenn sie selbst anderen zu Freunden werden. Die Freiheit, aus der diese Freundschaft entspringt, ist darum keine private Willkür, sondern die Befreiung zum neuen Leben selbst, ohne die alle anderen Freiheiten nicht bestehen können. Die Freundschaft, zu der diese Freiheit führt, ist der „konkrete Begriff der Freiheit", ohne den alle anderen Freundschaften kraftlos werden ... Recht verstanden ist der Freund der „in Freiheit Liebende" [7]. Darum bringt der Begriff der Freundschaft auf die beste Weise das befreiende Gottesverhältnis und die Gemeinschaft der Menschen im Geist der Freiheit zum Ausdruck.[8]

1.2. Die „Gemeinde der Freunde Jesu" ist die soziale Gestalt Jesu Christi („Christus als Gemeinde existierend", Dietrich Bonhoeffer), in dem sich „Gott als der in Freiheit Liebende" (Karl Barth) offenbart.

Diese These bezieht sich auf Dietrich Bonhoeffers fünften Leitsatz über die Anschauung des Neuen Testaments von der Kirche:

Die Kirche ist die Gegenwart Christi, wie Christus die Gegenwart Gottes ist. Das Neue Testament kennt eine Offenbarungsform „Christus als Gemeinde existierend".[9]

Bonhoeffers Interesse liegt hier darin, daß Christus die Gemeinde regiert und die Christen zum Dienst aneinander führt. Die „Gemeinde der Freunde Jesu" ist nicht die empirische Beschreibung der vorfindlichen Kirche, sondern das kritische Prinzip, an dem ihre soziale Gestalt zu messen ist.

Ich möchte hier nur andeuten, ohne es ausführen zu können, daß dieses Prinzip nicht aus einer isolierten Ekklesiologie gewonnen werden kann, sondern mit der Theologie insgesamt zusammenhängt. Die Ekklesiologie hängt ab von der Christologie und diese wiederum von der Theologie im engeren Sinne.

Es kann in diesem Zusammenhang nur daran erinnert werden, daß Theologie sowohl bei Jürgen Moltmann wie bei Karl Barth eine trinitarische Gestalt hat.

Wenn es zutrifft, daß „Christus als Gemeinde existierend" eine Form der „Offenbarung“ ist, dann gehört zum Christentum, gewiß in vielfältigen Formen, aber eben unabdingbar, seine soziale Gestalt. Das Gegenüber der Institution Volkskirche zu einer großen Anzahl christlicher Individuen, die voneinander isoliert leben, entspricht dem kritischen Prinzip „Gemeinde der Freunde Jesu“ ebensowenig wie eine Gemeinschaft von Gleichgesinnten, die sich gegen andere abgrenzen. Mangelt es den einen an der solidarischen Liebe, so den anderen an der selbstbestimmenden Freiheit.

In der sozialen Gestalt der Gemeinde, die dem Prinzip der „Gemeinde der Freunde Jesu“ entspricht, sind die Elemente der Freiheit und der Liebe, der Selbstbestimmung und der Solidarität miteinander verbunden. Gemeinden, die in Entsprechung zu diesem kritischen Prinzip existieren, erweisen sich als der „Brief Christi“ (2. Kor. 3, 3), den andere Menschen entziffern und in dem sie Hinweise auf Christus, Gott und sein Reich entdecken können.

1.3. In der „Gemeinde der Freunde Jesu“ versuchen Christen, die ihnen im Handeln Gottes eröffnete Freiheit und Liebe in der Nachfolge Jesu unter den konkreten geschichtlich-gesellschaftlichen Bedingungen zu realisieren.

Der hier eingeführte Begriff „Nachfolge Jesu“ hält die bleibende Abhängigkeit der Gemeinde von ihrem Herrn ebenso in Erinnerung wie den Auftrag, sich den jeweils konkreten geschichtlich-gesellschaftlichen Bedingungen zu stellen. Selbstherrliche Wahrung eigener Interessen ist der Gemeinde ebenso verwehrt wie der Rückzug in eine religiöse Sonderwelt.

1.4. Der „Dual von Amt und Gemeinde“ (Martin Honecker) und die Differenz von „Kerngemeinde“ und „Randsiedlern“ werden durch das Prinzip der „Gemeinde der Freunde Jesu“ weder bestätigt noch auf den Kopf bzw. die Füße gestellt, sondern in der Pluralität der einander in Freiheit liebenden Freunde Jesu aufgehoben.

Diese These zieht Folgerungen aus dem bisher Gesagten für die innere Struktur der Gemeinde. Eine wie immer geartete und begründete hierarchische Struktur der Gemeinde ist mit dem kritischen Prinzip der „Gemeinde der Freunde Jesu“ nicht vereinbar, also auch nicht die Umkehr der Herrschaft der „Geistlichen“ in eine Herrschaft der „Laien“ oder die Ablösung einer Diktatur der „Kerngemeinde“ durch eine Diktatur der „Randsiedler“, wenn man diese ebenso unglückliche wie gebräuchliche Einteilung hier einmal aufnimmt. Dem Prinzip der „Gemeinde der Freunde Jesu“ entspricht allein jene wahre Pluralität, durch deren Realisierung sich die Volkskirche und ihre Gemeinden als das darstellen würden, was sie zu sein beanspruchen: Institution der Freiheit.

1.5. Christliche Gemeinde erweist sich in der Perspektive dieses kritischen Prinzips als ein unabgeschlossener geschichtlicher Prozeß, an dem sich alle Gemeindeglieder beteiligen können. Dabei werden überlieferte Strukturen kritisch aufgenommen und neue Strukturen entwickelt.

Da die Formulierung „Gemeinde der Freunde Jesu" nicht einen Ist-Zustand beschreibt, sondern hier als kritisches Prinzip verstanden wird, erweist sich christliche Gemeinde in der Perspektive dieses Prinzips als ein Prozeß, in dem vergangene Versuche, diesem Prinzip zu entsprechen, kritisch geprüft und für Gegenwart und Zukunft neu konzipiert werden.

Dabei wäre darauf zu achten, daß sich potentiell alle Gemeindeglieder an diesem Prozeß, nach ihren Bedürfnissen und Möglichkeiten, die allerdings niemals völlig festliegen, sondern auch ausgeweitet werden können, gleichberechtigt beteiligen können, Das heißt für diejenigen, die in der Gemeinde mit Macht verbundene Rollen inne haben (Kirchenleitung, Pfarrer etc.) bereit zu sein, ihre Macht kontrollieren zu lassen, und für die relativ Ohnmächtigen, sich zur Durchsetzung ihres Rechtes auf Partizipation in der Gemeinde zu solidarisieren.

1.6. Dieser geschichtliche Prozeß vollzieht sich in konfliktreichen gesellschaftlichen Prozessen, in die die Gemeinde selbst verflochten ist und an deren Bearbeitung sie in der Nachfolge Jesu auf eine hoffnungsvolle Weise teilnimmt.

Die christliche Gemeinde kann sich den Ort ihrer Nachfolge nicht aussuchen, sondern findet sich in einer bestimmten Gesellschaft vor, deren Bestandteil sie selbst ist. Die Probleme der Gesellschaft sind zugleich die Probleme der christlichen Gemeinde. Als Gemeinschaft der in Freiheit liebenden Freunde Jesu nimmt sie an den Problemen, Konflikten und Aporien der Gesellschaft teil, eben weil es ihre eigenen sind, und arbeitet in der Kraft des Geistes daran mit, Probleme zu entdecken und zu benennen, Konflikte zu lösen oder zu regeln, Aporien aushaltbar zu machen.

2. Die vorfindliche Volkskirche setzt den Versuch, die kirchliche Praxis an dem Prinzip „Gemeinde der Freunde Jesu" zu orientieren, Widerstände entgegen. Unter anderen sind zu nennen:

2.1. Die herrschende *Kindertaufpraxis,* die zwar alle getauften Kinder in die Volkskirche als die „Institution der Freiheit" integriert, jedoch zugleich deren Charakter als „Betreuungskirche" weithin festlegt.

Die herrschende Kindertaufpraxis leistet zumindest einem Verständnis von Volkskirche Vorschub, in der Menschen betreut werden, ohne sich zu beteiligen. Auch ist das Mißverständnis nicht auszuschließen, als halte die Volkskirche nur deshalb an dieser Praxis fest, um sich als Institution selbst zu reproduzieren und um nicht an Einfluß zu verlieren. Die Kritik vieler Jugendlicher, sie seien als Säuglinge ungefragt für die Kirche vereinnahmt worden, ist mindestens zu hören.

2.2. Die *hierarchische Struktur* der Ortsgemeinde, die *nach dem pastoralen Grundmodell* organisiert ist. Die volkskirchlichen Gemeinden sind nach dem pastoralen Grundmodell organisiert.[10] Darunter ist folgendes zu verstehen:

— Eine ausgesprochen räumliche Orientierung. Die Parochie war ursprünglich die lokale Einheit, in der der Bischof durch einen Vikar repräsentiert wurde. Der Raum der Parochie ist auch nach geltendem Kirchenrecht das kirchliche Hoheitsgebiet des zuständigen Gemeindepfarrers.
— Orientierung am Amt des Pfarrers, die im Gottesdienst der Ortsgemeinde ihren klassischen Ausdruck findet: Der ordinierte Geistliche legt der hörenden Gemeinde das Wort Gottes aus und verwaltet die Sakramente.
— Orientierung an der Multifunktionalität des Gemeindepfarrers: er nimmt, evtl. unterstützt durch Mitarbeiter, die Funktionen Gottesdienst, Kasualien, Seelsorge und Unterricht in seiner Parochie wahr. Der Pfarrer hat in volkskirchlichen Gemeinden die Schlüsselrolle[11] inne.

Es ist unmittelbar einsichtig, daß sich die hierarchische Struktur der Ortsgemeinde gegenüber einer von der Gemeinde der Gleichberechtigten aus entworfenen Strukturreform als außerordentlich sperrig erweist. Alle Veränderungen in Richtung auf kooperative Gemeindestrukturen hängen vom guten Willen des jeweiligen Pfarrers ab, der sich dann aber womöglich von Kollegen isoliert und zu dem nach wie vor herrschenden Amtsverständnis[12] in Widerspruch gerät.

In der hierarchisch strukturierten Ortsgemeinde ist die Volkskirche auf eine statische Weise allgegenwärtig. Sie steht, so scheint es, als jenes offene Haus jedermann zur Verfügung. De facto aber werden die Gemeindeglieder verwaltet.

> Mission wird durch Verwaltung ersetzt. Der Amtsträger wird zum Verwalter. Wird aber die Kirche zum Apparat, dann ersetzt der Amtsträger die Gemeinde. So wird der Pfarrer zum Surrogat für die charismatische Gemeinde.[13]

Was sich um den Gemeindepfarrer jeweils zu sammeln pflegt, ist die sogenannte Kerngemeinde. Sie bestätigt den Gemeindepfarrer in seiner Rolle als Patriarch und nimmt zugleich in Anspruch, die volkskirchliche Gemeinde insgesamt zu repräsentieren, obwohl sie, soziologisch gesehen, doch nur einen Ausschnitt aus ihr darstellt.[14] Aber auch da, wo sich der Gemeindepfarrer keineswegs auf seine Beziehungen zur Kerngemeinde festlegen läßt, sondern die volkskirchliche Breite seiner Aufgaben wahrnimmt, laufen bei ihm alle Fäden zusammen. Er ist dann nicht Betreuer der Kirchentreuen, sondern Direktor und Manager eines sozialen Dienstleistungsbetriebes von oft erheblichem Umfang, gelegentlich in außergewöhnlichen Ausprägungen der Gattung auch beides zusammen.

2.3. Die im Interesse der Funktionsfähigkeit des Dienstleistungsbetriebes Volkskirche in einer komplexen Gesellschaft notwendige *bürokratische Organisation,* sofern sie nicht als solche erkannt und kontrolliert, sondern durch die Behauptung, die Kirche sei keine Organisation, sondern ein lebendiger Organismus, verdeckt wird.

Nicht die Tatsache, daß die Kirche auch eine bürokratische Organisation ist, sondern daß man weithin diese Tatsache nicht wahrhaben will, erweist sich als ein weiteres Hindernis auf dem Weg zu einer Kirche, die jedes Gemeindeglied als seine eigene Sache betrachten kann. Wie alle Großorganisationen hat auch die Kirche Formen bürokratischer Organisation übernommen, ohne die eine geordnete Verwaltung der Kirche ebensowenig möglich wäre wie eine planvolle Anpassung an gesellschaftliche Veränderungen. Für Max Weber besteht der Idealtyp der Bürokratie[15]

a) aus einer genauen Verteilung der regelmäßig zu erfüllenden amtlichen Pflichten wie der Befehlsgewalt,

b) in der fachlichen Spezialisierung,

c) in der Fassung der Amtshierarchie, „das heißt ein festgeordnetes System von Über- und Unterordnung der Behörden unter Beaufsichtigung der Unteren durch die Oberen",

d) in der Befolgung genereller, mehr oder minder fester und mehr oder minder erlernbarer Regeln.

Die Leitung einer Landeskirche vollzieht sich nach diesem bürokratischen Idealtypus. Auch die Organisation von Großgemeinden (wie etwa der Betrieb von Dekanatsbezirken) muß sich nach ihnen ausrichten, wenn er in einer komplexen Gesellschaft funktionieren soll. Das ist zunächst noch kein Verhängnis, durch das die Kirche und die Gemeinde ihrer wahren Bestimmung entfremdet werden müssen. Denn bürokratische Organisationen, die als solche erkannt sind, können kontrolliert und gegebenenfalls auch verändert werden. Das wird jedoch da verhindert, wo durch ein organizistisches Modell die bürokratische Organisation der Kirche verschleiert wird. Der Gedanke der Volkskirche legt das nahe. Zudem wird häufig die Metapher vom Leib Christi herangezogen und die Behauptung vertreten, auch die Organe der Kirchenleitung hätten dienende Funktion, während allein Christus die Herrschaft zukäme.[16] So richtig das, theologisch gesprochen, ist, so wenig eignet es sich doch zur Darstellung der organisations-soziologischen Struktur der Kirche. Gegen ein solches Selbstverständnis ist eine rationale Kontrolle der faktisch ausgeübten bürokratischen Herrschaft außerordentlich schwierig, weil jede Kritik als Zweifel an der ehrlichen Grundeinstellung betrachtet und deshalb wenigstens als persönliche Beleidigung, häufig als Abwertung der Glaubenshaltung des kirchenleitenden Organs mißverstanden wird. Rationale Kritik an der Kirche als einer bürokratischen Organisation stößt häufig auf mimosenhafte Empfindlichkeit der Amtsträger.

Die Tragweite der Verschleierung bürokratischer Herrschaft in der Volkskirche zeigt sich meist erst im Konfliktfall. Sachliche Konflikte, die dazu dienen könnten, zu klären, unter welchen Bedingungen im Hause der Volkskirche unterschiedliche Standpunkte legitim vertreten werden können, werden auf dem Wege bürokratischer Herrschaft unter dem Schleier des kirchlichen Dienstethos verhindert.

2.4. Das abstrakte *Kirchensteuersystem,* das die Identifizierung des Kirchensteuerzahlers mit der Kirche erschwert.

Für die Weiterführung des bisherigen Kirchensteuersystems wird unter anderem geltend gemacht, dies allein garantiere die Fortsetzung der kirchlichen Dienstleistungen vor allem im Bereich der Diakonie und sei außerdem die sparsamste Art, was die Verwaltungskosten betreffe. Das ist sicher richtig.

Auf der anderen Seite jedoch fördert es das abstrakte Verhältnis der Mitglieder zu einer Kirche, die sie zwar mitfinanzieren, ohne aber über die Verwendung der Mittel mit zu entscheiden. Der bereits in der Kindertaufpraxis angelegte Charakter der Betreuungskirche wird durch das Kirchensteuersystem zweifellos verstärkt.

2.5. Die *Angst vor einer Störung* der Balance zwischen der Volkskirche und den in der Gesellschaft herrschenden Gruppen durch Emanzipationsprozesse in den Gemeinden.

Das größte Hindernis bei dem Versuch, das Prinzip der Gemeinde der Freunde Jesu in der Volkskirche zur Geltung zu bringen, ist die tiefsitzende Angst vor Veränderungen. Wenn auch bezweifelt werden kann, ob der wahre Pluralismus in der Volkskirche praktiziert wird, so steht außer Zweifel, daß die Funktion und Struktur der Volkskirche als Betreuungskirche in einer Zeit rascher sozialer Veränderung Sicherheit gewährt. Das gilt gerade deshalb, weil häufig nur die Volkskirche da zusätzliche Sicherheiten garantiert, wo das Netz der sozialen Sicherungen zu große Maschen aufweist, durch die man hindurchfallen kann oder das gar da und dort bereits zu reißen beginnt. Die Feststellung von Edmund Weber und Rolf Trommershäuser ist (empirisch gesehen) zutreffend:

> Die Dienstleistung „emotionale Zuwendung“ wird, das kann man ohne Übertreibung sagen, der Fels sein, auf dem die Kirche der spätkapitalistischen Gesellschaft sich gründet.[17]

Mehr Selbstbestimmung in der Kirche und die damit verbundene Sensibilisierung für gesellschaftliche Konflikte könnte eben diesen Felsen, so wird befürchtet, auf die Dauer unterminieren. Durch die Forderung nach stärkerer Beteiligung der Gemeindeglieder und durch die Aktivität von Basisgruppen könnte jene Stabilität des volkskirchlichen Systems gefährdet werden, in dessen Rahmen allein die Grundfunktionen der Kirche wahrgenommen werden können.

Das zeigt sich im Bezug auf die Vermittlung der geltenden Normen und Werte etwa konkret im Falle kirchlicher Beteiligung an der Auseinandersetzung um die Einrichtung, den Betrieb und die Folgelasten von Kernkraftwerken. Pastor Manfred Brockmann hat seine Beteiligung an der Demonstration gegen den Bau des Kernkraftwerkes Brokdorf mit den beiden folgenden Argumenten begründet:

a) Angst vor einer irreparablen Zerstörung der Schöpfung durch den Betrieb von Atomkraftwerken,

b) Angst vor dem Auseinanderbrechen einer demokratischen Gesellschaft in zwei extreme Lager, die schließlich nur noch den Weg der Gewalttätigkeit kennen.

Bischof Wölber sagte in einer Bußtagspredigt zu den Ereignissen von Brokdorf:

> Lassen Sie mich noch ein Wort zu den Pastoren sagen, die dort einen Feldgottesdienst feierten und im Talar auftraten. Man kann das einerseits verstehen; aber andererseits sollte man fragen, ob man hier nicht in einen Orkan hineingeht, indem man auf die Außenstehenden nur so wirkt, daß mokante Gefühle geweckt werden, und daß man vielleicht sogar mißverstanden wird, als wolle man als Kirche Macht gegen Macht organisieren, was ja wohl nicht Sache der Kirche ist, die von der Macht des Geistes auszugehen hat.[18]

Während Pfarrer Brockmann die Angst vor der Zerstörung der Natur und der demokratischen Gesellschaft dazu treibt, seinen Talar anzuziehen und vor einer Demonstration von Bürgerinitiativen einen Gottesdienst zu feiern, hat Bischof Wölber zwar dafür Verständnis, macht aber die Sorge geltend, ob damit die Kirche nicht ihre Identität als Kirche des Geistes aufs Spiel setze.

Die Mittlerfunktion der Volkskirche beim Streit um die Grundwerte in den Veränderungsprozessen der Gegenwart scheint da preisgegeben zu werden, wo Gruppen in der Kirche in diesem Streit Partei ergreifen. Der Rat der EKD hat in dieser konkreten Frage entsprechend reagiert. Er warnt einerseits davor, alle Gegner von Kernkraftwerken als Rechtsbrecher und Staatsfeinde abzustempeln, andererseits davor, die Ordnungskräfte des Staates zu verurteilen, wenn sie in angemessener Weise gegen die vorgehen, die Gewalt anwenden. Die Mitarbeiter der Kirche, so heißt es weiter, sollen sich darum bemühen, Verantwortliche und Betroffene miteinander ins Gespräch zu bringen.

Das klingt nicht nur vernünftig und ausgewogen, sondern es entspricht auch den von der Öffentlichkeit an die Volkskirche gerichteten Erwartungen. Wer immer als Exponent einer Gruppe in der Kirche in einer konkreten Auseinandersetzung Partei ergreift, muß mit Ermahnungen der Repräsentanten der Volkskirche rechnen, sich aus solchem Streit möglichst herauszuhalten. Er gefährdet die Funktionsfähigkeit des volkskirchlichen Systems.

3. Den Transformationsprozeß von einer „Kirche für das Volk" zu einer „Kirche des Volkes" könnten die folgenden Schritte in Gang bringen bzw. in Gang halten. Dabei ist von der doppelten Annahme auszugehen, daß bereits jetzt in der „Betreuungskirche" („Kirche für das Volk") Elemente der „Beteiligungskirche" („Kirche des Volkes") enthalten sind und daß umgekehrt die Beteiligungskirche auf Elemente der Betreuung nicht verzichten kann. Aus der Anwendung des kritischen Prinzips der Gemeinde der Freunde Jesu folgt: die Betreuung der „Opfer der Zeit" (Ernst Lange) zielt ab auf ihre selbständige Beteiligung.

Soll das kritische Prinzip der Gemeinde als der Freunde Jesu in den gegenwärtigen Strukturen der Volkskirche zur Geltung gebracht werden, so sind auf der einen Seite die Hindernisse auf diesem Wege nicht zu unterschätzen, auf der anderen Seite muß bedacht werden, mit welchem Ziel und mit welchen Mitteln ein Weg beschritten werden soll.

Der Prozeß, der dabei zu durchlaufen wäre, kann am ehesten beschrieben werden als Transformation von einer Kirche für das Volk zu einer Kirche des Volkes. Jürgen Moltmann spricht von „Betreuungskirche" und „Beteiligungskirche". Während im ersten Falle das Kirchenvolk Objekt der Betreuung durch den kirchlichen Dienstleistungsapparat ist, wird im zweiten Falle die strategische Beteiligung aller Kirchenmitglieder an der Funktion der Kirche in der Gesellschaft postuliert.

Ich möchte einige Bemerkungen dazu machen, wie dieser Transformationsprozeß auf der Ebene der Ortsgemeinde aussehen könnte. Zwar ist einzuräumen, daß es notwendig wäre, auf die im zweiten Kapitel genannten Schwierigkeiten im einzelnen einzugehen und jeweils Alternativen anzudeuten. Dazu fehlt hier einerseits der Raum, auf der anderen Seite müßte unabhängig von den dabei anzustrebenden strukturellen Veränderungen auf der Ebene der Ortsgemeinde ein Transformationsprozeß in Gang kommen, der freilich auf die Dauer zur Stagnation verurteilt ist, wenn nicht auf den übrigen Ebenen der kirchlichen Praxis entsprechende Veränderungen einsetzen. Dennoch soll im folgenden nur von der Ebene der Ortsgemeinde die Rede sein.

Bei Moltmann steht die am Modell der „Basisgemeinde" orientierte „Beteiligungskirche" der am Modell des volkskirchlichen Dienstleistungsbetriebes orientierten „Betreuungskirche" als Alternative gegenüber. Die wahre Gestalt der Beteiligungskirche soll die falsche Form der Betreuungskirche ablösen. Noch sei eine Doppelstrategie einer Kirchenreform von oben und einer Bewegung der Basisgemeinden von unten notwendig mit dem Ziel, eine Kirche zu schaffen, deren Strukturen dem Prinzip der versammelten Gemeinde entsprechen.

Eine genauere Analyse unserer gegenwärtigen Volkskirche könnte vermutlich zeigen, daß zwar die von Trutz Rendtorff postulierte Freiheit keineswegs realisiert ist, daß sich jedoch bereits jetzt Elemente der Betreuung mit Elementen der Beteiligung in der volkskirchlichen Praxis auf eine noch diffuse Weise mischen.

So kann man m. E. nicht sagen, daß alle Innovationen der letzten Jahre „von oben" verordnet worden sind. Manche Initiativen, z. B. im Bereich des Konfirmandenunterrichts und der Jugendarbeit, sind an der Basis entwickelt worden, freilich dann auch entweder ausgeschaltet, zur Stagnation verurteilt oder in eine gesamtkirchliche Strategie übernommen worden. Die zunehmende Polarisierung ist möglicherweise auch ein Zeichen dafür, daß Elemente der Partizipation unterschiedlicher Gruppierungen der Kirche wirksam sind.

Die EKD-Umfrage: „Wie stabil ist die Kirche?" [19] erbrachte u. a. den Trend von der zugeschriebenen zur bewußt bejahten Mitgliedschaft neben der Neigung der jungen Generation und der Gebildeten, sich von einer Betreuungskirche zu lösen. Die Untersuchung von Michael Schibilsky ›Religiöse Erfahrung und Interaktion‹ [20] zeigt, daß in der Betreuungskirche sozialisierte Jugendliche in Krisenerfahrungen sich religiöse Gruppen suchen, mit denen sie sich zu identifizieren vermögen.

Auf der anderen Seite zeigen sich an der Neubesinnung auf die Funktion der Kasualien, welche Bedeutung sie zur Verarbeitung von lebensgeschichtlichen Problemen haben können, zweifellos Elemente der Betreuungskirche.

Ich teile die Perspektive, die Jürgen Moltmann mit seinem Prinzip der versammelten Gemeinde der Freunde Jesu als Strukturprinzip der Kirche ins Auge faßt, finde aber, daß Betreuung und Beteiligung, Entlastung und Erneuerung dialektisch miteinander vermittelt werden müssen.

Damit ist keine Addition gemeint und noch weniger die Aufteilung der Kirchenmitglieder in betreute Objekte und beteiligte Subjekte. Wer die Kerngemeinden genauer ansieht, wird feststellen müssen, daß diese scheinbar aktiv Beteiligten in Wahrheit gerade Objekte kirchlicher Betreuung sind, das „Ensemble der Opfer der Zeit", wie sie Ernst Lange zutreffend bezeichnet hat. Diese Gruppen im Sinne einer „Kirche für andere" aktivieren zu wollen, die in den gesellschaftlichen Konflikten ihren Glauben im Dienst der Liebe bewähren, scheitert meistens an dem Bedürfnis, von eben diesen Konflikten durch Teilnahme am Leben der Kerngemeinde entlastet zu werden. Deshalb entbehren manche Versuche der Gemeindereform, die bei der Kerngemeinde ansetzen, jener Menschenfreundlichkeit, die das Bedürfnis nach Entlastung und Betreuung ernst nimmt.

Umgekehrt ist es freilich für die Praxis der Kirche ruinös, wenn sich die Kerngemeinde mit ihren Bedürfnissen als das Prinzip der Gemeinde weiterhin durchsetzt.

In dem Transformationsprozeß von der Kirche für das Volk zu einer Kirche des Volkes wird Entlastung um der Erneuerung willen erfahren, Betreuung um der Beteiligung willen praktiziert. Die Gemeinde der freien und liebenden Freunde Jesu ist das kritische Regulativ dieses Prozesses. Es ist nie in seiner Reinheit darzustellen, sonst wäre die unter dem eschatologischen Vorbehalt lebende Gemeinde bereits in die Gestalt des Reiches Gottes übergegangen. Dennoch sollten Entsprechungen zu diesem Prinzip in den Lebensäußerungen der Gemeinde auffindbar sein, sofern die christliche Gemeinde, mit Karl Barth zu reden, zwar keine Gleichung, wohl aber ein Gleichnis des Reiches Gottes ist.

Die Dialektik von Betreuung und Beteiligung bedeutet, daß die Betreuung um der Beteiligung willen erfolgt: Es ergibt sich aus dem Prinzip der versammelten Gemeinde ein Überhang der Beteiligungselemente über die Betreuungselemente. Jedes Glied der Gemeinde soll sich beteiligen, die Gemeinde als seine eigene Sache ansehen können. Jedes Glied der Gemeinde soll aber auch, insbesondere in Krisen seiner Lebensgeschichte, Angebote der Betreuung in der Gemeinde in Anspruch nehmen können. Ich möchte die Dialektik dieses Informationsprozesses an einigen Punkten konkretisieren. Um Mißverständnisse auszuschalten, sei ausdrücklich bemerkt, daß es sich dabei keineswegs um eine vollständige Beschreibung der Praxis der Kirchengemeinden handelt. Was hier nicht eigens erwähnt wird, muß deshalb noch keineswegs obsolet sein. Ich greife vielmehr diejenigen Praxisfelder der Ortsgemeinde besonders heraus, die für den genannten Transformationsprozeß von besonderer Bedeutung sind.

3.1. Die Entdeckung der *Pluralität der Gemeinde* durch eine konfliktorientierte Erwachsenenbildung bietet Chancen für die selbständigere und bewußtere Beteiligung von mehr und verschiedenen Gruppen angehörenden Gemeindegliedern im Prozeß der Gemeinde.

Pluralität der Christen in der Gemeinde ist eine ebenso abstrakte Behauptung wie die Befürchtung eines zerstörerischen Pluralismus, der in Beliebigkeit ausartet. Behauptung und Befürchtung gehen an der Realität gleichermaßen vorbei. Die gängige Unterscheidung von 1—10 % Mitgliedern der Kerngemeinde und 90—99 % distanzierter „Randsiedler" verdeckt die Chance, die pluralen, in der jeweiligen Lebensgeschichte verankerten Interessen der im Bereich einer Kirchengemeinde lebenden getauften Menschen zu entdecken. Ein mögliches Instrument zur Entdekkung dieser pluralen Interessen ist die kirchliche Erwachsenenbildung. Freilich nicht schon da, wo sie sich als Erwachsenenkatechumenat versteht, in dem Gehalte christlicher Lehre vermittelt werden, sondern als ein Lernort, an dem die in der unvermeidlichen Praxis des Alltags erfahrenen Konflikte thematisiert und genauer bearbeitet werden können.

Nach Ernst Lange[21] hat die kirchliche Erwachsenenbildung das dreifache Ziel:

a) Die psychischen und sozialen Zwänge, unter denen Menschen heute leiden, wahrzunehmen, damit sie nicht von vornherein als Schicksal hingenommen werden (Transparenz),

b) die eigene Fremdbestimmung in ihren Zusammenhängen selbst zur Sprache bringen (Exorzismus) und dadurch die Ansatzstellen der Selbstbestimmung ausfindig zu machen,

c) Konfliktorganisationen zu entwickeln, in denen praktische Erfahrungen mit Reflexion verbunden werden können.

Der Vorschlag, durch konfliktorientierte Erwachsenenbildung könnten die latenten pluralen Interessen der Gemeindeglieder manifest und bearbeitbar werden, geht von der doppelten Hypothese aus, daß wir in einer Konfliktgesellschaft leben und daß die Kirche, obwohl selbst in die gesellschaftlichen Konflikte unvermeidlich verwickelt, durch die ihr zugesprochene Verheißung des Reiches Gottes bei der Bearbeitung dieser Konflikte helfen kann.

3.2. Eine tendenzielle *Veränderung der Selbstrolle des Gemeindepfarrers* vom allzuständigen Generalisten zum Anreger und Berater von Gruppenprozessen in der Gemeinde kann durch die Praxis in einem kooperativen Mitarbeiterteam und eine auf sie bezogene Aus- und Fortbildung gefördert werden.

Wir müssen bei dem Versuch, diese Frage zu beantworten, davon ausgehen, daß der Pfarrer in der volkskirchlichen Gemeinde eine Schlüsselrolle[22] hat. Sie ist nicht nur in seiner kirchenrechtlich abgesicherten Position begründet, die jeder Pfarrer in der Gemeinde besitzt, sondern auch und vor allem wohl in den Erwartungen der Gemeindeglieder: Im Pfarrer sehen sie die Person, die ihre unterschiedlichen Erwartungen an die Kirchengemeinde aufnimmt und realisiert.

Die hierarchische Struktur der Ortsgemeinde legt es nun nahe, daß der Gemeindepfarrer seine Schlüsselrolle im Sinne der Betreuungskirche ausübt. Das ist jedoch keineswegs ein automatischer Mechanismus, gegen den sich mancher Pfarrer anfangs sträubt, um sich ihm dann doch schließlich anzupassen. Aber die Selbstrolle des Gemeindepfarrers muß nicht unbedingt den Erwartungen der Kirchenmitglieder und der kirchlichen Institution deckungsgleich entsprechen. Der Pfarrer hat einen gewissen Spielraum.

Unter Selbstrolle ist zu verstehen

die Konstellation von Eigenschaften und Verhaltensweisen, die ein Mensch in einer beliebigen Situation von sich selbst erwartet — parallel zu den sozialen Rollen, welche aus den Erwartungen der anderen bestehen.[23]

Die Selbstrolle des Pfarrers hängt einmal ab von den Einstellungen und Verhaltensweisen, die er selbst in seiner Herkunftsfamilie als Kind erworben und im Verlaufe seiner Sozialisationsgeschichte modifiziert hat. Zum anderen wirkt das Selbstverständnis der Pfarrerschaft insgesamt auf das Verständnis und die Wahrnehmung der Selbstrolle ein. In einzelnen Pfarrkapiteln bilden sich durchaus verschiedene Varianten des Verständnisses der Pfarrer-Selbstrolle aus. Ferner spielt das eigene theologische Konzept in die Ausformung der eigenen Selbstrolle hinein, freilich meist so, daß theologische Argumente der Legitimation der erworbenen Einstellungen und Verhaltensweisen dienen.

Das pastorale Grundmodell, nach dem volkskirchliche Gemeinden strukturiert sind, bestimmt nach Günter Bormann den Pfarrer als Prediger des Wortes Gottes.[24]

Pfarramt ist Predigtamt ... Der Pfarrer ist als Hirte seiner Gemeinde in erster Linie dazu berufen, dieses Wort recht zu verkündigen. Zu den Aufgaben des Predigtamtes gehören neben der Predigt die Verwaltung der Sakramente, die kirchliche Unterweisung und die Seelsorge. Die Predigt ist jedoch die ausgezeichnete Funktion dieses Amtes. Sie ist die eigentliche Art evangelischer Verkündigung.[25]

Nach Bormanns Auffassung lassen sich alle vorfindbaren Zielkonzepte von Pfarrern zur Gemeindearbeit als Varianten dieses pastoralen Grundmodells verstehen. Sicher entspricht dieses Grundmodell dem vorherrschenden Konzept der Selbstrolle der Gemeindepfarrer. Dieses ist jedoch nicht unveränderbar, sondern steht in Korrespondenz zum Gemeindeverständnis. Das pastorale Grundmodell von der Selbstrolle des Pfarrers entspricht der hierarchischen Struktur der Ortsgemeinde. Entstehen im Bereich der Parochie Basisgemeinden, dann verändert sich auch die Selbstrolle des Gemeindepfarrers. Aus dem allzuständigen Generalisten wird unter Umständen ein Anreger und Berater der verschiedenen Gruppierungen in der Gemeinde.

Weil hier ein Verhältnis der Korrespondenz besteht, gilt, daß dann, wenn Pfarrer ihre Selbstrolle als Anreger und Berater verstehen, auch eher damit zu rechnen ist, daß sich solche Gruppen bilden, als da, wo der Pfarrer als allzuständiger Veranstalter von Gemeindearbeit im Sinne der Betreuungskirche agiert. Wer Elemente der Beteiligungskirche stärker fördern will, könnte sehr wohl auch bei der Auffassung von der Selbstrolle der Pfarrer einsetzen. In der Aus- und Fortbildung von Pfarrern wäre das zu thematisieren. Daß der Pfarrer seine Selbstrolle in Richtung auf Anregung und Beratung verändert, ist ein langwieriger Prozeß, der m. E. nur in einer gleichberechtigten Kooperation mit den anderen Mitarbeitern der Gemeinde Aussicht auf Erfolg hat. Ist die konfliktorientierte Erwachsenenbildung ein Instrument zur Entdeckung der pluralen Gruppen in der Gemeinde, so wäre das Team der Mitarbeiter das Instrument, mit dessen Hilfe die Selbstrolle der Gemeindepfarrer verändert werden kann.

Gewiß entstehen in diesem Prozeß zusätzliche Probleme. So kann die Abhängigkeit der Gemeindeglieder vom Team der Mitarbeiter unter Umständen noch größer werden, als es die Abhängigkeit der Gemeindeglieder vom Gemeindepfarrer war.

Außerdem stellt sich die folgende Frage: Was wird mit den Bedürfnissen jener Gemeindeglieder, die den Pfarrer nach wie vor in der Schlüsselrolle erleben möchten? Wer ist für sie zuständig, falls sie die Betreuung durch die Gemeinde in einer konkreten Situation in Anspruch nehmen wollen?

Was wird vor allem aus dem Auftrag des publice docere des Evangeliums und der Verwaltung der Sakramente? Soll der Pfarrer neben seiner gruppenbezogenen Rolle als Anreger und Berater dieses zentrale Stück seines Selbstrollenkonzepts weiter ausüben? Oder wird die Gemeinde in ihrer pluralen Struktur selbst diese Aufgaben übernehmen? Im Sinne des eingeführten kritischen Regulativs der Gemeinde der Freunde Jesu ist sicher der Weg in die zweite Richtung zu gehen, aber eben gewiß nicht so, daß, um im Bilde zu bleiben, rechts und links dieses Weges Gemeindeglieder als Opfer liegen bleiben. Es ist nicht zu bestreiten, daß der Gemeindepfarrer dabei in neue Rollenkonflikte gerät, die er nur durchstehen kann, wenn er selbst ein hohes Maß an flexibler Ich-Identität entwickelt und auch Beratung (Supervision) in Anspruch nehmen kann und nimmt. Aber: die Bearbeitung dieser Konflikte ist allemal fruchtbarer als das Aushalten des Konfliktes zwischen theologisch begründeter Selbstrolle des Gemeindepfarrers und den diffusen Erwartungen der Gemeindeglieder an den Inhaber der Schlüsselrolle.

3.3. Durch *Aufnahme gesellschaftskritischer Gemeinwesenarbeit in die Praxis der Gemeinde* kann diese ihre politische Funktion bewußter wahrnehmen und für die jeweils Unterprivilegierten eintreten (Hilfe zur Selbsthilfe).

Gemeinde lebt bekanntlich immer in einem gesellschaftlichen Kontext, auch dann, wenn ihr das nicht bewußt ist. Von der Gemeinde gehen immer auch Wirkungen auf das gesellschaftliche Umfeld aus, auch wenn sie das nicht intendieren sollte. In jedem Falle hat Gemeindearbeit auch eine politische Funktion. Übt sie diese Funktion unbewußt aus, dann kann sie, ohne es zu bemerken, sehr leicht für unterschiedliche politische Interessen in Anspruch genommen werden. Bestenfalls polstert sie das einzelne Gemeindeglied gegenüber allzu großen Härten unlösbar erscheinender gesellschaftlicher Konflikte ein wenig ab.

Das kritische Regulativ der Gemeinde der Freunde Jesu gilt nicht nur für das Leben in der Gemeinde, sondern zugleich für ihre gesellschaftliche Funktion. In der Perspektive der Verheißung ist die christliche Gemeinde nach einer Formulierung Karl Barths die vorläufige Darstellung der in Jesus Christus gerechtfertigten und geheiligten ganzen Menschenwelt.[26]

Das heißt aber: sie bringt in ihrem Lebensvollzug das regulative Prinzip der Gemeinde der Freunde Jesu in ihrem gesellschaftlichen Kontext kritisch zur Geltung. In diesem Sinne greift sie weltweit in die Auseinandersetzung um die gesellschaftlichen Grundwerte und ihre Praktizierung ein. Sie ist nicht nur daran interessiert, daß die Menschenrechte in den Verfassungen garantiert, sondern vor allem daran, daß sie auch praktiziert werden.

Der gesellschaftliche Kontext der volkskirchlichen Ortsgemeinde ist das Dorf, die Kleinstadt, der Stadtteil, in dem sie liegt. Deren Probleme sind auch ihre Probleme, in deren Konflikte ist auch die Kirchengemeinde verwickelt. Sich da heraushalten, hieße, die jeweils am längeren Hebelarm Sitzenden zu unterstützen. Gerade weil volkskirchliche Gemeinden den Anspruch erheben, für alle Menschen da zu sein, sollten sie dem Stummen zur Sprache verhelfen und die sozial Schwachen ermutigen, ihre Interessen zur Geltung zu bringen. Über beide geht der gesellschaftliche Konkurrenzkampf sonst unerbittlich hinweg.

Um welche Probleme und Konflikte es sich jeweils handelt, ist aus der Praxis konfliktorientierter Erwachsenenbildung zu erfahren, von der am Anfang dieses Kapitels die Rede war. Methodisch bedient sich die Gemeinde zur Bearbeitung dieser Konflikte der Gemeinwesenarbeit.[27] Mit Recht verweist Jürgen Moltmann auf die Quäker:

> Sie haben die offene Freundschaft Jesu durch ihre offene Sozialarbeit in den englischen Slums und durch ihren politischen Kampf für die Abschaffung der Sklaverei in den USA vorbildlich bewiesen.[28]

In den Vereinigten Staaten ist die Gemeinwesenarbeit neben Einzelfallhilfe und sozialer Gruppenarbeit als dritte Methode der Sozialarbeit entwickelt worden. Während Einzelfallhilfe und soziale Gruppenarbeit auf vielfältige Weise in die Praxis der Kirchengemeinden längst Eingang gefunden haben, ist dies bei der Gemeinwesenarbeit erst ansatzweise geschehen.[29] Etwas vereinfacht, sind der integrative Ansatz und der gesellschaftskritische Ansatz von Gemeinwesenarbeit voneinander zu unterscheiden.

Der integrative Ansatz verfolgt das Ziel, durch Kooperation der Wohlfahrtsorganisationen, zu denen auch die Kirche gerechnet werden kann, Gruppen mit abweichendem sozialen Verhalten (z. B. Obdachlose) wieder an die gesellschaftlichen Normen anzupassen und durch die Aktivierung möglichst vieler Mitbürger gesellschaftliche Mißstände durch Reformen zu beseitigen. Machtkonflikte werden dabei ausgeklammert, ihre Auswirkungen nach Möglichkeit abgemildert, ihre Ursachen nicht analysiert.

Im Unterschied dazu setzt das gesellschaftskritische Konzept der Gemeinwesenarbeit an bei den manifesten Konflikten (etwa zwischen Hauseigentümern und Mietern), analysiert deren Ursachen und macht sie dadurch bearbeitbar. Kurz- und mittelfristig werden akute Mängelsituationen durch solidarische Selbsthilfe beseitigt. Langfristig besteht das politische Ziel gesellschaftskritischer Gemeinwesenarbeit darin, die Bewohner durch Umverteilung der Macht an der Ausübung der Macht zu beteiligen, zumindest an ihrer wirksamen Kontrolle.

Während die Aufnahme der Methode integrativer Gemeinwesenarbeit in Kirchengemeinden eine ohnehin bereits geübte Praxis methodisch verbessert und deshalb auf keine besonderen Schwierigkeiten stoßen dürfte, haben die wenigen Versuche, gesellschaftskritische Gemeinwesenarbeit in Kirchengemeinden zu betreiben, zuweilen Polarisierungen zur Folge, die zum Ausscheiden der Gemeinwesenarbeiter oder der Gemeinwesenarbeiterin führen. Konflikte zwischen dem konservativen Teil der Kirchengemeinde, meist repräsentiert in der Gemeindeleitung und den mit Gemeinwesenarbeit-Projekten befaßten Mitarbeitern, entstehen meistens am Punkt der Bündnisfrage: Mit welchen anderen, auch politischen, Gruppen können Kirchenmitglieder zusammenarbeiten, mit welchen nicht?

Es ist nicht zu bestreiten, daß hier Probleme liegen, die nicht leicht lösbar sind. Gesellschaftskritische Gemeinwesenarbeits-Projekte jedoch als von vornherein für unvereinbar mit der Praxis von Kirchengemeinden zu erklären, ist gewiß keine Lösung dieser Probleme.[30]

Wichtig erscheint mir vor allem, daß Kirchengemeinden die Praxis gesellschaftskritischer Gemeinwesenarbeit in die grundsätzliche Reflexion ihrer Praxis einbeziehen. Hier stellt sich konkret die Frage, ob sich eine volkskirchliche Gemeinde im Transformationsprozeß von einer Kirche für das Volk in eine Kirche des Volkes befindet:

— Kommen in solchen Aktivitäten wirklich unterprivilegierte Gruppen zum Zuge oder verschaffen sich ohnehin bereits privilegierte Gruppen zusätzliche Möglichkeiten, ihre Interessen durchzusetzen?
— Werden die Repräsentanten der gegnerischen Konfliktpartei verteufelt oder wird versucht, sie in der Perspektive der Versöhnung für freiheitliche und liebevolle Kommunikation, für eine „neue, gewaltfreie Kultur" zu gewinnen? [31]
— Wie wird um das Verständnis derjenigen Gemeindeglieder geworben, die sich derartigen Aktionen gegenüber ablehnend verhalten? Werden ihre Argumente geprüft oder werden sie in die reaktionäre Ecke gedrängt?

3.4. Die Wiederentdeckung des „Festes der Freiheit" (Jürgen Moltmann) [32] als *Fest der Tischgemeinschaft* mit dem Auferweckten kann die Gemeinde davor bewahren, entweder durch Rückzug in eine religiöse Sonderwelt zur Stabilisierung schlechter Verhältnisse beizutragen oder einer Ideologie konfliktstrategischer Werkgerechtigkeit zu verfallen.

Die bisher erörterten Schritte im Transformationsprozeß von einer Kirche für das Volk zu einer Kirche des Volkes könnten zu dem Mißverständnis Anlaß geben, als handle es sich dabei um eine Konfliktstrategie, die theologisch unter den Kategorien des Gesetzes und der Werkgerechtigkeit zu verorten wäre. Diese pauschale Kritik übersieht indes, daß Schritte auf dem Wege zur Realisierung der Freiheit, zu der uns Christus befreit hat, gegangen werden sollen. Dabei wird getestet, wessen Freiheit und welche Freiheit in der Volkskirche gemeint ist, ob wirklich jedermann das Recht auf Freiheit in der Volkskirche in Anspruch nehmen kann.

Die Freiheit des Evangeliums ist kritisch gegenüber Unfreiheiten, aber sie hat zugleich festlichen Charakter.

Die Gemeinde der Freunde Jesu sammelt sich zum Festmahl am Tisch ihres auferstandenen Herrn. Das Fest der Auferstehung ist Anfang und Ziel ihrer christlichen Praxis. Der Gottesdienst der Gemeinde ist der Mittelpunkt der Kirche des Volkes, wo er als Ausdruck dieses Festes wieder entdeckt wird.

Dieses Fest ist Symbol für den Anbruch des Reiches der Freiheit unter den Bedingungen der Unfreiheit. Es entzieht seine Teilnehmer nicht den gesellschaftlichen und individuellen Konflikten, aus denen sie kommen, aber es sieht diese Konflikte im Horizont der Versöhnung. Das strenge Ritual der mystischen Feier wird durchbrochen von Zeichen des messianischen Festes. Im Gottesdienst in neuer Gestalt sind diese Zeichen da und dort sichtbar. Die „Freude an der Freiheit und das Wohlgefallen am Spiel“ [33] finden ihren Ausdruck. Dieses Fest der Freiheit ist kein Akt der Verdrängung der Realität, sondern ermutigt die Festteilnehmer zur Auseinandersetzung mit ihr.

3.5. Die Teilnehmer am Fest der Freiheit werden *in die Nachfolge des Gekreuzigten in den individuellen und gesellschaftlichen Konflikt entlassen,* um dort die Freiheit der Liebenden ansatzweise zu verwirklichen.

Fest und alltägliche Praxis gehören zusammen, weil der Auferstandene mit dem Gekreuzigten identisch ist. Die christliche Gemeinde kommt nur da zu ihrer Identität, wo sie das Fest der Auferstehung mit der Nachfolge des Gekreuzigten verbindet, d. h. aber, ihre alltägliche Praxis in den Konflikten der Gesellschaft und der Kraft des Geistes vollzieht. In dem Maße, in dem jeder Christ an diesem Prozeß nicht nur prinzipiell teilnehmen kann, sondern faktisch beteiligt ist, realisiert sich die Volkskirche als Kirche des Volkes. Ich bin nüchtern genug, das utopische Moment in diesem Satz nicht zu verkennen. Wenn ich aber zu wählen hätte zwischen der Ideologie einer Kirche für das Volk und einer Utopie einer Kirche des Volkes, würde ich mit Jürgen Moltmann und anderen der Utopie gegenüber der Ideologie den Vorzug geben. In der Utopie nämlich ist ein kritisches Element aufbewahrt, auf das wir m. E. in der kirchlichen Praxis nicht verzichten können. Aus der Utopie darf freilich kein Utopismus werden. Ich stimme Hermann von Loewenich zu, wenn er sagt:

> Die biblische Perspektive, daß die Pforten der Hölle die Kirche nicht überwinden können, gibt den Versuchen, in der Kirche Perspektiven zu entwickeln, ein Stück Gelassenheit. Diese Verheißung gilt der im 3. Glaubensartikel geglaubten Kirche. Sie gilt dem Volke Gottes, das nicht identisch ist mit den wandelbaren institutionellen Formen der Kirche. Eine falsche Identifizierung der geglaubten Kirche mit den geschichtlichen Organisationsformen ist entweder Ausdruck von Kleinglauben oder ein unangebrachter kirchlicher Triumphalismus.[34]

Anmerkungen

[1] Trutz Rendtorff, Die Verantwortung der theologischen Forschung und Ausbildung für die Kirche, in: T. Rendtorff, E. Lohse, Kirchenleitung und wissenschaftliche Theologie (Theol. Existenz heute 179). München 1974, S. 31.

[2] Ebd.

[3] Ebd.

[4] Max Horkheimer, Vernunft und Selbsterhaltung. 1942, zitiert nach Martin Jay, Dialektische Phantasie. Frankfurt a. M. 1975, S. 5.

[5] Jürgen Moltmann, Kirche in der Kraft des Geistes. München 1975, S. 341.

[6] A. a. O., S. 342.

[7] Karl Barth, Kirchliche Dogmatik I, 1, S. 288 ff.

[8] Jürgen Moltmann, a. a. O., S. 343.

[9] Dietrich Bonhoeffer, Sanctorum Communio (1930). München 1954, S. 92.

[10] Günther Bormann, Sigrid Bormann-Heischkeil, Theorie und Praxis kirchlicher Organisation. Opladen 1971, S. 34—60.

[11] Peter Krusche, Der Pfarrer in der Schlüsselrolle, in: Joachim Matthes (Hrsg.), Erneuerung der Kirche. Stabilität als Chance. Gelnhausen, Berlin 1975, S. 161—188.

[12] Christof Bäumler, Der Dienst des Pfarrers in der missionierenden Gemeinde, in: Evang. Theol. 24 (1964), S. 291—311.

[13] Rudolf Bohren, Mission und Gemeinde (ThEh 102). München 1962, S. 21.

[14] Trutz Rendtorff, Kirchengemeinde und Kerngemeinde (1958), in: Friedrich Fürstenberg (Hrsg.), Religionssoziologie. Neuwied 1964, S. 235—248.

[15] Max Weber, Wirtschaft und Gesellschaft. 5. Aufl. 1976, S. 126 ff.

[16] Yorick Spiegel, Kirchliche Bürokratie und das Problem der Innovation, in: ThP 4 (1969), S. 363—379; Ders., Die Kirche als bürokratische Organisation (ThEh 160). München 1969.

[17] In: Ulrich Greiwe (Hrsg.), Herausforderung an die Zukunft. 1970, S. 264 f.

[18] Die Zeit, Nr. 52 vom 17. 12. 1976, S. 43.

[19] Helmut Hild (Hrsg.), Wie stabil ist die Kirche?. Gelnhausen, Berlin 1974.

[20] Manfred Schibilsky, Religiöse Erfahrung und Interaktion. Stuttgart 1974.

[21] Ernst Lange, Konfliktorientierte Erwachsenenbildung als Funktion der Kirche. Manuskript 1972.

[22] Peter Krusche, a. a. O. (s. o. Anm. 11).

[23] E. L. und R. E. Hartley, Die Grundlagen der Sozialpsychologie. Berlin 1955, S. 374 f.

[24] Günther Bormann, Berufsbild und Berufswirklichkeit evangelischer Pfarrer in Württemberg, in: Internat. Jahrb. f. Religionssoziologie IV (1968), S. 158 bis 209.

[25] A. a. O., S. 165.

[26] Karl Barth, KD IV, 1, 718; IV, 2, 695; IV, 3, 780. — Vgl. dazu auch Christof Bäumler, Die Lehre von der Kirche in der Theologie Karl Barths (ThEh 118). München 1964.

[27] Hans Eckehard Bahr und Reimer Gronemeyer, Konfliktorientierte Gemeinwesenarbeit. Niederlagen und Modelle. Darmstadt, Neuwied 1974.

[28] Jürgen Moltmann, Neuer Lebensstil — Schritte zur Gemeinde. München 1977, S. 69.

[29] Alexander von Oettingen, Konstruktion und Konflikt. Studien zur kirchlichen Gemeinwesenarbeit in der Bundesrepublik als Prozesse gesellschaftlicher Strukturbildung. Diss. München 1977.

[30] Christof Bäumler, Kirchliche Praxis im Prozeß der Großstadt. München 1973, S. 50—53.

[31] Hans Eckehard Bahr, Eine neue, gewaltfreie Kultur ... Rede auf der Kundgebung in Itzehoe, in: Junge Kirche 38 (1977), S. 202—204.

[32] Jürgen Moltmann, Das Fest der Freiheit, in: Ders., Neuer Lebensstil — Schritte zur Gemeinde a. a. O., S. 71—95.

[33] Jürgen Moltmann, Die ersten Freigelassenen der Schöpfung. Versuche über die Freude an der Freiheit und das Wohlgefallen am Spiel. München 1971.

[34] Hermann von Loewenich, Perspektiven einer erneuerten Volkskirche. Dekanatsjugendpfarrerkonferenz Grafrath. 1974 (vervielfältigt).

DIE HERAUSFORDERUNG DES FRIEDENS: FRIEDEN ALS GABE UND AUFGABE

Von BERNHARD MAURER (Freiburg i. Br.)

Der Friede als Ernstfall

„Spiel Frieden — nicht Krieg!“: Mit diesem Motto wandte sich die Friedensbewegung „Pax Christi“ in der Weihnachtszeit 1977 gegen die Verharmlosung von Gewalt und Krieg in der Erziehung. Diese Aktion machte erneut darauf aufmerksam, daß Kriegsspiel und Kriegsspielzeug dazu beitragen können, Kinder an Gewalt und Krieg zu gewöhnen und ihnen die Einstellung zu vermitteln, daß Konflikte mit Gewalt gelöst werden müßten. Die Erziehung trägt somit zur gesellschaftlichen Legitimierung der Gewalt bei. Trotz eines veränderten Bewußtseins bei vielen Eltern und Erziehern wird immer noch Kriegsspielzeug hergestellt und gekauft, und diese kommerzielle Seite der Kriegsspielzeug-Produktion ist ein besonders erschütternder Beweis für die Problematik unseres Themas.

Man kann aber heute dennoch davon ausgehen, daß der Wille zum Frieden bei vielen Menschen vorhanden ist; der Krieg wird in zunehmendem Maße nicht mehr als ein Mittel zur Durchsetzung politischer Interessen anerkannt. Darüber hinaus nimmt die Erkenntnis zu, daß der Friede zu den Grundbedingungen für das Überleben der menschlichen Gesellschaft überhaupt gehört. Die Sicherung des Friedens wird als eine die militärischen Überlegungen weit übersteigende allgemeine politische, wirtschaftliche und kulturelle Aufgabe erkannt. Mit Recht hat Papst Paul VI. in seiner Friedensbotschaft zum Weihnachtsfest 1977 darauf hingewiesen, daß es Frieden geben müsse, der die menschliche Existenz nicht nur vor Krieg und Terror schütze, sondern „ebenso das Leben als solches gegen jegliche Gefahr, jedes Unheil und jedwedes Hindernis verteidigt“: Das Ja zum Frieden bedeutet gleichzeitig das Ja zum Leben.[1]

Es ist nicht verwunderlich, daß die Friedensbewegungen und die Bürgerrechtsbewegungen, die gewaltfreien Aktionen und die Umweltschutz-Initiativen einander näherkommen. Die sich organisierende „Macht von unten“ befindet sich allerdings nicht immer in Übereinstimmung mit den Gedanken der gewählten Volksvertreter und der Repräsentanten der Parteien, die die Bürgerbewegungen nur unwillig zur Kenntnis nehmen.

Um so wichtiger ist es daher, daß sich die Kirche als überstaatliche und überparteiliche Institution dieser Problematik annimmt.

Wer von Frieden spricht, meint in der Regel das Gegenteil von Krieg und damit einen Zustand der meistens vertraglich geregelten Beziehungen zwischen den Völkern und Staaten. Die Kriegsgefahr gilt als ernsthafte Belastung dieser Beziehungen und ein Krieg als deren absolutes Ende. Töten ist nämlich nur da möglich, wo positive Beziehungen fehlen. Ziel einer friedlichen Politik muß daher die Verhinderung des „Ernstfalles" eines Krieges sein. Als Mittel dazu dient in der Regel die Strategie der Abschreckung mit konventionellen oder atomaren und anderen Waffen. Sie erlaubt jedoch nur eine zweiseitige oder multilaterale Abrüstung ohne Preisgabe entscheidender Machtpositionen.[2]

Der frühere Bundespräsident Heinemann hat im Gegensatz zu diesem herkömmlichen Verständnis und Sprachgebrauch einmal den Frieden *als Ernstfall* bezeichnet. Damit hat er der Politik einen anderen Akzent gegeben: Aufgabe der Politik sollte nicht sein, bestimmte Interessen unter möglichster Vermeidung von Kriegen durchzusetzen, sondern den Frieden zu gestalten. Aus der Veränderung des Bewußtseins müßte sich folgerichtig auch die Veränderung der politischen Ethik ergeben. Diese Aufgabe der Friedengestaltung ist aber nicht nur als ein politisches Problem zu verstehen; sie ist vielmehr ein allgemein menschliches Problem. Krieg und Frieden bezeichnen nämlich Zustände, die es nicht nur in großen sozialen Systemen gibt, sondern auch in kleinen Gruppen, ja sogar im Umgang des Menschen mit sich selbst.[3] Krieg ist das Aufeinanderprallen von Gegensätzen und das Ende aller fruchtbaren, wenn auch spannungsvollen Beziehungen, und wer mit sich selbst nicht in Frieden umgeht, ist oft geneigt, auch anderen Menschen gegenüber besonders aggressiv zu sein. Mit Recht weist A. Köberle darauf hin, daß man die Welt nicht von der Herrschaft der Dämonen befreien könne, solange man sich selbst ihrem Bann nicht entwunden habe. „Es scheint darum heute an der Zeit zu sein, die christliche Sozialethik mit der christlichen Individualethik aufs neue zu einer Einheit zu verbinden."[4] Damit wird das Thema Frieden sehr vielschichtig verstanden; im folgenden können nur einige Aspekte kurz skizziert werden.

Der Zwang zum Frieden[5]

Der Wandel des Friedensbewußtseins in unserer Zeit ist wahrscheinlich weniger eine Folge der zurückliegenden Kriegserfahrungen, als vielmehr ein Ergebnis der *wachsenden Einsicht in die Notwendigkeit des Friedens.*

Man mag das bedauern, sollte aber doch die Chance dieser neuen Situation nicht übersehen. Die Erkenntnis nimmt zu, daß die Zerstörungskraft der modernen Waffensysteme fast unmenschlich groß ist und die Sicherung vor einem „Mißbrauch“ immer schwerer zu lösende Probleme aufwirft. Dazu kommen die angesichts der gewaltigen Not in vielen Teilen der Welt unverantwortlich hohen Investitionen für diese Waffensysteme und für die militärische Forschung und „Entwicklung“. Ebensowenig ist der Materialaufwand noch vertretbar, da die Rohstoffe der Welt beschränkt sind; der unsinnige Ausbau des Rüstungspotentials trägt mit zu der Ausbeutung der Ressourcen der Erde durch die Industrieländer bei, während die armen Länder nicht einmal in der Lage sind, die für Lebenserhaltung, soziale Gerechtigkeit und Arbeitsplatzbeschaffung notwendigen Industrialisierungen vorzunehmen, die an Ort und Stelle erforderlichen Lernprozesse einzuleiten und die für ihre Situation angemessenen Technologien zu entwickeln. Mit dem Auseinanderklaffen der „Schere“ — die einen werden stärker und reicher und die anderen schwächer und ärmer — wächst von Tag zu Tag mehr die Gefahr neuer Katastrophen mit weltweiten Auswirkungen.

Angesichts der zunehmenden weltpolitischen und weltwirtschaftlichen Interdependenz ist die militärische Rüstung mit Risikofaktoren verbunden, die fast nicht mehr kalkulierbar sind. Nach einer weitverbreiteten, freilich umstrittenen Theorie werden Kriege durch die Anstauung der in der Rüstung unproduktiv angelegten Kräfte und Mittel ausgelöst; die Frage ist nun, wie dieses „Aufstauen“ von Spannungen und Energien in einer Gesellschaft zustande kommt und wie diese Mechanismen für friedliche Zwecke zu nutzen sind. Schließlich hat die ökologische Krise ein Ausmaß erreicht, das Gesundheit und Überleben der Menschheit gefährdet, und die für Umweltschutz notwendigen Investitionen zwingen zu Einschränkungen der Ausgaben im Rüstungsbereich. Dasselbe gilt auch von den geistigen Kräften und wirtschaftlichen Mitteln, die im Bildungswesen investiert werden müßten und die nicht unbeschränkt vorhanden sind. Der Frieden ist eine menschliche Notwendigkeit geworden, und die Umwelt kann nicht länger nur eine Bühne sein, auf der der Mensch handelt, sondern sie ist selbst Teil der Geschichte des Menschen geworden.[6]

Anläßlich der Verleihung des Friedenspreises des Deutschen Buchhandels 1963 hielt Carl-Friedrich von Weizsäcker eine Rede über die Bedingungen des Friedens, in der er drei (inzwischen oft zitierte) Thesen aufstellte:

1. Der Weltfriede ist notwendig. Man darf fast sagen: der Weltfriede ist unvermeidlich. Er ist Lebensbedingung des technischen Zeitalters. Soweit unsere menschliche Voraussicht reicht, werden wir sagen müssen: wir werden in einem

Zustand leben, der den Namen Weltfriede verdient, oder wir werden nicht leben.

2. Der Weltfriede ist nicht das goldene Zeitalter. Nicht die Elimination der Konflikte, sondern die Elimination einer bestimmten Art ihres Austrages ist der unvermeidliche Friede der technischen Welt. Dieser Weltfriede könnte sehr wohl eine der düsteren Epochen der Menschheitsgeschichte werden. Der Weg zu ihm könnte ein letzter Weltkrieg oder blutiger Umsturz, seine Gestalt könnte die einer unentrinnbaren Diktatur sein. Gleichwohl ist er notwendig.

3. Eben darum fordert der Weltfriede von uns eine außerordentliche moralische Anstrengung. Er ist unsere Lebensbedingung, aber er kommt nicht von selbst, und er kommt nicht von selbst in einer guten Gestalt. Seit die Menschheit besteht, hat es, soweit wir wissen, den Weltfrieden nicht gegeben; etwas Beispielloses wird von uns verlangt. Die Geschichte der Menschheit lehrt, daß das bisher Beispiellose oft eines Tages verwirklicht wird. Dies geschieht nicht ohne außerordentliche Anstrengung, und wenn der Friede menschenwürdig sein soll, muß die Anstrengung moralisch sein.[7]

Die Erkenntnis der Notwendigkeit des Friedens hat die Wissenschaft vor die Aufgabe gestellt, die Bedingungen des Friedens zu erforschen und Modelle für die Verwirklichung des Friedens zu entwickeln. Zahlreiche Wissenschaftler haben in vielen Institutionen der Welt die Aufgaben erkannt. Man spricht bereits von dem neuen, interdisziplinären Wissenschaftszweig der *Friedensforschung*, der sich der Methoden der Projektforschung bedient. Sie verschafft sich seit der Jahrhundertmitte langsam, aber in zunehmendem Maß Geltung und Anerkennung.[8] Das Ziel der Forschung ist die Lösung eines praktischen Problems. Die Methode besteht in der Beschreibung und Analyse des Problemfeldes und der Faktoren und Strukturen, die es bestimmen. Dann werden mögliche Lösungswege gesucht und Strategien zur Lösung des Problems unter Berücksichtigung der vorhandenen Möglichkeiten entwickelt. Der Begriff des Friedens, über den weithin ein verbaler Konsens besteht, erscheint geradezu ein neues Minimalmaß jener gemeinsamen Werte zu signalisieren, deren eine lebensfähige Gesellschaft bedarf. Aber die Problematik der Friedensforschung besteht darin, daß hinsichtlich des inhaltlichen Verständnisses des Friedensbegriffes keine Übereinstimmung besteht. Er ist nirgendwo verbindlich definiert. „Über den Basisbegriff einer ganzen Wissenschaft besteht keine Übereinstimmung.“ [9] Wenn aber Friede nur funktional verstanden wird und eine inhaltliche Beschreibung des Friedens nicht möglich ist, dann läßt sich der Begriff in das jeweilige politische System übernehmen und die Friedensidee der eigenen Ideologie anpassen.

Man hat über die oben skizzierte negative Interpretation des Begriffs (Frieden als Abwesenheit von Krieg oder organisierter kollektiver Gewaltanwendung) und die positive Auffassung (Frieden als Verwirklichung bestimmter Werte) hinaus versucht, den Frieden im Zusammenhang mit der Gewalt zu definieren. Frieden ist in diesem Sinne jene menschliche Kommunikation, die die Regelung der sich im Zusammenleben ergebenden Konflikte ohne Gewaltanwendung ermöglicht. Die Kenntnis der Bedingungen der menschlichen Kommunikation hat sich in den letzten Jahrzehnten zwar stark erweitert; die Friedensforschung greift diese Erkenntnisse auf und führt sie weiter. Aber es bleibt die Frage, ob sich aus dem Zwang zum Frieden schon der Friede selbst ergibt.

Anthropologische Aspekte des Friedens

Die Wissenschaft gibt jedoch auch hinsichtlich der *Bedingungen friedlicher Kommunikation* keine eindeutige Auskunft. Man kann nur von bestimmten Thesen ausgehen. Carl-Friedrich von Weizsäcker meint, daß kein Mensch, keine Gruppe und keine Nation mit anderen Menschen, Gruppen und Nationen in mehr Frieden leben könne als mit sich selbst; er vertritt einen individualpsychologischen Aspekt des Friedens: der Friede beginnt und endet im Herzen des Menschen. Der Exponent der gesellschaftskritischen Friedensforscher ist Dieter Senghaas. Die von ihm vertretene Richtung geht davon aus, daß eine neue Gesellschaft geschaffen werden müsse, wenn das Unheil des Krieges weiteren Generationen erspart bleiben soll. Nun sind Mensch und Gesellschaft aber keine polaren Gegensätze. Der Mensch ist immer durch die Gesellschaft geprägt, in der er lebt, und umgekehrt haben immer auch einzelne die Gesellschaft verändert. Der Friede ist ein Problem sowohl des Menschen als eines Individuums wie auch der Gesellschaft, in der er lebt.

In ähnlicher Weise umstritten ist *die Frage nach dem Ursprung menschlicher Aggressivität.* Nach Sigmund Freuds analytischer Persönlichkeitstheorie ist die Aggression ein lebensnotwendiger Ausdruck menschlicher Antriebe. Der Destruktionstrieb (Todestrieb) ist ein Trieb, der Leben erhält, indem er Leben zerstört. Aufgabe des Ichs ist es, die Antriebe auszusteuern oder zu kompensieren und zu sublimieren. Dabei orientiert es sich an den durch Kultur und Erziehung vermittelten Normen des Verhaltens. So sehr die Kultur also dem Überleben der Gesamtheit einer Gesellschaft dient, so sehr kann sie aber auch durch geförderte Unterdrückung der Antriebe andererseits geradezu aggressionsfördernd wirken. Psychoanalytisch gesehen gibt es einen Zusammenhang zwischen verdrängter Sexualität und militanter Aggressivität in der abendländischen Kultur.

Auch die biologischen Denkmodelle der Verhaltensforscher sehen in der

Aggression eine natürliche Verhaltensweise, die lebenserhaltend ist. Da der Mensch nicht instinktsicher handelt, muten sie der menschlichen Vernunft die Möglichkeit und die Aufgabe zu, die Aggression zu steuern. Voraussetzung ist aber die Schaffung humaner Lebensbedingungen und Arbeits- und Wohnverhältnisse. Die moderne Biologie sieht in den individuellen und sozialen Lebensformen keine Niederschläge vorgegebener Ideen oder autonomer Gesetze, sondern sie lehrt, daß alle Strukturen Funktionen von Funktionen sind. Entstehung und Wandel dieser Strukturen sind abhängig von ihrer Bedeutung. Das menschliche Verhalten ist zwar durch ein die Evolution bestimmendes Gesamtgeschehen geprägt, wirkt sich aber umgekehrt auf dieses wieder als steuerndes Element aus. Es ist deshalb eine notwendige Aufgabe der Wissenschaft, das in den verschiedenen Anthropologien christlicher, rationalistischer, biologischer, marxistischer usw. Herkunft zum Ausdruck kommende Humanum daraufhin zu untersuchen, „welche Gemeinsamkeiten hier für erste Schritte eines verbindlichen und verbindenden gesellschaftlichen und politischen Handelns vorliegen".[10] Die Frage nach der Aggressivität in der Biologie ist somit ein hermeneutisch-linguistisches Problem geworden, doch wird sie konkretisiert durch die praktische Notwendigkeit, echte tragfähige Formen des Zusammenlebens zu suchen und zu entwickeln.

Die Anhänger behavioristischer Denkmodelle vertreten dagegen die etwas aufklärerisch erscheinende Auffassung, daß die Aggressivität gelernt sei. Sie werde im individuellen Sozialisationsprozeß erworben. Dabei sei entscheidend, welche Wertung die Aggressivität in einer Kultur oder sozialen Schicht erfahre. Werde sie belohnt, dann gelte sie als erstrebenswertes Verhalten. Wenn aber Aggressivität keine Anerkennung erfährt, dann werde sie auch nicht entwickelt. Entscheidend sei daher die Schaffung positiver Modelle aggressionsfreien Verhaltens und die gesellschaftliche Ächtung der Gewalt. Diese reaktiven Modelle besagen also, daß die Aggressivität sozial und situativ bedingt sei. Sie ist eine Auswirkung der Zwänge, die in einer Gesellschaft bestehen, und der Normen, die als gültig anerkannt sind. Die Lernpsychologen haben diesen Ansatz weiterentwickelt und sehen in der Aggressivität ein durch Verstärkung und Belohnung gelerntes Verhalten. Auch die Frustrations-Aggressions-Theorie gehört insofern in diesen Zusammenhang, als sie die Aggression als Folge der Behinderung eines gewünschten und zielorientierten Verhaltens versteht.

Vergleicht man die Trieb-Instinkt-Modelle mit den reaktiven Modellen, so wird man bei allen respektable Erkenntnisse finden. Aber da es schwerfällt, sich für eine Theorie allein zu entscheiden, möchte man jenen Wissenschaftlern zustimmen, die eine multifaktorale Aggressionstheorie vertreten. Allerdings ergeben sich Fragen aus dem Aggressionsproblem, wenn dieses nicht eindeutig gelöst werden kann: Was ist Macht, und welche Bedeutung hat sie für das Leben eines Menschen in seiner Gesellschaft, wie ist sie als Herrschaft zu legitimieren? Ist Anarchie im Sinne des Verzichts auf Herrschaft überhaupt eine „realistische“ Alternative, und welcher Unterschied besteht zwischen Macht und Gewalt?

Das Problem der Gewalt

Max Weber sah in der Macht eine Chance, innerhalb einer sozialen Beziehung den eigenen Willen auch gegen Widerstand durchzusetzen. Ist dann Macht nichts anderes als geminderte Gewalt? Nach Johan Galtung ist Macht eine extreme Form der Einflußnahme durch Anerkennung und durch Strafe. Hannah Ahrendt hält Macht und Gewalt für Gegensätze.[11] Macht ist die Fähigkeit, sich mit anderen zusammenzuschließen. Sie legitimiert sich geschichtlich aus der Vergangenheit, nicht aus Zwecken oder Zielen. Gewalt dagegen zerstört Macht; sie legitimiert sich aus Zielen und Zwecken, d. h. aus der Zukunft. So kann z. B. eine Gruppe Gewalt anwenden, um ihre verlorene Macht sicherzustellen. Gewalt ist instrumental. Auch ein einzelner kann Gewalt ausüben.

Die Diskussion über die Gewalt hat Johan Galtung zugespitzt; denn Gewalt ist für ihn „das, was den Abstand zwischen dem Potentiellen und dem Aktuellen vergrößert oder die Verringerung dieses Abstandes erschwert“.[12] Gewalt ist also überall da am Werk, wo grundsätzlich realisierbare Potenzen nicht aktualisiert werden. Im Gegensatz zu Aristoteles ist das Potenz-Akt-Gefälle kein Spielraum des Handelns, sondern der Gewaltbegriff wird geradezu ontologisch verstanden als Grundkategorie menschlicher Lebenswirklichkeit.[13] Aber Galtung muß konsequent auch von Gewalt sprechen, wo menschliche Lebensmöglichkeiten nicht durch Unterlassungen einzelner Personen eingegrenzt werden, sondern wo Menschen durch geschichtliche, systembedingte und soziale Umstände an der vollen Verwirklichung ihrer geistigen und körperlichen Möglichkeiten gehindert werden. Galtung unterscheidet daher personale und strukturelle Gewalt. Frieden ist für ihn die Abwesenheit personaler und struktureller Gewalt, und das ist nichts anderes als voll verwirklichte soziale Gerechtigkeit; denn Gewalt kann auch dort am Werk sein, wo scheinbar alles in Ordnung ist: in der Unterdrückung des Menschen durch den Menschen. Das heißt: der Konfliktreduzierung und Systemstabilisierung stehen hier Polarisierung und Systemüberwindung gegenüber, und das gilt innergesellschaftlich und international. Diese Maximierung des Friedensverständnisses führt aber zu Konsequenzen, die das Problem der Gewalt nicht überwinden helfen. Das Friedensverständnis wird durch diese Theorie diffuser statt praktikabler und ideologischer statt lebensnäher. Gewalt macht nicht nur unfrei, sondern sie kommt auch aus der Unfreiheit. Es liegt nun nahe, den Begriff des Friedens etymologisch anzugehen und seinen Inhalt nicht nur sozialwissenschaftlich, sondern auch geschichtlich und theologisch zu bestimmen; vielleicht ergibt sich das Ethos des Friedens aus dem Logos der Sprache.[14]

Der Begriff Friede

Das deutsche Wort „Friede“ ist von der germanischen Wurzel *fri* abgeleitet: diese hängt mit dem indogermanischen *pri* zusammen und heißt „gern haben, schonen“. Das altindische Wort *priyas* bedeutet „lieb, teuer, eigen, begehrt, Liebhaber, Ehemann“; *priya* ist die Gattin (vergleiche den Namen *Frija* der Gattin Wotans in der germanischen Mythologie). Dieselbe Wurzel findet sich in den Worten „Freiheit“, „Freund“ und „freien“. Das gotische Wort *frijon* heißt „lieben“. Das Wort Friede bezeichnet also (etymologisch gesehen) eine Beziehung. Der „Friedhof“ ist ein vom Kampffeld ausgesparter, geschonter und umfriedeter Platz. Bei den Germanen waren die Stammesangehörigen die Freien, denen zugleich die Liebe galt. Im Kampf wurden die Fremden nicht geschont, daher nicht als Geliebte und Freie behandelt, sondern gefangengenommen oder getötet.

Im biblischen Sinn ist „Freiheit“ in einem doppelten Sinn zu verstehen: nämlich als Freiheit von der Sünde und Freiheit für Gott und die den Menschen aufgetragene Verantwortung in der Welt. Eine Freiheit ohne Relationen gibt es nicht. Der „Freidenker“ ist demnach zwar frei von der kirchlichen Lehre, aber er ist gebunden an das Dogma von der Autonomie der eigenen Vernunft. Echte Freiheit gibt es gerade im Glauben. Gott hat in Jesus Christus der Welt die Wahrheit seiner Liebe angeboten. Darum ist frei, wer in dieser Liebe lebt: „Die Wahrheit wird Euch frei machen“, sagt Jesus nach dem Johannes-Evangelium (8, 32). „So Euch nun der Sohn frei macht, so seid Ihr recht frei“ (8, 36), und Paulus kann sagen: „Der Geist, der in Christus Jesus lebendig macht, hat mich frei gemacht vom Gesetz der Sünde und des Todes“ (Röm. 8, 2).

In diesem Zusammenhang muß man auch das in der gotischen Bibelübersetzung gebrauchte Wort *gafrithon* sehen, das „versöhnen“ heißt (2. Kor. 5, 19). Der mit Gott versöhnte Mensch hat Frieden mit Gott und ist frei. Das ist das Heil. Jesus sagt: „Friede sei mit Euch." Friede Gottes ist immer geschenkter, nie vom Menschen produzierter Friede. Darum grüßt Paulus die Philipper mit der Bitte: „Der Friede Gottes, der höher ist als alle Vernunft, bewahre Eure Herzen und Sinne in Christus Jesus" (Phil. 4, 7).

Frieden haben heißt also, in der Beziehung mit Gott leben (vgl. Psalm 4, 9: „Ich liege und schlafe ganz mit Frieden; denn allein Du, Herr, hilfst mir, daß ich sicher wohne"). Aber dieser Friede bezieht sich auch auf die Hoffnung für die Menschen des Alten Bundes. So sagt der Prophet Hesekiel von Gott: „Ich will einen Bund des Friedens mit ihnen machen" (34, 25). Vom zukünftigen Reich sollte gelten, daß „des Friedens kein Ende sein soll auf dem Stuhl Davids"(Jes. 9, 6). Am Ende der Zeit wird Gott die Völker richten, und „da werden sie ihre Schwerter zu Pflugscharen und ihre Spieße zu Sicheln machen; denn es wird kein Volk wider das andere ein Schwert aufheben und werden hinfort nicht mehr kriegen lernen", sagt der Prophet Jesaja (2, 4). So bezieht sich schon in der prophetischen Verkündigung des Alten Testamentes (wie auch später im christlichen Glauben) das Friedensverständnis nicht nur auf einen inneren Frieden, den man als eine mystische Erfahrung bezeichnen könnte, sondern auch auf die Geschichte.

Das lateinische Wort *pax* dagegen, von dem französisch *paix* und englisch *peace* abzuleiten sind, hat einen mehr juristisch zu verstehenden Charakter und bedeutet den zwischen zwei Partnern geschlossenen (Friedens-)Vertrag (Pakt). Dieses Verständnis des Friedens als eines rechtlich gesicherten Zustandes, der durch Gewaltverzicht gekennzeichnet ist, hat das moderne Denken geprägt. So wird z. B. im ›Großen Brockhaus‹ Frieden allgemein definiert als

> Zustand einer ungestörten Ordnung zwischen den Individuen einer Gruppe sowie zwischen verschiedenen Gruppen, insbesondere zwischen den Staaten, beruhend auf dem Einvernehmen zumindest auf der Verträglichkeit der Partner. Gegensätze zwischen diesen, auch Konkurrenz zwischen ihnen, heben den Frieden nicht auf, sofern der Wille zur Beilegung der Gegensätze oder wenigstens zu ihrer Austragung mit gewaltlosen Mitteln besteht.[15]

Geschichtlich gesehen ist mit der Institutionalisierung des menschlichen Zusammenlebens in Staaten das Recht auf Selbsthilfe (Blutrache) auf die Organe des Staates übergegangen, die die Durchsetzung des Rechts gewährleisten mußten. Im Abendland gab es bis zum Ende des Mittelalters noch ein Fehderecht, das aber durch die Treuga Dei (den Gottes-Frieden) und den Landfrieden eingegrenzt wurde (vgl. den Haus- und Landfriedensbruch im modernen Strafrecht). Daneben hat sich ein besonderes Friedensrecht als Burg-, Markt-, Stadt-, Heer- und Gerichtsfrieden entwickelt. In der modernen arbeitsteiligen Gesellschaft gibt es im Blick auf die Konflikte in der Arbeitswelt eine in Tarifverträgen festgelegte Friedenspflicht der Tarifpartner.

Völkerrechtlich gesehen wird heute der stillschweigend oder vertraglich anerkannte Zustand nichtkriegerischer Beziehungen zwischen Staaten als Frieden bezeichnet. Er schlägt sich nieder in Verträgen, wechselseitigen diplomatischen Beziehungen, Handels- und Reiseverkehr und im Schutz der Angehörigen fremder Staaten. Unter dem Einfluß neuzeitlicher humanistischer, aufgeklärter und pazifistischer Bewegungen ist es zur Diskriminierung des Angriffskrieges im Völkerrecht gekommen. Der Friede wird durch die souveränen nationalen Staaten gewährleistet, deren unterschiedliche politischen Systeme und wirtschaftlichen Interessen bei zunehmenden Konflikten zwischen den verschiedenen Kontinenten und Hegemoniemächten zu einem äußerst labilen Frieden geführt haben. Es wird von entscheidender Bedeutung sein, ob es in naher Zukunft gelingen wird, die Souveränität der Einzelstaaten einer internationalen Organisation der Staaten und einer von allen anerkannten internationalen Gerichtsbarkeit zu unterstellen. Nach marxistisch-leninistischem Verständnis wird der Weltfriede jedoch allein gesichert sein, wenn der imperialistische Kapitalismus durch den Kommunismus überwunden ist. Im revolutionären Kommunismus wird daher der Krieg als Befreiungskrieg unterdrückter Klassen gerechtfertigt. Auch seit von „friedlicher Koexistenz“ des kapitalistischen und des kommunistischen Systems gesprochen wird, bleibt der ideologische Kampf bestehen.

Diese Gleichsetzungen von Frieden und Ordnung sind aber in der westlich-abendländischen Geschichte in eine tiefe, radikale Krise geraten und müssen durch ein neues Friedensverständnis ersetzt werden. Der Friede ist Gabe und Aufgabe zugleich:

Es ergeht erneut die Provokation des Schalom, von der die Menschen leben, seit sie den haltenden und aufhaltenden Horizont einer scheinbar festgefügten Welt- und Lebensordnung überschritten haben.[16]

Der Friede als Provokation

Für Hans Schmidt ist Frieden

als Ausdruck des rechten Zusammenlebens und Zusammenwirkens der Menschen untereinander und mit ihrer Lebenswelt kein Zustand einer ungestörten Ordnung der Natur, sondern der stets neu wahrzunehmende Auftrag menschlicher Kultur, der nicht bereits in den Sternen geschrieben, an keine Gene gebunden und durch keine festen Verhaltensmuster vorgegeben ist.[17]

Schmidt unterscheidet verschiedene Antworten auf diese Provokation. In der *Pax Babylonica* wird diese Herausforderung zugunsten der Gleichung „Friede gleich Ordnung“ entschärft. In der Einheit von Weltbild, Religion und Politik entstand ein Droh- und Gewaltsystem, in dem mit dem Segen der Götter alles bekämpft und verfolgt wurde, was sich dem System nicht einfügen wollte. Der Krieg diente der Sicherung des Friedens; wie der Kosmos gegen das Chaos abgegrenzt war, so war die Pax Babylonica die heilige Ordnung, die von der unheiligen Unordnung bedroht und gegen diese zu verteidigen war.

Die Forderung nach Frieden führte im Innenaspekt der sozialen Gebilde zum Schutz- und Ordnungsfrieden und in ihrem Außenaspekt zum Droh- und Gewaltfrieden.

Der Friede war der Gegensatz des Krieges, den er stets provozierte.[18]

Für die *Griechen* war der Friede ein Zustand, der durch Abwesenheit des Krieges gekennzeichnet ist. Aber der Kampf war der Ursprung der Ordnung, und zugleich war das Kriegsschicksal die Folge des menschlichen Hochmutes und die Strafe für die Mißachtung der göttlichen Ordnung. Da aber die Griechen die Bedingungen einer unwandelbaren Ordnung reflektierten und nicht die Lebenselemente des Wandels, blieb die geschichtliche Provokation des Friedens zugunsten einer allgemeinen Idee des Friedens verdrängt. Die *Pax Romana* wurde als die Wiederkehr des urzeitlichen Friedens verstanden; sie war aber in Wirklichkeit (wie die Pax Babylonica) ein Droh-, Gewalt- und Diktatfrieden des römischen Großreichs. Friede ist das Ziel militärischer Aktionen und zugleich die Folge militanter Befriedungsaktionen, nämlich die auf der militärischen Macht begründete neue Rechtslage. Kaiser Augustus wurde als der Weltheiland und Friedensbringer gepriesen, aber sein Friede war eine politische Ideologie, die auf den Waffen der Legionäre beruhte.

Im Alten Testament ist *Schalom* nicht als Gegenbegriff zum Krieg, nicht mythisch-religiös, nicht als Inbegriff einer politischen Ordnung verstanden. Schalom ist vielmehr die Lebensganzheit im Sinne von Wohlergehen und Gedeihen (Segen) wie auch von Versöhnung und Gemeinschaft. Schalom schließt die Bedrängnisse des Lebens und die Todeserfahrung ein. Schalom ist universal, macht solidarisch und verantwortlich; Schalom ist Gegenstand der Hoffnung und zugleich eine irdische Realität.

Der Frieden lebt von der Macht des schöpferischen Wortes, das die Dinge beim Namen nennt, Menschen in Anspruch nimmt, sie aus dem Bann der Vorurteile und Satzungen befreit und vor dem Abschweifen der Gedanken in allgemeine Ideen und bloße Vertröstungen bewahrt.[19]

Mit *Jesus* trat der Schalom-Prozeß in eine neue Phase. Er zeigt den Weg des Friedens. „Wo Jesus auftrat, wurde die leibhaftige Welt der alltäglichen Lebensvollzüge zum Schauplatz des Schalom." [20] Jesus ist Zeuge und Anwalt des Weges des Friedens. Die Hoffnung auf Frieden wird in ihm eine Haß, Angst und Tod überwindende Wirklichkeit. Darum entscheidet sich an seinem Kreuz und an seiner Auferstehung die menschliche Friedenserwartung. Weder der Zwang zum Frieden, noch der Wohlstand allein sichern den Frieden; und durch seine Provokation zum Frieden ist zumindest der lateinische Satz in Frage gestellt: Si vis pacem, para bellum (wenn du den Frieden willst, bereite den Krieg vor). Die Abschreckung ist für den christlichen Glauben als Prinzip überholt. Vor Jesus Christus ist nicht die Absicht entscheidend, sondern die Konsequenz.

Ist der Friede planbar?

Der Leitsatz muß also heißen: „Wenn du den Krieg vermeiden willst, mußt du den Frieden vorbereiten." Gibt es aber etwas Widersprüchlicheres als die Friedensplanung? Führt die Verplanung des Friedens nicht zur Institutionalisierung und Bürokratisierung bestimmter Ordnungsvorstellungen und damit zur Unterdrückung des Menschen? Gehen wir aus von dem zunehmenden Bewußtsein räumlicher und zeitlicher Begrenzung der Erde und der Einheit der menschlichen Gesellschaft, das die Frucht der Entmythisierung und Säkularisierung des Denkens und der wissenschaftlich-rationalen Daseinsgestaltung ist, so erkennen wir, daß dieser Prozeß mit Risiken und Chancen verbunden ist. Der die Welt ergreifende Mensch gewinnt zugleich die Möglichkeiten, sich und das irdische Leben zu vernichten. Aus dieser erschreckenden Dialektik ergibt sich der Zwang zur Entscheidung. Der Mensch muß verantwortlich handeln, wenn er das Leben auf dem Planeten erhalten und das Überleben der eigenen Art nach menschlichem Ermessen sichern will. Das Bedenken der Folgen menschlichen Handelns oder Unterlassens und die Rückkoppelung der Erfahrung in das erneute Bedenken des Verhaltens führen somit notwendig zu einem planmäßigen und zielorientierten Handeln. Dieses spezifische, überlegte und am Überleben der Gattung auf dem Planeten orientierte Handeln ist nicht allein Sache des guten Willens. N. Sombart meint sogar: „Es geht nicht um ethische, sondern um technische Qualifikationen; nicht um die Maxime individuellen Tuns und Lassens, sondern um ein gesellschaftliches Verhaltensmuster." [21] Auch wenn das ein recht technokratisches Urteil ist, so ist doch richtig, daß die große Mehrheit der Menschen — und nicht nur einige wenige (mit Entscheidungskompetenz vertraute) Politiker — lernen muß, Handlungsabläufe zu ermöglichen, Energien freizusetzen, soziale Systeme aufzubauen und Wissenschaft, Wirtschaft, Industrie, Handel, Verkehr, Politik und Verwaltung so zu organisieren, daß das Überleben der Gattung Mensch unter humanen Bedingungen möglich ist. Der Mensch muß die Kräfte, mit denen er das Leben zerstören könnte, für dessen Gestaltung gebrauchen, und er muß dies tun im Blick auf die individuellen (persönlichen) wie auch sozialen (mitmenschlichen) und die sachlichen (natürlichen, wirtschaftlichen, politischen, kulturellen) Dimensionen menschlichen Lebens.[22] Er steht unter einem Zwang, den man im Sinne der theologischen Schulsprache „das Gesetz" nennen könnte. Der Mensch muß darüber hinaus aber auch den mit dieser Erkenntnis verbundenen Angstdruck abbauen, weil eben dieser Druck sonst das Denken verhindert und Katastrophen auslöst. Er muß Konflikte ohne Gewaltanwendung austragen und Frieden stiften, statt sich der Gewalt zu bedienen. Er muß, wie C. F. v. Weizsäcker sagt, die „Außenpolitik" durch die „Weltinnenpolitik" ersetzen.

In seiner Schrift ›Zum ewigen Frieden‹ vertritt Immanuel Kant 1795 die Meinung, daß die Zeit komme, in der der Krieg überholt sei, und daß die moralische Erziehung und die demokratische Partizipation der Bürger an der Entscheidung über Krieg und Frieden eine zuverlässige Sicherung des Friedens bedeute. Kant, der freilich noch nichts von den modernen Formen der kollektiven Angst und der Manipulation der Massen durch den Mißbrauch technischer Medien wußte, versteht den Frieden nicht von empirischen Erfahrungen und historischen Gegebenheiten aus, sondern als Bestimmung einer transzendental normierten Politik. Damit macht er die Idee des Friedens *zum Imperativ und zugleich zum Kriterium* rationaler Beurteilung des politischen Handelns.[23] Sein philosophischer Traktat ist die Grundlegung einer Theorie für die Planung des Friedens.

Die anhaltende Vergegenwärtigung der Voraussetzungen des Friedens gehört zu den Aufgaben der philosophischen Reflexion. So definiert z. B. K. Jaspers die Prinzipien eines Weltfriedenszustandes als auf dem freien Willen und auf der Realität beruhend: Der freie Wille sagt, daß Recht und Gerechtigkeit statt Gewalt herrschen sollen. Das Prinzip der Realität lehrt: „Die Menschenwelt ist nicht richtig und gerecht eingerichtet und wird nie vollkommene Gerechtigkeit erreichen." Jaspers fährt jedoch fort: „Aber der Mensch kann sich bemühen, auf dem Wege zur Gerechtigkeit weiter zu kommen. Daher gilt im Dasein nichts als endgültig außer der Selbstbehauptung dieses in Freiheit auf Gerechtigkeit gerichteten Lebens." [24]

Die Konsequenzen aus diesen Überlegungen müssen in der Politik, in der Erziehung und im Bildungssystem gezogen werden. Aber dieser Ansatz wäre zu idealistisch-appellativ, wenn er nicht ausgedehnt würde auf die Kritik der herrschenden wirtschaftlichen und politischen Moral und auf die Verhältnisse, in denen diese Moral verankert ist. Darum wird es in der Friedensarbeit zu Interessenkollisionen und zu Konflikten kommen müssen [25], die in einer *neuen Praxis* der Loyalität und der Solidarität, der universalen Integration und Assoziation zu lösen sind. *Grundlage dieser Praxis* kann aber nur die Ethik der Liebe sein.[27] An ihr sind alle bisherigen Modelle der Friedenssicherung zu messen. Diese Konzepte seien hier nur kurz aufgezählt: Frieden durch den Weltstaat, Gleichgewicht der Mächte, Koexistenz autarker Kleinstaaten, Freihandel, Wohlstand für alle, Demokratisierung, Sozialisierung, klassenlose Gesellschaft im Sinne der marxistisch-leninistischen Friedensauffassung, Abbau individueller Aggressivität usw.[28] Der Planetarisierung des Krisenbewußtseins muß die Planetarisierung der Verantwortung aller für alle folgen.

Die Friedensarbeit der Kirchen

Der Wunsch nach Frieden ist in hohem Maß nicht nur ein rationales, sondern auch ein emotionales und existentielles Anliegen. Um so größer ist die Gefahr, daß die Proklamation friedlicher Ziele Sympathien erweckt, die zur Bewältigung der großen Probleme der Friedensarbeit nicht ausreichen. Auch ist bloße Abrüstung noch nicht Friede; vielmehr könnte sie vom Gegner mißverstanden werden, und Schwäche könnte sogar zur Aggression reizen. Kein Gemeinwesen wird im übrigen auf die institutionalisierte Macht zur Krisenbewältigung verzichten können. Hier ist also ein realistischer Blick erforderlich. Aber sowohl der rationale wie auch der emotionale Aspekt der Friedenssehnsucht verweisen auf die religiöse Dimension des Friedens, und sowohl in dem geforderten Realismus wie in der Friedenssehnsucht liegt eine Herausforderung des christlichen Glaubens. Er bekennt sich zum Schöpfergott, zum kosmischen Christus und zur Wirklichkeit des Heiligen Geistes. Er weiß von Gottes handelnder Gegenwart „an jedem Ort und in jedem Ereignis unserer Wirklichkeit" und versteht diese als „umfassende(n) Horizont aller menschlichen Interaktion"; ihm erscheint „Gottes Treue zu sich selbst in den Wandlungen seines Handelns" als „Grund menschlicher Identität".[29] Die Frage ist darum berechtigt, ob der Glaube das Friedensproblem so „transzendieren" kann, daß dessen eigentliche Wurzel klar zutage tritt, oder ob er es durch resignative Vertröstungen verlagert und durch dogmatische Lehraussagen rationalisiert. Zeigt er die Hoffnung auf, die aus der Gegenwart des Unverfügbaren lebt, und steht er in der Kraft des Evangeliums, oder begnügt er sich mit der Kritik gefährlicher romantisch-konservativer und sozial-utopischer Träume?

Der Friede ist für den christlichen Glauben eine Wirklichkeit, die dem Menschen in Jesus Christus vorgegeben ist. Der Friede ist Gottes Gabe in Christus; der Mensch kann nur im Frieden sein, oder er „hat" den Frieden nicht. Aber zugleich ist der Friede auch eine Aufgabe. Die Welt ist nicht vollkommen; man kann deshalb nicht in Frieden sein, ohne im Kampf der Mächte für den Frieden zu wirken. Daher sind Kirche und Christen gefragt, wie sie Frieden verstanden haben und verstehen und was sie heute für den Frieden tun. Auf die unterschiedlichen Aspekte des Friedensverständnisses im Alten und Neuen Testament [30] und auf seine Verwirklichung oder auch Verfehlung der Geschichte des Christentums kann an dieser Stelle nicht eingegangen werden. Wir wenden uns der Gegenwart zu.

Ein Umdenkprozeß hat begonnen; aber wir stehen noch vor großen Aufgaben. Dazu gehören die Aufarbeitung der Vergangenheit und das kritische Verständnis für die kulturellen und sozialen Bedingungen der historischen Verwirklichungen des Glaubens.[31] Neben den nationalen Christentümern mit ihrer neuzeitlichen, völkisch-staatlichen Tradition sollten der aus dem mystischen Spiritualismus des 16. Jahrhunderts stammende Pazifismus und die modernen christlichen Friedensbewegungen mehr Anerkennung finden.[32] Von besonderer Bedeutung bei den Friedensbewegungen ist die Tatsache, daß sie, wie es etwa der Prior von Taizé, Roger Schutz, im Titel seines Tagebuches zum Ausdruck bringt, Kampf und Kontemplation verbinden. Sie verharren nicht in der Negation von Krieg und Gewalt, sondern sie haben sich eine aktive, das Bewußtsein der Öffentlichkeit verändernde Friedensarbeit zum Ziel gesetzt. Dazu gehören klare, in Stille und Gebet gewonnene Zielvorstellungen; Strategien, die die möglichen Reaktionen der Betroffenen berücksichtigen; Taktiken, die die eigenen Möglichkeiten und die gegebene Situation berücksichtigen und die Prinzipien der Gewaltlosigkeit und der Respektierung der Würde des anderen Menschen. Nur wer aus der eigenen Wahrhaftigkeit heraus nicht den Menschen selbst in Frage stellt, sondern das Verhalten des anderen kritisiert, gibt ihm die Möglichkeit, sich zu ändern, ohne das Gesicht zu verlieren. Diese Prinzipien, wie sie in der Bürgerrechtsbewegung Martin Luther Kings erprobt wurden, finden immer mehr Anerkennung im aktiven Kampf um den Frieden. Man denke z. B. an die amerikanische kirchliche Opposition gegen den Vietnam-Krieg, die um so beachtlicher ist, als dieser Krieg von konservativen kirchlichen Kreisen in den USA zunächst noch als Kreuzzug gegen den Kommunismus verstanden wurde.[33]

Starke Beachtung verdienten auch die Friedensbemühungen der ökumenischen Bewegung. Sie spielen in Konferenzen vor dem Zweiten Weltkrieg eine große Rolle und wurden nach 1945 fortgesetzt. Bereits die Amsterdamer Gründungsversammlung des Ökumenischen Rates der Kirchen befaßte sich 1948 mit dem Thema „Die Kirche und die internationale Unordnung".[34] Das von ihr entwickelte Konzept einer verantwortlichen Gesellschaft ist für die Friedensdiskussion grundlegend und hat sich auch als überzeugender erwiesen als das in Genf 1966 entwickelte Konzept einer „Theologie der Revolution"[35]. Während hier die Revolution mit der Friedensstrategie verantwortlich verbunden werden soll, sucht das Konzept der verantwortlichen Gesellschaft eine politisch-soziale Ordnung, die gesellschaftliche Transformationen ohne Gewalt, Krieg und wirtschaftliche Katastrophen allein durch die Kraft der Überzeugung ermöglichen soll. Dieses Konzept ist freilich stark geprägt von dem damals heraufziehenden Ost-West-Konflikt und trägt den Stempel angelsächsischen Denkens.[36] Sie hat in den fünfziger Jahren in der Theologie der Prager Allchristlichen Friedenskonferenz unter Führung von Theologen aus dem sozialistischen Lager eine Alternative erhalten. Die Befreiungsbewegungen in Asien, Afrika und Lateinamerika haben sich erst in der Weltkirchenkonferenz in Uppsala 1968 merklich durchgesetzt. Seither sind sie aus der Arbeit des Ökumenischen Rates der Kirchen nicht mehr wegzudenken. Es sei nur an das Antirassismusprogramm und die kirchliche Entwicklungshilfe mit ihren Prinzipien der gleichberechtigten Partnerschaft und der Hilfe zur Selbsthilfe durch die Unterstützung bodenständiger regionaler Kirchen und Gruppen erinnert.

Von grundlegender Bedeutung für die kirchliche Friedensarbeit ist das veränderte Klima zwischen den verschiedenen Konfessionskirchen in deren Ursprungsländern und in den Missionsgebieten. Es gibt keine praktizierte christliche Friedensarbeit, die nicht die Andersartigkeit des anderen in der Gemeinde wie auch in der anderen Konfession im Lichte der Liebe Christi akzeptieren kann. Der Dialog zwischen den Konfessionen führt zur Aufarbeitung geschichtlicher Mißverständnisse, zur Klärung der eigenen Identität und zum besseren Verstehen des Selbstverständnisses des anderen und kann einen Prozeß des Voneinanderlernens auslösen. Dies gilt z. B. in besonderer Weise vom Verständnis des Abendmahls als Eucharistie und von der Bedeutung des christlichen Gottesdienstes für den Frieden unter den Menschen. Einseitig erstarrte Formen der Theologie, der Liturgie und der Frömmigkeit werden durch den ökumenischen Dialog ungeheuer erweitert und bereichert.[37]

Obwohl seit der Konferenz von Evanston 1954 die christliche Eschatologie in der ökumenischen Theologie in den Vordergrund gerückt ist, spielen doch auch die Überlegungen zum Frieden auf der Grundlage des

Naturrechts und der Menschenrechte eine große Rolle. Bedenkt man, daß auch die christliche Theologie eine Schöpfungslehre enthält, die die ganze Welt als Gottes Werk ins Auge faßt, so versteht man auch die eigenartige Spannung zwischen christlicher Exklusivität und Universalität, wie sie vor allem in der Konferenz von Neu Delhi gefordert wurde und in dem Dialog mit den Weltreligionen zum Ausdruck gebracht wird.[38] Zu diesem Dialog mit den Weltreligionen hat sich auch das Zweite Vatikanische Konzil mit der Errichtung eines besonderen Sekretariats bekannt. „An alle Menschen guten Willens" richtete sich Johannes XXIII. in seiner berühmten Friedensenzyklika ›Pacem in terris‹, in der er von den Menschenrechten ausgeht. Sie ist eine Gesprächsgrundlage auch für das Gespräch mit Menschen, die sich nicht zum christlichen Glauben bekennen.[39]

Auf die zahlreichen Texte und Denkschriften, in denen das Konzil, die Synoden, der Weltrat der Kirchen, nationale kirchliche Autoritäten, Kirchentage und christliche Gruppen und Persönlichkeiten auf die Aufgabe des Friedens hingewiesen haben, kann hier nicht eingegangen werden. Insgesamt sind sie als Bemühung anzuerkennen, den Frieden theologisch zu verstehen als Leben in Freiheit, Gerechtigkeit und gegenseitiger Anerkennung. Christen beginnen, nicht nur von nationalen Interessen und Sicherheitsbedürfnissen aus, sondern von der Wirklichkeit des von Gott in Christus geschenkten Friedens aus zu argumentieren. Dieser Ansatz muß Konsequenzen haben für christliche Gemeinden, Gruppen und Familien, für das Verständnis der Militärseelsorge und des Friedensdienstes, für die Entwicklung von Phantasie und Kreativität in der Arbeit für den Frieden, und er wird sensibler machen für die Frage nach dem eigenen Beitrag zum Frieden. Der Christ verfällt keinen Illusionen, wenn er an den Frieden in Christus glaubt. Er weiß um die Not der unter dem Gesetz der Angst stehenden Welt, aber als der im Glauben gerechtfertigte Mensch ist er befreit zum wahrhaftigen Streben nach realistischem Ausgleich der Konflikte und nach Verwirklichung einer Gesellschaft, die weniger aus der Angst und mehr aus der Kraft der Liebe lebt. Dieser Weg erfordert Arbeit an sich selbst, Verzicht und Hingabe an eine große Aufgabe. Der Christ kann sich ihr nicht entziehen.

Religionspädagogische Konsequenzen

Das Gesagte muß auch Konsequenzen für die Erziehung haben.[40] Die Erziehung in der frühen Kindheit vermittelt die grundlegenden Erfahrungen, die für die Ich-Bildung des Menschen wichtig sind. Die Erziehung zum Frieden ist nicht die Erziehung zur erzwungenen Harmonie und zum faulen Kompromiß; sie ist vielmehr die Erziehung zur Konfliktfähigkeit und zur Stärke, die den anderen zu akzeptieren und zu verstehen trachtet, auch wo er eine andere Meinung vertritt. Sie ist die Erziehung zum Verzicht auf Gewalt und Terror, die ja oft in der eigenen Schwäche und mangelnden Frustrationstoleranz ihren Grund haben. Sie kann auch die Erziehung zur Anpassung sein; denn echte Anpassung kommt aus der Liebe und ist keine Schwäche. Sie ist freilich auch die Erziehung zum Austragen von Problemen, bis — vielleicht durch einen verantwortbaren Kompromiß — eine alle Beteiligten befriedigende Lösung gefunden wurde. In diesem Sinne ist die Erziehung zum Frieden ein elementarer Bestandteil der christlichen Erziehung überhaupt. Ein Mensch, der in seiner Kindheit derartige Erfahrungen mit Eltern und Erziehern gemacht hat und sich als der schwächere Partner von dem stärkeren ernstgenommen fühlen konnte, wird diese Haltung auch als Erwachsener am ehesten anderen gegenüber praktizieren können. Dennoch sind nicht Gefühle und Erfahrungen allein maßgebend, sondern die Fähigkeit, immer neu auf Gottes Gabe und Anruf zum Frieden zu hören.

Auch für die kirchliche Jugendarbeit und Erwachsenenbildung und für den christlichen Religionsunterricht gilt, daß Friedenserziehung ein durchgängiges pädagogisches Prinzip sein muß; angesichts der verwirrenden Vielfalt von Theorien und Analysen, von Ansätzen, Konzepten und Modellen für bestimmte Studien-, Arbeits- oder Unterrichtseinheiten zum Thema „Frieden“ muß dies ganz deutlich gesagt sein. Friedenserziehung läßt sich nicht mit einer gelegentlichen Aktivität abtun. Sie muß auch in der intentionalen Erziehung als fundamental durchgehalten werden. Der Mensch ist als Mensch in der Welt auf Kommunikation angewiesen. Friede ist Kommunikation, und er ist dies nicht nur im technologischen Sinn als bloße Nachrichtenübermittlung.

Man kann nicht durch Information zum Frieden erziehen. Man kann nur im Frieden erziehen, und man kann als Erzieher nur das vermitteln, was durch die eigene Person hindurchgegangen ist und was man selbst erfahren und verstanden hat. Man muß sich dem Frieden selbst gestellt und geöffnet haben, und man muß selbst in der Vergebung leben, um Friedenserziehung leisten zu können. Darum sollte der Erzieher selbst etwas wissen von der Wahrheit des Friedens, den Gott den Menschen gibt, und er sollte selbst gelernt haben, in der Stille auf Gott zu hören und aus diesem Gehorsam für den Frieden in der Welt zu arbeiten. Man muß im Frieden sein, wenn man den Frieden machen will, und man kann nicht friedfertig sein, wenn man nicht für den Frieden bereit ist![41]

Aber das schließt nicht aus, sondern ein, daß der verantwortliche Erzieher fragt, wie durch bestimmte Lerneinheiten planvoll und strukturiert Kenntnisse, Einstellungen und Handlungsweisen vermittelt werden können, die dem Menschen helfen, friedfertig zu leben. Dazu gehören Gespräche und Studienveranstaltungen bzw. Unterrichtsstunden zu den politischen, geschichtlichen und anthropologischen Aspekten des Friedensproblems, zu biblischen Stoffen und den theologischen Aspekten des Friedens auf der kognitiven Ebene mit dem Ziel, Verständnis für Voraussetzungen, Probleme und Inhalte des Friedens in menschlicher Sicht zu erkennen und die Aussagen des Glaubens zu diesen Erkenntnissen in Beziehung setzen zu können; dazu gehört die Bemühung um die Erfahrung des gegenseitigen Sichannehmens und Verstehens in der am Lernprozeß beteiligten Gruppe und die Intention sozial-integrativer Gruppenarbeit auf der emotionalen Ebene mit dem Ziel, dem einzelnen das Gefühl des Akzeptiertseins und der Geborgenheit zu vermitteln oder zu verstärken; dazu gehört schließlich auch die Entwicklung bestimmter Projekte der Friedensarbeit in der Gemeinde, der Schule, der Gruppe und der Öffentlichkeit auf der praktischen Ebene des Lernens mit dem Ziel, den Frieden zu operationalisieren. Auf diese Weise könnte die Erziehung viel dazu beitragen, das Friedensbewußtsein zu wecken und zu strukturieren, den Unfrieden aufzudecken, dessen Ursachen zu klären, das Interesse am Frieden zu stärken, zur zivilen Verteidigung zu ermutigen und zum praktischen Friedenshandeln zu befähigen.[42] Im Blick auf den Frieden ist eine „problemorientierte Bildungsarbeit" erforderlich, die Kommuniqués verwirft und Kommunikation verwirklicht; sie übermittelt nicht allein Information, sondern befreit zu Erkenntnissen, Einstellungen und Handlungen, in denen nicht nur das Schwarz-Weiß-Denken abgebaut, sondern auch der Lehrer-Schüler-Widerspruch aufgelöst werden. Die Solidarität der Verantwortlichen wird bereits im Lernprozeß praktiziert.[43]

Diese wenigen Andeutungen müssen aber mindestens noch durch zwei weitere ergänzt werden: Einmal ist auch der Ausbau des musisch-ästhetischen Elementes und der Meditation in der Erziehung eine ganz wesentliche Aufgabe der Friedenserziehung; die durch den übersteigerten intellektuellen Leistungsstreß bewirkte Gefahr aggressiver Entladungen oder depressiver Verfallserscheinungen muß durch eine aktive pädagogische Gestaltung des Lebens in allen seinen Dimensionen überwunden werden. Zum anderen: die eigentliche Schule der Friedenserziehung ist der christliche Gottesdienst. Wer die Liturgie mitlebt, begibt sich in einen Prozeß, in dem er lernt, mit Christus zu sterben und aufzuerstehen und sensibler für Gott und die Menschen zu werden. Der in Verkündigung und Gebet, in Buße und christlicher Mahlgemeinschaft erfahrene Friede Gottes ist „höher als alle Vernunft" und als solcher die entscheidende Quelle einer heute neu gefragten Weisheit des Lebens und des Sterbens. Dieser Friede ist im Geheimnis des Kreuzes und der Auferstehung Jesu Christi offenbar. Man muß sich freilich selbst unter das Kreuz stellen, um in ihm leben und auferstehen zu können.

Adolf Köberle schreibt einmal, daß

> die schaurige Tatsache des Krieges in der Welt in verborgener Tiefe unmittelbar zusammenhängt mit dem abgründigen Geheimnis des Abfalls der Menschheit von dem Gott des Lebens. Wer das nicht zu begreifen vermag, greift immer zu kurz mit seinen Bemühungen um den Frieden in der Welt.

Aber dennoch sei der Krieg kein Naturereignis. Vielmehr sei jeder Krieg „Summe und Ergebnis aus ungezählten einzelnen Verfehlungen und Verirrungen"; er stamme „aus Drohungen und Verängstigungen, die in Gedanken, Worten und Werken millionenfach geschehen sein müssen, ehe das eitrige Geschwür am Leib der Menschheit auftritt und aufbricht".[44] Es ist deshalb an der Zeit, daß die Christen, die den Krieg allzuoft mit Hilfe der Religion rechtfertigten[45], diesen aus dem Glauben an Christus heraus entsakralisieren. Sicher wird die Welt durch Aufklärung nicht vollkommen, und die Erziehung kann die Bekehrung des Herzens nicht ersetzen. Aber wir müssen die Konsequenzen aus der Erkenntnis ziehen, daß der Mensch für den Menschen gefährlicher geworden ist als die ihn umgebende Natur, aber von sich selbst und seinen lebensbedrohenden Fähigkeiten weniger weiß als von der ihn umgebenden Natur.[46] Darum drängt die Zeit, in Forschung, Politik und Pädagogik das Friedensproblem mehr ins Auge zu fassen und so für die Erhaltung des Friedens zu arbeiten, als komme es auf jeden einzelnen allein an. Es gibt viele Möglichkeiten für kleine, gute Schritte, die der Verwirklichung des Friedens dienen, Solidarität und Kontakt fördern, Angst und Feindbilder abbauen, Verständnis für den Menschen und Versachlichung der Konflikte bewirken und so die Integration der Menschheit in einer zukünftigen Weltgesellschaft fördern helfen.

Gibt es ein Thema, das den Menschen in der Krise unserer Zeit bereitwilliger finden und mehr begeistern müßte, als das des Friedens? Der Friede ist eine verheißungsvolle Wirklichkeit; zugleich stellt er aber die menschliche Gesellschaft, die keine „art-spezifische" Umwelt hat, vor eine anhaltende Aufgabe, auf deren Verwirklichung jeder Mensch seine ganze Kraft in immer neuen Akten des Selbstentschlusses der Person richten muß.

Anmerkungen

[1] Nein zur Gewalt — Ja zum Frieden. Botschaft Papst Pauls VI. zum Weltfriedenstag am 1. Januar 1978, in: L'Osservatore Romano. Deutsche Wochenausgabe Nr. 51/52 vom 23. 12. 1977, S. 4.

[2] Infolge des Abschreckungsprinzips erstarrt die internationale Politik zu einem System der „organisierten Friedlosigkeit"; die Rüstungskontrolle überwindet das System nicht, sondern führt zu dessen Effektivierung. Im innerstaatlichen Bereich erzeugt die Abschreckungspolitik Angst und verstärkt Vorurteile gegen äußere Gegner durch deren „Verteufelung"; außerdem bewirkt sie die Bindung individueller Angst durch Integration des einzelnen in das Kollektiv, das sich durch das Drohsystem zu schützen hofft. Dadurch wird aber die Freiheit gefährdet. So D. Senghaas, Abschreckung und Frieden. Studien zur Kritik organisierter Friedlosigkeit. Frankfurt a. M. 1969.

[3] E. M. Grossmann, Der Frieden in der Welt und der Frieden in uns, in: Wege zum Menschen 20 (1968), S. 143 ff.

[4] A. Köberle, Leben in Frieden und Freiheit. Hamburg 1957, S. 3.

[5] Vgl. T. Brocher, W. Gerlach, R. Löwenthal, N. Sombart, P. G. Walker, R. v. Weizsäcker, Der Zwang zum Frieden. Stuttgart, Berlin 1967; G. Howe, H. E. Tödt, Frieden im wissenschaftlich-technischen Zeitalter. Ökumenische Theologie und Zivilisation. Stuttgart 1966.

[6] J. Moltmann, Mensch. Stuttgart 1971.

[7] C. F. v. Weizsäcker, Bedingungen des Friedens. Göttingen 1964, S. 7 ff.

[8] Eine Einführung in die Friedensforschung gibt der von E. Krippendorff herausgegebene Sammelband Friedensforschung. Köln 1968; für die Bundesrepublik Deutschland haben H. Pfister und A. Walter eine Dokumentation zusammengestellt: Friedensforschung in der Bundesrepublik Deutschland. Waldkirch 1975.

[9] C. Günzler, Die friedlose Friedenssuche — der Frieden als ethisches Problem, in: Beiträge pädagogischer Arbeit 18 (1974), S. 36.

[10] G. v. Wahlert, Anthropologie und Friedensforschung. Impulse Nr. 1, hrsg. von der Evangelischen Zentralstelle für Weltanschauungsfragen. Stuttgart 1968, S. 4.

[11] H. Ahrendt, Macht und Gewalt. München 1970.

[12] J. Galtung, Gewalt, Frieden und Friedensforschung, in: D. Senghaas (Hrsg.), Kritische Friedensforschung. Frankfurt a. M. 1972, S. 58; ders., Strukturelle Gewalt. Reinbek 1975.

[13] C. Günzler, a. a. O.

[14] H. Noack, Sprache und Offenbarung. Gütersloh 1960; F. Melzer, Der christliche Wortschatz der deutschen Sprache. Lahr 1951, S. 225 ff.

[15] Bd. VI. Wiesbaden 1968, S. 597 f.

[16] H. Schmidt, Frieden. Stuttgart 1969, S. 168.

[17] Ebd., S. 28.

[18] Ebd., S. 36.

[19] Ebd., S. 161.

[20] Ebd., S. 130.

[21] N. Sombart, Planung des Friedens, in: T. Brocher u. a., Der Zwang zum Frieden. Stuttgart 1967, S. 40.

[22] K. Scholder forderte deshalb schon vor Jahren, dem Verteidigungsminister einen Friedensminister zur Seite zu stellen, der über denselben Etat für Öffentlichkeitsarbeit verfügt wie der Kriegsminister. Soll ein derartiger Friedensminister aber nicht nur als Alibi für die nicht vorhandene Friedensarbeit einer Regierung dienen, muß seine Aufgabe die interne und öffentliche Vertretung der integrierten Friedenspolitik einer Regierung sein! Nach R. v. Weizsäcker, Beitrag der Christen zum Frieden, in: T. Brocher u. a., a. a. O., S. 78.

[23] G. Freudenberg, Kants Lehre vom ewigen Frieden und ihre Bedeutung für die Friedensforschung, in: G. Picht und H. E. Tödt (Hrsg.), Studien zur Friedensforschung, Bd. I. Stuttgart 1969, S. 178 ff.

[24] K. Jaspers, Die Atombombe und die Zukunft der Menschen. München 1958, S. 40 f.

[25] Vgl. z. B. H. Bosse und F. Hamburger, Friedenspädagogik und Dritte Welt. Voraussetzungen einer Didaktik des Konflikts. Stuttgart 1973.

[26] H. Röhrs sieht in der Internationalen Gesamtschule und besonders in deren Primarbereich ein Einübungsfeld zum Frieden angesichts aggressiver Verhaltensweisen mit der Fairneß als einem Bildungsprinzip: H. Röhrs, Die Friedenspädagogik im Modell der Internationalen Gesamtschule. Hannover 1975.

[27] E. Senghaas-Knobloch, Frieden durch Integration und Assoziation. Stuttgart 1969, untersucht die verschiedenen Programmatiken internationaler Kooperation und die ihnen zugrunde liegenden Einstellungen und Strukturen, stellt in einer empirischen Bestandsaufnahme das quantitative Wachstum internationaler Organisationen fest und diskutiert die Integrationstheorie.

[28] Vgl. I. Fetscher, Modelle der Friedenssicherung. München 1972.

[29] K. Raiser, Identität und Sozialität. München, Mainz 1971, S. 10.

[30] F. Stolz, Jahwes und Israels Kriege. Zürich 1971; E. Brandenburger, Frieden im Neuen Testament. Grundlinien urchristlichen Friedensverständnisses. Gütersloh 1973.

[31] Vgl. K. Hamers historische Analyse: Christen, Krieg und Frieden. Olten, Freiburg i. Br. 1972. In dem von W. Huber und J. Schwerdtfeger herausgegebenen Buch: Kirche zwischen Krieg und Frieden. Studien zur Geschichte des deutschen Protestantismus. Stuttgart 1976, werden historische und systematische Gesichtspunkte mit aktuellen Fragestellungen verbunden.

[32] Die Kritik am „christlichen Pazifismus" als eines Grundirrtums des individualistischen Denkens, wie sie etwa W. Künneth in seiner politischen Ethik vertritt, kann so undifferenziert nicht weiterhin vertreten werden (vgl.: Politik zwischen Dämon und Gott. Berlin 1954, S. 343). — Auch aus verfassungsrechtlichen Gründen darf in der Bundesrepublik Deutschland Wehrdienstverweigerung nicht mehr als individuelles und schwärmerisches Außenseitertum diskriminiert werden; freilich sollte sie auch nicht als Fluchtweg in ein bequemeres Leben mißbraucht werden können. Sie muß vielmehr als eine Entscheidung verstanden werden, die das Ganze der menschlichen Gesellschaft im Auge hat, also eine echte

Alternative zum Wehrdienst darstellt und zu entsprechenden Konsequenzen (Friedensdienst) führt.

[33] Vgl. J. Benedict, Der neue Protestantismus. Motive und Formen der kirchlichen Kriegsopposition in den USA. Stuttgart 1971.

[34] Vgl. den Bericht der Vierten Sektion der Vollversammlung, in: Die Unordnung der Welt und Gottes Heilsplan. Ökumenische Studien, hrsg. von der Studienkommission des Ökumenischen Rates in Genf. Tübingen, Stuttgart 1948, S. 259 ff.

[35] Vgl. besonders R. Shaull, Die revolutionäre Herausforderung an Kirche und Theologie, in: Appell an die Kirchen der Welt. Dokumente der Weltkonferenz für Kirche und Gesellschaft, hrsg. vom Ökumenischen Rat der Kirchen. Stuttgart, Berlin [2]1967, S. 91 ff., und den kritischen Aufsatz von H. E. Tödt, 'Theologie der Revolution'. Revolution als sozialethisches Konzept und seine theologischen Grenzen, in: Ökumenische Rundschau 17 (1968), S. 1 ff.

[36] J. Bopp, Unterwegs zur Weltgesellschaft. Die Ökumene zwischen westlichem Führungsanspruch und universaler Verantwortung. Stuttgart 1971, S. 70.

[37] Vgl. zum Beispiel die drei von der Kommission für Glauben und Kirchenverfassung 1974 in Accra verabschiedeten Erklärungen: Eine Taufe, eine Eucharistie, ein Amt, hrsg. v. G. Müller-Fahrenholz. Frankfurt a. M. [2]1976.

[38] Hierzu J. R. Nelson u. W. Pannenberg (Hrsg.). Um Einheit und Heil der Menschheit. Frankfurt a. M. 1973.

[39] Ein geringes Echo fand in der deutschen Öffentlichkeit die Zweite Weltkonferenz der Religionen für den Frieden in Löwen 1974, und doch muß diese Konferenz durch ein tiefes Bewußtsein der gemeinsamen Situation geprägt gewesen sein, das sich von den technologischen und politisch-pragmatischen Diskussionen anderer Weltkonferenzen deutlich unterschieden hat: So M. Mildenberger, in: M. A. Lücker (Hrsg.), Neue Perspektiven des Friedens. Wuppertal 1975, S. 88. — Als eines der wichtigsten Elemente einer dynamischen Weltinnenpolitik, in der Erstarrungen aufgeschmolzen werden, bezeichnet C. F. v. Weizsäcker gemeinsame Aufgaben: Friede und Wahrheit, in: Deutscher Evangelischer Kirchentag Hannover 1967. Dokumente. Stuttgart 1967, S. 762.

[40] Hier nur einige Literaturhinweise: O. Dürr, Frieden — Herausforderung an die Erziehung. Stuttgart 1971; R. Mehringer, Zum Frieden erziehen. Tübingen 1973; H. Pfister, R. Wolf, Friedenspädagogik heute. Waldkirch 1972; H. O. F. Rest, Waffenlos zwischen den Fronten. Graz 1971; K. F. Roth, Erziehung zur Völkerverständigung und zum Friedensdenken. Donauwörth 1967; H. Röhrs, Erziehung zum Frieden. Stuttgart 1971; M. Stallmann (Hrsg.), Friedenserziehung und Religionsunterricht. Stuttgart, München 1972; Ch. Wulf (Hrsg.), Friedenserziehung in der Diskussion. München 1973.

[41] „Wir scheinen oft mehr an die Erbsünde als an die Erlösung zu glauben. Es ist durchaus nicht so, daß der Glaube an die Erbsünde Entwicklungen in Richtung auf Frieden a priori begrenzt, wie H. Thielicke meint: eine von allen Völkern anerkannte Weltmacht sei unmöglich, weil jede Souveränität in diesem Äon durch andere Souveränitäten begrenzt werden müsse; eine politische Einheit der Welt sei das apokalyptische Tier. Die Erbsündenlehre darf nicht zu einer vorder-

gründig-moralischen Interpretation von geschichtlichen Erscheinungen herangezogen werden, die durch eine nüchterne sozialwissenschaftliche Analyse erklärt werden können": L. ter Steeg, Der Religionsunterricht und der Friede, in: Modelle der Friedenserziehung. Veröffentlichungen der Deutschen Pax-Christi-Sektion Heft 11 (1973), S. 46.

[42] J. Esser, Kritische Friedenstheorie und Möglichkeiten zur Friedenspraxis. Bern, München 1976, S. 244.

[43] P. Freire, Pädagogik der Unterdrückten. Stuttgart 1971, S. 84 ff.

[44] A. Köberle, Leben in Frieden und Freiheit. Hamburg 1957, S. 29.

[45] Vgl. z. B. B. Wiegand, Krieg und Frieden im Spiegel führender Presseorgane in Deutschland und der Schweiz 1890—1914. Bern, Frankfurt a. M. 1976; aber auch die von K. Deschner herausgegebene polemische Sammlung: Kirche und Krieg. Der christliche Weg zum ewigen Leben. Stuttgart 1970.

[46] So G. Heinemann in seiner Rede am 1. 9. 1969 anläßlich der 30. Wiederkehr des Ausbruchs des Zweiten Weltkrieges: dpa-Archiv/HG. 2068 (1970), S. 3.

V

MEDIZIN — TIEFENPSYCHOLOGIE — NATURWISSENSCHAFTEN

DIE GESELLSCHAFTLICHE EINSCHÄTZUNG DES ALTEN MENSCHEN IN PSYCHIATRISCHER SICHT

Von Wolfgang Kretschmer (Tübingen)

In ihrer natürlichen Evolution erreicht die Menschenseele im Greisenalter den *höchsten Gipfel der Entwicklung*. Keine einzige Altersstufe kann sich mit dem Alter an *Umfang der Lebenserfahrung* und *moralischer Höhe* messen, die der Mensch nur am Ende seines Lebens erreicht. [... (Biotischer Abstieg)] Um so erstaunlicher sind die idealen Gefühle, die selbstlose Liebe zu den Menschen, von denen das Alter erfüllt ist. Diese Gefühle machen keinen Unterschied zwischen den Eigenen und Fremden, Nahen und Fernstehenden. Alle sind in diesem idealen, weiten Gefühl gleich nahe. Die Seele des Greises hat sich von allem, was persönliches Gefühl, persönliches Interesse, Berechnung, Perspektive, Erwartung heißt, befreit und gereinigt. [...] Wie bei dem von Leiden heimgesuchten *Hiob* haben die Unglücksfälle (auch die Alterung) nur die Oberfläche der Seele gestreift, ohne den Kern anzurühren. Der Kern blieb ganz unangetastet, unverändert. [...] Sehr begreiflich daher die Ehrfurcht, mit der alle Altersstufen das Greisenalter umgeben. [...] Wir aber nähren uns von ihm! Halb verdorrt, eingeschrumpft, fast des Fleisches bar, ist es uns als verkörperte *Weisheit,* als *höheres Gewissen,* als lebender Bote der *Idealwelt* ... noch immer unentbehrlich!

Mit diesen Worten entwirft uns im Jahre 1908 der russische Psychiater Sikorskij, selbst schon 66 Jahre alt, das Urbild des alten Menschen, das zeitlose Ideal europäischer Hochkultur. Die großzügig und treffend formulierten Gedanken könnten in der Substanz ebenso von einem alten Römer oder einem mittelalterlichen Adligen stammen. Sie schildern den Greis als eine Persönlichkeit voller Weisheit, Offenheit und Selbstlosigkeit, die höchste Möglichkeiten der menschlichen Existenz verkörpert. Mag er auch bestimmte Lebensbereiche, etwa den der Sexualität oder der konsequenten und harten Berufsleistung nicht mehr ganz erfüllen können, so faßt er doch alle vergeistigt in sich zusammen. Als Unabhängiger und Überlegener kann er in Freiheit wesentliche Werte vermitteln. Das setzt aber nicht nur Bedürfnislosigkeit voraus, sondern auch die Fähigkeit, sich mitzuteilen und auf andere einzugehen.

Ein solches Ideal ist schwer zu erreichen, aber unentbehrlich. Denn wenn das Stoffliche der Existenz verfällt, die äußeren Befriedigungen geringer werden, muß der Geist leuchten! Man kann die Vorstellung vom weisen Alten und von der gütigen Greisin nicht allein von der Erwartung eines kurzen Lebens in vergangenen Zeiten ableiten, etwa in dem Sinn, daß die ständige Nähe des Todes schon früh zur Abgeklärtheit und Mäßigkeit geführt hätte. Es gab vor wenigen Generationen gewiß weit weniger hochbetagte Menschen als jetzt, und man brauchte eine starke Vitalität und gute Gesundheit, um alt zu werden. Damit waren aber die schönen Charaktereigenschaften noch nicht gesichert, welche nur den Idealen und dem entsprechenden Verhalten der Menschen zueinander entwachsen können.

Welchen Sinn kann das hohe Ziel gehabt haben?

1. Die Gesellschaft mußte die Erfahrung und persönliche Ausgeglichenheit der Greise nutzen und spornte sie darum zum Erreichen einer vorbildlichen Rolle an.

2. Der alte Mensch konnte sich selbst ermuntert fühlen, der herausgehobenen Stellung zuzustreben und einen verheißungsvollen Weg zu gehen, der die physischen Nachteile des Lebensabschnittes ausglich.

3. Man schützte den Alten vor der sozialen Entwertung oder Ausstoßung.

Neben diesen rationalen Gründen dürfen die irrationalen nicht unterschätzt werden, hauptsächlich die archetypische Bedeutung der geistigen Überlegenheit des hohen Alters. Diese wird jedoch nur unter günstigen gesellschaftlichen Bedingungen sichtbar. Sonst fällt sie egoistischen Tendenzen zum Opfer. Wenn z. B. noch in unserem Jahrhundert der junge Hofbauer in Niederdeutschland das Regiment im Hof übernahm, mußte sich der Alte auf eine unselbständige, abhängige und einflußlose Position zurückziehen. Nicht selten nahm er sich dann bald das Leben, was die Zurückbleibenden natürlich fanden. Der schroffe Generationswechsel, vielleicht ein Rest alter germanischer Sitte, verschlechtert den Rang und läßt das Leben nicht mehr lebenswert erscheinen. Im sog. Senioriat in Japan finden wir das Gegenstück. Hier wird z. B. ein Betrieb nicht vom Leistungsfähigsten, sondern vom Ältesten geleitet. Erstaunlicherweise ist dieser Führungsstil noch in heutiger Zeit möglich, und zwar dadurch, daß die jüngeren Mitglieder einer Unternehmung etwaige Schwächen möglichst unauffällig ausgleichen. Auch in Europa gab es ähnliches bis zum letzten Krieg, besonders ausgeprägt im Patriarchat mancher Südslawen. Der Älteste der Familie, z. B. der Großvater, hatte das Entscheidungsrecht oder, wenn die Eltern nicht mehr lebten, der älteste Bruder. Unsere Beispiele zeigen extreme Rollen: Der alte Mensch ist entweder entmächtigt oder bestimmt alles Wesentliche. Das von Sikorskij entworfene Ideal, das einer wohltemperierten europäisch-christlichen Tradition entstammt, meint aber nicht die Macht, die der Greis hat oder verliert, sondern die menschliche Mittlerstellung einer geformten Persönlichkeit.

Es fragt sich, ob diese heute wiedergewonnen werden kann, wo sie bereits verlorengegangen ist. Gewiß, ein erfahrenes Ideal wird immer nur von wenigen verwirklicht, aber als Leitbild kann es doch viel helfen. Dem steht entgegen, daß äußere Lebensumstände den Alten aus der Mitte von Familie und Gesellschaft gerückt und daß die jeweils herrschenden Gesellschaftsgruppen ihn beruflich stillgelegt haben, weil er zu Wirtschaft und Kriegführung nicht mehr genug beiträgt. Eine relative Ausnahme bildet der gealterte selbständige Unternehmer und der entpflichtete Universitätsprofessor, die sich beide von vielem entlasten können, um sich desto mehr auf die wesentlichen Schwerpunkte ihrer Arbeit zu konzentrieren. Nur das fachliche Vermögen setzt der Tätigkeit die Grenze. Solche Erfahrungen zeigen, wie falsch es wäre, das ganze Volk abhängig und befristet arbeiten zu lassen und lediglich in Angestellte und Rentner einzuteilen, was heute schon für die große Mehrheit gilt.

Es gibt aber noch andere Gefahren des Alters. Viele Menschen werden einsam und hilfslos, weil sie sich im Laufe ihres Lebens durch ungesundes Verhalten sinnlos ruiniert haben, bis sie alt werden. Diesen und auch solchen, die in platter Modernität seelisch hohl geblieben sind, kann man keinen Respekt zollen. Aber selbst wenn es durch hygienische Maßnahmen gelänge, die gute Vitalität erheblich länger zu erhalten, so wäre das menschliche Problem noch nicht gelöst. Man kann heute die Ehrfurcht vor dem Alter nicht durch äußere Ordnungen erzwingen. Sie braucht einen Anlaß, eine Quelle. Der alte Mensch wird nur dann gefragt und geehrt, wenn er durch sich selbst etwas darstellt. Um dahin zu gelangen, bedarf es einer bewußten Lebensführung, einer Arbeit an sich selbst, und zwar schon spätestens seit dem beruflichen Höhepunkt des Lebens. Nicht, daß jeder Alte ein bedeutender Philosoph oder Philanthrop sein müßte. Aber jeder kann die Relativität der materiellen Güter erkennen, sich darum bemühen, den anderen in Güte zu begegnen und irgendeinen kulturellen Wert zu pflegen. Sonst verbürgerlichen wir uns körperlich und verproletarisieren uns seelisch. Wer sich aber lebenslänglich nur um Essen, Gelderwerb und Zeitvertreib gekümmert hat, kann im Alter nicht Vertrauenswürdigkeit ausstrahlen. Hier geht es um mehr als therapeutische Psychologie, die ja nie weiter als bis zu „Beschäftigung“ vordringt. Die metaphysischen Daseinsperspektiven, welche jeder finden kann und viele verfehlen, fordern ihre Anerkennung.

Von der Gesellschaft her gesehen, müssen am Ideal des alten Menschen jedoch alle Altersstufen mitarbeiten und es pflegen. Das sollte auch der Arzt tun, der berät und behandelt. Vielleicht wird der Greis dann auch wieder Rollen übernehmen können, die ihm inzwischen entglitten sind.

Es hat sich ergeben, daß die Einschätzung des alten Menschen und seine Stellung in der Gemeinschaft weniger von den Veränderungen der modernen Arbeits- und Wohnweise als von der Idealbildung abhängt, deren die *ganze* Gesellschaft fähig ist. Das meinte wohl nicht nur Sikorskij an der Schwelle unseres Jahrhunderts, sondern auch der bulgarische Psychiater Dimu Kotsovskij, als er schrieb: Es „kann die Einstellung eines ... sozialen Systems zu seinen gealterten Mitbürgern sehr gut als Maßstab für den Kulturgrad ... dienen“.

„DAS SYMBOL GIBT ZU DENKEN“

Beiträge zur Psychologie und Theologie des religiösen Symbols

Von JOACHIM SCHARFENBERG (Kiel)

Wir leben in einem religiösen Zeitalter. Dieser Satz wäre noch vor wenigen Jahren auf vehementen Widerspruch gestoßen, und als Balthasar Staehelin ihn vor kurzem sogar im Superlativ formulierte, erregte er weithin verständnisloses Kopfschütteln.[1] Über einen langen Zeitraum hinweg schien die Säkularisierungsthese, von Dietrich Bonhoeffer auf die zugespitzte Formel gebracht: „Die Menschen können einfach so wie sie nun einmal sind, heute nicht mehr religiös sein“ [2] das größte Recht an Plausibilität für sich beanspruchen zu können. Die klassische Religionskritik lebte emphatisch auf und fand ihre soziologische und psychologische Vertiefung, so daß die Akten über den Fall „Religion“ schon als geschlossen angesehen werden konnten. Selbst in der Theologie wurden die „religiösen Unternehmungen“ des Menschen als der eigentliche Sündenfall bezeichnet, die Religion wurde mehr und mehr aus dem Bereich des theologisch zu Verantwortenden ausgegliedert, und man versuchte, sich des religiösen Phänomens wie eines illegitimen Kindes irgendwie zu entledigen. Doch das von der Theologie ausgestoßene Waisenkind fand anderswo geradezu begierige Aufnahme: Das spontane Entstehen von religiösen Massenbewegungen, die Besetzungen von Ideologien mit so etwas wie „religiöser Inbrunst“, das Interesse anderer Wissenschaftszweige für die Quellen des religiösen Glaubens (das ich vor einigen Jahren an Lévi-Strauss mit dem inzwischen vielfach aufgenommenen Ausdruck „wilde Exegese“ bezeichnet habe) [3] — dies alles scheint geradezu zum Signum unseres Zeitalters geworden zu sein. Und so scheint denn — vorsichtig und zaghaft, aber immerhin — die Religion wieder ein Thema der Theologie zu werden, denn, so stellt Dietrich Rössler sehr mit Recht fest: „Religion ist überall.“ [4] Abgesehen davon, daß „Freiheit und Abhängigkeit erst gemeinsam die gültige religiöse Interpretation menschlicher Grundbefindlichkeit“ sei [5], ist allerdings vorerst über sie nur zu erfahren, daß der Sinn von Religion nicht eindeutig zu bestimmen sei. „Er wird es auch dann nicht, wenn man die verschiedenen Auslegungen addiert: Religion bleibt mehrdeutig“.[6]

Vor allem aber ist es die Wiederentdeckung des Symbols, die undenkbar wäre ohne die Mitwirkung der religiösen Kräfte; der gesellschaftliche Aspekt des Symbolverständnisses findet seine Spitze im Begriff des „verallgemeinerten Anderen“, als dem Nachfolger des traditionellen Gottesbegriffes;[7] die Symbole der Massenmedien übernehmen weithin die Funktion, die ehemals religiöse Symbole innehatten; und auch ein psychologisches Symbolverständnis von einiger Tiefe stößt in Dimensionen vor, in denen eine Auseinandersetzung mit religiösen Symbolsystemen als unausweichlich erscheint.

Vielleicht, daß ein Eindringen in den religiösen Bereich am Leitfaden des Symbolbegriffes auch ein wenig mehr Klarheit über das religiöse Phänomen selbst zu verschaffen vermöchte?

Den wesentlichen Beitrag zur Klärung des religiösen Symbols hat zweifellos Paul Tillich geleistet; er sei deshalb als Ausgangspunkt unserer Überlegungen gewählt. Tillich hat zunächst zur terminologischen Klärung beigetragen, indem er grundsätzlich zwischen diskursiver und repräsentativer Symbolik unterscheidet. Symbole der ersteren Art sind bloße Zeichen, die wie in der Mathematik und in der Logik auf Übereinkunft beruhen und förmliche Denkzwänge ausüben, weil sie auf absolute Eindeutigkeit in der Beziehung zwischen dem Zeichen und dem Bezeichneten ausgerichtet sein müssen.[8] Das repräsentative Symbol hingegen vertritt etwas, was es selbst nicht ist „und an dessen Mächtigkeit und Bedeutung es teil hat“.[9] Ihm kommt sowohl „Uneigentlichkeit“ wie auch „Selbstmächtigkeit“ zu. Seine „Uneigentlichkeit“ besagt, daß es stets über sich selbst hinausweist, daß es keinesfalls „literalistisch“ verstanden werden darf, denn „alles am Symbol ist sinnlos, wenn wir es wortwörtlich auffassen“ [10], denn buchstäblich ist keineswegs mehr, sondern weniger als symbolisch.[11] Tillich scheut sich keineswegs, ein solches Symbolverständnis als Götzendienst zu bezeichnen und hält ein Symbol für um so wahrer „je mehr es der Verabsolutierung und der wirklichen Interpretation widersteht“.[12] Die Selbstmächtigkeit der Symbole besteht nach einer Aussage von Adolf v. Harnack darin, daß sie der Seele das, was sie bedeuten, wirklich bringen. „Ein jedes Symbol steht mit der Sache, die es bedeutet, in einem mysteriösen, aber realen Zusammenhang.“ [13] Diesen „mysteriösen, aber realen Zusammenhang“ sucht Tillich näher zu bestimmen, indem er zeigt, daß das religiöse Symbol aufgrund der Partizipation, die in der menschlichen Entwicklung vor der Objektivierung liegt, zum Hilfsmittel des primären Verstehens und einer Begegnungssituation werden kann, „an der ich selbst und die anderen partizipieren, ohne als Subjekt und Objekt getrennt zu sein“.[14] Es macht dies vor allem ihren religiösen Charakter aus, denn „Gott ist die Identität von Subjekt und Objekt“.[15]

Das Symbol wirkt in zwei Richtungen: „Es öffnet tiefere Schichten der Wirklichkeit und der Seele." [16] Damit stammt das Symbol aus einem Bereich, der mit der Tiefendimension der Wirklichkeit in Verbindung steht. Wenn es wirken soll, bedarf es einer Anschaulichkeit, die ganzheitlich aufgenommen sein will und die Alltagserfahrung anspricht, diese aber gleichzeitig transzendiert, sowie eine allgemeine Anerkanntheit, die solche Verstehensvorgänge garantiert. Da diese beiden letzten Eigenschaften in der Gegenwart nicht mehr vorausgesetzt werden können, müssen Symbole gedeutet werden, das heißt, sie müssen daraufhin befragt werden, welche Beziehung sie zum Letzten, Unbedingten haben, das durch sie symbolisiert wird. „Dann hören sie auf, phantastisch und unverständlich zu sein, sie werden die aufschlußreichsten, echtesten und mächtigsten Schöpfungen des menschlichen Geistes" [17] und enthüllen ihre Macht, Dimensionen der Wirklichkeit und des menschlichen Geistes zu erschließen, die sonst verdeckt sind.[18] Dieses Verfahren nennt Tillich „Deutung mit Hilfe der Existenzanalyse" [19] und stößt dabei auf die Tiefenpsychologie, deren Analyse er zu Ergänzung der existentialistischen für unbedingt nötig hält als Schlüssel zur Deutung, nur daß die Tiefenpsychologie das Land, das sie entdeckt hat, seiner Meinung nach weithin noch nicht betreten habe und eine systematische Darstellung ihres Beitrages zur Hermeneutik zu Tillichs Zeiten noch fehlte.[20]

Sie ist inzwischen von Paul Ricoeur sowohl in seinem großen Werk ›Die Interpretation‹ als auch in einem kürzlich erschienenen Sammelband ›Hermeneutik und Psychoanalyse‹, geleistet worden. Ihm geht es um eine Erkenntnistheorie, die als „Kritik der ‚Modelle', die der Psychoanalytiker notgedrungen konzipieren muß, um mit ihrer Hilfe dem Unbewußten gerecht zu werden" [21], verstanden werden kann. Eine Aufgabe, die Freud selbst bereits einmal ins Auge gefaßt hatte, dann aber wieder aufgegeben hat, wie sich aus dem Briefwechsel mit Jung ersehen läßt. Darüber hinaus steht für Ricoeur „die Möglichkeit einer philosophischen Anthropologie auf dem Spiel, die in der Lage wäre, das Bewußte und das Unbewußte in einer Dialektik zu erfassen".[22] Dabei wird das Bewußtsein als „die Ordnung des Endes", das Unbewußte als „die Ordnung des Ursprungs" [23] konzipiert. Unter der Voraussetzung, daß die Psychoanalyse eine Hermeneutik ist, die es mit Symbolen zu tun hat, ergibt sich eine Doppelaufgabe der Hermeneutik. Die eine Hermeneutik „befaßt sich mit der Wiederkehr der archaischen Symbole"; sie stellt sich die Aufgabe, „einen lückenhaften Text zu interpretieren". Die andere Art der Hermeneutik „richtet ihren Blick auf die Heraufkunft neuer Symbole, auf die aufsteigenden Gestalten, die sich ... zu ihrem letzten Ziel hin bewegen, das selber im Grunde keine Gestalt mehr, sondern nur noch Wissen ist".

Sie will „die neuen Vorstellungen entwickeln, ... die durch das Symbol wachgerufen werden".[24] Als ihren Prototyp sieht Ricoeur Hegels Phänomenologie des Geistes an, aber auch Kant, oder die Theologie Rudolf Bultmanns.

Ricoeur leistet aber nun auch einen wesentlichen Beitrag zum Problem der Anwendung der Psychoanalyse im außertherapeutischen Bereich. Seine These besteht darin, daß die Psychoanalyse von Anfang an und ihrer wahren Intention nach „den engen Rahmen der therapeutischen Beziehung zwischen Analytiker und Patient sprengt und sich zu einer Hermeneutik der Kultur erhebt ... Durch die Psychoanalyse und mit ihr wird die Interpretation ein Moment der Kultur; sie verändert die Welt, indem sie sie interpretiert".[25] Für die Religionspsychologie heißt das aber: die Psychoanalyse wendet nicht nachträglich am Individuum gewonnene Erkenntnisse auf Kulturphänomene wie die Religion an, sondern indem sie eine Metapsychologie schafft, indem sie sowohl individuelle wie kollektive Phänomene unter einem einheitlichen Gesichtspunkt wie etwa dem „ökonomischen" zu sehen vermag (der Balance zwischen Triebverlangen und Triebverzicht) mit ihren möglichen „Entschädigungen", ist „nicht nur die Kohärenz der verschiedenen Freudschen Studien über die Kunst, die Moral und die Religion" garantiert, sondern auch die „Individualpsychologie" mit der „Massenpsychologie" verbunden und sind beide in der „Metapsychologie" verankert.[26] Das Neue an einer solchen „ökonomischen" Betrachtung der Religion als „Illusion" ist nach Ricoeur der funktionale Gesichtspunkt, die Frage „nach dem Gott der Menschen und nach seiner ökonomischen Funktion im Kräftespiel der Triebverzichte, der Ersatzbefriedigungen und der Entschädigungen, mit deren Hilfe der Mensch versucht, sein Leben ertragbar zu gestalten".[27] Die Illusion bildet „jenes Rätsel, mit der uns eine Vorstellung ohne Objekt konfrontiert".[28] Freud versucht nun, an der Illusion nur einen Gesichtspunkt zu untersuchen, sie nämlich als eine Erinnerung, die entstellt wurde, zu interpretieren und somit mit der Formel von der „Wiederkehr des Verdrängten" eine genetische Interpretation neben die ökonomische zu stellen, die die Religion phylogenetisch wie ontogenetisch im Infantilen verankert. Ricoeur schlägt nun vor, die in der „Illusion" sich äußernden Symbole nicht ausschließlich unter regressivem Aspekt zu sehen, sondern (ähnlich wie Freud das bereits mit dem Kunstwerk getan hatte) auch unter einem prospektiven Aspekt: „Das Kunstwerk ... ist dem Künstler selbst schon voraus, es bildet mehr ein prospektives Symbol der persönlichen Synthese und der Zukunft des Menschen als ein regressives Symptom seiner ungelösten Konflikte."[29] Demnach gibt es also „eine progressive Geschichte der Symbolfunktion, der Imagination, die nicht mit der regressiven Geschichte der Illusion als einer bloßen Wiederkehr des Verdrängten zusammenfällt".[30] Der eigentlich theologische Streitpunkt mit Freud ist dann aber nicht mehr die ökonomisch fundierte Illusionstheorie als solche, sondern deren tragische Interpretation durch Freud: „Immer, wenn er das Wesentliche ausdrücken wollte", nahm er „bei der Sprache der tragischen Mythen Zuflucht: Ödipus und Narziß, Eros, Ananke und Thanatos".[31]

Aus diesen grundlegenden Erwägungen heraus ergibt sich noch ein weiterer Aspekt, der die Psychoanalyse für das Verständnis religiöser Symbole empfiehlt: Sie ist „keine Wissenschaft der Verhaltensbeobachtung und darum darf man sie auch nicht zu den Techniken der Anpassung rechnen".[32] Weil der Analytiker nicht „bei beobachtbaren Verhaltensweisen" einsetzt, „sondern beim Unsinnigen, das nach Interpretation verlangt", gehe es in ihr „um den Zugang zur wahren Rede"[33], habe sie mit „der Frage eines Schleiermacher, Dilthey, Max Weber oder Bultmann mehr Gemeinsamkeiten als mit der Problematik des Behaviorismus". Ihre Illusionstheorie der Religion eröffnet somit „eine neue Problematik der Freiheit", die „den Menschen für andere Existenzentwürfe befreit als nur für den der Beherrschung".[34] „Die einzige Macht, die die Analyse dem Menschen zur Verfügung stellen will" ist „eine neue Ausrichtung seines Wunsches . . ., ein neues Vermögen der Liebe."[35] Diese „Umerziehung des Wunsches" betrachtet sie als die erste Voraussetzung für die Erneuerung des Menschen, „sei dies intellektueller, politischer oder sozialer Art".[36]

Auf der Grundlage seines Lieblingssatzes: „Das Symbol gibt zu denken"[37] entfaltet nun Ricoeur eine „allgemeine Theorie des Symbols", die auch für das religiöse Symbol von höchster Bedeutung ist. Sie ist auf das Problem einer gleichzeitigen Anwendung von zwei Hermeneutiken konzentriert: Der Hermeneutik der Psychoanalyse, die die „Wiederkehr des Verdrängten im Sinne einer Ätiologie der Phantasie" zu verstehen sucht, und jener anderen Hermeneutik, die er stärker der reflexiven Philosophie zuordnet, in der es um „die Wiedererinnerung des Heiligen im Sinn einer Ontologie des Symbols"[38] geht.

Die „dialektische Beziehung zwischen dem Unbewußten und dem Bewußten bestimmt die wechselseitige Verschränkung der beiden Hermeneutiken". Mit der Doppelheit eines analytisch-regressiven Prozesses zum Unbewußten hin und eines synthetischen und progressiven in Richtung auf den Geist hin (wobei das Bewußtsein als die Ordnung des Endes, das Unbewußte als die des Ursprungs verstanden wird), oder (anders ausgedrückt) mit „der Archäologie" und der „Eschatologie des Bewußtseins"[39] stehen wir wieder vor der Problematik, die wir zur Einstiegsstelle für unsere Überlegungen wählten.

Einen seiner charakteristischen Sätze wie den „Das hermeneutische Problem würden wir vollständig begreifen, wenn wir die zweifache Abhängigkeit des Selbst vom Unbewußten und vom Heiligen zu fassen bekämen“ [40], entfaltet Ricoeur nun noch an der Problematik des Bösen und der Schuld, deren Symbole er bereits an anderer Stelle analysiert hat, am Thema „Religion, Atheismus, Glaube“, wobei er die These vertritt, die Religion sei eine „archaische Struktur des Lebens, die stets durch den Glauben überwunden werden muß und die auf der Strafangst und dem Schutzbedürfnis beruht“ [41], sowie am Weg vom Phantasiebild zum Symbol, das an der Vatergestalt konkretisiert wird [42] und bis in die Dimension einer „Theologie der Ohnmacht Gottes“ führt [43], in der sich am klarsten zwischen Religion und Glauben differenzieren läßt.

Man wird sich also von Ricoeur sagen lassen müssen, daß es auch bei dem Versuch, mit Hilfe psychoanalytischer Denkmodelle das religiöse Symbol besser zu verstehen, bei zwei Hermeneutiken bleiben muß. Der Begriff des Unbewußten impliziert nach Ricoeurs Meinung grundsätzlich, daß die Wahrheit stets aus den früheren Gestalten hervorgeht, so daß das Unbewußte die „Ordnung des Ursprungs“, das Bewußtsein oder die „Ordnung des Endes“ im Sinne von Telos ist. Das heißt also, die psychoanalytische Interpretation des religiösen Symbols wird sich dieser einschränkenden Differenz stets bewußt bleiben müssen; sie sorgt dafür, daß Theologie oder auch Philosophie sich nicht völlig in Psychoanalyse auflösen können. Die Interpretation enthüllt ja keine reale, nicht einmal eine psychische Sache; „der Wunsch, auf den sie verweist, bildet selbst wieder einen Verweis auf die Reihe seiner ‚Abkömmlinge‘ und eine unbegrenzte Symbolisierung seiner selbst“. Diese endlose Fortbildung des Symbolischen ist für Ricoeur Anlaß dazu, daran festzuhalten, daß zu seiner Erforschung eben auch andere Methoden, wie etwa die theologische, eingesetzt werden müssen.

Somit schreitet die Psychoanalyse selber von einer ersten, bloß reduzierenden Lektüre zu einer zweiten Lektüre der Kulturphänomene hinüber; die Aufgabe dieser zweiten Lektüre bestünde nicht mehr darin, das Verdrängte und das Verdrängende zu entlarven, um das, was hinter den Masken steht, sichtbar zu machen, als vielmehr darin, in die Bewegung des Signifikanten einzutreten, der uns ständig vom abwesenden Signifikat des Wunsches zu den Werken verweist, durch die unsere Phantasie in einer Kulturwelt Gegenwart werden und so in den Rang der ästhetischen Realität gehoben werden.[44]

Wenn ich Ricoeur recht verstehe, liegt darin sogar ein religionskritischer Impuls, durch den die Religion als eine archaische Struktur des Lebens, die auf Strafangst und Schutzbedürfnis beruht, durch den Glauben überwunden werden muß. Deshalb sieht Ricoeur die eigentlich theologische

Aufgabe darin, den Begriff zu destruieren, damit das Wissen zum Scheitern gebracht wird. Nur so kann der rechte Sinn der christlichen Erfahrung wieder hervortreten. Es ist seine Vermutung, daß dieser rechte Sinn nicht mehr im Begriff, sondern im Symbol gefunden wird, im rationalen Symbol, das zu denken gibt.

Ricoeur hat damit Überlegungen aufgenommen und für die theologische Diskussion aufbereitet, die mir der Entwicklung des psychoanalytischen Symbolbegriffes inhärent zu sein scheinen. Sobald die Psychoanalyse erkannte, daß den Triebschicksalen nur durch Sinnschicksale beizukommen ist, hat sie den engen Rahmen einer am kranken Individuum orientierten Behandlungsmethode gesprengt, hat sie den Grund freigelegt für jenen „dunklen Reich-tum an analogen Bedeutungen“ zwischen Traum und Witz, Traum und Mythos, Traum und Kunstwerk, Traum und Religion usw.

All diese „psychischen Produkte“ liegen im Umkreis des Sinnes und gehören zu einer einzigen Frage: wie kommt das Wort zum Wunsch? Wie bringt der Wunsch das Wort zum Scheitern und scheitert selbst am Sprechen?

Es war diese Analogie, die Freud zu seiner Formel von der Religion als kollektiver Zwangsneurose gebracht hat und die ihn zu der illusionären Hoffnung verführt hatte, der Mensch könne mit der Realität auf direktem Wege in Verbindung treten, ohne den Umweg über die Symbole. Wir können diese Gleichung jetzt umdrehen: Der Mensch erkrankt nicht an seinem Umgang mit Symbolen, sondern gerade der Umgang mit Symbolen ist einer der relativ verläßlichen Garanten für seelische Gesundheit. Dagegen ist es der Umgang mit Symbolen selber, der krank werden kann, und zwar im individuellen Schicksal wie im kollektiven. Sinken seine Symbole auf die Ebene der Zeichen ab, dann begibt er sich des spezifischen menschlichen Elementes, das seine Kommunikation auszeichnet. Seine Emotionalität wird nicht mehr gefordert; er lebt in der trostlosen Einöde einer eindeutigen Signalwelt, die als bloßer Impulsgeber zu funktionieren vermag. Wird das Symbol zum Klischee desymbolisiert, bleibt es an den szenischen Auslöser einer individuellen oder kollektiven Biographie gebunden, verliert es seinen Kommunikationswert. Für den einzelnen heißt das, daß sein Symbolsystem aus der öffentlichen Sprache exkommuniziert wird, daß es privatisiert wird und den Betreffenden in eine große Einsamkeit stößt. Für die religiöse Gemeinschaft heißt es, daß die Symbole zwar auch aus der öffentlichen Sprache exkommuniziert werden, daß sie aber „nicht in einem Symptom absolut privatisiert, sondern mit bestimmten dazu geeigneten Teilen eines religiösen Symbolsystems verbunden werden“.[45]

Was nun in unserer Zeit die Beurteilung der „religiösen Lage“ so ungemein erschwert, ist die Tatsache, daß jener Vorgang der Klischeebildung, den Lorenzer für das Individuum so einleuchtend beschrieben hat und der in seiner Übertragung auf religiöse Kleingruppen auch unmittelbar als evident erscheint, sich auch an Inhalten und Materialien abzuspielen scheint, die mit der religiösen Überlieferung direkt nichts zu tun haben, wo aber das Ergebnis beim Betrachter spontan die Assoziation von etwas Religiösem erweckt. Was im Bereich einer Symbolwelt von Kunst sich abspielen sollte, mißrät zum religiösen Klischee. Es ist ein und derselbe Vorgang, der sich sowohl im religiösen Mythos wie im Mythos der Massenmedien abspielen kann.

Im Mythos vereinigt sich auf eine merkwürdige, für heutiges Empfinden und Nachdenken zunächst schwer eingängige Weise Fiktion und Faktum. In der „Göttergeschichte" der Religionsgeschichte stehen „Götter" offenbar für den Pol Fiktion, „Geschichte" offenbar für den Pol Fakten. Die Bildung einer Göttergeschichte, die wir heute als eine „Mischung" zweier heterogener, nicht zusammengehöriger Faktoren empfinden, beruht offensichtlich auf zwei Denkvoraussetzungen: (1) Das, was den Menschen unbedingt angeht, was für ihn belangvoll ist, was vor der Zeit war, was aber auch sein Sollen und damit das Nicht-Manifeste, die Zukunft repräsentiert, ist in einem universalen, allgemeingültigen Gottesbegriff aufgehoben. (2) Die Welt der Götter und die Welt des Menschen sind nicht grundsätzlich voneinander geschieden. Gott wirkt im Leben, in der Geschichte, und das ermöglicht „Erfahrung mit Gott", die in der Gestalt des Mythos weitererzählt wird. Die zweite Denkvoraussetzung „erledigt sich" mit dem Herauskommen eines metaphysischen Zeitalters, das einmütig als die dem Mythos geschichtlich nachfolgende Geisteslage bezeichnet wird. Sie hat zur unabdingbaren Voraussetzung, daß zwischen Heiligem und Profanem geschieden wird und die unausweichliche Konsequenz, daß zwischen Subjekt und Objekt geschieden wird. Vorhandene, manifeste Wirklichkeit als Erscheinung, die der sinnlichen Erfahrung zugänglich ist, und hinter den Dingen liegendes Wesen, das nur durch Spekulation zu erschließen ist, trennen sich voneinander oder nach einem unnachahmlichen Ausdruck von Gustav Theodor Fechner: „Gott" ... wird „von der Welt abdestilliert". „Und nun ist die nicht nur entgötterte, sondern aus Gott mit einer Gabe mechanischer Kräfte entlassene, ja sündhaft von ihm abgefallene Welt als caput mortuum für die Messungen und Experimente der Physiker, für die Lucubrationen der Philosophen und für die Scheltworte der Theologen zurückgeblieben"[46] „Metaphysik ist Mythos auf dem Boden und mit den Mitteln der Wissenschaft ... Dogma ist Mythos auf dem Boden der nachmythischen Geisteslage", sagt Paul Tillich.[47]

Die erste Denkvoraussetzung „erledigt sich" im Zuge jenes Prozesses, der als „Säkularisierung", als zwingende geschichtliche Folge einer metaphysischen Geisteslage angesehen wird. Will man deshalb ein moderner Mensch sein, der von der mythischen über die metaphysische zur säkularisierten Geisteslage fortgeschritten ist, dann kann der Mythos, der das „Unweltliche weltlich" behandelt, auch in religiöser Hinsicht nur als ein „Mißgriff" bezeichnet werden. Der Umgang mit den Symbolen des Mythos und der Überlieferung muß dann deshalb als gestört angesehen werden, weil die geschichtliche Entwicklung derartige Ausdrucks- und Kommunikationsformen überholt und erledigt hat. Die religiösen Symbole können deshalb keine Wirkung mehr entfalten, weil der Mensch sich in seiner Lebenswelt auf fundamentale Weise verändert hat und ihm der Zugang zu solchen Bereichen aufgrund der Veränderungen, die er an seinem Weltbild vorgenommen hat, versperrt ist. Es gilt also, Symbole in Begriffe, Feier in Information, Spiel in Kategorien der Entscheidung zu transformieren.

Wiedersprechen einer solchen „aufgeklärten" Theologie die Phänomene der mit Hartnäckigkeit festgehaltenen Volksfrömmigkeit, die modernen religiösen Massenbewegungen, die Ersatzreligionen, Ideologien und vor allem die Tatsache, daß die Symbole und Mythen der Massenmedien in aller Welt offenbar mit religiöser Inbrunst konsumiert werden?

Gibt es, wie Paul Tillich gemeint hat, eine wirklich unmythische Geisteslage überhaupt nicht? [48]

Wir fragen deshalb nochmals nach ihren psychologischen Voraussetzungen: Bereits Cassierer hatte in seinen Untersuchungen des Symbolbegriffes darauf hingewiesen, daß als die Vorbedingung für alles mythische Denken und alles mythische Gestalten bestimmte psychische Mechanismen anzusehen sind, die er als das „Gebanntsein" oder „Gefangensein" vom Inhalt bezeichnet.[49] Für die Veränderungen, die es am Inhalt selbst vornimmt, hatte er den Ausdruck „Verdichtung" gewählt und hatte sie mit Kant als „verborgene Kunst in den Tiefen der menschlichen Seele" bezeichnet, „deren wahre Handgriffe wir der Natur schwerlich jemals werden abraten und sie unverdeckt vor Augen werden legen können".[50] Nun hat aber Lorenzer (sehr mit Recht!) zeigen können, daß die von Cassierer skizzierten Bilder Zug um Zug „der Freudschen Beschreibung der Vorgänge unter der Einwirkung des Primärvorganges entsprechen".

Entspricht also der „Unvergänglichkeit" des Unbewußten die „Unvergänglichkeit" einer mythischen Geisteslage? Einer solchen Auffassung wird wohl vor allem eine Psychologie sein, die zwar „den Fortschritt" von der mythischen zur metaphysischen Haltung zu bejahen und mitzuvollziehen gesonnen ist, das Fortschreiten von der Metaphysik zur Säkularisation jedoch meint als Irrweg ablehnen zu müssen und lediglich für eine Substituierung des Metaphysischen durch das Unbewußte plädiert. Dies scheint mir jedenfalls bei der Religionspsychologie der Fall zu sein, die sich auf das Lebenswerk C. G. Jungs beruft. Meinte doch C. G. Jung, über das Symbol metaphysische oder anthropologische Aussagen machen zu können. Nach seiner Meinung weist das Symbol — wie bei Tillich — nicht von sich weg auf eine andere Wirklichkeit hin, sondern „es birgt sozusagen sein Wesen in sich selbst".[51] Religion und Psyche sind hier also in einer zeitlosen Ontologie zusammengeschlossen, denn die Tiefenpsychologie beschreibt den Aufbau der Psyche räumlich und spricht „sozusagen systematisch zeitlos von den archetypischen Strukturen der Seelentiefe"[52].

Alle tiefenpsychologischen Erkenntnisse, die Freudschen wie die Jungschen, sollten meines Erachtens besser auf der Ebene von Denkmodellen gesehen werden, deren Fruchtbarkeit in einer „synoptischen Zusammenarbeit" gerade problematisiert, überprüft und diskutiert werden sollten. Vielleicht, daß sich dann herausstellt, daß die Jungschen Denkmodelle, die jedenfalls in seinem Alterswerk an einer „bis dahin allgemein als abstrus angesehenen Außenseiterlinie der Religionsgeschichte" gewonnen wurden, nämlich der Alchimie, „deren Wesen ja darin liegt, daß sie die physikalischen Elemente religiös interpretiert",[53] zu einer Remythologisierung des Bewußtseins führen könnten. Ob sich allzu viele theologische Gesprächspartner jedoch für ein solches Unternehmen gewinnen lassen, scheint mir fraglich! Man wird schwerlich hinter dialektische Theologie und existentiale Interpretation einfach zurückgehen können, als habe es diese „Irrwege" nie gegeben. Schließlich haben sie ja doch eine umfangreiche und nicht zu übersehende Wirkungsgeschichte entfaltet! Wer sich also der Gleichsetzung von Religiösem und Psychischem nicht anzuschließen vermag, für den stellt sich die Sachlage komplizierter dar; er muß zur Deutung von Mythen und zur Deutung von religiösen Symbolen kommen. Das heißt aber, man muß zu einer differenzierten und sorgfältigen Untersuchung darüber kommen, unter welchen Bedingungen Symbole zu wirken vermögen, wie es zum Verstehen kommen kann, an welche Faktoren die Verstehensvorgänge gebunden sind, welche Störfaktoren auftreten können und welche Fehlformen des Verstehens zu berücksichtigen sind. Weder scheint es zulässig, die Verstehensvorgänge an die immer und zu allen Zeiten und überall gleiche Menschennatur zu binden, wie dies noch Wilhelm Dilthey versucht hat[54], noch scheint es mir möglich, in monokausaler Manier die weltbildhaften Veränderungen als die einzige Ursache einer Störung der Verstehensvorgänge anzusehen, wobei es auch noch schwer vorstellbar ist, daß die psychologischen Voraussetzungen und die Niederschläge alter Weltbilder völlig und auf Nimmerwiedersehen aus dem individuellen und dem kollektiven Bewußtsein verschwinden sollten. Schließlich muß es auch als eine Einseitigkeit bezeichnet werden, allein die gesellschaftlichen Veränderungen für eine Störung der Verstehensvorgänge verantwortlich zu machen. Die bevorzugten Symbole der Massenmedien, wie etwa der Westernheld, spielen in einem völlig anderen gesellschaftlichen Milieu und vermögen dennoch eine ungeahnte Wirksamkeit zu entfalten. Erst in der Zusammenschau aller drei Bereiche scheint sich mir eine vorläufige Problemskizze des Verstehens und Deutens von Symbolen zu ergeben, die sich etwa so zusammenfassen läßt:

1. Wir hatten gesehen, daß das Vorhandensein eines universalen, allgemeingültigen Gottesbegriffes als eine der Grundvoraussetzungen für das Verstehen und Deuten der Symbole der religiösen Überlieferung angesehen werden muß. Wo es aus dem Bewußtsein verschwindet, taucht sofort das Problem des Verstehens von Symbolen und einer allgemeinen Verständigungsmöglichkeit der Menschen untereinander auf. Es wird im symbolischen Interaktionismus als die Notwendigkeit des Vorhandenseins eines „verallgemeinerten Anderen" artikuliert. Das heißt: das Verstehen von Symbolen kann nur gelingen, wenn es ein universales, allgemeingültiges Menschenbild gibt, das als hermeneutischer Schlüssel für den Austausch von Symbolen zu dienen vermöchte und dessen Garant über Jahrhunderte hinweg die Gottesvorstellung war, die immer zugleich eminente anthropologische Bedeutung hat(te). Es ist keine neue Erkenntnis Bultmanns gewesen, daß man nur dann sinnvoll von Gott reden kann, wenn man zugleich vom Menschen spricht. Nun wird aber niemand behaupten wollen, daß die Forderung nach einem „verallgemeinerten Anderen" in unserer Zeit bereits als eine vorhandene Realität zu bezeichnen wäre! Was der Mensch sei und wie er sein solle, das ist ja gerade aufs höchste strittig. Und wenn es ein solches Konzept gäbe, welche Institution hätte die Möglichkeit und die Macht, einem solchen Menschenbild universale Gültigkeit zu verschaffen? Was wir allerdings antreffen, ist die verzweifelte Suche nach einer weltweiten, universalen Identität. Im Zuge dieser Suche vermögen auch die Symbole der religiösen Überlieferung eine neue Wirksamkeit zu entfalten. Wenn ich mich mit Jesus identifizieren kann, wenn sich eine Gruppe als „Jesus-Leute" verstehen kann, dann vermag das Jesus-Symbol unter einer jungen Generation plötzlich auf neue und überraschende Weise seine Deutung und sein Verstehen zu finden. Vielleicht ist sogar die Hochkonjunktur von Jesus-Büchern theologischer und nichttheologischer Autoren auf dem Hintergrund einer verzweifelten Identitätssuche unserer Zeit zu sehen und besser zu verstehen?

2. Die Veränderungen im Weltbild sind nicht einfach Schöpfungen

eines im luftleeren Raum schwebenden Welt- oder Zeitgeistes. Sie müssen im Zusammenhang mit ihren psychologischen Äquivalenten gesehen werden. Der spekulative Gedanke von einer Parallelität von Ontogenese und Phylogenese, der seit Vico nicht zur Ruhe gekommen ist, hat in der Gegenwart eine ganze Fülle von empirischen Verifikationen gefunden. Sie machen es sehr wahrscheinlich, daß die psychischen Voraussetzungen einer magisch-mythischen Geisteslage in einer bestimmten Phase heutiger kindlicher Entwicklung anzutreffen sind, daß der Umgang mit ihnen zwar durch Erziehungsmaßnahmen abtrainiert wird, daß sie aber prinzipiell im Unbewußten abrufbar vorhanden sind, daß das Individuum unter bestimmten Bedingungen auf sie regredieren kann und sich in bestimmten Situationen seiner charakteristischen Symbole zu bedienen vermag. Auch der metaphysischen Geisteslage mit ihrer Trennung von Subjekt und Objekt entspricht eine besonders akzentuierte Entwicklungsstufe in der kindlichen Entwicklung, in der es um die Strukturierung der Beziehungsaufnahme und die Probleme der „Objektbesetzung" geht. Auch diese Phase hinterläßt „unvergängliche" Spuren in der menschlichen Psyche, und das Unbewußte vermag sich ihrer zu bedienen. Wie in der kindlichen Entwicklung, jedenfalls in unserer durch die Organisation der Kleinfamilie geprägten Gesellschaftsordnung, eine bestimmte Phase dem Autoritätskonflikt und dem Problem der Sozialisation durch die Verinnerlichung von Werten und Normen gewidmet ist, so läßt sich auch im Symbolangebot der organisierten Religion unmittelbar vor Beginn der Neuzeit eine solche Schwerpunktverlagerung auf die Autoritätsproblematik beobachten. Sowohl im innerpsychischen Bereich als Konzentration auf die Gewissensproblematik, wie im äußeren Bereich als die Zuordnung der verschiedenen Autoritäten im kirchlich-gesellschaftlichen Bereich, wie Rössler sie in ihren charakteristischen Grundtypen glänzend beschrieben hat.[55]

Für unsere Zeit dürfte nun das Problem der Identitätsfindung im Vordergrund stehen, und die Bücher von Erikson sind wohl nicht ohne Grund solch ein beispielloser Erfolg geworden. Im Bereich der Massenmedien scheinen die wirksamsten Symbole die zu sein, die einen (wie hilflosen) Beitrag auch immer zur Identitätsfindung zu liefern vermögen.

3. Die Einsicht, daß das religiöse Symbol untrennbar mit einem irgendwie gearteten „Gemeinbewußtsein" verknüpft ist, hat bereits D. F. Strauß zum grundlegenden Kriterium seines Mythosbegriffes gemacht.[56] Zweifellos stellen Mythos und religiöses Symbol den Ausdruck von Erfahrungen dar, die eine bestimmte Gruppe von Menschen mit ihrem Gott macht(e). In dem Maße, in dem sich Volks- und Glaubensgemeinschaften in die Gesellschaft auflösen und diese dem von Max Weber

so unvergleichlich beschworenen Schreckgespenst der allgemeinen Bürokratisierung verfallen, scheint sich das Problem des Verstehens von Symbolen immer stärker in spontan entstehenden, traditionell nicht vorgegebenen Kleingruppen zu aktualisieren. Wo man sich als eine kognitive Minderheit versteht, als eine „Exodusgemeinde", die irgendeine bestimmte gemeinsame Erfahrung aus der allgemeinen bürokratischen Gesellschaft aussondert, da beginnen auch die Symbole und Rituale der Überlieferung neu zu wirken, da können Katholiken und Protestanten gemeinsame Mahlfeiern halten, die offenbar für die Beteiligten von höchster Bedeutung sind, da konstituiert sich so etwas wie eine „Dritte Konfession", da wird das alte vieldiskutierte Problem von Gesellschaft und Gemeinschaft unter dem Aspekt der „Symbolgemeinschaft" neu virulent.

Anmerkungen

[1] „Wir stehen am Anfang einer der religiösesten Epoche" (Balthasar Staehelin, Auf der Suche nach einem neuen Menschenbild, in: Wege zum Menschen 24 (1972), S. 138.

[2] Dietrich Bonhoeffer, Widerstand und Ergebung. 12. Aufl. München 1961, S. 178.

[3] Joachim Scharfenberg, Religion zwischen Wahn und Wirklichkeit. Hamburg 1972, S. 282 ff.; Herbert Donner, Wilde Exegese, in: Wege zum Menschen 23 (1971), S. 417 ff.

[4] Dietrich Rössler, Die Vernunft der Religion. München 1976, S. 7.

[5] A. a. O., S. 67.

[6] A. a. O., S. 121.

[7] So Charles W. Morris in der Einleitung zu: George H. Mead, Geist, Identität und Gesellschaft. Frankfurt a. M. 1968, S. 33.

[8] Paul Tillich, Gesammelte Werke, Bd. V, S. 237.

[9] A. a. O., S. 215.

[10] A. a. O., S. 219.

[11] A. a. O., S. 220.

[12] A. a. O., S. 243.

[13] A. v. Harnack, Die Mission und Ausbreitung des Christentums in den ersten drei Jahrhunderten. Leipzig 1902, S. 169.

[14] Tillich, Gesammelte Werke, Bd. IV, S. 112.

[15] Tillich, Gesammelte Werke, Bd. V, S. 124.

[16] A. a. O., S. 216.

[17] A. a. O., S. 217.

[18] A. a. O., S. 238.

[19] A. a. O., S. 232.

[20] A. a. O., S. 233.

[21] Paul Ricoeur, Hermeneutik und Psychoanalyse. München 1974, S. 10.

[22] A. a. O., S. 11.

[23] A. a. O., S. 27.

[24] A. a. O., S. 31.

[25] A. a. O., S. 26.

[26] A. a. O., S. 41.

[27] A. a. O., S. 47.

[28] A. a. O., S. 48.

[29] A. a. O., S. 59.

[30] A. a. O., S. 67.

[31] A. a. O., S. 81.

[32] A. a. O., S. 113.

[33] A. a. O., S. 114 f.

[34] A. a. O., S. 120.

[35] A. a. O., S. 122.

[36] A. a. O., S. 123.

[37] A. a. O., S. 163.

[38] A. a. O., S. 204.

[39] A. a. O., S. 213.

[40] A. a. O., S. 215.

[41] A. a. O., S. 285.

[42] A. a. O., S. 315 ff.

[43] A. a. O., S. 349.

[44] A. a. O., S. 139.

[45] Heinz Müller-Pozzi, Psychologie des Glaubens. München 1975, S. 160.

[46] G. T. Fechner, Die Tagesansicht gegenüber der Nachtansicht. Leipzig 1879, S. 11.

[47] Tillich, Gesammelte Werke, Bd. V, S. 191.

[48] A. a. O., S. 195.

[49] Ernst Cassirer, Wesen und Wirkung des Symbolbegriffs. Neudruck. Darmstadt 1965, S. 103.

[50] A. a. O., S. 47.

[51] C. G. Jung, Gesammelte Werke, Bd. VI, S. 515 f.

[52] Ulrich Mann, Einführung in die Religionspsychologie. Darmstadt 1973, S. 97.

[53] A. a. O., S. 84.

[54] W. Dilthey, Gesammelte Werke, Bd. V, S. 329 ff., und Bd. VI, S. 237.

[55] Dietrich Rössler, a. a. O., S. 79—109.

[56] D. F. Strauß, Das Leben Jesu. Erster Theil. 9.—11. Aufl. Bonn 1895, S. 195—202.

PROLEGOMENA ZU EINER VON NATURWISSENSCHAFT UND FORSCHUNG ERWARTETEN CHRISTLICHEN THEOLOGIE

Von Hans Gödan (Lemgo)

Die berühmtesten Prolegomena der Neuzeit erschienen 1783. Ihr Verfasser I. Kant schrieb sie, um sein zwei Jahre zuvor erschienenes großes Werk ›Kritik der reinen Vernunft‹ verständlicher zu machen. Sie waren also eine Einleitung mit Verspätung. Ich befinde mich in einer schwierigeren Lage als Kant. Meine bisherigen Bücher, von denen zwei auf Anregung von Adolf Köberle entstanden, sind im In- und Ausland sehr wohl verstanden worden. Die hier folgenden Prolegomena sind eine gekürzte, aber notwendige Ouvertüre, der das eigentliche Opus folgen wird.

Wir haben das Seelische überbetont, das Geistige und Körperliche oft vernachlässigt, oder wir sind umgekehrt verfahren. Dies aber widerspricht der Kybernetik, insbesondere dem Bild und dem Vorgang der Rückkoppelung (feedback).[1]

1. Daß das Seelische so aufdringlich in den Vordergrund treten konnte, beruhte auf einer allzu freudigen Lernbereitschaft der Theologie. Die interfakultative Mission der Theologie wurde dabei übersehen, obwohl in den zurückliegenden Jahrzehnten die Theologie nach wie vor als die erste der Fakultäten galt. Auch heute wird diese Ordnung noch weitgehend anerkannt. Es sollte uns zu denken geben, daß ein bekannter Philosoph der Gegenwart den Mut hatte, zu einer Zeit, in der er noch keinen eigenen Lehrstuhl besaß, zu erklären, welche Möglichkeiten die evangelische Theologie sich im Laufe der neuesten Zeit hat entgehen lassen. Sonst müßten alle Studierenden, die eine Beamtenstellung an einem Gymnasium erstrebten, im Verlauf ihres Studiums nicht das Philosophicum-Examen ablegen, sondern ein Theologicum. Durch die Vorbereitung und Durchführung *dieser* Prüfung wäre keineswegs die Freiheit der Wissenschaft angetastet worden. Durch eine gesunde christliche Theologie wäre der Forschung ein größerer Elan und ein immer weiterer Horizont geschenkt worden. Es ist die *Lehr*bereitschaft der christlichen Theologie, an die hier erinnert wird. Man könnte geneigt sein, an jene Situation des Apostels Paulus zu denken, dem während seiner Missions-Reisen in Kleinasien im Traum die Gestalt eines europäischen Menschen erscheint, der ihn bittet: „Komm herüber

und hilf uns!" Die Theologie hat den entsprechenden Ruf seitens der anderen Wissenschaften, insbesondere der Naturwissenschaften einschließlich der Medizin, weithin überhört. Dabei sind hier die Grenzen viel leichter zu überwinden als jene, vor die Paulus gestellt wurde.[2]

Und doch gibt es eine Analogie zu dem an Paulus ergangenen Ruf und seiner Missionierung des Erdkreises. Es erfüllte sich an ihm das Wort des Deuterojesaja (40, 30 f.): „Mögen Jünglinge müde und matt werden und junge Männer strauchelnd zusammenbrechen: die auf den Herrn harren, gewinnen neue Kraft ... daß sie laufen und nicht müde werden, daß sie wandern und nicht ermatten." Und wer muß bei Paulus und seinen Mitarbeitern nicht an „die Füße der Freudenboten" denken (Jes. 52, 7)? Gewiß ist hier an das erlöste Leben des Individuums gedacht. Aber:

2. Neben die Seelsorge tritt die Sachsorge, nämlich die Mission, die die Theologie innerhalb des gesamten wissenschaftlichen Bereiches hat, in dem sich in diesem Jahrhundert die Naturwissenschaften immer mehr in den Vordergrund schoben. Erheblich sind die Risse, die sich hier durch das Gebäude der abendländischen Wissenschaft hindurchziehen. Wir entgehen ihnen nicht, indem sich Wissenschaftler immer mehr spezialisieren. Die Bahnbrecher entfernten sich immer mehr von der intakten geistigen Versorgungsbasis. Und sie verloren so auch zunehmend den Kontakt zu den Forschern, deren Bahnen in andere Richtung weisen. Es wird seit zwei Jahrzehnten immer mehr versucht, eine Ideologie einzusetzen, um jene Risse im Gebäude der Wissenschaft zu beseitigen. Mauert man aber jene Risse mit Ideologie aus oder wählt man gar eine Ideologie, die man nur hineinzugießen braucht, wird der Schaden nur schlimmer. Wissenschaft und Ideologie gehorchen verschiedenen Gesetzen; sie sind inhomogen. So entstehen durch diese Bemühungen nur neue Bruchstellen, bis das Gebäude zusammenstürzt.

Wir können die Risse im Bau der Wissenschaft nur schließen, wenn wir uns darauf besinnen, daß es sich hier um etwas Lebendiges handelt, daß das Fundament die Heilkräfte birgt und daß von da aus die Sprünge wieder zusammenwachsen müssen. Jeder Heilungsprozeß hat seine immanenten Gesetze. Der, um den es sich hier handelt, kann erst dann beginnen, wenn Menschen sich bereit finden, in die Bresche zu springen. Ich denke hier an ein Wort aus dem Propheten Ezechiel (22, 30), das uns realistisch schildert, wie Gott nach einem Mann sucht, „der für das Land in den Riß treten möchte".

Eine Wissenschaft, die nur Bahnbrecher besitzt, treibt auseinander. Wir brauchen den wissenschaftlichen Menschen, der im Namen Gottes in die Bresche tritt. Dies wirkt dann, um medizinisch zu reden, fördernd bei der Schließung jener Rißwunden der geistigen Substanz und der naturwissenschaftlichen Erkenntnis. Hier brauchen wir Theologen, die nicht nur standhaft, sondern die auch beweglich genug sind, das Grenzgebiet und das Niemandsland zwischen den Wissenschaften abzuschreiten.

Mit anderen Worten heißt das, daß der Blick dann nicht nur immer auf die eigene Seele gerichtet sein darf. Aber ist nicht die christliche Theologie seit Jahrzehnten weithin *recurvata in se*? Wurde sie nicht zu einem Notfall? Und weist nicht ihr Gesichtsfeld empfindliche Lücken auf?

3. Ja, kümmert das denn die anderen Wissenschaften? Hier dürfen wir uns nicht dadurch irremachen lassen, daß die Studierenden der Theologie und der Medizin heute sich mit Soziologie und Psychoanalyse beschäftigen müssen. Unter solch intendierender Beschäftigung läßt das Gehör für die vielen Fragen der einzelnen Naturwissenschaften an die Theologie nach. Außerdem entsteht zwischen der Theologie und den anderen Wissenschaften durch die Intention eine *impotentia coeundi*. Ende der zwanziger Jahre dagegen erfuhren die jungen Theologen von dem anspruchsvollen Werk Bernhard Bavinks ›Ergebnisse und Probleme der Naturwissenschaften‹. Obwohl Bavink im Juni 1947 verstorben war, erschien es noch einmal 1954 in 10. Auflage. Bereits als Primaner haben wir es im BK regelrecht durchgeackert.[3] Die jungen Theologen beschäftigten sich außerdem mit Arthur Titius' ›Natur und Gott‹ ([2]1931); dies Werk hatte immerhin 946 Seiten. Sie damals waren von der Sache selbst begeistert und fragten nicht danach, ob es Prüfungsstoff ist oder nicht. Wurde man bei Horst Stephan geprüft, dann allerdings mußte man auf jenen Gebieten auch Bescheid wissen. In: „Glaubenslehre — Der evangelische Glaube und sein Weltverständnis" wurden Fragen behandelt, deren Antwort im Examen gewußt werden mußte und die später Naturwissenschaftler an die Theologie richteten. Das gleiche gilt für das Hauptwerk Karl Heims. Und das Ansehen, das Karl Girgensohn als Theologe in naturwissenschaftlichen Kreisen erwarb, machte viele junge Menschen nachdenklich. Sie mußten sich zwar auch mit Soziologie beschäftigen und über Psychoanalyse viel wissen — sie konnten sogar in Praktischer Theologie darin geprüft werden —, aber dies geschah dann unverkrampft.

Aber war das etwa nur eine vorübergehende Erscheinung? Sind die Fragen der Wissenschaften, vor allem der Naturwissenschaften und der Medizin, an die Theologie inzwischen verstummt? Es wäre kein Wunder angesichts der vielen „Schulen" in der Theologie und infolge der Überspezialisierung bei den Naturwissenschaften.

4. Es verhält sich gerade umgekehrt. Das Fragen ist eindringlicher geworden, und die Zahl der Fragenden ist zahlreicher. Und wir sollten auch darauf achten, von welcher Stelle solches Fragen kommt und welche Aufgaben der Theologe seitens der Naturwissenschaften gestellt werden.

Der amtierende Präsident der Max-Planck-Gesellschaft, Professor Dr. rer. nat. R. Lüst, ein internationaler Experte für Astrophysik und Weltraumforschung, hat in einer Fernsehsendung darauf aufmerksam gemacht, daß die Naturwissenschaft Gebiete kenne, die sie weder durchschauen noch durchdringen kann. Man solle nicht etwa denken, daß das, was sich vor unserem Forschen im Dunkel hält, bei einem weiteren Fortschritt, und träte er erst nach Jahrtausenden ein, dann klarer würde. Bei jenen für den Naturwissenschaftler dunklen Gebieten handele es sich oft um Aufgaben für die Theologie.

Heute dagegen bemühen sich viele Theologen auf wichtigen Lehrstühlen, immer neue Reformen durchzuführen, ja, Reformen der Reform zu versuchen. Oft verstehen sie sich dann untereinander selbst nicht mehr. Die Kluft zwischen einer solchen verworrenen und verwirrenden Theologie und den Naturwissenschaften wird immer breiter und tiefer. Um falsche Gedankengänge bei dem Gebrauch „christliche Theologie" zu vermeiden, wäre es überlegenswert, von christischer Theologie zu sprechen; denn für den Fortschritt ist es entscheidend, daß sich jede Wissenschaft auf eine Theologie verlassen kann, die intakt und auffindbar ist. Die Theologie wird ja nicht als bloße Hilfswissenschaft angesehen, sondern als tragende Kraft.

5. Aber ist die Feststellung, wie sie R. Lüst getroffen hat, nicht nur *eine*, wenn auch sehr eindrucksvolle Stimme der Gegenwart? Keineswegs! Hier müßte eine Geschichte der Beziehungen zwischen der Theologie und den Wissenschaften folgen. Dies würde den Rahmen dieses Beitrages sprengen. Ich kann nur einige kurze Punkte herausgreifen.

Es wird oft zu wenig beachtet, daß im Neuen Testament Christus nicht nur als Erlöser verkündet wird, sondern daß seine kosmische Stellung in ihrer Bedeutung für den Menschen und sein Tun einbezogen wird. Wir erfahren, daß die christliche Theologie Kräfte besitzt, die sie nicht nur für ihre eigene höchst umfangreiche Arbeit aufbraucht, sondern daß sie zugleich voll und ganz für andere Wissenschaften zur Verfügung steht. Das Speisungswunder gilt auch für die Wissenschaften, ohne daß wir dadurch das historische Geheimnis um die Berichte der Evangelien preisgeben.

6. Auch in den folgenden Jahrhunderten hat eine christliche Theologie sehr wohl erkannt, daß sie Kräfte besitzt, die sie nicht nur für ihre eigene wissenschaftliche Arbeit braucht, sondern die sie für die Probleme anderer Wissenschaften einsetzen muß. Werden diese Kräfte nicht eingesetzt, kommt es zu einer Autoaggressionskrankheit der Theologie.[4]

Wir sollten uns an die Arztbischöfe des 6. und 7. Jahrhunderts in Spanien erinnern, zum Beispiel an den Bischof Paulus von Merida, der erklärt hat; „Dabimus medicos Ecclesiae". Hier schon wird die Theologie ausgebildet, um künftigen Naturwissenschaften Fragen beantworten zu können, die richtig und wahr zugleich sind. Und sie selbst wurde bei dieser Aufgabe reicher an Erkenntnissen. Als eine solche Antwort für künftiges Fragen der Naturwissenschaften einschließlich der Medizin, das an die Theologie gerichtet werden könnte, ist die Aussage des Bischofs Isidor von Sevilla zu werten, wenn er vom Arzt nicht nur das medizinische Wissen verlangt, sondern schlicht und ergreifend alles Wissen, einschließlich der sieben artes liberales. Darin drückte sich keine Überheblichkeit aus, sondern die Medizin wurde zu einer Wissenschaft neben der Theologie erhoben.[5]

Die Kontinuität ist gewahrt geblieben. Einzelne theologische Wegelagerer, die es zu allen Zeiten gab, konnten ihr nichts anhaben.

7. Nennen wir als Beispiele zwei Zeitgenossen Martin Luthers: a) Der 1510 geborene Ambroise Paré gilt mit Recht als der größte der großen „Barbierchirurgen" der Renaissance. Darin dürfen wir Erwin H. Ackerknecht voll zustimmen. Paré hat vieles in der Chirurgie reformiert, und er hat gelehrt, über vieles ärztlicher zu denken. Dabei vergaß er nie die feste christlich-theologische Basis, von der er im Handeln und Denken ausging. So ordnete er zum Beispiel an, einen Soldaten, dem bereits das Grab geschaufelt wurde, besonders umsichtig auf einen Wagen zu betten. Dort versorgte er ihn auch unterwegs intensiv, ja, er kochte sogar für ihn, bis der dem Tode „Geweihte" wieder gesund war. Häufig begegnen wir in den Krankenberichten Parés der Feststellung: „Gott aber heilte ihn." Gegen diesen Arzt prozessierte die Medizinische Fakultät wegen „Befugnisüberschreitung"; denn sein Lehrbuch enthielte auch Medizinisches. — b) Der andere große Arzt, der wie Ambroise Paré die Worte Jesu an die Seinen „Heilet und verkündigt!" über die Jahrhunderte hinweg auch als ein Gebot, das ihm selbst galt, betrachtete, ist Paracelsus. Er hatte als Mediziner auch bischöfliche Lehrer. Trotz aller Fortschritte, die von seinem Heilen und Denken ausgingen, mußte er sich dafür verteidigen, ähnlich wie Paré. Immer wieder mußte er vor seinen Gegnern fliehen, einmal sogar unter Zurücklassung seiner sämtlichen Habe. Aber warum fanden dann nicht wenigstens seine theologischen Argumente innerhalb der Theologie ein offenes Ohr? Der Grund: Weil er als Arzt und Theologe es ablehnte, daß sich die Theologie *nur* mit ihren *eigenen* wissenschaftlichen Problemen befaßt. Er hielt dies gewiß für unbedingt erforderlich, aber er sah — so möchte ich es ausdrücken — in jenem *nur* eine krankhafte Schüchternheit, vielleicht sogar eine gefährliche Ichsucht, weil darin der Auftrag, zu heilen und zu verkündigen, einfach ausgeklammert ist. Die so denken, sind nicht etwa nur die bösen Zeitgenossen

des Paracelsus.[6] Paracelsus lehrte: „Der Arzt soll Gott vertrauen und wissen, daß Gott allen Krankheiten ihre Arznei geschaffen und gegeben hat ... Des Arztes Amt ist nicht anders als die Krankheit zu vertreiben. Alle Arznei ist auf Erden, aber die sind nicht da, die sie schneiden sollen." Wie richtig hat hier Paracelsus vorausgesehen! Wer einen hellen Blick hat, erkennt, wie viele Theologen und wie zahlreiche Ärzte hier eine Entschuldigung haben, wenn sie jene Worte des Paracelsus hören: Sie haben die Sense verschenkt, verschenkt an die Macht, die von Christus und den Aposteln als Feind Gottes genannt und bekämpft wird, nämlich Krankheit und Tod.[7]

8. Der von Paré und Paracelsus und einer Reihe anderer Ärzte und Theologen getragene Kampf für die Gesundheit und gegen den Tod ging nicht etwa an Martin Luther vorüber. Dieser bezog nicht nur Stellung, sondern er griff jene Mächte des Verderbens theologisch und praktisch an. Sein Erfolg ist uns überliefert. Manches wird heute als moderne Entdeckung der Medizin oder der Psychotherapie gepriesen, was wir bei Luther bereits vorfinden. In meinen Büchern und Schriften bin ich darauf näher eingegangen.

Aber konnten künftige Naturwissenschaften von Luthers Theologie etwas erwarten? Und hier denken fast alle an sein Verhältnis zu der Entdeckung des Kopernikus. Wir könnten sagen: Wenn ein Theologe wie Martin Luther zugibt, daß selbst Konzilien sich irren können, wird er nicht zögern zuzugeben, daß auf anderen Gebieten auch er sich irren kann. Aber so leicht hat sich Luther niemals aus einer Verlegenheit, in die ihn Fragende brachten, gestohlen. Die neue Entdeckung des Kopernikus wäre vergessen worden und erst viel später durch einen anderen gemacht worden, wenn Martin Luther in der Frage des Weltbildes des Kopernikus nicht geredet und gehandelt hätte, desgleichen seine Freunde und die lutherischen Universitäten. Schrittmacher ist hier die Universität Wittenberg. Was wäre sie ohne Luther und ohne seinen Freund Melanchthon? Und hier ebnete die Theologie den Weg für die Naturwissenschaften und gab ihnen Mut. Nach einem Erlaß von 1526 mußten die Studierenden auch naturwissenschaftliche Vorlesungen hören, selbst dann, wenn sie nicht im Sinne hatten, eine naturwissenschaftliche Laufbahn zu wählen. Aber Theologie und Philosophie besaßen jene Antworten, die die Naturwissenschaften von sich aus nicht finden konnten. Die Naturwissenschaften wurden trotzdem nicht als abhängig angesehen. So konnte Melanchthon auch erklären, daß es besser sei, bei einem Mediziner Vorlesungen zu hören, als obskure Literatur zu lesen. Mehr noch: Es wurden für Wittenberg zwei Professuren für Mathematik durchgesetzt, unter diesen eine zugleich auch für Astronomie. Die beiden Mathematiker waren Joachim Rhaeticus und

Erasmus Reinhold. Sie „haben eine weltgeschichtliche Sendung erfüllt. Sie haben dem kopernikanischen Weltbild an der Universität Wittenberg und damit an den deutschen Universitäten überhaupt Heimatrecht erworben".[8] Luther, der am historischen Ort zur gleichen historischen Zeit zur Stelle war, ist zweifellos einverstanden gewesen. Wir wissen, daß er mit großem psychologischem Geschick den ängstlicheren Melanchthon nicht im Stich ließ. Hier zeigte sich an einer Wende der Naturwissenschaft die bewußte und für die Zukunft entscheidende Lehrbereitschaft der Theologie. Es wurden Probleme aus dem Wege geräumt, und menschlich sowohl als auch sachlich wurde geholfen.

Exkurs

Um das Verhältnis zwischen Luther und Kopernikus richtig beurteilen zu können, müssen wir nicht nur die Theologie und die Person des Reformators genau kennen, sondern auch die des Kopernikus und der religiösen und politischen Situation in seiner Heimat, im Ermland. Zunächst hilft uns hierzu am besten ein Vergleich: Im Jahre 1526 hatte, wie wir bereits ausführten, die Wittenberger Universität durch einen Erlaß gefordert, daß die Studierenden auch naturwissenschaftliche Studien betreiben. Melanchthon setzte außerdem durch, daß zwei Mathematiker nach Wittenberg berufen wurden, wovon der eine zugleich Astronom war. Die kopernikanische Astronomie fand hier ihren Einzug vorbereitet. Kurz zuvor, im Jahre 1520, erließ König Sigismund in Polen ein „scharfes Manifest gegen die Lutheraner" (Felix Schmeidler: Nicolaus Kopernikus. Stuttgart 1970, S. 104). Kopernikus war nicht nur Forscher, sondern auch katholischer Domherr in einem Land, dessen einer Teil von polnischen Truppen, der andere von Ordensrittern besetzt war. Im Jahr 1525 erschien eine Streitschrift gegen die Lutheraner, die von T. Giese, dem Freund von Kopernikus, verfaßt war. Der Erlaß vom Jahre 1526 an der Wittenberger Universität ist umgekehrt ein Zeichen dafür, daß bei Luther und seinen Anhängern die Sache der Wissenschaft nicht leiden durfte. Daß es den Beteiligten darum ging, in der kopernikanischen Entdeckung weder ein lutherisches noch ein katholisches Vorzeichen zu entdecken, sondern darzutun, daß es sich hier um Gehorsam gegenüber dem Schöpfer handelt, ist sehr geschickt betont worden: Eine kürzere Schrift des Kopernikus wurde von Rhaeticus in Wittenberg herausgegeben, und sie wurde bei Hans Lufft, dem Drucker der Bibelübersetzung Luthers, gedruckt (W. Elert: Morphologie des Luthertums. 1. Band, S. 370). Elert betont mit Recht, daß die einzige abfällige Bemerkung, die Luther über Kopernikus gemacht hat, in der neueren Literatur vollkommen überschätzt worden ist. Das Wort ist bei Tische gesprochen und nicht vom Lehrstuhl aus. Und es ist im Jahre 1539 gesprochen, bevor etwas von Kopernikus gedruckt war. Und es ist schließlich erst durch den ersten Tischredendruck Aurifabers von 1566 bekannt geworden, 20 Jahre nach Luthers Tod! Elert nennt es — und er läßt es gesperrt drucken — eine handgreifliche Geschichtslüge, daß Luthers theologische Autorität die Ausbreitung des neuen Weltbildes gehemmt habe. — Wie positiv Luther sonst die Naturwissenschaften beurteilte, und zwar nicht nur einmal, wird nicht erwähnt. — Es ließen sich viele historische Belege aufzählen, daß die Geschichte anders verlaufen ist, als in der modernen Literatur häufig behauptet wird. Als wesentlich erscheint mir die Tatsache, daß der Tübinger Mathematiker Michael Maestlin, der als Pfarrer begonnen hatte, das System des Kopernikus an J. Kepler weitergab. Und dieser Kepler ist es, der in dem Weltbild des Kopernikus jene physikalischen und mathematischen Gesetze entdeckt, nach denen es sich benutzen und nicht nur anschauen läßt. — Und es war der lutherische Theologe Johann Fabricius, der noch vor Galilei die Sonnenflecken und die Rotation der Sonne entdeckt hat. (Eine Diskussion der von einzelnen Wissenschaftlern verschieden angegebenen Jahreszahlen würde in diesen Rahmen nicht hineinpassen.) — In Sachsen wies der lutherische Pfarrer Samuel Dörffel in Plauen die Parabelbahn der Kometen nach.

E. Hirsch sagt im ersten Band seiner fünfbändigen ›Geschichte der neuern evangelischen Theologie im Zusammenhang mit den allgemeinen Bewegungen des europäischen Denkens‹ (Gütersloh 1949, S. 115): „Die Lehre des Copernicus verdankt ihr erstes Bekanntwerden und ihre erste Ausbreitung ganz allein der Erneuerung der Wissenschaften durch die lutherische Reformation."

9. Wie klar Luther ein gemeinsames Raumgitter zwischen der Theologie und den anderen Wissenschaften, vor allem den Naturwissenschaften sieht, zeigen folgende Äußerungen: a) Als Luther das Evangelium in Gefahr sieht, fordert er besseren Unterricht und bessere Erziehung.[9] Das könnte heute geschrieben sein! — b) Ähnlich einfach und klar schrieb Luther am Sonntag Palmarum, 29. 3. 1523, an Eoban Heß in Erfurt: „... Ego persuasus sum sine litterarum peritia prorsus stare non posse sinceram theologiam, sicut hactenus ruentibus et iacentibus litteris miserrime et cecidit et iacuit." [10] — c) An einer anderen Stelle sagt Luther: „philosophia de naturis et proprietatibus rerum (sophistis ignotissima) utilis est ad sacram theologiam." — Hier besteht Übereinstimmung mit der katholischen Theologie. In den ›Franziskanischen Studien‹ fand ich den Satz von Mitterer: „Wir Theologen müssen vor allem zeitgenössische Naturwissenschaft studieren ...".

Wir erkennen aus diesen Beispielen, wie klar die christliche Theologie sieht, was *immer* modern ist. Wer daher die Theologie den Wechselbädern ideologischer Reformen unterwirft, hindert sie nicht nur, auf ihrem eigenen Gebiet tiefschürfend wissenschaftlich zu arbeiten, sondern er macht sie zu schwach für ihre Aufgabe einer Mission unter den Wissenschaften. Letzten Endes macht er sie krank. Nicht nur für das Individuum gilt die Diagnose „Gestörte Entfaltung als pathogenetisches Prinzip".[11] Diesen Befund können wir auch bei lange Zeit hindurch gesunden Wissenschaften feststellen, auch bei den Naturwissenschaften, nicht zuletzt bei der Medizin.

10. Diese Beobachtung hat uns in die Gegenwart versetzt, und doch begegnen uns hier die gleichen Fragen, die vor ca. 450 Jahren die verantwortlichen Gelehrten und Hochschullehrer bewegten. Der Erlaß der Wittenberger Universität, daß zwischen dem, was wir heute Geisteswissenschaften nennen, und den Naturwissenschaften kein Graben sein darf, sondern auch die Naturwissenschaften studiert werden sollten, war nicht zeitbedingt. Er war eines der ersten Nachkriegsprobleme nach 1945 in den deutschen Universitäten. Es fiel nur den echten Sachkennern auf. Der erste Nachkriegs-Präsident des Deutschen Ärztetages und der Bundesärztekammer, Prof. D. Dr. med. H. Neuffer, hat mutig den Weg gezeigt: Im Jahre 1949 schrieb er in der ›Deutschen Medizinischen Wochenschrift‹, daß der Arzt das ganze Rüstzeug der heutigen Naturerkenntnis besitzen müsse. Das sei aber nicht genug. Er fordert weiter: „Um dem Menschen in seiner Gesamtpersönlichkeit gerecht zu werden, braucht der Arzt ebensosehr eine geisteswissenschaftliche Ausbildung. Das sind die beiden Geleise, auf denen die ärztliche Wissenschaft in Zukunft fahren muß.“ [12] Wenn Naturwissenschaftler und Ärzte diese Zweigeleisigkeit in großer Zahl verwirklichen, dann gerieten viele Theologen in jene Not der Jünger Jesu, als sie die vielen Tausende hungriger Menschen sahen, für die ihre eigene Marschverpflegung tatsächlich nicht ausreichte. Und es ist zu wünschen, daß sie sich von Christus den gleichen Glauben wie die Jünger schenken lassen und einfach beginnen zu helfen. Auch die Wissenschaften erfahren so reichlich von dem, wonach sie hungern. Nicht nur die Psychotherapie suchte und sucht bei der Seelsorge nach Nahrung, sondern es sind die rein naturwissenschaftlichen Disziplinen, die weitreichende theologische Fragen haben.

11. Die Naturwissenschaften einschließlich der Medizin besitzen keine Baracken für Flüchtlinge aus dem Gebiet der Theologie oder aus dem der philosophischen Metaphysik. Sie haben viele Aufgaben für sie, die sie als reine Naturwissenschaften nicht lösen können, obgleich die naturwissenschaftliche Ausbildung für die Lösung erforderlich ist. Das bis dahin erworbene Wissen und Können darf dabei nicht vergessen werden; im Gegenteil, es muß zusätzlich ergänzt werden. Es ist möglich. Wir müssen die Selbstbeschränkung aufgeben, wonach es höchstens um Kenntnis der Psychotherapie in Verbindung mit der Seelsorge geht. Die gesamte Theologie, die gesamte Psychologie und die gesamten Naturwissenschaften einschließlich der Medizin besitzen Probleme innerhalb ihres Grenzbereiches und innerhalb des Niemandslandes, das sich zwischen ihnen ausdehnt. Seelsorge und Psychotherapie sind nur zwei Rollen innerhalb des reichen

Ensembles. Klassisch ist der bereits (oben S. 314) genannte Ausspruch des Präsidenten der Max-Planck-Gesellschaft, Prof. Dr. Reimar Lüst.

Nicht immer wird das Anliegen der Naturwissenschaften an die Theologie so direkt gesagt. Diese Direktheit ist für Theologen meiner Generation eine Wohltat. Wer aber in den Naturwissenschaften und in der Medizin wissenschaftlich und praktisch mitgearbeitet hat, weiß, daß Fragen an die Theologie oft indirekt angeboten werden, ja, daß sie sich manchmal tief im Unbewußten bemerkbar machen und oft falsch gedeutet werden. Jedenfalls sind die Beispiele für wissenschaftlich entscheidende Fragen an die Theologie seitens der Naturwissenschaft und der Medizin so zahlreich, daß ihre Behandlung in Deutung und Antwort den Rahmen dieses Beitrages sprengen würde. Sie gehören schon nicht mehr zu den Prolegomena, sondern zu dem Kern des Problems.

Drücken wir es bildlich aus: Ich habe einige Hauptmotive anklingen lassen. Sie werden vernehmbarer werden müssen, je größer ihr Raum ist.

Halten wir vorerst fest:

a) Wir müssen uns die Erkenntnis schenken lassen, daß die private christliche Frömmigkeit des Naturwissenschaftlers und Arztes zwar unbedingt erstrebt werden muß, daß aber das „privat" ein gefährliches Virus werden kann. Christus ist unser Erlöser. Aber er ist es nicht *nur*. Er ist auch der Herr des Kosmos; und er ist auch der Feind und der Besieger von Tod und Teufel. Und hier liegen noch ungeahnte Schätze im Niemandsland zwischen den Naturwissenschaften und einer christischen Theologie.

b) In New York erschien 1977 ein Buch von Steven Weinberg, das noch im gleichen Jahr ins Deutsche übersetzt und herausgebracht wurde: ›Die ersten drei Minuten. Der Ursprung des Universums‹.[13] Das Vorwort, das Reimar Lüst, Präsident der Max-Planck-Gesellschaft, schrieb, beginnt mit den Worten: „Dieses ist ein aufregendes Buch." Er kommt auf die ersten Kapitel der Bibel zu sprechen und fährt fort: „Aber noch vor zwölf Jahren war es trotz mancher Hinweise von seiten der Beobachtungen eine offene Frage, ob die Naturwissenschaftler von einem wirklichen Beginn in unserem Universum reden dürfen." Daß wir im Jahre 1977, sagt Lüst, mit soviel größerer Sicherheit von der „Realität eines Beginns des Universums wissen und diesen Beginn sogar datieren können, verdanken wir einer Entdeckung aus dem Jahr 1965, der Beobachtung der kosmischen Hintergrundstrahlung im Millimeterwellen-Bereich". Denken wir allein über die Datierung des Schöpfungsbeginns nach! Um datieren zu können, brauchen wir einen Zeitbeginn und einen Zeitenlauf. Aber seit wann gibt es Zeit? In der Festschrift zu Adolf Köberles 60. Geburtstag schrieb ich über „Bultmanns Hermeneutik in ärztlicher und naturwissenschaftlicher Sicht". Während Bultmann den Verlaufscharakter der Zeit ablehnte, wollte die Physik den genauen Beginn wissen. Bei meinem Suchen stieß ich „aus Zufall" auf eine Dogmatik, die vor fast 100 Jahren geschrieben wurde und deren Verfasser Lipsius tradiert: „... in principio illo, quo omne tempus fluere coepit" (1879, S. 289). Er konnte sich dabei auf alte Kirchenlehrer berufen, nach denen die Zeit mit dem Beginn der Schöpfung entstand und ein Geschöpf Gottes ist. Einer der großen theologischen Systematiker unseres Jahrhunderts, Werner Elert, kommt in einem aus dem Nachlaß herausgegebenen Werk zu der abgesicherten Aussage: „... die Zeit ... beginnt ... erst mit der Schöpfung: an der Schöpfungslehre zerbricht sowohl die stoische Vorstellung ewiger Kreisläufe wie die Aristotelische Zeit-Unendlichkeit."[14] Die christische Theologie ist das einzige Pharmakon, das gegen die Fortschrittsphobie hilft. Christus war *vor* der Zeit, er hat uns *in* einem historischem Zeitpunkt erlöst und mit einem Auftrag versehen, nun geht er uns voran, dem Individuum und den Wissenschaften. Wenn wir in seiner Spur bleiben, brauchen wir uns vor keinem Fortschritt zu fürchten.

c) Die Naturwissenschaften einschließlich der Medizin brauchen daher die Theologie als Pfadfinder, nicht als Pfadsperre. Dies schließt aus, daß sie als Weidegebiete angesehen werden, auf denen die Theologie als Pseudobeweis ihrer All-Modernität naturwissenschaftliche Begriffe wiederzukäuen versucht. Das schließt ferner aus, daß naturwissenschaftliche und medizinische Fakten und Forschungen „zweckentfremdet" werden. Als junger Student hörte ich im Auditorium maximum meiner Universität eine Gastvorlesung eines buddhistischen Priesters, der lehrte, der Buddhismus sei die einzige unter allen Religionen, „die der Wissenschaft nicht widerspricht, sondern aus den Wissenschaften Nutzen zieht, da sie die Wahrheit seiner Lehre bezeugen". Das ist gewiß nicht die Meinung aller Buddhisten, sondern eine der aufgetretenen „neuen Tendenzen". Aber dies Argument ist weit verbreitet, auch in der christlichen Theologie. In Wirklichkeit ist das Christentum die einzige Macht, die den Wissenschaften Ziele, Wege und Elan gibt und sie aus sich, dem Christentum, Nutzen ziehen läßt, also ein absolut umgekehrtes Verhältnis erkennen läßt.

d) Die christliche Theologie wird darum nicht sich selbst und auch nicht den Naturwissenschaften einschließlich der Medizin eine wissenschaftliche Askese verordnen und dies gar noch dadurch unterstreichen, daß sie mahnt, sich der Grenzen der Wissenschaft bewußt zu werden. Im Gegenteil! Sie wird wieder eine klare Sprache sprechen müssen, damit der Forscher erkennt, daß Christus nicht nur der Sieger über Tod und Teufel ist, sondern auch der Herr über den Kosmos, und dies alles *realiter* und nicht im übertragenen Sinn. Nur an ein chambre séparée für Gott und die

Seele zu denken, entspricht nicht dem Wesen des Christentums. Gewiß, es gibt keinen Stärkeren, der unserer Seele Halt und Heil schenkt, als Christus. Derselbe Christus vergißt aber darüber nicht unseren Geist und unseren Leib. Leib, Seele und Geist hat er mit einem unvorstellbaren Reichtum an Kräften und Erkenntnismöglichkeiten ausgestattet, die wir noch nicht völlig erforscht haben.[15] Und schließlich ist derselbe Christus der Herr des Universums, dessen Erforschung er uns anvertraut hat. Für diese kosmische Bedeutung Christi bringen viele moderne Theologen ein noch geringeres Verständnis auf als für das trichotomische Menschenbild des Apostels Paulus in 1. Thess. 5, 23. Es ist derselbe Paulus, der mit der kosmischen Bedeutung Christi als fester Gegebenheit — nicht als gläubiger Erfindung — rechnet. Hier dürfen wir uns nicht irremachen lassen durch R. Bultmanns Wort: „Mythologisch ist, was nicht wirklich geschehen sein kann, weil es . . . nach allgemeinen Regeln der Wissenschaft nicht feststellbar ist.“ [16] Der moderne Naturwissenschaftler ist hier bescheidener. Er will nicht entmythologisieren. Er versucht, Mythen zu realisieren. Daher reagiert er nicht allergisch auf sie. Es kann sogar vorkommen, daß er einen der Welt des Mythologischen entlehnten Ausdruck in seine *exakte* Forschung einführt, ohne deren Exaktheit zu verletzen. Was dies bedeutet, habe ich im WS 1966/67 in einer Vorlesung hervorgehoben. Es handelt sich um die Quarkteilchen.[17] Die Bezeichnung „das Quark“ (Plur. „die Quarks“) ist nach Dürr von M. Gell-Mann eingeführt worden und wurde einem Buch von James Joyce entlehnt, da das Quark die merkwürdige Eigenschaft habe, nicht als wirkliches Teilchen auftreten zu müssen, dies aber doch zu können. Unter den Elementarteilchen gibt es — so möchte ich es formulieren — Teilchen, die elementarer sind als andere, nämlich die Quarks. Ihre fundamentale Bedeutung wurde immer mehr erkannt. Steven Weinberg schließt in bezug auf das Universum, daß „sich leicht errechnen“ lasse, „daß es einen Anfang gegeben haben muß“. Es gebe „eine solide mathematische Rechtfertigung (sic! H. G.) für unsere sehr einfache Vorstellung von der ersten Hundertstelsekunde, nach der das Universum aus freien Elementarteilchen bestanden hat“. Die Quarks haben uns hier „der Wahrheit . . . sehr viel näher“ geführt (Weinberg) [18]. Nach einer Mitteilung in ›Universitas‹ [19] steht in Genf seit 1977 der modernste Superbeschleuniger der gesamten Forschung. Vor allem erhoffen sich die Physiker neue Daten über die Quarks. Und die Theologie? Röm. 8, 19 ff. gilt für die ganze Schöpfung.

Anmerkungen

[1] Ausführlich bin ich auf dies Problem eingegangen in meinem Buch: Die Unzuständigkeit der Seele. Stuttgart 1961. Das Überhandnehmen psychischer Betrachtungsweisen in einer Reihe von Wissenschaften schädigte die Seele und behinderte eine saubere Psychotherapie.

[2] Vgl. Hans Gödan: Geistige Konstanten in Naturwissenschaft und Medizin. Darmstadt 1971.

[3] 1946 war ich Bavink noch begegnet. Er fragte mich, ob ich gewillt sei, mit ihm eine Zeitschrift herauszugeben, in der neben sämtlichen Naturwissenschaften auch die Medizin voll vertreten sein sollte, beide Fragen stellend im Blick auf die christliche Theologie. Kennzeichnend ist ein Titel eines kleineren Werkes von Bavink: Die Naturwissenschaft auf dem Wege zur Religion. [6]1947. 1947 wurde damals Bavink noch der Titel eines Honorarprofessors verliehen. Wie hätte es seiner Arbeit genutzt, wenn dies eher geschehen wäre! Das gleiche Schicksal erfuhr der weit über Deutschland hinaus bekannte Erforscher des Lebenswerkes von Engelbert Kämpfer, Karl Meier (Lemgo).

[4] Es ist auffällig, wie vielerlei Syndrome dieser Krankheit wir heute entdecken. — Otto Pöggeler fragt sehr geistreich (Rhein. Merkur Nr. 39/1977): „Geben die Geisteswissenschaften ihren Geist auf?" Der Verfasser hat richtig erkannt, daß sich diese Erscheinung nicht nur auf eine Geisteswissenschaft bezieht, daß sie aber besonders deutlich an der Theologie zu studieren ist. Hier aber ergibt sich die Frage, auf die ich im Interesse aller Wissenschaften zu achten bitte: Die Theologie ist die einzige Wissenschaft, die nicht allein vom Geist des Menschen abhängig ist, also auch nicht von dessen Aufgabe oder Aufgeben. Über den Geist Gottes kann die Theologie nicht verfügen, und dieser Geist kann nicht manipuliert werden und kann nicht erkranken. Darum erkennt Paulus (Röm. 8, 16) einen kybernetischen Vorgang, den er in die Worte faßt: „Gottes Geist bezeugt unserem Geist, daß wir Gottes Kinder sind." Nicht die Selbstfindung steht an erster Stelle, sondern die Tatsache, daß wir gefunden worden sind.

[5] Vergleiche das Capitulare von Diedenhofen (805), in dem Karl der Große dieser Entwicklung Gesetzeskraft verleiht. In den Klosterschulen und auf den Universitäten steht von nun an neben dem magister in theologia der magister in physica. Sie werden „Schöpfer und Former des abendländischen Denkens". (Franz Redeker: Magister in Physica. Stuttgart 1950, S. 8.)

[6] Kurt Goldammer: Das neue Paracelsusbild. Die Entdeckung eines ärztlichen Theologen. In: Hippokrates 24 (1953), Heft 16; zu der auch theologischen Ausbildung des Paracelsus vgl. Sudhoffs Archiv ... Band 37 (1953); Otto Zekert: Paracelsus. Stuttgart 1968.

[7] Näheres hierzu bei Hans Gödan: Christus und Hippokrates. Gemeinsame Zentralprobleme in Medizin und Theologie. Stuttgart 1958. Mit Geleitworten von Adolf Köberle und (dem Kliniker) Hans Julius Wolf; ders.: Der Mensch ohne Krankheit. Christlicher Auftrag und medizinischer Fortschritt. Hamburg 1964; ders.: Heilung des Todes. Vom Apostelpdienst moderner Medizin. Wupper-

tal-Barmen 1971; ders.: Die sogenannte Wahrheit am Krankenbett. Darmstadt 1972.

[8] Werner Elert: Humanität und Kirche. Zum 450. Geburtstag Melanchthons. In: Zwischen Gnade und Ungnade. München 1948, S. 110, Anm. 16. In dieser Anmerkung weist Elert darauf hin, daß er schon 1931 in seinem Werk ›Morphologie des Luthertums‹ (I. Band, S. 366) quellenmäßig den Beweis erbracht hat. Elert fährt fort in der gleichen Anmerkung: „Es hat nichts genützt. Nachdem A. Rosenberg die alte Zwecklüge wiederholte, Kopernikus sei auch von den Wittenbergern bekämpft worden, konnten natürlich auch Fachvertreter beim Kopernikusjubiläum 1943 ihre Festreden damit schmücken."

[9] Brief an Jakob Strauß in Eisenach vom 25. 4. 1524.

[10] Clemen VI, 114. — WA 3, 49.

[11] A. Jores nach den Verhandlungen der Deutschen Gesellschaft für innere Medizin 73 (1967), S. 10—16. Jetzt gut auffindbar in ›Wege der Forschung‹, Band CCCLXII. Darmstadt 1975, S. 272—281.

[12] Zu seinem 65. Geburtstag 1957 erhielt H. Neuffer den Ehrendoktor der Theologie durch die Theologische Fakultät der Universität Tübingen aus der Hand des seinerzeitigen Dekans Prof. D. Dr. Adolf Köberle verliehen für das stets freimütige Eintreten für eine ärztliche Ethik im Geist christlicher Verantwortung, für die Behandlung des Menschen in seiner Ganzheit und für den Beitrag zu einer neuen Begegnung zwischen Arzt und Seelsorger. — Im gleichen Jahr las H. Neuffer mein Buch ›Christus und Hippokrates‹ im Manuskript und bejahte freudig meine Frage, ob vom Verlag (Kohlhammer 1958) eingedruckt werden dürfe, daß dies Buch ihm, dem Präsidenten der deutschen Ärzteschaft, gewidmet ist.

[13] Steven Weinberg: The First Three Minutes. A. Modern View of the Origin of the Universe. New York 1977. Deutsche Ausgabe: München 1977.

[14] Werner Elert: Der Ausgang der altkirchlichen Christologie. Eine Untersuchung über Theodor von Pharan und seine Zeit als Einführung in die alte Dogmengeschichte. Berlin 1957, S. 67 f.

[15] Wichtig ist hier 1. Thess. 5, 23. In einer ausführlichen Besprechung meines Buches ›Die Unzuständigkeit der Seele‹ (Stuttgart 1961) in: Sonntagsblatt, 14. I. 1962, betont Adolf Köberle, daß ich durch jene Stelle die „paulinische Anthropologie neu zu Ehren" gebracht habe in ihrer theoretischen und praktischen Bedeutsamkeit für Theologie, Medizin und Pädagogik, während die neuere Theologie sie vielfach als belanglos für das christliche Menschenbild betrachte.

[16] Kerygma und Mythos II, S. 182 Anm.

[17] H. P. Dürr, in: Physik. Blätter XXI (1965), S. 406—420.

[18] Steven Weinberg: a. a. O., S. 194—198.

[19] Universitas XXXII (1977), S. 882.

VI

MISSION UND ÖKUMENE

HEILUNG IN NICHTCHRISTLICHEN RELIGIONEN

Von Horst Bürkle (München)

Für die Beantwortung der Frage, welche Deutung die verschiedenen Religionen dem Wesen der Krankheit geben, ist es erforderlich, nach der Sinnmitte einer Religion zu fragen. Darin allerdings gleichen sich die religiösen Bestimmungen des Phänomens Krankheit, daß sie alle in eine Dimension weisen, die sich nicht allein im psychischen oder somatischen Bereich erschöpft. Vielmehr fragen sie im Blick auf den kranken Menschen über die psychisch-somatischen Begleiterscheinungen hinaus nach einem größeren Zusammenhang. Bestimmend für diesen größeren Zusammenhang, in dem der Mensch gesehen wird, ist sein Verhältnis zu der ihn bedingenden Macht des Seins selbst. Der spezifische Zugang zu dieser Dimension wird durch das gewährt, was wir „Religion" nennen. Krankheit erscheint damit als Symptom der Störung eines Seinszusammenhanges. Die organische Behandlung des Kranken kann in einem naturhaft-magischen Religionsverständnis weitgehend unterdrückt werden zugunsten eines ausschließlich rituellen Handelns an dem Erkrankten. Die volle, sich ergänzende Berücksichtigung aller Dimensionen — der somatischen, seelischen und der geistigen Zusammenhänge der Krankheit — begegnet uns erst im christlichen Verständnis der Krankheit. Dazwischen liegen die in sich sehr unterschiedlichen Bestimmungen der außer- und vorchristlichen Religionen. Von ihnen ist im folgenden in einzelnen ausgewählten Beispielen zu sprechen.

1. Krankheit als gestörte Partizipation

Man hat lange Zeit angenommen, daß der Angehörige einer sog. „primitiven Religionsgemeinschaft" der Krankheit gegenüber einen mechanischen Zauber praktiziert, hinter dem sich so etwas wie eine noch unentwickelte primitive Behandlungsmethode verberge. Damit hat man den eigenen Umgang mit der Krankheit im Sinne eines methodischen heilenden Handelns in die primitiven Gemeinschaften hineinverlegt und die eigentlich religiöse Seite dieser Handlungen übersehen.

Für den Menschen der Stammesreligionen meldet sich in der Krankheit, wie auch in Naturkatastrophen, Mißernten und im Todeserlebnis eine Störung im Verhältnis zu den überlegenen Machtträgern, von denen der Mensch in seinem Leben abhängig ist. Dieses Abhängigkeitsverhältnis besteht darin, daß die zum Leben notwendige Kraft *(mana)* den Lebenden gewährt oder entzogen werden kann.[1] Wichtiger als die Frage nach der Natur der Krankheit, also nach dem „Was“ dieser Störung, ist die Frage, „wer“ sie verursacht und dem Betreffenden zugefügt hat. Krankheit wie auch Tod gelten als Alarmzeichen für einen gestörten, unterbrochenen Kommunikationszusammenhang. Dafür ein Beispiel:

Eine der Studentinnen der der ostafrikanischen Universität in Kampala angeschlossenen Kunstakademie litt an einer schweren Nierenerkrankung. Sie hatte bereits verschiedene klinische Behandlungen hinter sich, die in diesem Fall keine Besserung des Krankheitszustandes herbeiführen konnten. Das selbstgewählte Thema ihrer Examensarbeit zeigt in einem expressiven Gemälde die rachenehmenden Ahnen und dämonischen Geistervorstellungen ihrer Stammesgemeinschaft im Westen Ugandas. In surrealistischen Zügen und durch irreale Farbtöne wurde hier die aufgebrachte Welt der „höheren Machtträger“ im Bilde festgehalten. Zur Erklärung dieser Symbolsprache wurde von der Betreffenden folgender Zusammenhang genannt: Als ihr Vater vor einigen Jahren in seinem Heimatdorf starb, hatte sie es versäumt, ihren Studienort zu verlassen, um ihren Platz beim vorgeschriebenen Bestattungszeremoniell einzunehmen. Es ist unabdingbare Pflicht der Nachfahren, beim Tode eines nahen Verwandten oder bei dessen Beisetzung anwesend zu sein. Dabei geht es nicht nur um eine in unserem Sinne pietätvolle Kindespflicht. Der Nachfahre hat im Bestattungsritus seine bestimmte, unersetzbare Funktion. Wird sie nicht wahrgenommen, so hat das unmittelbare Folgen für das „Leben-Danach“ des Verstorbenen. Sein Übergang zu den „Lebend-Toten“, seine potentielle Machterhöhung wird dadurch beeinträchtigt. Umgekehrt aber sind die Lebenden auf diesen Zuwachs an Macht des Verstorbenen angewiesen. Ihr Leben hängt davon ab, daß sich der „Lebend-Tote“ um sie kümmert, indem er aus seinem übermenschlichen Machtpotential die ihnen zum Leben notwendigen Kräfte zufließen läßt. Fehlt der Nachkomme im Bestattungszeremoniell, so wird der notwendige Kommunikationszusammenhang von vornherein gestört.[2] Als sich bei der Studentin kurz nach dem Tode des Vaters die ersten Krankheitssymptome zeigten, deutete ihre Sippe dies als „die Rache des Toten“. Nach afrikanischem Stammesglauben hatte sie sich der für ihre Gesundheit notwendigen Voraussetzung selbst beraubt: Der nicht in seine volle Ahnenfunktion eingesetzte Tote mußte ihr die für Leben und Gesundheit notwendigen Kräfte schuldig bleiben. Der Kreislauf der Lebenskraft war unterbrochen.

Heilung von Krankheit bedeutet demzufolge für die Stammesreligionen die Wiederherstellung eines gestörten Wirkzusammenhanges zwischen Lebenden und „Lebend-Toten". Solange der magisch vorgestellte Zufluß von Lebenskräften nicht garantiert ist, bleibt jede andere Art der Krankheitsbehandlung „Symptomtherapie". Krankheit kann durch Schwarze Magie auch von einem mißgünstigen oder rachesüchtigen Mitmenschen verursacht sein. In jedem Falle kommt es darauf an, die „Ursache" herauszubekommen. Zur erfolgreichen Therapie gehört es, daß mit Hilfe von magischer Einwirkung, auf dem Wege von Opfer, Gebet und Ritus, in jene tiefere Dimension hineingewirkt wird, in der die Störung erfolgte und in der sie alleine behoben werden kann.

Wichtiger als die Kritik, die hier an einem noch vormedizinischen Verständnis der Krankheit zu erheben ist, ist die Tatsache, daß die Stammesreligion die Krankheit in einem Integrationszusammenhang sieht, der über das vorliegende Krankheitsbild hinausweist. Sie erinnert selbst auf dieser Ebene der Religion daran, daß sich mit der Krankheit eine tiefere, das individuelle Sein transzendierende Störung anzeigt.

Dieser innere Zusammenhang von Medizin, Magie und Heilung, wie er der Stammesreligion eigen ist, findet in den sog. „unabhängigen Kirchen" Afrikas seine Fortsetzung.[3] Wo immer der afrikanische Mensch auch unter christlichem Vorzeichen sein afrikanisches Selbstverständnis beizubehalten vermag, spielt diese Einheit von „Heil und Heilung" eine wesentliche Rolle. Im Unterschied zu den Missionskirchen mit ihrem europäischen Gepräge wollen die Gründer und Leiter dieser Sekten bewußt diesen Zusammenhang wiederherstellen. Die Heilung wird zum Teil des Gottesdienstes und gewinnt für das Selbstverständnis einer solchen Gruppe geradezu konstitutiven Charakter. „Dies ist keine Kirche, es ist ein Hospital", erklärte einer der Propheten dieser Gemeinschaften im Blick auf seine eigene Gruppe.

Dementsprechend steht im Mittelpunkt des Bekenntnisses auch des einzelnen die Tatsache, daß ihm in dieser Gemeinde Heilung zuteil wurde. Das gilt vor allem für die sog. „zionistischen" Gemeinschaften, die sich um das Heilungscharisma eines Propheten sammeln. Seine ihm von Gott verliehene Kraft vermag nicht nur die Dämonen zu besiegen und die Sünden zu vergeben, sondern auch körperliche Leiden zu heilen.

Für viele Afrikaner ist es gerade dieser Grund, der sie zum Verlassen einer Großkirche und zum Anschluß an eine der nach Tausenden zählenden Sekten Afrikas veranlaßt. Hier findet er sich mit seinem Afrikanertum wieder: Das ganze Sein steht in der Obhut des höheren Machtträgers. Die Macht Gottes und seines Christus wird vermittelt durch das Medium des Propheten, der wiederum die Züge des alten Medizinmannes oder Zauberers trägt. Er heilt nicht nur die Seelen, ihm sind auch die Materie und der Bereich der Naturkräfte untertan. Darin erweist sich geradezu seine charismatische Berufung. Darum gehören in jede Gründungsgeschichte einer solchen Sekte die Berichte von außerordentlichen Ereignissen und Wunderheilungen. Viele dieser Gruppen haben das Wort „Heilung“ in ihre Namen aufgenommen, so zum Beispiel die „Jerusalem Apostolische Kuphiliswa-Kirche“ (das Zulu-Wort *kuphiliswa* bedeutet „geheilt werden“).

Eine entscheidende Rolle bei der Frage der Heilung spielt in der afrikanischen Stammesreligion die Aufdeckung der Ursache. Die Ursache aber liegt in einem gestörten Verhältnis zu den Ahnen. Der Kraftstrom, der für die Erhaltung des Lebens des einzelnen wie auch der Sippe notwendig ist, ist dann unterbrochen. Alles, was an körperlichen Schmerzen und krankhaften Symptomen den Menschen befällt, ist Folge einer sehr viel tiefer liegenden Störung. Darum gehört zur Bekämpfung der Krankheit wesentlich die Behebung der Ursache.[4] Der Medizinmann bemüht sich darum zunächst um die Aufklärung dieses Zusammenhanges. Durch Traumdeutungen, Orakelbefragung und mit Hilfe von ekstatischer Besessenheit eines Mediums wird vom Zauberer nach dem verborgenen Kontext eines Übels gesucht. Das Wort „Zauberer“ ist unscharf. Ein “witchdoctor“ hat eigentlich „nicht mehr mit einem Zauberer gemeinsam als ein Kriminalbeamter mit einem Einbrecher“ (Fran Melland). Ein Ahne kann zürnen, weil ihm das zustehende Opfer nicht dargebracht wurde. Es gibt Schwarze Magie, mit deren Hilfe ein übelwollender Nachbar oder sonstiger persönlicher Gegner durch Einschaltung eines „Hexenmeisters“ dem Erkrankten Leiden zugefügt hat. Die Art und Weise, wie solcher Zauber wirksam wird, kann verschieden sein. Es kann sich um eine Fernwirkung handeln oder es kann ein Gegenstand sein, von dem das Übel ausgeht und der sozusagen mit den krankheitsverursachenden Kräften geladen ist. Deshalb muß er im Haus, wo ihn der Schwarze Magier versteckt hat, oder in dessen Nähe gefunden und „entschärft“ werden.

In den afrikanischen Sektenbewegungen hat sich die Frage nach der personalen Verursachung der Krankheit durchgehalten. Auch hier ist Krankheit nie nur physische Defizienz. Für die somatische Seite der Erkrankung gibt es genau wie in den heidnischen Stammesreligionen probate Mittel zur Heilung. Unser Wissen über diese traditionellen afrikanischen Heilmethoden steckt noch in den Anfängen. An der ostafrikanischen Universität in Kampala (Uganda) arbeiteten einzelne Mitglieder der medizinischen Fakultät an diesen Fragen und versuchten, die noch unter den älteren Leuten bekannten Rezepte und Heilmittel zu erforschen und zu sammeln.

Aber über diese Heilmethoden hinaus spielt doch die Frage nach dem auslösenden und verursachenden Motiv die eigentliche Rolle. Bei den Sekten ist dies die Frage nach Sünde und Schuld.[5] Hier finden wir eine speziell christliche Umdeutung der früheren heidnischen Frage nach den verursachenden Zusammenhängen. Aber die dämonischen Kräfte, die sich in der Verführung zur Sünde betätigen, sind stärker als die Wirkungen, die von ihnen ausgehen, und als die sichtbaren Folgen in Form von Krankheit und Leiden. Darum bedarf es des vom Geiste Gottes erfüllten und charismatisch befähigten Sektenführers oder eines seiner Gehilfen, um dieser dämonischen Kräfte Herr zu werden.

Gottesdienste sind deshalb zumeist Heilungsgottesdienste, in denen die segensreichen Wirkungen dieser Gemeinschaft erfahren werden. In ihnen manifestiert sich die Gnade ganz im afrikanischen religiösen Verständnis als lebenerhaltende und gewährende Macht. Die Handlungen, die bei diesen Gelegenheiten vorgenommen werden, sind (genau wie die des heidnischen Medizinmannes) voller tiefgründiger symbolischer Bedeutung: Neben dem Gebet und der Handauflegung nach neutestamentlichem Vorbild gibt es heilige Gegenstände, die zu berühren sind, Wasser, das reinigt, und ekstatische Erlebnisformen. Über die Atmosphäre, die bei solchen Heilungsgottesdiensten herrscht, berichtet Bengt G. M. Sundkler:

Eine andere Frau benimmt sich wie eine Besessene, sobald der Prophet in ihre Nähe kommt. Er fordert mich auf, ihr Geschrei anzuhören. Aus ihrem Unterbewußtsein kommt ein Strom von Bildern und Vorstellungen. Sie sieht Leute, die versuchen, sie zu ermorden: „Ihr wollt mich mit Hilfe einer weißen Schlange zurückholen. Aber jetzt glaube ich an X ... er wird mir helfen. Ich werde mich an Euch rächen." An diesem Punkte scheint es, daß sie ihre eigenen Leute daheim anredet, die sie wegen ihrer Unfruchtbarkeit verachtet haben. Ihre Stimme wird hart und barsch: „Ihr habt mich gehaßt, weil ich keine Kinder hatte. Aber ich werde zurückkehren. Der Diener wird mir Kinder geben und ich werde triumphieren." — Der Prophet erklärt mir: „Ich beseitige Dämonen. Ich stelle mit Erstaunen fest, daß die Dämonen bei den Frauen ihre Wohnung in den Schultern und in der Gebärmutter nehmen. Bei Männern wohnen die Dämonen nur im Magen." Manchmal schreit der Prophet, während er mit seinem Schleier zuschlägt: „Fahrt aus, Dämonen! Verschwindet augenblicklich!" Und während er weitergeht, wächst das Getöse von Gackern, Schluckauf, Schreien, Kreischen, Singen und Weinen auf fürchterliche Lautstärke an. Bitter ist ihre Not — und hier ist die große Hoffnung, vielleicht ihre letzte Gelegenheit. Kann dieser Schleier, kann dieser Mann, kann Gott Leben geben?[6]

Es gibt in den modernen Ballungsgebieten Afrikas eigentümliche Adaptationsformen der alten heidnischen Heilungspraktiken. Das Angebot westlicher medizinischer Hilfe in Form von Regierungskrankenhäusern und

Dispensary-Stationen im Lande scheint für viele Afrikaner nicht zu genügen. Kollegen der Universitätsklinik in Kampala berichteten mir folgendes: Immer wieder machen sie die Erfahrung, daß manche ihrer afrikanischen Patienten mit dem erfolgreichen Abschluß der Behandlung die Angelegenheit noch nicht als erledigt betrachten. Der Arzt vermag zwar die somatische Seite der Erkrankung zu behandeln, aber in die Tiefe der diese verursachenden Schäden kann er nicht eindringen. Darum gehen sie anschließend zu einem der "diviner", um hier jenen anderen „religiösen" Teil der Behandlung nachzuholen. Hier werden Ahnenopfer verschrieben oder Mißgunst und Haß bannende Mittel verabreicht. Hier wird der gestörten *vita communis* der Familie oder Sippe nachgeforscht und die Welt des Unterbewußten in den therapeutischen Prozeß mit einbezogen. An die Stelle der Alternative zwischen moderner Medizin und stammesreligiösem Verständnis von Krankheit tritt oftmals deren Symbiose.

Theologische Besinnung

Die Stammesreligionen stellen die Frage nach der Ganzheit des heilenden Handelns im missionarischen Dienst der Kirche im Sinne der Zusammengehörigkeit von Heil und Heilung.

Die Desintegration des medizinischen Dienstes in seinem Verhältnis zum gottesdienstlichen Handeln der Gemeinde bleibt für afrikanisches Verständnis unbegreiflich.

Dazu aber bedarf es auch eines neuen theologischen Verständnisses der Krankheit, das auch die medizinisch bestimmbare Krankheit wieder im umfassenderen Zusammenhang eines gestörten Gott-Mensch- und Mensch-zu-Mensch-Verhältnisses bis in die oft verborgenen Tiefen des menschlichen Unterbewußten hinein begreift.

Dieser Zusammenhang wäre dann wieder im gottesdienstlichen Handeln der Kirche wie auch im Handeln am einzelnen sichtbar zu machen. Dazu bedarf es symbolischer und ritueller Akte, die gegen ein bloß magisches Mißverständnis zu schützen und in der Verkündigung der Kirche abzusichern wären.

Die Kirche Jesu Christi verfügt in diesen Zusammenhängen nicht nur über den in Form von Rede auszurichtenden *logos theou*, sondern auch über die Möglichkeit, das Stoffliche und das Körperliche in den Dienst der Vergegenwärtigung der Gnade zu stellen. Das Öl, das nach neutestamentlicher Weisung zur Salbung der Kranken benutzt werden soll [7], ist genau wie die Handauflegung [8] eine Erinnerung daran, daß wir Menschen von Fleisch und Blut sind und uns die Gnade Jesu Christi auch durch sichtbare und spürbare Zeichen der Vergegenwärtigung nahebringen lassen dürfen.

2. *Krankheit als Folge von Identitätsverlust*

Ähnlich wie im Falle der Naturreligionen, können wir auch im Blick auf den Hinduismus nur an Hand des „Wesens" dieser Religion ihr Krankheitsverständnis zu bestimmen versuchen. Dabei gilt es zu berücksichtigen, daß gerade der Hinduismus ein in sich pluralistisches Bündel unterschiedlicher Traditionen darstellt.

Alles Übel in der Welt entstammt nach hinduistischem Verständnis einer Täuschung, der der Mensch im Blick auf die Wirklichkeit unterliegt. Wirklich ist nicht die Welt, wie sie erscheint, sondern das in den konkreten Erscheinungen sich verbergende ewige Absolute. Leben bedeutet darum, unter den unabwendbaren Folgen der Entzweiung vom göttlichen Ursprung zu leiden. Krankheit und Tod sind die unausweichlichen Folgen dieser Situation. Darum erscheint Krankheit nicht primär als eine physische oder auch psychische Defizienz. Sie hängt wesensmäßig mit dem *māyā*-Charakter des Seins als Ganzem zusammen. *Māyā* aber ist das Sich-Täuschen über die wahren Zusammenhänge. Darum ist auch das Bemühen, der Krankheit auf medizinischem Wege Herr zu werden, ein unzureichender Versuch innerhalb eines schicksalhaft bedingten Seinszusammenhanges. Bedeutsamer als die partielle „Verbesserung" im Einzelfall ist die Tatsache, daß die Hoffnung, die der Mensch auf solche Behandlung setzt, ihn um so tiefer in den Täuschungsprozeß verstrickt.[9] Der chirurgische Eingriff und die medikamentöse Behandlung vermögen das in der konkreten Erkrankung manifest werdende Elend des Daseins nicht zu beseitigen. Sie lehnen das Interesse am universalen Heilungsprozeß geradezu ab, indem sie den Menschen um so mehr auf den *status quo* fixieren.

Mahatma Gandhis zum Teil massive Ablehnung westlicher medizinischer Methoden lag in der Konsequenz dieser religiösen Haltung des Hinduismus.[10] Dieses ontische Verständnis auch der physischen Erkrankung erklärt es, warum die Medizin im hinduistischen Bereich in so auffälliger Weise vernachlässigt wurde. Gleiches gilt für den gesamten Bereich der naturwissenschaftlich-technischen Entwicklung. Die Erforschung der Natur und des Menschen stand nach hinduistischer Auffassung unter dem Vorzeichen einer irreführenden Beschäftigung mit einer Scheinwelt. Sie ist nicht nur nicht hilfreich, sondern ihrer Tendenz nach gefährlich. In der Krankheit kommt — wie auch im Todeserlebnis, in der Naturkatastrophe und im Hunger — der wahre Charakter des Daseins als eines entfremdeten, von seinem Ursprung getrennten, uneigentlichen Lebens zum Ausdruck. Darum verweist alles Leben letztlich auf die Notwendigkeit, die Gespaltenheit durch Wiedervereinigung mit dem Ganzen *(brahman)* zu überwinden. Eben darin sieht der Hinduismus seine Aufgabe als Religion. Anstelle von vorläufigen, in ihren Erfolgen nur auf befristete Zeit wirksamen begrenzten Eingriffen will er „Ganzheitstherapie" anbieten. Sie aber besteht in der religiösen Erfahrung von *advaita* — also jenes Zustandes, in dem das einzelne Dasein mit seinem Leiden in den Ozean des Seins zurückfließt. Das eigentliche Therapeutikum ist die religiöse Versenkung. Sie ist ihrem Wesen nach eine mystische Erfahrung, in der alle Vordergründigkeit dieses welthaften Daseins überwunden und die Einheit mit dem ungeteilten, ewigen *brahman*-Sein erfahren wird. Sie ist nicht nur ein innerseelischer Vorgang, sondern wird begleitet von bestimmten Techniken und körperlichen Übungen. Askese und Schweigen, aber auch Rückzug aus den vielseitigen Verpflichtungen und Verflechtungen dieses Lebens gehören zu ihr. Die Gestalt des Yogi ist die Verkörperung dessen, der im Zustand der Erleuchtung auch das Leiden in Form der Krankheit überwindet.

Der Buddhismus gleicht darin dem indischen Denken, daß auch er — jedenfalls in seiner alten Form als Hīnayāna-Buddhismus — Überwindung des Leidens und damit der Krankheit in einer methodischen religiösen Verwesentlichung des Menschen sucht. Anders als im Hinduismus ist es nicht mehr das Sich-Verlieren an das außerpersönliche ewige *brahman*. Es geht um einen konsequenten Weg der Verinnerlichung, um den achtstufigen Pfad zur Vollkommenheit. Das Ziel ist die Überwindung des Leidens in der Welt. Ihm ist auch die Befreiung von Krankheit untergeordnet.

Dies, Ihr Mönche, ist die edle Wahrheit vom Leiden: Geburt ist Leiden, Alter ist Leiden, Krankheit ist Leiden, Tod ist Leiden, mit Unliebem vereint sein ist Leiden, von Liebem getrennt sein ist Leiden, nicht erlangen, was man begehrt, ist Leiden — kurz die fünf Daseinsfaktoren sind Leiden ... Dies aber, Ihr Mönche, ist die edle Wahrheit von dem Weg zur Unterdrückung des Leidens, eben dieser edle achtteilige Pfad, nämlich: rechte Anschauung, rechtes Wollen, rechtes Reden, rechtes Tun, rechtes Leben, rechtes Streben, rechtes Gedenken, rechtes Sich-Versenken.[11]

Im Ziel dieser als Weg zu beschreitenden Einübung in den Zustand des Überbewußten liegt die Erfahrung der völligen Befreiung von allem, was Leiden in dieser Welt verursacht. Es ist mehr als nur eine überhöhte, mit den Kategorien des Parapsychologischen oder der Autohypnose zu erfassendes Erleben. Von denen, die ihm folgen, wird der Weg als Weg zum Heil im religiösen Sinne verstanden. Hierin liegt sein Geheimnis. Das Ziel ist Befreiung — oder besser: frei sein von allem, was dieses Leben einschließlich seiner Erfahrung von Krankheit kennzeichnet. Dieser totale Zustand des Freiseins wird darum in einer *via negationis* als das *nirvāṇa* beschrieben. Das ist ein Zustand der letzthinnigen Überwindung alles Bedingten und Ursächlichen. Es ist „der Ausweg für das Geborene, für das Gewordene, das Gemachte, das Verursachte". Alles, was Leiden bewirkt, kommt in sich selbst zum Erlöschen:

Wo keine Bewegung ist, da ist Ruhe, wo Ruhe ist, da ist kein Verlangen, wo kein Verlangen ist, da gibt es kein Kommen und Gehen, wo es kein Kommen und Gehen gibt, da gibt es kein Sterben und Wiedererstehen, wo es kein Sterben und Wiedererstehen gibt, da gibt es weder ein Diesseits noch ein Jenseits noch ein Dazwischen — das eben ist das Ende des Leidens.[12]

Die Leib-Seele-Einheit in der hinduistischen Tradition des Yoga

In der tantrischen Tradition, zu der die Praxis des Yoga gehört, erlangt der Körper in Indien ein bis dahin nicht gekanntes Interesse. An die Stelle des den körperlichen Bereich bloß verneinenden Asketentums tritt die Disziplinierung des somatischen Bereichs durch die Kräfte der Seele. Man spricht vom „göttlichen Körper". Der Körper gilt nicht mehr als „Quelle der Schmerzen", sondern er wird zum Medium, mit dessen Hilfe der Mensch selbst „den Tod besiegen" kann. Der Körper muß gesund erhalten werden, um die Meditation als Weg der Erlösung zu ermöglichen.

Nach dem ›Hevajra-Tantran‹, einer heiligen Schrift Indiens, verkündet der Bhagavān: Es gibt keine Erlösung ohne einen gesunden, vollkommenen Körper.

Hier im Körper befindet sich der Ganges und der Jumha, Praya und Benares; der Mond und die Sonne, die heiligen Orte, die Pitha und Upapitha. Ich habe noch keinen Ort der Pilgerschaft und Seligkeit zugleich gesehen, der mit meinem Körper zu vergleichen ist.[13]

Die Verleiblichung des religiösen Heils betrifft nach dieser tantrischen Tradition des Hinduismus den eigenen Körper. Er wird zum Objekt heilsamer Wirkungen, die von jener Identifikation des Yogi mit den Kräften des Seins ausgehen. Das Heil wird nicht mehr in einem *extra me*, also nicht in der Gegenwart einer Gottheit an heiliger Stätte oder in Form verdienstlicher frommer Werke zur Besserung des eigenen *karma* gesucht. Jetzt ist es im totalen Erlebnis des Lebens als integrierendem Teil des *sādhana* (Heilsgewinnung) gegenwärtig. Daraus folgt der Wille zur Beherrschung des Körpers, ja zu seiner Meisterung, um aus ihm den „göttlichen Körper" werden zu lassen.

Die heiligen Schriften dieser Tradition sind demgemäß voll von Regeln und Anweisungen für die „kosmische Integration" des körperlichen Bereichs in die vollkommene Harmonie allen Seins. Es ist eine ganze Physik und Physiologie der Meditation, die in diesen Zusammenhängen entfaltet wird. Die körperliche Haltung des Yogi wird zum Gegenstand detaillierter Analysen der physiologischen Zusammenhänge.

Durch bestimmte *āsana* fördert der Yogi seine Gesundheit und verhindert Krankheiten. Insgesamt werden bis zu 84 solcher körperlichen Meditationshaltungen beschrieben, deren jede einzelne bestimmte Wirkungen und Gesundungsprozesse bewirkt. Dabei wird das Feld psychosomatischer Zusammenhänge weit überschritten, und in Form magischer Einwirkungen werden dem Körper übernatürliche Kräfte aus dem Kosmos zugeführt. Hier erlangt der Mensch *siddhi*, das sind übermenschliche, durch Yoga vermittelte Fähigkeiten, Wunderkräfte und anderes. Von dieser Therapie kann gesagt werden: Sie „besiegt den Tod", „sie vernichtet das Alter und den Tod".[14]

Reinigungen gelten als eine wesentliche Voraussetzung für die Gesundheit des Yogi. Sie werden ergänzt durch genaue Vorschriften für die Ernährung. Hier treffen sich uralte asketische Ideale des Hinduismus mit solchen moderner Diät und Ernährungstherapie. Der Speisezettel ist auch in den Reformbewegungen indischer Religionen von besonderer Bedeutung: Er ist dem profanen Bereich entnommen und gewinnt religiöse Relevanz im Sinne einer engen Zusammengehörigkeit von körperlichem Wohlergehen und religiösem Heil.

Es war darum keineswegs nur eine persönliche Marotte bei Gandhi, daß er sich zeit seines Lebens — auch in Zeiten höchster politischer Entscheidungen während seines Kampfes um das unabhängige Indien — mit einer für uns kaum begreiflichen Akribie um den Küchenzettel kümmerte. Seine Arbeiten über gesunde Ernährung liegen heute in einem eigenen Band vor.[15] Zwischen Askese und seiner Grundhaltung des Gewaltverzichts *(ahiṃsā)* bestanden tiefere Zusammenhänge: „Die Leidenschaft im Menschen existiert im allgemeinen Seite an Seite mit der Sucht nach den Lüsten des Gaumens."[16]

Diät und Nahrungsaskese sind bei Gandhi wie auch bei anderen Hindus zugleich ein Therapeutikum. Als Beispiel sei auf eine Begebenheit aus seiner eigenen Familie verwiesen:

Seine Frau Kasturbai hatte sich einer Operation zu unterziehen. Nach ein paar Tagen wird ihr Zustand besorgniserregend. Schwäche und Ohnmachten scheinen sie dahinraffen zu wollen. Der behandelnde Arzt gibt ihr Fleischbrühe zur Stärkung. Das ist „Betrug" für Gandhi. Der Arzt lehnt die Verantwortung ab, wenn ihm nicht die Freiheit der Behandlung zugestanden wird. Gandhi nimmt Kasturbai auf der Stelle aus der Klinik. ... „Es ist etwas Seltenes", sagt sie, „in dieser Welt als Mensch geboren zu werden. Ich will lieber in Deinen Armen sterben, als meinen Leib durch solche Befleckungen beschmutzen", und sie übersteht die Glaubensbewährung im Vegetarianismus.[17]

Zur Praktik des Yoga gehört nach hinduistischer Lehre aber auch das soziale Verhalten eines Menschen. Der Umgang mit anderen Menschen, das Vermeiden schlechter Gesellschaft, Verzicht auf unnötige Reisen u. a. spielen eine Rolle. Entscheidend ist die Atemtechnik. Der Herz- und Atemrhythmus dient zur Beherrschung des neuro-vegetativen Systems und ist die physische Komponente für den inneren Frieden des Yogi. Darum ist das Atmen nicht einfach ein biologischer Vorgang, sondern erhält unter Anlehnung an die mythologischen Überlieferungen des Hinduismus geradezu sakrale Bedeutung. Die Atemzüge werden mit den kosmischen Winden und Himmelsgegenden identifiziert, die Luft „webt" das Universum. So „webt" der Atem den Menschen. Durch asketische und spirituelle Disziplinen wird der Mensch so vergöttlicht, daß er der kosmischen Beschreibung der Götterleiber in den Veden vergleichbar wird: Einzelne Organe und ihre Funktionen werden mit kosmischen Gegenden identifiziert. Der Körper verwandelt sich in die verschiedenen mystischen Körper, in denen der Mensch „erweitert" und „kosmisiert" wird.

Zusammenfassung

Unser kurzer Exkurs in die Überlieferung des tantrischen Yoga zeigte uns die enge Verkoppelung von indischem Erlösungsideal und körperlicher Heilung. Die indische Religion steht zugleich im Dienste der Gesunderhaltung und des Wohlergehens des Menschen. So jedenfalls versteht sie sich selbst. Diese Haltung aber wird erkauft durch einen einseitigen Verzicht, ja geradezu durch eine Verteufelung der medizinischen Bemühung um den Menschen, wie sie in der abendländischen Geschichte entwickelt wurde. Die Einheit von Körperlichem und Seelischem in den indischen Religionen wird gewonnen um den Preis der Subsumierung des Leiblichen unter das im wesentlichen mystische Identitätserleben und Selbstverwirklichungsprinzip indischer Religiosität.

Aber gerade in dieser totalen Integration des Somatischen in den Bereich der religiösen Befreiung in der *ātman-brahman*-Einheit erinnern uns die indischen Religionen an einen wesentlichen Zusammenhang. Glaube und Physiologie, Erlösung und Heilung der ganzen Existenz stehen in einem inneren Zusammenhang.

Für die christliche Existenz liegt darin eine deutliche Erinnerung. Ein nervöser, neurotischer Mensch wird nur schwer Zeuge des Friedens sein können, der „höher ist als alle Vernunft“ [18]. Die Gebrechen des Körpers sind immer auch Signale eines Lebens, das nicht aus der heilsamen Mitte des Mit-Gott-versöhnt-Seins gelebt wird. In direkter Kausalität kann und darf hier nichts abgeleitet oder erklärt werden. Aber daß Kranksein und gefallene Schöpfung etwas miteinander zu tun haben, daran erinnern die zeichenhaften Aufhebungen von Krankheit in der Macht des neuen Seins in Jesus, dem Christus Gottes.[19]

Welche Zusammenhänge bestehen hier für den christlichen Glauben? Inwiefern unterscheiden sich heilendes Handeln in der Vollmacht Jesu Christi von allen vor- und außerchristlichen religiösen Antworten auf die Frage nach Heilung?

3. Der Zusammenhang von Heil und Heilung

Das Christentum ist als eine der Welt verpflichtete Religion in die Geschichte eingetreten. Darin unterscheidet es sich wesentlich sowohl von der magischen Weltauffassung der Stammesreligionen als auch von der die physischen Phänomene relativierenden Identitätsmystik asiatischer Hochreligionen. Es ist kein Zufall, daß exakte Naturwissenschaft und medizinische Forschung im geschichtlichen Wirkungszusammenhang des christlichen Westens ihre eigentliche Entwicklung gefunden haben. Dem widerspricht auch nicht die Tatsache, daß wir im Islam von Anfang an einem besonderen Interesse an naturwissenschaftlichen Fragestellungen begegnen. In dieser Hinsicht ist der Islam als eine nachchristliche Religion durch seine jüdisch-christlichen Wurzeln mitbestimmt und unterscheidet sich grundsätzlich vom ungeschichtlichen Denken der anderen Religionen. Aber auch die in der Christentumsgeschichte nachweisbare feindliche Ablehnung naturwissenschaftlicher Erkenntnisse darf nicht als eine dem Christentum spezifische, wesentliche Haltung verstanden werden. Gemessen an der christlichen Botschaft und am Auftragsbewußtsein des Christentums, erscheinen solche Tendenzen als Fehlhaltungen. Als solche unterliegen sie berechtigterweise der nachträglichen Kritik und müssen im Namen des Christentums abgelehnt werden.

Das dem Christentum entsprechende Verständnis des Leidens und damit auch der Krankheit ergibt sich aus seinem Offenbarungsverständnis. Wenn nach dem bestimmenden religiösen „Prinzip“ des Christentums gefragt wird, muß auf die Inkarnation verwiesen werden. Danach ist die göttliche Wirklichkeit unter den Bedingungen der Geschichte in Erscheinung getreten. Es ist nicht länger ein neutrales „Göttliches“, das als ewiges Seinsprinzip unter Verneinung von Welt und Geschichte gesucht werden muß. Vielmehr ist Gott in der Erscheinung Jesu als des Christus aus der unpersönlichen seinshaften Beziehung heraus in eine personale Verbindung zum Menschen getreten. Für den christlichen Glauben ist er nicht nur in versteckter Weise in den Strukturen der Welt und des menschlichen Daseins gegenwärtig, sondern in einer existentiellen Weise personhaft. Geschichte und Lebensvollzug werden damit nicht verneint, sondern zur unentbehrlichen Basis für den Gott-Mensch-Bezug. Dieser personale Bezug wird aber zugleich immer auch transzendiert: Der als Person begegnende Gott bleibt zugleich Herr der Menschheit und der Geschichte als ganzer, ja Grund des geschaffenen Seins schlechthin. Dieser Doppelbezug ist für das christliche Verständnis des Leidens und der Krankheit wichtig.

Leiden und Krankheit gehören zu den *signa* dieses Lebens. Sie werden nicht eliminiert mit Hilfe einer grundsätzlichen Verneinung des Lebens und der Welt wie in den asiatischen Hochreligionen. Sie werden vielmehr in einer unüberbietbaren Wirklichkeitsnähe in das Christusgeschehen mit einbezogen.[20] Das neue Sein in Christus ereignet sich nicht jenseits der irdischen Sphäre, sondern vollzieht sich als ein Umwandlungsprozeß, der sich auf alle Lebensbereiche erstreckt. Darauf deuten die gelegentlichen Heilungen von Krankheiten im Neuen Testament hin. Sie sind Hinweise auf das neue Sein, das aber diese Welt nicht einfach hinter sich läßt, sondern sie in der Kraft Gottes erneuert. Die Geschichte, auch die Geschichte der Krankheit, geht nach Christus weiter. Aber sie erscheint jetzt als Aufgabe, der in der Kraft Christi Überwindung und Lösung verheißen ist.

Damit wird in neuer Weise Verantwortung für den leidenden und kranken Menschen begründet. Sie ist nicht bloß die konsequente Anwendung des christlichen Liebesgebotes auf den konkreten Fall des Kranken in Gestalt von medizinischem und pflegerischem Handeln an ihm. Das ist schon ein späteres, humanitäres Verständnis abendländischer Entwicklung. Krankheit ist Ausdruck eines gestörten, „desintegrierten" Lebens. Darum bleibt Heilen ein vieldimensionaler Prozeß, der für das Christentum den organischen Bereich ganz selbstverständlich mit einschließt. Die Leiblichkeit des Menschen wird in einer bis dahin nicht begründbaren Weise Gegenstand der Fürsorge und des Interesses. Die Zusammengehörigkeit von Krankenpflege und Seelsorge seit den Anfängen der christlichen Mission ist Ausdruck dieser für die Heilungen unentbehrlichen Reintegration des Menschen in der Kraft eines neuen, von Gott gestifteten Seins. Wo es im Namen der Seele zu einer Leibfeindlichkeit des Christentums kam, war dies nicht genuiner Ausdruck dieser Religion, sondern Nachwirkung eines späthellenistischen Dualismus, wie er in der Gnosis zu höchster Geltung gelangt war. Für das Neue Testament geht die Heilung der Krankheit mit der Therapie des ganzen Lebenszusammenhanges Hand in Hand: Sie bedeutet immer auch Erneuerung durch Vergebung der Sünden.

Der christliche Beitrag im Blick auf das Verständnis der Krankheit und ihrer Heilung kann als ein doppelter beschrieben werden:

a) Das neue Sein in Christus bezieht sich auch auf die Dimension des Leiblichen. Sie wird nicht einem falschen Leib-Seele-Dualismus zufolge im Namen der Religion übergangen, sondern in ihr reflektiert sich das gesamte erneuernde Versöhnungshandeln Gottes. Inkarnation und leibliche Auferstehungshoffnung sind die stärksten Glaubenssymbole für die Rolle der leiblichen Sphäre im Christentum. Der Dienst des Arztes und die medizinische Forschung liegen darum immer auch — ob bewußt oder unbewußt — in der Konsequenz dieser dem Menschen verheißenen Erneuerung seiner ganzen Person.

b) Zugleich aber korrigiert das christliche Verständnis der Krankheit jede einseitige biologische Deutung. Indem es die Phänomenologie der Krankheit transzendiert im Blick auf ihren Ursprung in einem gestörten Gott-menschlichen Bezugszusammenhang, bewahrt es auch die Einheit des Menschen, deren es zur Heilung bedarf. Diese Einheit hängt mit der Frage nach dem universalen göttlichen Heil zusammen. Im Licht dieser in der Hoffnung des Glaubens festgehaltenen endgültigen Verheißung behalten alle einzelnen Akte des Heilens ihren Sinn und ihre Notwendigkeit. Aber sie sind auch davor geschützt, ihre Methode des Heilens absolut verstehen zu müssen. Sie alle sind Teilaufgaben, die sich des Fragmentarischen ihres Bemühens bewußt zu bleiben vermögen. Sie alle aber partizipieren an der universalen Kraft göttlichen Geistes, aus der sich jeder einzelne Akt speist. Damit verpflichtet die christliche Deutung der Krankheit zur vollen und uneingeschränkten Bejahung des Heilens im Bereich des Vorläufigen. Gerade in seinem fragmentarischen Charakter angesichts des Todes erhält das ärztliche Handeln am Kranken seinen Sinn und seine Rechtfertigung. Zugleich aber weist solches Bemühen um Heilung des einzelnen über sich selber hinaus auf die Frage nach dem „universalen" Heilen jenseits von Zeit und Raum. Es „führt zu der Frage nach dem ‚Reich Gottes' und nach dem ‚ewigen Leben'. Nur universales Heilen ist totales Heilen jenseits alles Zweideutigen und Fragmentarischen".[21]

Anmerkungen

[1] Die Frage nach der lebenserhaltenden Kraft wird bei Pl. Tempels als Zugang zum Verständnis der afrikanischen Stammesreligionen gewählt. Vgl. sein Buch: Bantu-Philosophie. Heidelberg 1956. — „Für den Bantu gibt es Wechselwirkungen zwischen Mensch und Mensch, d. h. zwischen einer Kraft und einer anderen; daher die mechanische, chemische und psychologische Wechselwirkung. Er kennt die Entsprechung der Kräfte, die wir 'ontologisch' nennen können. In der Kraft, die dem Menschen zufließt (Seinskontingent), sieht der Bantu eine ursächliche Wirkung, die der Natur dieser schöpferischen Kraft selbst und dem Einfluß anderer Kräfte entspringt" (zit. bei V. Mulago, Die lebensnotwendige Teilhabe. In: H. Bürkle [Hrsg.], Theologie und Kirche in Afrika. Stuttgart 1968, S. 64). V. Mulago erweitert diese Fragestellung nach der *force vitale* im Blick auf die Partizipation, in der sich diese Kraftbewegungen vollziehen. „Wo immer sich das Leben manifestiert, findet dieses Element der Wechselwirkung seinen Ausdruck. Die Lebenden stärken ihre Toten durch Gaben und Opfer. Die Toten wiederum üben ihren Einfluß auf die Lebenden aus und bestimmen deren Schicksal. Eine unauflösbare Einheit, die auf der Teilhabe am gemeinsamen Leben beruht, verbindet diese Welt mit der unsichtbaren und umgekehrt" (a. a. O.).

[2] Über die Rolle des erstgeborenen Sohnes oder der erstgeborenen Tochter im Bestattungszeremoniell der Batswana in Westtransvaal berichtet H. Häselbarth, Die Auferstehung der Toten in Afrika. Eine theologische Deutung der Todesriten der Mamabolo in Nordtransvaal. Gütersloh 1972, S. 37.

[3] Reiches Material dazu bietet B. G. M. Sundkler, Bantupropheten in Südafrika. Stuttgart 1964, Kap. 6 „Gottesdienst und Heilung", S. 199—260. Eine umfassende Untersuchung zu dieser Frage auf Grund eigener Forschungen hat H.-J. Becken in seinem Band: Theologie der Heilung. Das Heilen in den afrikanischen Kirchen in Südafrika. Hermannsburg 1972, vorgelegt.

[4] Becken nennt fünf Urheber der Krankheit: Neben dem Hochgott Unkulunkulu Ahnengeister, Schadzauberer, spezielle Krankengeister, Naturkräfte sowie Unreinigkeit und natürliche Ursachen. Letztere rangieren in der Bewertung der Afrikaner ganz am Schluß. „Wie schon in der vorchristlichen afrikanischen Religion, so zeigt man auch in den afrikanischen unabhängigen Kirchen großes Interesse an der Ursache und dem Urheber der Krankheit" (H.-J. Becken, a. a. O., S. 32).

[5] „Sünde kann aber nicht nur eigene Krankheiten bewirken, sondern auch solche der Familienglieder. ... Hier zeigt sich bereits etwas Wesentliches am Verständnis der Krankheit bei den unabhängigen afrikanischen Kirchen, daß nämlich Sünde und Krankheit in eins gesehen werden. Die Sünden bzw. Krankheit werden regelmäßig vor dem Gottesdienst angemeldet. Am besten wird dieses Verständnis wohl durch das Wort eines Heilers zusammengefaßt: ‚Der tiefste Grund aller Krankheit ist der Unglaube'" (H.-J. Becken, a. a. O., S. 37).

[6] Bantupropheten in Südafrika, S. 253.

[7] Jak. 5 V. 14—16.

[8] 1. Tim. 4 V. 14; 2. Tim. 1 V. 6. Der Vollzug der Handauflegung bezieht sich im weiteren Sinne auf charismatische Gaben.

[9] Dieses in der *māyā*-Vorstellung wurzelnde Wirklichkeitsverständnis schließt auf der anderen Seite nicht aus, daß sich in Indien ein breiter Strom magischer Praktiken findet, der in die vedische Zeit zurückreicht. Vgl. H. Oldenberg, Die Religion des Veda. 5. Aufl. Darmstadt 1970, S. 494 ff.

[10] H. Rau, Mahatma Gandhi in Selbstzeugnissen und Bilddokumenten. Hamburg 1970, S. 42 f.: „‚Die westliche medizinische Wissenschaft stellt das konzentrierte Wesen schwarzer Magie dar. Quacksalberei ist unbedingt dem vorzuziehen, was hohe medizinische Kunst genannt wird.' ... Im übrigen ist Gandhi überzeugt, daß alle westliche Medizinen entweder Fette oder Alkohol enthalten. Das eine ist den Hindus, das andere den Mohammedanern unerträglich. Die westliche Medizin zerstört darum sogar die Religion, ‚europäische Medizin studieren heißt darum unsere Sklaverei vertiefen'." — „Hospitäler sind des Teufels eigenste Instrumente" (O. Wolff, Mahatma und Christus. Eine Charakterstudie Mahatma Gandhis und des modernen Hinduismus. Berlin 1955, S. 112).

[11] Winayapitaka, Mahāvagga 1, 1.

[12] Udāna IV, 9 f.

[13] S. B. Dasgupta, Obscure Religious Cults as Background of Bengali Literature. Calcutta 1946, S. 103 ff.

[14] Zum ganzen vgl. M. Eliade, Yoga. Unsterblichkeit und Freiheit. Zürich 1964. „Weder der klassische Yoga noch sonst eine Hauptform des indischen Denkens verfolgte 'Unsterblichkeit'; einer ins Unendliche verlängerten Existenz zog Indien Befreiung und Freiheit vor. Und dennoch bedeutete in einem bestimmten Moment der Yoga für das indische Bewußtsein nicht nur das ideale Instrument der Befreiung, sondern auch das Geheimnis der Überwindung des Todes. Dafür gibt es nur eine Erklärung: Für einen Teil Indiens und vielleicht für den größten fiel der Yoga nicht nur mit dem Weg der Heiligkeit und der Befreiung, sondern auch mit der Magie zusammen, und zwar besonders mit den magischen Mitteln der Besiegung des Todes" (a. a. O., S. 349).

[15] M. K. Gandhi, Diet and Diet Reform. Ahmedabad 1949.

[16] O. Wolff, a. a. O., S. 104.

[17] Ebd., S. 105.

[18] Phil. 4 V. 7.

[19] Dazu sei auf die in den Evangelien wie auch in der Apostelgeschichte enthaltenen Traditionen verwiesen, in denen Krankheit und Tod in der Gegenwart des vorösterlichen sowohl wie auch des nachösterlichen Jesus überwunden werden.

[20] Die bestimmende Funktion der Passionsgeschichte hat sich in der Evangelienüberlieferung deutlich niedergeschlagen.

[21] P. Tillich, Systematische Theologie, Bd. III; Das Leben und der Geist. Die Geschichte und das Reich Gottes. Stuttgart 1966, S. 323.

DIE VERKÜNDIGUNG DES EVANGELIUMS IN DER JAPANISCHEN GESELLSCHAFT*

Von MITSUO MIYATA (Sendai/Japan)

I

Ich glaube, daß Japan heute noch in den Augen vieler Ausländer als Objekt eines exotischen Interesses gilt. Es erscheint dabei nicht selten als etwas fast Kitschiges mit Fujiyama, Kirschblüte, Geisha, Fächer und Pagode. Hier soll jedoch nicht über diese äußerliche oder oberflächliche Seite der japanischen Kultur berichtet werden, sondern ein tieferer Einblick in das innere Leben Japans erfolgen. Dadurch möchte ich das Bild der geistigen und religiösen Situation des gegenwärtigen Japan konkreter malen und auch den Auftrag der Verkündigung des Evangeliums in unserem Land klarmachen.

Die religiöse Schichtung der japanischen Gesellschaft ist vielfältig, und zwar in sehr merkwürdiger Weise. Im allgemeinen gesprochen, wird in Japan das religiöse Leben von drei Religionen geprägt, dem Shinto, dem Buddhismus und dem Christentum, das den Konfuzianismus nach 1900 als drittgrößte Religionsgemeinschaft abgelöst hat. Der lange Zeit dominierende Shinto mit seinem Ahnenkult und der religiösen Verehrung des Kaisers hat viel von seiner Vormachtstellung eingebüßt, seit der Kaiser nur noch als „Symbol des japanischen Staates und der Einheit des japanischen Volkes" und nicht mehr als Religionsoberhaupt des Staatsshinto auftritt und somit die öffentliche Förderung der Shinto-Schreine durch die neue Verfassung verboten worden ist. Die Zahl der Shinto-Gläubigen, die einigen der Neuen Religionen shintoistischer Glaubensrichtung zuzurechnen sind, beläuft sich nach der neuesten Statistik des Kulturamtes Japans auf etwa 90 Millionen. Eine ebenso mindestens zahlenmäßig einflußreiche Religionsgemeinschaft stellt der Buddhismus dar. Er ist in zahlreiche Sekten gespalten und ihm werden insgesamt über 80 Millionen Gläubige zugezählt. Er übt nun seinen politischen Einfluß hauptsächlich auf dem Wege über die buddhistische Partei (Komei-Partei mit Sokkagakkai-

* S. das Werk des Autors: Der politische Auftrag des Protestantismus in Japan. Hamburg 1964 (= Evangelische Zeitstimmen 18).

Anhängern) aus. Auf eine weniger lange Geschichte als Shinto und Buddhismus können die christlichen Kirchen in Japan zurückblicken. Der Katholizismus hat seine seit Mitte des 16. Jahrhunderts begonnene, aber später abgebrochene Tradition, während die evangelische Kirche nur etwa 100 Jahre besteht. Die Zahl ihrer Gläubigen beträgt 750 000; rechnet man die 350 000 Katholiken dazu, so machen die Christen in Japan nur etwa 1 % der Gesamtbevölkerung aus. Aber ich muß vorausschicken, daß das Christentum in Japan wegen seiner moralischen Geltung und seiner umfangreichen kulturellen Aktivitäten einen Einfluß besitzt, der weit über seine zahlenmäßige Bedeutung hinausreicht.

Ich möchte hier zuerst auf eine merkwürdige Charakteristik des religiösen Bewußtseins des Japaners hinweisen. Wenn man die Gläubigen der oben genannten religiösen Statistik zusammenzählt (also etwa 170 Millionen), so ist die Zahl der religiösen Bevölkerung größer als die der Gesamtbevölkerung (etwa 110 Millionen). Dies scheint für das europäische Verständnis eine unverständliche Erscheinung zu sein. Dieser Widerspruch kommt daher, daß jede Religionsgemeinschaft ihre eigene Anhänger-Statistik herausbringt. Das Kulturamt hat nur diese Statistiken zusammengestellt und dabei oft Doppelanhänger registriert. Dieselbe Tatsache erscheint in jedem Familienleben, so daß man in Japan meistens in demselben Wohnzimmer einerseits vor dem buddhistischen Familienaltar ein Licht und andererseits auf dem shintoistischen Hausaltar ein Opfer darbringt. Die frömmsten Alten beteten vor beiden jeden Morgen. Oder ein anderes Beispiel: Im Lebensgang des einzelnen findet seine Hochzeit vor dem Shinto-Schrein statt und seine Begräbnisfeier wird durch die buddhistischen Priester durchgeführt. Hier zeigt sich *sehr typisch die Erscheinung eines Synkretismus* verschiedener Religionen und auch eine Auffassung der Religion als etappenhafter Zeremonie im Menschenleben. Dieses Religionsbild scheint den Europäern schwer verständlich, da sie den Glauben als einen Akt persönlichen Vertrauens oder Entscheidens auf bzw. für eine absolute oder transzendente Persönlichkeit auffassen. In diesem Fall ist es selbstverständlich, daß man mit Gleichgesinnten leicht eine Glaubensgemeinschaft bildet und das dazugehörende Glaubensbekenntnis verkündet und Diakonie leistet. In den traditionellen Religionen Japans hat man jenes und dieses in sich aufgenommen, und daher scheint man sehr tolerant zu sein. Oft behaupten Lehrbücher des Shinto, daß er die toleranteste Religion sei, indem er alle anderen Religionen innerhalb seines Horizontes und Rahmens bestehen läßt.

Ich persönlich sehe die Dinge genau umgekehrt: Der Synkretismus des Shinto, der Religionen plural nebeneinander bestehen läßt, kommt daher, daß es ihm an persönlicher Innerlichkeit oder Entschiedenheit, also an der religiösen Treue fehlt. In diesem geistigen Klima ergibt sich mit der Zeit leicht die Tendenz, dann, wenn die Religion sich mit der herrschenden Macht verbündet, allmählich mit dem Strom zu schwimmen. Wenn jemand aufgrund seines persönlichen Glaubens dagegen angeht, wird man versuchen, ihn zwangsweise mit dem Zeitgeist „konform" zu machen und ihm Vorwürfe zu machen wie die: „ohne gesunden Menschenverstand" oder „zerstörerisch gegenüber der bestehenden Gemeinschaftsordnung" usw.

In dieser Hinsicht möchte ich nun noch ausführlicher die Problematik des Shinto analysieren, der heute noch eine uralte Schicht der japanischen Kultur bildet und das Unterbewußtsein des japanischen Volkes beherrscht. Um die logische Struktur des Shinto zu erkennen, wollen wir mit dem Begriff der „Öffentlichkeit" in seiner Ideologie anfangen. In einem Lehrbuch schreibt ein shintoistischer Theologe: die „Öffentlichkeit" des Shinto-Schreins bestehe darin, daß die Frömmigkeit im Shinto ein gemeinsamer sozialer Gruppen-Glaube aufgrund eines Gemeinschaftsbewußtseins sei. Gerade hier gebe es einen merkwürdigen Unterschied im Gegensatz zum Christentum, der das Heil von einzelnen erstrebe, ohne mit einer Sozialgruppe zusammenzuhängen. Nach religionswissenschaftlichen Kriterien beurteilt, ist der Shinto keine Weltreligion, die von einem religiösen Genie gestiftet und mit Dogmen und ihrer Mission universal verbreitet worden ist. Er ist ein Glaubenssystem, das im Klima Japans und aus dem Denken des Japaners naturwüchsig entstand. Er habe daher einen starken völkischen und „bodenständigen" Charakter. Daraus behaupten shintoistische Ideologen oft, der Shinto sei *der* Grundglaube des japanischen Volkes und stelle die volksgemäße Sittlichkeit dar.

Hier findet man oft einen japanischen Vorzug darin, daß das die Landes- und Ahnenseele feiernde Fest das ganze Leben der Gesellschaft wie Politik, Wirtschaft und Kultur durchseelt habe. Auf diese Weise behauptet ein shintoistischer Theologe, daß das shintoistische Fest als die Sittlichkeit Japans öffentlich und zugleich von religiöser Art sei. Dort sei es privat und öffentlich, staatlich und auch religiös. Schließlich sei der Staat selbst religiös ... das Staatsleben heiße Religion. Also im Horizontalen besteht der Glaube des Shinto in dieser „Vereinheitlichung", die Privatleben und Öffentlichkeit, alles umschlingen und somit die ganze Nation integrieren will.

Dieselbe, und zwar noch ernstere Charakteristik des Shinto aber zeigt sich ferner im Vertikalen als einer räumlichen Verbindung zwischen oben und unten. Ein berühmter shintoistischer Theologe hat betont: „Im Shintoismus glaubt man an den Himmel *(takamagahare)* oder die Totenwelt nicht als an die das Erdenreich auf dieser Welt völlig transzendierten

Wesen. Man glaubt vielmehr an den Himmel, der mit dem Erdenreich auf dieser Welt in Verbindung steht." Dies ist ein Ausdruck eines speziellen Religionsbewußtseins, das das Auftreten der Götter und die Geburt des Menschen als in einer theogonischen Kontinuität stehend auffaßt. Dieser Theologe fährt fort in seiner Rede, daß die Politik des „Kaiserreiches Japan" durch das shintoistische Fest mit dem Himmel verkehrt und „in derselben Reihe steht". Daraus schließt er, daß gerade hier „der wesentliche Grund liegt, der die Trennung zwischen dem Shinto und dem Staat unmöglich macht". In Wirklichkeit bestehen in diesem ursprünglichen Bewußtsein, das Fest *(matsuri)* und die Politik *(matsurigoto)* zu vereinheitlichen, die sozusagen „theologischen" Grundzüge des pseudo-religiösen Staates Japan, dessen Souveränität und Legitimität durch die Orakel der Götter als der kaiserlichen Ahnen begründet wurde.

In Japan hatte man lange keine Ahnung von dem qualitativen Unterschied oder der absoluten Entfernung von Gott und Menschen, von Schöpfer und Geschöpf. Gerade diese Tatsache ist einer der wichtigsten Gründe für das Fehlen der Auffassung des Staates als menschlicher Hervorbringung in Japan. Denn die moderne Staatsidee entstand als solche erst dann, als Gott als Herrscher der Welt säkularisiert wurde, der absolute König als Souverän seines Staates hervortrat und schließlich das Volk als Träger der Menschenrechte oder eines Sozialvertrages selbst Politik zu treiben begann. In diesem Zusammenhang muß man ferner eine andere Problematik dieser „shintoistischen Theologie" kritisieren. Der „Himmel" im Shinto, der mit dieser Welt verbindet und von der „Erde" nicht getrennt ist, kann nicht mehr eine transzendentale Allgemeinheit aufrechterhalten, sondern er hat auch keine universale Normativität mehr wie der „Himmel" im Konfuzianismus. D. h.: der alte chinesische Kaiser hatte sich durch das Wohlergehen des Volkes zu legitimieren. Er hatte fortgesetzt zu beweisen, daß er der richtige Herrscher ist. Er hatte sogar bei Niederlagen und Unglück aller Art die Pflicht der Abdankung, denn er stand nicht mehr unter der Fügung des „Himmels". Im Konfuzianismus wechseln die Dynastien und sie sind grundsätzlich nicht ewig. Aber im Shintoismus steht anstelle der Revolution der „Appell an den Himmel", die Autorität und Legalität des Kaisers und seiner — wegen ihres theogonischen Anfangs ununterbrochen regierenden — Dynastie. Der japanische Kaiser gilt hier tatsächlich noch als „Sohn der Götter" und ist daher grundsätzlich über jede Form von „Kritik" erhaben.

Vor einigen Jahren fand eine sehr interessante Debatte statt beim internationalen Kongreß für Shinto-Forschung in Tokio. Ein amerikanischer Forscher, Prof. Freud H. Ross, behauptete und kritisierte, daß der Shinto sich mit einer absoluten Treue oder einem blinden Gehorsam gegen den

Kaiser falsch interpretierte, indem die Staatsmänner in der Meiji-Regierung den Shinto zum bloßen Mittel für den Patriotismus gemacht hatten. Diese Theorie vom „Verrat gegen den echten Shinto“ wurde freilich von shintoistischen Theologen in Japan streng kritisiert, und sie legten ihre Gegenansicht vor. Die Treue gegen den Kaiser sei traditionell eine historische Wahrheit gewesen, die sich in den uralten Literaturquellen Japans seit jenem „Orakel der Götter“ gezeigt habe.

So hat dieses religiöse Staatsbewußtsein des Shinto, auch wenn es paradox klingt, mit Gott nichts zu tun, sondern es ist die ins Quasi-Transzendentale übersteigerte Idee der Nation, verkörpert im Kaisertum. Anders ausgedrückt: das Kaisertum hat zwar eine integrierende Rolle als ein quasi-allgemeines Prinzip gespielt. Aber es ist durchaus innerhalb einer selbstgeschlossenen Gemeinschaft des japanischen Volkes geblieben. In diesem Sinne bedeutet die sogenannte „Öffentlichkeit“ in der shintoistischen Theologie nicht ein „öffentliches“ Prinzip, das der universalen Welt der Menschheit gegenüber grundsätzlich „offen“ ist. Vielmehr darf man nicht übersehen, daß sie nichts anderes als die Hypostase der nationalen Gemeinschaft aufgrund der Bluts- und Bodenverwandtschaft ist.

Freilich hat sich in den letzten Jahren mit dem raschen Wirtschaftswachstum und der technologischen Erneuerung in Japan eine Strukturveränderung der Gesellschaft vollzogen. Dadurch beginnt schon die Grundlage des oben genannten religiösen Bewußtseins selbst zu schwanken. Besonders Urbanisierung und Bevölkerungsbewegung vom Agrarland in die Großstädte hat das Bodenverwandtschaftsbewußtsein und die traditionellen Verbindungen innerhalb primärer Gemeinschaften geschwächt. Daraus ergibt sich überall der Rückgang des shintoistischen Festes. In dieser Situation beginnt man seit den 60er Jahren nicht zufällig zu behaupten, eine Metamorphose und Modernisierung des Shinto sei unerläßlich. Hier wird gefordert, die Stützung auf eine gebräuchliche und herkömmliche Frömmigkeit abzuschaffen, den Shinto durch moderne Glaubensauffassungen zu erneuern, persönliche Bildung und Missionstätigkeit zu verstärken. Hier reflektiert man ernst über die neueste Geschichte des Shinto, der staatlich gefestigt wurde und somit unter der Staatskontrolle eine lebendige Frömmigkeit schrumpfen ließ, während umgekehrt die Missionstätigkeit shintoistischer Priester stagnierte.

Andererseits: Gegen diese selbstkritischen Überlegungen erklingt dort auch noch eine antikritische Stimme, „die Grenze der persönlichen Heilsreligion“ klar und die „eigentliche Öffentlichkeit“ des Shinto dem „Zeitstrom anpassend“ wieder lebendig zu machen. Nicht zufällig kritisiert man hier nicht nur die Gefahr der Urbanisierung, sondern auch das Auftreten der persönlichen Frömmigkeit und die Ablösung der traditionellen

Frömmigkeit durch die neue Verfassung mit dem Prinzip der Glaubensfreiheit und der Trennung von Staat und Religion.

Diese letztere Haltung ist freilich in der shintoistischen Welt überwiegend. Von diesem Hintergrund aus treibt man seit einigen Jahren eine religiös-politische Bewegung mit der offenen Hilfe der Regierungspartei, den Yasukuni-Schrein staatlich zu finanzieren und den Kaiser als den höchsten Priester des Staates dort „öffentlich" Besuche abstatten zu lassen. In dieser Absicht zeigt sich einerseits ein ernsthaftes Krisenbewußtsein über den Verfall der sozialen Grundlage des Shinto durch beiderseitige Angriffe, d. h. durch ein Ausströmen der Bevölkerung aus den Agrardörfern und durch einen Vermassungsprozeß in den Großstädten. Andererseits auch ein kurzschlüssiger Versuch, diese Krise bloß mit einer staatlichen Finanzierung und Unterstützung zu überwinden.

Der Yasukuni-Schrein ist nur ein Brückenkopf zur weiteren Entwicklung, andere Hauptschreine staatlich zu finanzieren und schließlich den Staatsshinto zu restaurieren. Man kritisiert hier nicht selten die Verordnung zum Verbot des Staatsshinto durch die amerikanische Besatzungsmacht nach dem Kriege. Sie sei unzweifelhaft ein Ausdruck der Besatzungspolitik, die die geistige Revolution und somit politische Schwächung Japans beabsichtigt hätte. Aber ich denke mir, wir müssen nun diese Bedeutung der „geistigen Revolution" umgekehrt bejahen und hoch schätzen. Bisher hat sich die Existenz des Kaisers mit seiner religiös-charismatischen Autorität so ausgewirkt, daß man in Japan den Machtwechsel unmöglich machte, d. h. politische Revolutionen und rationale Gestaltung der Politik ausschloß. Ein japanischer Historiker schreibt: „Da es in Japan keine Reformation gab, wurde die Erfüllung der bürgerlichen Revolution im echten Sinne verhindert".

In diesem Sinne sind die Bestimmungen über die Glaubensfreiheit und die Trennung von Staat und Religion in der neuen Verfassung gerade die geistige Voraussetzung der echten Demokratie Japans und auch der sozial offenen Gesellschaft in der Zukunft.

II

Eben war die Rede vom Yasukuni-Schrein. In diesem Schrein feiert man die vielen Seelen der Kriegsgefallenen als Heroengötter, die ewig das japanische Reich schützen sollen. Er ist ein verhältnismäßig neuer Schrein, der vor etwa einem Jahrhundert mit der Restauration des kaiserlichen Herrschaftsystems gegründet wurde. Seitdem wurde dem japanischen Volk gelehrt, daß der Tod auf dem Schlachtfeld einen Tod um des

„Reiches" willen bedeute, und es sei auch die höchste nationale Ehre, wenn man nach dem Tode im Yasukuni-Schrein als Gott der ganzen Nation und sogar vom Kaiser selbst als höchstem Priester gefeiert werden würde. Auf diese Weise wurde der Sinn des Todes und auch des ganzen Lebens dem japanischen Volk gegenüber begründet und galt als ein religiöses Symbol der Volkserziehung zur Loyalität gegenüber dem Kaiser.

Auch die folgende merkwürdige *Charakteristik der Staatsloyalität in Japan* möchte ich erklären. Diese Loyalität entwickelt sich vor allem in der Form einer „Loyalitätskonkurrenz" für den Kaiser, die durch einen starken psychologischen Druck zum sozialen Konformismus erzeugt worden ist. Diese Staatsloyalität entstand geschichtlich als Treue in einer homogenen Gesellschaft, die auf der gemeinsamen Grundlage der geschlossenen Boden- und Blutsverwandtschaften gebildet wurde. In diesem Klima wurden universale oder transzendentale Ideen wie christlicher Glaube oder der Kommunismus als „Ketzerei" gebrandmarkt, und man mußte hier unvermeidlich auf Verfolgungen von seiten der ganzen Gesellschaft rechnen. Wenn man eine wichtige Gegebenheit in Betracht zieht, daß in Japan als Inselreich eine Emigration ins Ausland fast unmöglich war, kann man leicht sehen, daß hier Opposition oder Revolte gegen das bestehende System sehr schwer durchzuführen war. Daraus ergibt sich ein starker Konformismus zur herrschenden Wertordnung oder zu Verhaltensweisen in den bestehenden sozialen Gruppen.

Da dieser Konformismus aufgrund der Bluts- und Bodenverwandtschaften besteht, hat er auf seiner Kehrseite immer eine fremdenfeindliche Gesinnung. Die im Inland zu kontrollierenden Gegensätze und Streitigkeiten werden sehr leicht umgeformt in Chauvinismus als eine Art Ventil. Andererseits ist es auch freilich nicht zu übersehen, daß die gegenüber dem eigenen System unterdrückte Aggressivität nun verwandelt wird zur Energie der Ketzerjagd gegen Minoritäten innerhalb der homogenen Gesellschaft selbst. Es ist in Japan ein sehr bekanntes Beispiel, daß die „Loyalitätskonkurrenz" für den Kaiser den japanischen Parlamentarismus vor dem Krieg mit eigenen Händen zerstören half, indem man unter dem Vorwand der Verehrung der japanischen *Konkutai* (Staatsstruktur) allmählich die Gedankenfreiheit oder Oppositionstätigkeiten beschränkte. Und zwar hatte die *Kokutai*-Idee keinen eindeutigen dogmatischen Inhalt und konnte kein objektives Maß vorzeigen, wie man den Verrat oder die Treue gegen die Staatsorthodoxie bestimmen sollte. Gerade deshalb konnte der undeutliche Begriff von „Ketzerei" unter der faschistischen Herrschaft in Japan grenzenlos erweitert angewandt werden, vom revolutionären Kommunisten bis zur fanatischen religiösen Sekte.

Daraus ergab sich schließlich die völlige Negation allen privaten Willens. In einem Lehrbuch mit dem Titel ›Der Weg des Untertanen‹ (hrsg. vom Kultusministerium während des Krieges) stand der Satz:

Man darf sich nicht willkürlich verhalten, indem man sein eigenes Privatleben für beziehungslos von der Nation und auch für ein selbst frei ausfüllbares Teil des Lebens hält. Sogar eine Schüssel Essen oder ein einziger Anzug gehört nicht allein mir; sogar in der Pause zu spielen und zu schlafen, ist nicht für sich selbst möglich, ohne daß es mit dem Staat in Beziehung steht, sondern alles hat mit dem Staat zu tun. Somit dürfen wir unseren Willen niemals vergessen, in unserem Privatleben uns mit dem Kaiser zu vereinigen und dem Staat Dienst zu leisten.

Entsprechend dieser „Minimalisierung" des Privatlebens muß man umgekehrt die „Maximalisierung" der Pflicht gegen den Kaiser und den Staat hinnehmen. Die konkret unbestimmbare Treuepflicht könnte ausschließlich nach dem Barometer der Selbsthingabe oder der Herzensreinheit gemessen werden, um des Kaisers oder des Staats willen in den Tod zu gehen. Hier wird der Konformismus so abnormal gesteigert, daß man fürchten muß, mit seinem (eigenen) geringen Eifer um die „Loyalitätskonkurrenz" in den Verdacht mangelnder Treue zu geraten. Die Staatstreue in dieser Hochspannungsgesellschaft brachte am Ende des Zweiten Weltkrieges eine Tragödie des Massenselbstmordes ziviler Bevölkerung in den abgesonderten Inseln im Pazifischen Ozean hervor.

Nach dem Kriege ist zwar — äußerlich gesehen — etwas anders geworden. Besonders unter der neuen Verfassung mußte eine einheitliche Integration der öffentlichen Meinung durch die *Kokutai*-Ideologie aufgelöst werden. Vielmehr hält man das Nebeneinanderbestehen pluraler Weltanschauungen in der Nachkriegsgesellschaft in Japan für selbstverständlich. Dies ist gefördert worden durch technologischen Fortschritt und Internationalisierung verschiedener Kommunikationen. Gegen diese Tendenz fürchtet man sich in den nationalistischen Kreisen vor der Gefahr, die Ruhe und Ordnung der bisherigen homogenen Gesellschaft zu verlieren. Ein Shintoist schreibt:

Der Staat scheint nun aufgelöst zu werden, mit einer vertieften Verwirrung durch die tobenden Debatten der vaterlandslosen Gesellen. Sei es Religion, sei es Moral, sei es Ideal, man hat das vereinheitlichende Grundprinzip verloren und keinen sich stützenden Pfeiler des Geistes.

Er findet schließlich „den Grund dieses nationalen Umherwanderns und Blödsinnes im Zusammenbruch der Idee der Göttlichkeit des Kaisers"!

Es ist hier nicht verwunderlich, daß man das Harakiri eines bekannten Dichters in Japan, d. h. den Selbstmord von Yukio Mishima als eine vollkommene Erfüllung der Treue gegen den Kaiser interpretiert hat, da er aufgrund „einer unentrinnbaren Vaterlandsliebe“ so gehandelt habe, indem er durch sein Selbstaufopfern die ewige Höchstpflicht wiederherzustellen versucht habe, die man in der japanischen Gesellschaft nach dem Kriege völlig vergessen habe. Hier wird die Treue ausschließlich als „Vaterlandsliebe“ oder „treues Herz der Loyalität“ idealisiert, und sie hat eine irrationale Gestalt einer emotionalen Vereinheitlichung mit dem Vaterland, mit der Nation, insbesondere mit dem Kaiser. Nicht zufällig fordert man hier die Förderung der „Moralerziehung“, die die „Ordnung und Harmonie als Haupttugenden der shintoistischen Ethik“ lehren sollte. Ferner behauptet man die Notwendigkeit der Bemühungen, in der Erziehung „die geistige Tradition Japans wiederherzustellen“ durch die „Revision“ der bestehenden Schulrechte. Hier zeigt sich klar der ideologische Zusammenhang mit der Kulturpolitik bei der Regierungspartei.

Unter den Beamten des Kultusministeriums und unter Shintoisten findet sich heute als Grundströmung die Auffassung, sogar die Glaubensfreiheit sei als an „das öffentliche Wohl“ gebundene eine nur bedingte Freiheit. Das ist ein Zeichen des Mangels an rechtem Verständnis der Gewissensfreiheit als Menschenrecht in der Verfassung. Wenn man dies mit jener Idee der „Öffentlichkeit“ des Shintoismus vergleicht, tritt hier die tief eingewurzelte Problematik des geistigen Klimas Japans hervor. Gerade dies ist die Grundlage der „japanischen Theologie“, welche die Uneinigkeit der Weltanschauungen zurückzuweisen und sie durch die „Loyalitätskonkurrenz“ gleichzuschalten beabsichtigt. Aber in der religiös und ideell nicht homogenen Gesellschaft der Gegenwart ist die Grundvoraussetzung für die moderne Demokratie, daß man grundsätzlich gegenüber Meinungsverschiedenheiten tolerant ist.

Für die freie Entwicklung einer Gesellschaft gilt es, auf den anderen Menschen zu hören und ihn reden zu lassen, auch wenn er eine gegenteilige Gesinnung hegt. Mit dem bekannten amerikanischen Richter Homes gesprochen: Das erste Verfassungsprinzip für die Demokratie ist, daß man die Gedanken-Freiheit befürworten muß, nicht nur wenn man übereinstimmt, sondern auch, wenn man einander widersprechende Gedanken vertritt. Freilich sind von seiten des Rechtes kritische Stimmen dagegen laut geworden, so daß es während der frühen 70er Jahre — besonders innerhalb der jüngeren Generation — im Rahmen einer Gegnerschaft zur Vietnam-Politik der USA-Regierung zu einem beträchtlichen Anwachsen der Zahl der Kriegsdienst-Verweigerer aus Gewissensgründen kam. Es gibt die Rede vom „Ende der modernen Demokratie“.

Hat dieser Loyalitäten-Konflikt aber tatsächlich eine Schwäche der Demokratie schlechthin bedeutet? Beweist er nicht vielmehr die Stärke der Demokratie, die eine Vielfältigkeit der Politikauswahl voraussetzt und grundsätzlich Kritik und Opposition zuläßt und doch an eine Möglichkeit des nationalen Konsenses und schließlich an die aktive Partizipation des Volkes glaubt? Wenn die Staatsmacht um der Leistungsfähigkeit der Regierung willen Menschenrechte unterdrückt, kann sie nicht umhin, die feed-back-Funktion, d. h. den Selbstverbesserungs-Mechanismus, zu verlieren und nur eine blinde „Loyalitätskonkurrenz" und schließlich bloße Resignation nach sich zu ziehen.

Vielmehr muß man sagen, daß die grundsätzliche Bejahung des „Konfliktes" in einer Gesellschaft ein Zeichen ihrer „Mündigkeit" bedeutet. Wir müssen anerkennen, daß Konflikte unvermeidlich sind, und zwar nicht als etwas Böses, sondern als eine kreative Möglichkeit, positiv benutzt zu werden. Die Soziologie des Konfliktes hat oft hingewiesen auf die wunderbar kreative Energie dieses Konfliktes und betont, daß der Konflikt keineswegs ein soziales Böses sei, sondern ein lebendiges Moment der Gesellschaft, da er eine über die bestehende Lage hinausdrängende kreative Kraft sei. Umgekehrt muß das Erstarren oder die Stabilisierung einer Gesellschaft als ein pathologisches Zeichen angesehen werden.

Freilich sind die Veränderungsformen durch Konflikte sehr vielfältig. Sie können z. B. in der politischen Welt Revolution sein, oder auch eine gegenseitige Regelung zwischen Regierung und Opposition. Konflikte zwischen Regierung und Opposition halten den politischen Prozeß der Demokratie lebendig. Er wird durch Kritik und Diskussion aufs neue Alternativen der Politik aufzeigen und die Produktionskraft einer politischen Gesellschaft erhalten. Zwar trägt der Konflikt in sich auch ein gefährliches Moment, da er leicht in Versuchung fallen kann, zu rasch Spannungen auszulösen und somit Menschen und Gesellschaft zu unterdrücken. Dann aber trägt der Konflikt in sich die Aufgabe, inmitten von Konflikten menschenwürdige Sozialverhältnisse zu schaffen und die Fähigkeit der Konfliktbewältigung einzuüben. Schließlich: der Konflikt wird ein Moment der Hoffnung in sich tragen, da er die Verabsolutierung politischer Irrtümer verhindert, die kritische Abstandhaltung vom Bestehenden aus bildet und in dieser Freiheit eine Partizipationsmöglichkeit für Strukturveränderung gibt.

Wie wir schon gesehen haben, ist aber in der japanischen Tradition eine allgemeine Scheu oder Skepsis gegen den Konflikt noch vorherrschend. Ein Philosoph, der auf der Seite der Regierungspartei steht, hat die „Demokratisierung verhindernden Mentalitäten des Japaners" aufgezählt, wie z. B. den „allesprotestierenden" Geist der Opposition im Parlament, die „Anti-Regierungs"-Mentalität der vaterlandslosen Intellektuellen und auch die parteiische Neigung der Zeitungen, die „Ordnung des Staates zu zerrütten". In dieser Logik zeigt sich typisch die potenzielle Tendenz der japanischen Gesellschaft, Interessenkonflikte oder Meinungsverschiedenheiten mit einem Schlag autoritativ entscheiden zu wollen, anstatt sie experimentell und prozessual zu lösen. Hier scheint der traditionelle „obrigkeitsstaatliche" Glaube lebendig zu bleiben, daß irgendein Organ oder irgendeine Gruppe mit einer „objektivsten" überparteilichen Autorität jeden Konflikt und jede Streitigkeit „endgültig" lösen könnte.

Ist in Wirklichkeit eine Gesellschaft, in der tatsächlich oder äußerlich völlige Eintracht und Harmonie besteht, nicht eine totalitäre? D. h., ist eine Gesellschaft, die überhaupt keinerlei Konflikte oder Streitigkeiten kennt, wirklich eine vollkommene Gesellschaft, in der jeder innere Widerspruch aufgehoben wird? Ist sie nicht vielmehr eine ganz konformistische Gesellschaft, die ihn durch Terror und Macht gewaltsam unterdrückt hat? Das wird gleich klar, wenn man sich nur an die „große-Harmonie" *(Wa)*-Idee im japanischen Faschismus erinnert.

Um es kurz zu sagen, in Japan wird jede Meinungsstreitigkeit oder Interessenverschiedenheit sicher vereinheitlicht werden durch die spezielle große Harmonie, die über jeden anderen Standpunkt hinaus aus einem gemeinsamen Ursprung herkommt. Am Ende steht nicht der Konflikt, sondern die Harmonie. Alles endet nicht mit Zerstörung, sondern schließt mit Erfüllung. Hier ist der große Geist Japans.

So war geschrieben in einem Lehrbuch mit dem Titel: ›Das Wesen der Kokutai (Staatsstruktur) Japans‹ (hrsg. vom Kultusministerium vor dem Kriege).

Anders gesagt: Sozialer Konflikt steht im Zusammenhang mit dem anthropologischen Sinn der Geschichte. Denn gerade der Konflikt ist es, der immer wieder neue Lösungen suchen und für neue Möglichkeiten offen und somit eine Gesellschaft geschichtlich werden läßt. Der Konflikt bedeutet schon hier mehr als Mittel oder Mechanismus der Veränderung, sondern in ihm kommt die Geschichtlichkeit der menschlichen Situation selbst an den Tag. Das Verlorengehen des Konfliktes stimmt daher überein mit dem Verlust der Geschichte. Ein soziales Modell von „mit Konflikten leben" ist nichts anderes als ein Modell der „offenen Gesellschaft". Die echte Loyalität, der echte Patriotismus wird gerade auf dem Weg des „Loyalitätenkonfliktes" als dem des demokratischen Prinzips verwirklicht werden, statt der „Loyalitätskonkurrenz" in einer geschlossenen, homogenen Gesellschaft.

III

In diesem Zusammenhang möchte ich nun *die Frage nach der Bewältigung der neuesten Geschichte Japans* erwähnen. Wenn man unter dem Namen des Staates und Kaisers den Kriegsgefallenen zu verherrlichen versucht, wird das die Schuld des unter diesem Namen geführten Krieges verdunkeln, und ferner zu dessen Bejahung und sogar Rechtfertigung verleiten. Ich möchte daher das Geschichtsbewußtsein der Bewegung, die sich den Yasukuni-Schrein zu verstaatlichen zum Ziel gesetzt hat, ausführlich analysieren.

Hier hat man wiederholt — im Blick auf das Maß der historischen Beurteilung der Kriegsschuld — auf zwei Aspekte hingewiesen: nämlich die subjektive Absicht (Arglosigkeit) und die objektive Folge des Krieges (Effektivität). Ein shintoistisches Journal berichtet über den ersten Punkt:

> Wir können den Krieg nicht als ein räuberisches Verbrechen verurteilen. Eure Brüder und Kinder im Frontdienst hatten niemals mit räuberischem Herzen das Gewehr angeschlagen. Das wäre selbstverständlich für die Japaner! ... Japaner dachten sich damals, es sei eine historische Mission des Vaterlandes, daß Japan für die große Befreiung Asiens Beistand leisten wollte.

Über den zweiten Punkt:

> Objektiv gesehen, haben Völker des Morgenlandes von Indien bis Indonesien, ferner Malaia bis zu den Philippinen, durch die kriegerische Aktion Japans ihre Unabhängigkeit und Befreiung von den Fesseln der westeuropäischen Hegemonie bekommen können. Das ist der Sinn des groß-ostasiatischen Krieges (II. Weltkrieges im asiatischen Raum).

In dieser Logik findet sich dieselbe Denkart, die schon seit den 60er Jahren bei den rechtsradikalen Ideologen für die „Bejahung des Großasien-Krieges“ hervortrat. Danach wurde behauptet, dieser Krieg sei dem Wesen nach ein Befreiungskrieg gewesen, wenn er auch dem Anschein nach ein Eroberungskrieg hätte sein können. Wenn auch Japan eine Niederlage erlitten zu haben und vernichtet zu sein scheine, sei am Ende doch der Kriegszweck erfüllt worden.

Aber es ist nicht zu übersehen, daß hier im doppelten Sinne ein Selbstbetrug vorliegt. Zum ersten Punkt: die Tatsache der Entfremdung zwischen einem subjektiven Herzen und einer objektiven Aktion ist absichtlich übersehen worden. Auch wenn man durch die Kriegspropaganda unbewußt oder bewußt betrogen wurde und subjektiv glaubte, der Krieg sei keine Eroberung gewesen, wird die Aktion selbst, daß man als Soldat über das Meer fuhr und fremde Völker mit Füßen trat, das Gegenteil beweisen. Zum zweiten Punkt: Wenn man das „Ergebnis“, daß Völker Asiens durch die Niederlage Japans ihre nationale Befreiung bekommen konnten, mit dem „Zweck“, d. h. der Kriegsideologie von damals, die das japanische Volk zum Krieg trieb, unmittelbar verbindet, dürfte man den Kausalzusammenhang umgekehrt haben. Denn schon einige Grundsätze der Besatzungspolitik der japanischen Macht zeigten, daß die Idee der „Neuordnung Ostasiens“ von damals nicht die eindeutige Befreiung der kolonialen Völker vom europäischen Imperialismus zum Ziel hatte, sondern einen Versuch darstellte, die Kolonien unter japanischer Hegemonie umzuformen. Die Höchste Kriegführung hatte vorher bestimmt, daß nach dem Kriegssieg Japans z. B. Indonesien ins Territorium des japanischen Reiches einverleibt werden sollte.

Ferner müssen wir drittens fragen: Wie verhalten sich heute gegenüber den Befreiungsbewegungen der Völker in Asien und in der Dritten Welt diejenigen Leute, die den „Ostasien-Krieg“ wegen dessen Ergebnis der nationalen Befreiung für nicht verfehlt halten? In Wirklichkeit haben die meisten keine Teilnahme daran und sogar kein Interesse dafür gezeigt. Neuerdings sind in Südostasien Antipathie oder Vorwürfe gegen Japan und die Japaner auffällig laut geworden. Aber unter den Bejahern des letzten Krieges ist davon die Rede, daß sie bloß eine politische Taktik, um „Reparationsgeld zu nehmen“, und keine „Stimme des ganzen Volkes“ sei. Ferner: „Wenn Japan einmal sein Reparationsgeld ausbezahlen wird, wird dieser emotionale Faktor jenseits von Liebe und Haß bald verschwinden.“ Es ist kaum möglich, daß aus diesem oberflächlichen Moralgefühl ein sittliches Bewußtsein für die Kriegsschuld hervorgehen kann.

Freilich gibt es hier noch eine andere, vorsichtigere Meinung, besonders angesichts der Tatsache der unleugbaren „Eroberung“ Japans. Man redet: „Wir wollen gar nicht sagen, daß das japanische Heer bloß altruistisch allein als Befreier handelte“, und „es ist schwer zu sagen, daß der Eroberungskolonialismus Japan nicht beeinflußt hatte“, jener Geist „der Neuen Ordnung Ostasiens“. Aber „dort gab es zugleich das Missionsbewußtsein als Befreier und die Aktion als Befreier. Diese beiden Ströme flossen zusammen. Das ist die Wahrheit der Geschichte“. Außerdem konnte nach dieser Meinung diejenige Kriegführung Japans, die mit dem „nationalsozialistischen Geist zur Eroberung sympathisierte, kein Recht des Stärkeren behaupten so keck und übermütig wie Hitler“. Warum? Denn sie konnte die Japaner für den Krieg mobilisieren bloß dadurch, daß sie mit dem Namen des „Kaisers“ appellierte, der die alte, traditionelle Zivilisation und die höchste Sittlichkeit symbolisierte. Wenn sie im Namen des Kaisers appellieren wollte, dann konnte sie nicht umhin, mit Dogmen wie dem „Frieden Asiens“ und der „Befreiung“ zu überreden, statt mit Dogmen der „Eroberung“. Das japanische Volk konnte tapfer kämpfen mit Loyalität und Heldenmut, sofern es sich vom Dogma dieser „Befreiung" überzeugen konnte. Bedeutet dies aber, daß die geistige Autorität des Kaisers der Kriegführung „mittelbar" einen Druck oder einen Anlaß gab? Vielmehr bedeutet das, daß seine traditionelle Autorität die beste ideologische Funktion war, um die Nation geistig zum totalen Krieg zu mobilisieren.

In dieser Bejahung des Krieges kann man die tiefere Wurzel des falschen Bewußtseins finden, das wir schon oben angesprochen haben. Zwar setzte der Nationalsozialismus in seiner Idee vom „Herrenvolk" oder „Lebensraum" die Logik der nackten Macht aufgrund des Sozialdarwinismus durch. Dadurch aber mußte man sich klarer seiner Politik des ethnozentrischen Egoismus oder nationaler Exklusivität bewußt werden. Im Gegensatz dazu hat sich der japanische Faschismus in seiner Idee vom „Mitgedeihen-Raum" oder von der „einen Welt-Familie" geistig und sittlich ausgeschmückt. Dadurch fällt man leichter in Versuchung, seine eigene Politik den anderen Völkern aufzuzwingen, ohne sich der Pseudo-Allgemeingültigkeit seines nationalistischen Egoismus oder seiner Exklusivität der Selbstbehauptung tief genug bewußt zu werden. D. h., sofern man diese pseudo-„familienhafte Ethik" nicht richtig erkennen kann, würde man ohne schlechtes Gewissen sich selbst ideologisch rechtfertigen können, indem man Japan mit dem „Patriarchen" in der „Weltfamilie" und in der internationalen „Hierarchie" vergleicht. Hier hat sich also ein konsequenter Selbst-Betrug durchgesetzt, dem es völlig am Bewußtsein für sein Tun und Vergehen fehlt. Aber dadurch, daß man sich dabei in seiner Politik grundsätzlich nicht um eine technologische oder militärische Rationalität kümmerte, erweiterte sich von selbst der Umfang der Eroberungen — bis hin zur völligen Niederlage am Ende des Krieges.

Zweitens: Man mag vielleicht in dieser Logik der Kriegsbejahung den Schluß voraussehen, daß das japanische Volk daran unschuldig sei, da es selber durch die Kriegführung betrogen worden war. In diesem Punkt liegt eine unübersehbare Problematik vor. Im Volksgefühl gibt es ein vages Bewußtsein, man sei ein Geschädigter, als ob der Krieg wie eine Art „Naturkatastrophe" über einen gekommen wäre. Man wollte nicht fragen, wer diesen Krieg verursachte und durch wen man Kriegsschaden und auch Niederlage erleiden mußte. Im Unterschied zum Nachkriegsdeutschland hat das japanische Volk sogar von den Kriegsverbrechern nicht von sich aus Rechenschaft gefordert. Trotz der Niederlage konnte das Kaisertum, wenn auch in einer umgewandelten Form, noch bestehen bleiben, und Kriegsverbrecher der A-Klasse können heute noch wichtige Staatsgeschäfte, auch die Verstaatlichung des Yasukuni-Schreins, mittelbar und unmittelbar beeinflussen. In diesen Beispielen zeigt sich ganz ironischerweise die „auf der Welt unübertroffene" Eigentümlichkeit der japanischen *Kokutai.*

Wie wir schon gesehen haben, hat Japan als Inselreich seit langem eine geschlossene Gesellschaft gebildet, die mit einer einzigen Rasse, einer einzigen Kultur und einer einzigen Sprache durchgeformt worden ist. Hier ist eine Gemeinschaftsordnung entstanden, die fast keiner fremden Kultur oder einem fremden Volk im großen und nationalen Umfang begegnen konnte. Innerhalb dieser homogenen Gemeinschaft hat immer merkwürdigerweise eine „unausgesprochene Sprache" und ein „ungeschriebenes Gesetz" Gültigkeit. Das ist die Gesellschaft, in der man gern nach freiem Ermessen entscheiden will, ohne sich in der Sache nach Regel und Vorschrift zu richten. Vielmehr will man zu einer friedlichen Verhandlung gelangen, ohne die Sache vor Gericht zu bringen. Hier sind unerschütterlich die emotionalen Menschenverhältnisse bestehengeblieben, wie man oft sagt: man müsse sich aufeinander stützen. Aber der Wunsch, sich emotional — zum Zwecke des „nationalen Zusammenhaltes" — allein auf den Kaiser als den „liebevollen Landesvater" zu stützen, ist geradezu ein symbolischer Ausdruck dieser Verhältnisse. Das macht auch einen wichtigen Hintergrund aus, der in der japanischen Gesellschaft das Heranwachsen eines Persönlichkeits- und Rechtsbewußtseins verhindert hat. Wenn man infolgedessen ohne Gebrauch der Sprache oder der geschriebenen Regel Gesellschaftsleben gestalten kann, ist es selbstverständlich, daß man hier kein Ethos entwickeln kann, das die Gesellschaft mit Sprache und Regel kontrolliert und damit von jemand Rechenschaft fordert. Diese Tatsache hat weiter jenes geistige Klima bestehen lassen, daß das japanische Volk sich seiner eigenen Schuld, mittelbar oder unmittelbar an dem Eroberungskrieg teilgenommen zu haben, nicht klar bewußt werden konnte.

Drittens: Für die Bewältigung der neuesten Geschichte Japans muß man im Grunde das Kriegserlebnis des japanischen Volkes als eines „Heiligen Kriegs" im Zusammenhang mit seinem Kaisererlebnis beachten. Hier war der Krieg als solcher eine „religiöse" Erfahrung. Er war eine leidenschaftliche Partizipation am Schicksal des Staates, in dessen Zentren die „heilige Kokutai" stand, und auch ein politischer und militärischer „Gottesdienst", um den Staatsshinto mit dem „göttlichen Kaiser" als höchstem Priester universal auszudehnen. Schon seit den 30er Jahren hatte man tatsächlich parallel mit der Systematisierung der faschistischen Herrschaft den Versuch gemacht, den Shinto zur Staatsreligion zu erheben. Mit der Erweiterung durch kolonialistische Eroberung exportierte man den Shinto Japans. Zuerst begann man in Korea damit, den Besuch des shintoistischen Schreins zu erzwingen. Bald ließ man in der Hauptstadt des „Marionetten-Kaiserreichs“ Mandschukuo einen Reichsbegründungsschrein aufbauen, als dessen Gottheit die Sonnengöttin Japans fungierte. In den japanischen Besatzungsgebieten in China und in Südostasien wurde ein Schrein nach dem andern errichtet. Der japanische Faschismus hat auf diese Weise seine eigene volkstümliche Religion anderen Völkern mit seiner kolonialistischen Herrschaft zusammen aufgezwungen. Dieser Mißbrauch der Religion war eine mit dem westeuropäischen Imperialismus unvergleichliche Regierungsart, die allein dem japanischen System eigentümlich war. Hier liegt die große Kriegsschuld des Staatsshinto. Aber im shintoistischen Journal wird über diese „Eroberung durch die Götter“ während des Krieges heute noch so geschrieben, daß „die Geschichte des shintoistischen Schreins im Ausland die Geschichte der internationalen Entwicklung des Shinto ist“. Man hat sogar den Versuch der Verstaatlichung des Yasukuni-Schreins so gerechtfertigt, daß man damit für die dahingeschiedenen Seelen der Kriegsopfer einen religiösen Dienst leisten und die Kritik der Toten am Krieg und zugleich ihren Friedenswunsch bekanntmachen wollte. Wenn die Lage derartig ist, kann es nicht anders sein, als daß die Götter keine Kriegsschuld hinterlassen hätten. Ein kritischer Historiker schreibt: „Gerade im Namen der Götter, die das Volk zum Krieg getrieben hatten, hat man für die Seelen der Kriegsopfer religiösen Dienst geleistet und dadurch die Kriegsschuld der Götter zu verdecken versucht.“

IV

Zum Schluß möchte ich das, was ich bisher ausgeführt habe, kurz zusammenfassen und nach dem Auftrag der Verkündigung des Evangeliums und nach dem Zeugnis der Christen in der japanischen Gesellschaft fragen. Die japanische geistige Lage, die in der Yasukuni-Frage symbolisiert wird, kann im Zusammenhang mit den drei Grundprinzipien der japanischen Verfassung wie folgt dargestellt werden:

Erstens: Es braucht nicht wiederholt zu werden, daß die Verstaatlichung des Yasukuni-Schreins nicht nur das Prinzip der Glaubensfreiheit oder der Trennung von Staat und Religion unmittelbar verletzen wird, sondern auch das ganze System der Grundrechte. Man muß befürchten, daß diese Verletzung der geistigen Freiheit an *einem* Punkt — am zentralen nämlich! — beginnt und sich dann auf die Gedankenfreiheit und die Freiheit zur öffentlichen Meinungsäußerung ausweitet. Dagegen muß man sich ins Gedächtnis zurückrufen, wie eigenwillig der japanische Faschismus, der sich mit dem Staatsshinto verband, das innere Leben der Nation unterdrückte. So haben schon Befürworter des Yasukuni, die für seine Verstaatlichung eintreten — aus moralischen Gründen und aus „nationaler Pflicht", wie sie sagen — Kritiker des Yasukuni als „Volksverräter" und „Koreaner" angeprangert, genauso wie es vor dem Kriege geschehen war. Sie haben somit sehr offen ihren Geist der Ketzerverfolgung und ihr Vorurteil der Rassentrennung gezeigt. Hier können wir sehen, daß die Frage der Glaubensfreiheit als die Frage der Menschenrechte im Zusammenhang mit dem ganzen menschlichen Leben stehen muß. Hier deutet sich die Richtung jener „staatsbürgerlichen" Aufgabe an, die die Anti-Yasukuni-Bewegung heute wahrzunehmen hat.

Zweitens: Die Yasukuni-Verstaatlichung wird das Prinzip der Volkssouveränität verstümmeln, indem sie sich mit der Restauration des Kaiserkultes verbünden wird. Einer der wichtigsten Inhalte dieser Verstaatlichung ist es, den öffentlichen Yasukuni-Besuch des Kaisers zu legalisieren. Dies bedeutet: die ganze Nation wieder ins System der „pseudo-religiösen" Herrschaft aufzunehmen, die den Kaiser als höchsten Priester des Staates haben wird. Dies kann man sich leicht vorstellen, wenn man sieht, daß die Yasukuni-Kampagne gerade als eine Vorpostenlinie für die Verstaatlichung des Ise-Schreins betrieben wird. Dieser ist gerade der Hauptschrein des Shinto, da er als seine Gottheit die Sonnengöttin als die Urahnin der Kaiserdynastie feiert.

Ethnologen haben oft auf den doppelten Charakter des japanischen Kaisers hingewiesen. Der Kaiser war im Altertum Japans der höchste Verwalter des religiösen Festes, dessen Gottheit die Sonnengöttin war, die den Menschen in der agrarischen Gesellschaft mit der Reispflege eine fundamentale Gnade geben sollte. Zugleich war der Kaiser der Schamane selbst, der in diesem Fest mit dieser Göttin sich vereinigen und sie verkörpern konnte. Gerade dieses religiöse Charisma des Kaisers als „Menschen-Gottheit" im Altertum schien damals eine integrierende Rolle für gesellschaftliche Gegensätze spielen zu können.

Seit einigen Jahren ist von seiten der Regierung eine Sehnsucht nach dem sogenannten „ursprünglichen" Kaiser stärker geworden, der „mit dem Zepter dem Ise-Schrein religiösen Dienst leisten und als den halbreligiösen und geistigen Pfeiler Japan vereinheitlichen sollte". Man denkt sich hier, es genüge schon ein „Symbol"-Kaisertum, wenn der Kaiser mit seiner „über Parteiengezänk oder Machtkämpfe emporragenden" charismatischen Autorität jene Rolle spielen könnte, selbst wenn er seine politische Macht von vor dem Kriege nicht wiedergewönne. Hier liegt ein wichtiger Aspekt der Yasukuni-Frage vor, den man bisher übersehen hat.

Drittens: Die Yasukuni-Verstaatlichung hat einen Zweck, der klar mit dem Friedensprinzip der Verfassung in Widerspruch steht. Im Gesetzentwurf für diese Verstaatlichung heißt der 1. Artikel mit seiner Zweckbestimmung: „zu gedenken der bleibenden Einflüsse" der Seelen der Kriegsgefallenen, „ihre Leistungen zu verherrlichen", „somit ihre Heldentaten ewiglich zu übermitteln". Ist nicht diese Gesetzgebung, den Eroberungskrieg als „Leistungen und Heldentaten" zu bezeichnen, nichts anderes als eine Herausforderung gegen die japanische Nation, die nicht nur alle Streitkräfte sowie weiteres Kriegspotential nicht mehr unterhält, sondern für immer auf den Krieg als souveränes Recht der Nation verzichtet hat?

Zwar weist man als einen Rechtfertigungsgrund der Yasukuni-Verstaatlichung nicht selten auf das „Nationalgefühl" hin, daß die Nachfahren der Kriegsgefallenen an den sinnvollen Tod ihrer eigenen gestorbenen Verwandten glauben möchten und daher auf das staatliche Fest im Yasukuni-Schrein warten würden. Wenn die Rede darauf kommen sollte, müßte man viel mehr Rücksicht nehmen auch auf die Zivilbevölkerung, die inmitten des totalen Krieges durch Atombomben oder Kriegsschaden zu Todesopfern wurde. Die Rede vom „Nationalgefühl" ist betrügerisch, denkt man hier an die Zivilbevölkerung z. B. auf Okinawa, das als ganze Insel zum Kriegsschauplatz wurde, deren Bewohner durch das japanische Heer in den Massenselbstmord getrieben wurden, damit sie nicht lebend in die Hände der amerikanischen Eroberer fielen.

Die Bejaher der Verstaatlichung haben versucht, ihren Plan unter dem Vorwand zu rechtfertigen, sie sei eine nationale Moralpflicht. Wenn man davon sprechen will, müßte man vor allem den Tod und das Leiden vieler Völker Asiens tief bedauern, die durch den Eroberungskrieg Japans verursacht wurden. Wir Japaner dürfen die Tatsache nicht vergessen, daß heute unter den Völkern Asiens Antipathie gegen die Wirtschaftsmacht Japan und bittere Erinnerung an „Großasiens Mitgedeihenraum" vermehrt aufgekommen sind und der Yasukuni-Verstaatlichungs-Versuch besonders von Chinesen und Koreanern als ein Vorzeichen der Wiederbelebung des japanischen Militarismus betrachtet wird.

Von Anfang an haben Christen in Japan an der Spitze der Bewegung gegen diese Verstaatlichung des Yasukuni-Schreins gestanden. Zwar haben nicht alle Kirchen daran teilgenommen, aber jeder ernsthafte Christ hat den Kampf als die Sache seines Zeugnisses und Dienstes für Gott und die Menschen aufgenommen. Dabei tragen Christen aufgrund christlichen Bekennens den Auftrag, den Zeitgeist „radikal" im echten Sinne zu kritisieren:

Erstens: Religionswissenschaftlich gesprochen ist der Glaube des Yasukuni-Schreins im Grunde eine animistische Anbetung, dessen Gottheiten Rachegeister der Toten sind. Im Shinto gibt es so viele Götter (8 Millionen Götter werden genannt!) auf fast jedem Lebensgebiet — vom Gebirge bis zum Hausherd —, und in diese göttliche Reihe sind die toten Seelen der Kriegsgefallenen aufgenommen. Alle Gottheiten im Shinto sind deshalb personalisierte Naturereignisse oder vergöttlichte Personen. Ihre Göttlichkeit geht keineswegs über die Welt der Natur oder Menschen hinaus. Diesem primitiven Pantheismus oder Polytheismus gegenüber hat der christliche Glaube den lebendigen, einzigartigen echten Gott zu bezeugen. Er ist der Schöpfer der Welt und somit der persönliche transzendentale Gott über alles. Gerade deshalb lehrt die Bibel uns Bilderverbot und gebietet, Götzendienst zu meiden.

Zweitens: Wir müssen auch gegen den restaurativen Nationalismus auf der Basis des Shinto protestieren. Allgemein gesprochen ist der Nationalismus im 19. und 20. Jahrhundert eine weitverbreitete Pseudoreligion des Massenzeitalters geworden. Er hat dem modernen Staat einen Anschein der „Volksgemeinschaft" gegeben, als ob er alle Klassengegensätze überwinden könnte, und dem autoritativen Herrschaftssystem auch einen Anschein der Demokratie. Man muß dabei besonders beobachten: Je deutlicher der Nationalismus einen „rassenhaften" oder „völkischen" Charakter gezeigt hat, desto stärker ist die Tendenz seiner Rückkehr zur „bodenständigen" und „ethischen" Religiosität geworden, wie im Nationalsozialismus oder im japanischen Faschismus. Der christliche Glaube dagegen hat aufgrund der Bindung an den einzigen Gott eine weltoffene universale Ethik für die ganze Menschheit. In Christo ist nicht Jude noch Grieche, da ist nicht Sklave noch Freier. Das Evangelium Christi hat deshalb den volkstümlichen „Mythos des Ursprungs" von „Blut und Boden" (P. Tillich) entmythologisiert und überwunden.

Drittens: Wir haben gesehen, daß die Restauration des Staatsshinto mit der des Kaiserkults gekoppelt ist. Aber man darf als Christ nicht einer Person auf Erden die Möglichkeit einräumen, in sich eine solche geistig-religiöse Autorität zu verkörpern und von allen absoluten Gehorsam zu fordern. Vom christlichen Standpunkt aus ist vielmehr jeder Mensch ein Sünder, der vor Gottes Gericht steht und um Christi willen Vergebung erbitten muß. Das Kaisertum, sei es auch das „Symbol"-Kaisertum, wäre grundsätzlich unvereinbar mit dem christlichen Glauben. Denn es ist das System, das eine Person aufgrund einer herkömmlichen Tradition und eines Erbcharismas sozusagen „gesalbt" und geweiht hat, um sie vom gewöhnlichen Volk zu unterscheiden und ihr besondere Vorrechte und Autorität erblich zu sichern. Ohne die ununterbrochene „Entmythologisierung" dieses „pseudoreligiösen" Charismas wird man in Japan keinen Aufbau einer echten, sozialen Demokratie erwarten dürfen. Zwar scheint diese Kritik der Einheit von Staat und Religion vom alten Staatsprinzip aus gesehen negativ-zerstörerisch zu sein. Aber der Säkularisierungsprozeß im Staatsleben ist heute nichts anderes als Befreiung zur Autonomie der politischen Welt, und er bedeutet eine positiv-aufbauende Arbeit zum Mündigwerden der Politik, die ohne Hilfe eines religiösen Anscheins sachlich und rational für das wirkliche Wohl der Nation verantwortlich handeln kann und soll.

Sie ist nötig nicht nur für das Mündigwerden des Staates, sondern auch des Menschen selbst. Jeder einzelne in der ganzen Nation muß mündig werden, nicht als „Untertan", sondern als „Staatsbürger" selbständig, um öffentliche Angelegenheiten sachlich und rational verantworten, daran teilnehmen und sie mitgestalten zu können. Wie Karl Barth einmal sagte: „Der mündige Christ kann nur ein mündiger Bürger sein wollen, und er kann auch seinen Mitbürgern zumuten, als mündige Menschen zu existieren." Freilich ist das Evangelium keine politische Heilsbotschaft. Ein christliches Bekennen transzendiert die Politik. Aber gerade deshalb kann es für alle Menschen, Christen und auch Nichtchristen, einen unentbehrlichen Dienst leisten, nämlich die politische Vernunft echt rational und sachlich zu machen.

Zum Schluß möchte ich kurz über einige Beispiele dieser Kämpfe in Japan berichten. Ein Christ, der der Nicht-Kirche-Bewegung angehört, hat seit 20 Jahren ganz allein dagegen protestiert, daß die Stadtverwaltung das Fest des Schutzgottes des dortigen Bezirkes öffentlich finanziell unterstützt hatte. Schließlich hat er mit Hilfe der erweiterten Bürgerinitiative den Kampf gewonnen, da die Stadtverwaltung ihre bisherige Politik völlig zu verändern schwor. Man muß Verständnis dafür haben, daß solch ein Kampf — besonders auf der lokalen Ebene — sehr schwer durchzuführen ist. Denn dort ist heute noch Gemeinschaftsbindung und -zwang am stärksten. Deshalb kann dieser Protest im alltäglichen Leben ein wichtiges Zeugnis sein, um das geistige Klima Japans aus dem christlichen Glauben heraus gründlich zu verändern. Denselben Kampf hat ein Stadtverordneter, der zur KPJ gehört, geführt. Dieser Fall wird jetzt vor dem Obersten Gericht Japans verhandelt, und der Verlauf wird von vielen aufmerksam verfolgt als ein Vorpostengefecht für die Verstaatlichung des Yasukunis. Offen gesagt weiß niemand, ob er diesen Prozeß gewinnen kann, da der Oberste Gerichtshof Japans neuerdings aus konservativen Richtern, die in der Nähe der Regierungspolitik stehen, konstituiert wurde. Wichtiger aber ist, daß auch Christen für den Prozeß eines Kommunisten als Rechtsanwälte oder Zeugen kooperieren und mittragen zu lernen beginnen. Es ist geradezu eine gemeinsame Aufgabe für Christen und Nichtchristen, Theisten und Atheisten, die Menschenrechte zu schützen und die konservative Geistesstruktur radikal zu verändern.

Christen in Japan müssen hier den Geist sozialer Solidarität einüben und verwirklichen. Dann wird die Zusammenarbeit mit Nichtchristen ermöglicht werden durch das Zusammentreffen von konkreten Wertungen, Interessen und Zwecken. Für sie genügt partielle Übereinstimmung. Sie wird nicht unmöglich gemacht durch die Differenz der Weltanschauungen oder Motivierungen. „Es wird sich je und je ereignen, welche Partner der Christ unter den Nichtchristen bei seinem Dienst an der Welt findet und wie weit diese Partnerschaft reicht“ (Gollwitzer). Es ist für Christen der Glaube an Christus den Herrn, der uns von jeder Skepsis und Angst befreien und nüchterne Erkenntnis für die gemeinsame Sache und eine wirkliche Verantwortung für den Dienst an der Welt begründen wird. Selbst da, wo es nicht primär und direkt um ein missionarisches Zeugnis von Jesus Christus gehen könne, sondern um sehr weltlich-rationale Belange, müßten die Christen dennoch aus ihrem Glauben heraus zeugnishaft handeln, da es sich bei allen diesen Dingen immer auch um betroffene Menschen handle, für die Christus als ihr Herr gestorben und auferstanden ist.

Nicht zuletzt muß ich hier noch hinzufügen: Der Kampf der Christen gegen die Yasukuni-Verstaatlichung wird heute in den Völkern Asiens, z. B. in Südkorea, besonders geschätzt. Auch dort bekämpfen ernsthafte Christen und Nichtchristen die diktatorische Herrschaft und die Verletzung der Menschenrechte. Bestrebungen der Christen in Japan sind gerade der Weg, internationale Solidarität zu lernen und einzuüben. Auf diesem Weg können Christen in Japan dazu beitragen, auch ihrerseits Demokratie und soziale Gerechtigkeit zu verstärken und eine friedliche Zukunft zu sichern.

BIBLIOGRAPHIE DER SCHRIFTEN ADOLF KÖBERLES SEIT 1926

Die vorliegende Bibliographie besteht aus drei Teilen: 1. der von G. Dulon für die Festschrift zum 60. Geburtstag von Adolf Köberle (Die Leibhaftigkeit des Wortes. Theolog. u. seelsorgerl. Studien u. Beiträge als Festgabe f. A. Köberle z. 60. Geburtstag. Hrsg. von Otto Michel u. Ulrich Mann. Hamburg: Furche Verlag 1958) erarbeiteten und bis 1958 reichenden Bibliographie (dort S. 507 bis 516); 2. der von mir 1975 in der ›Theologischen Literaturzeitung‹ (100, 1975, Sp. 473—480) veröffentlichten ›Bibliographie Adolf Köberle 1958—1974‹, 3. der revidierten Fassung dieser beiden ersten Teile und ihrer Fortführung *bis 1978 (Zeitpunkt der Drucklegung)* durch Ass.-Prof. Dr. M. Kwiran.

Kleine formale Differenzen in der Gestaltung des Ganzen sind darauf zurückzuführen, daß die Teile 1 und 2 (von Ergänzungen und Korrekturen abgesehen) möglichst unverändert übernommen wurden.

1926

Die Religiosität der katholischen Jugendbewegung (Zeitwende, Jg. 2, I, S. 62 bis 79).

Zum Verständnis der Theologie Karl Heims (Zeitwende, Jg. 2, II, S. 204—210).

1928

Auferstehung (Christentum und Wirklichkeit, Jg. 6, S. 61—64).

Der erneuerte Anblick der Natur (Zeitwende, Jg. 4, II, S. 112—126).

Gebet und Dienst (Neuwerk, Jg. 10, S. 320—329).

Von der Niedrigkeit Christi. Berlin [34 S.]; (Stimmen aus der deutschen christlichen Studentenbewegung, Heft 61), 1933[2] (überarbt.), 1942[3] [47 S.] (völlig neu bearbt.).

1929

Botschaft des Katechismus. Auslegung für die Gegenwart. Ges. v. A. Köberle. Leipzig. Darin: Ich glaube, daß mich Gott geschaffen hat, S. 28.

Botschaft des Katechismus als Antwort auf das Suchen unserer Zeit. Vortrag (Allg. Ev.-Luth. Kirchenzeitung, Jg. 62, Sp. 674—678, 698—703, 722—727).

50 Jahre Missionsseminar (Ev.-Luth. Missionsblatt, Jg. 84, S. 153—157).

Natur und Gnade (Zeitwende, Jg. 5, I, S. 370—374).

Der paradoxe Charakter der Sündenvergebung (Kirchliche Zeitschrift, Jg. 53, S. 479—492).

Rechtfertigung und Heiligung. Eine biblische, theologie-geschichtliche und systematische Untersuchung. Tübingen, Ev. theol. Diss. v. 27. April 1929. Wiederabgedr. Leipzig [XII, 307 S.] 1929[2], 1930[3], 1938[4]. Justification et Sanctification. Paris 1933 [251 S.]; The Quest for Holiness. New York 1936 [268 S.] s. a. 1930. Japanische Übersetzung: Tokyo 1956 [368 S.].

Schelling in unserer Zeit (Zeitwende, Jg. 5, II., S. 266—271).

Der Tod als Frage an das Leben (Zeitwende, Jg. 5, I., S. 205—219).

1930

Das erneuerte Leben im Glauben. Zum Verständnis von Rechtfertigung und Heiligung. Vortrag. Bethel/Bielefeld, Sonderdruck Beth El, H. 6 [32 S.].

Das Kreuz Jesu und die Mission (Ev.-Luth. Missionsblatt, Jg. 85, S. 89—91).

Die Neubesinnung auf den Missionsgedanken in der Theologie der Gegenwart (Neue Allg. Missionszeitschrift, VII, 11 u. 12, S. 321—332, 353—368). Wiederabgedr. in: Leipziger Missionsstudien, N. F. 4, Leipzig [32 S.].

Rechtfertigung und Heiligung (Beth El, Jg. 22, S. 4—14, 35—44, 60—64) s. a. 1929.

Chr. Geyer und die Musik (Christentum und Wirklichkeit, Jg. 8, S. 42).

Reformation und Erziehung (Christentum und Wirklichkeit, Jg. 8, S. 165 bis 176.

Die reformatorische Botschaft in der Augustana als Zeugnis an die Gegenwart (Pastoralblätter, Jg. 72, S. 513—529).

Zum Ringen um das Verständnis Luthers (Die Furche, Jg. 16, S. 197—204).

Lied der Kirche, Erweis ihres Lebens, in: Der Student vor Gott. Motive zur Neugestaltung des inneren Lebens in der deutschen akademischen Jugend. Hrsg. v. Georg Muntschick. Berlin 1930, S. 80—90.

1931

Die Botschaft der Reformation. Predigt. Basel [15 S.].

Die Entwicklung der sittlichen Persönlichkeit im Luthertum. In: Entwicklung zur sittlichen Persönlichkeit. Hrsg. v. Joh. Neumann. Gütersloh, S. 182—209.

Die Gemeinschaft der Heiligen (Beth El, Jg. 23, S. 314—328).

Modernes Schicksalsforschen und christlicher Gottesglaube (Zeitwende, Jg. 7, II., S. 328—344). Wiederabgedr.: Kaiserslautern [26 S.]. 1933.

Der Sinn des Kreuzes. Predigt. Basel [16 S.].

Das soziale Problem im Lichte der Augustana. Vortrag (Allg. Ev.-Luth. Kirchenzeitung, Jg. 64, S. 77—83, 98—101); dass. als Sonderdruck in: Luther und die soziale Frage. Hrsg. v. J. S. Schöffel und A. Köberle. Leipzig, S. 93—110.

1932

Alkoholfrage und christliche Erziehung (Die Alkoholfrage in der Religion, Jg. 5, H. 2, 23 S.).

Christentum und modernes Naturerleben. Drei Vorlesungen. In: Studien des apologetischen Seminars. Hrsg. v. C. Stange. H. 33. Gütersloh [70 S.].

Christus, die lebendige Quelle der Völkerwelt (Ev. Missionsmagazin, N. F., Jg. 76, Basel, S. 193—200).

Evangelium und göttliche Schöpfungsordnung (Zeitwende, Jg. 8, I., S. 391 bis 394).

Geist, Geister und Heiliger Geist (Allg. Ev.-Luth. Kirchenzeitung, Jg. 65, Sp. 460 bis 468, 482—489).

Die Kraft des Gebets und die Not der Mission in der gegenwärtigen Weltlage (Ev.-Luth. Missionsblatt, Jg. 87, S. 130—132).

Das Rätsel des Todes und seine Überwindung. Bern [30 S.].

Die Seele des Christentums. Beiträge zum Verständnis des Christusglaubens und der Christusnachfolge in der Gegenwart. Berlin, 3. A. [387 S.] 1933[4], 1935[5] (neu bearbt.).

Todesnot und Todesüberwindung. Gedanken über die letzten Dinge. Berlin [42 S.].

1933

Das Brot des Lebens. Ev. Abendandachten für jeden Tag nach der Ordnung des Kirchenjahres. Hrsg. v. A. Köberle. Berlin [132 S.] 1951[2] (neu bearbt.). Andacht zum 6. Epiphaniassonntag, S. 93; Andacht zu Pfingsten, S. 212; Zwölf Andachten für besondere Tage des Jahres, S. 408—419.

Knechtschaft und Freiheit (Ev. Missionsmagazin, N. F., Jg. 77, S. 193—194).

Menschenkraft und Gotteskraft. Besinnung über das Leben mit und ohne Christus. Leipzig [39 S.].

Mission als lebendiges Glied der bekennenden und kämpfenden Kirche (Luth. Missionsjahrbuch, J. 46, S. 44—59).

Das Rätsel des Bösen (Beth El, Jg. 25, S. 58—60).

Wie kommt es im menschlichen Leben zum Erwachen der Gottesfrage? Rundfunkrede (Geisteskampf der Gegenwart, Jg. 69, S. 301—307).

Das Wort vom Kreuz und die religiöse Lage der Gegenwart. Vortrag (Allg. Ev.-Luth. Kirchenzeitung, Jg. 66, S. 650—654, 674—677, 706—710, 730 bis 733).

1934

Ernst Bergmanns Kritik am Christentum (Luthertum, N. F. der N. K. Z., Jg. 45, S. 117—124, 149—156).

Christliche und außerchristliche Gotteserkenntnis. In: Wort und Geist. Festschrift für Karl Heim. Hrsg. v. A. Köberle und O. Schmitz. Berlin, S. 135—157.

Evangelisches und anthroposophisches Christusverständnis (Ev. Missionsmagazin, N. F., Jg. 78, S. 35—47).

Evangelium und Zeitgeist. Studien zum Menschenverständnis der Gegenwart. Leipzig [186 S.]. 1935^{2}.

Evangelium und Zeitgeist (Ev. Missionsmagazin, N. F., Jg. 78, S. 6—12, 35—47, 86—96).

Gottes Weihnachtsgabe. Predigt. Basel [14 S.].

Das Licht der Welt. Predigten. Leipzig/Basel [212 S.].

Die Menschwerdung Christi (Die Furche, Jg. 20, S. 402—408) s. a. 1940.

Rechtfertigungsglaube und christliches Leben im theologischen Ringen der Gegenwart (Kirche, Ev. Monatsschrift in Polen, Jg. 13, S. 262—267).

Vernunft und Offenbarung (Kirche, Ev. Monatsschrift in Polen, Jg. 13, S. 351 ff.); vgl.: Zeitschrift für syst. Theologie, Jg. 15, 1938, S. 29—45.

Wort, Sakrament und Kirche im Luthertum. Gütersloh [45 S.]. Wiederabgedr. in: Zeitschrift für syst. Theologie, Jg. 12, 1935, S. 255—295.

1935

Das Evangelium im Weltanschauungskampf der Gegenwart. Ein Wort zur Besinnung und Entscheidung. Berlin [36 S.]; (Stimmen aus der deutschen christlichen Studentenbewegung, Heft 96), 1936^{2}.

Der gottsuchende Mensch und der menschensuchende Gott. Fragen und Antworten. Berlin [47 S.], 1938^{2}.

Die Herrlichkeit Jesu Christi. Eine biblische Meditation über Kolosser 1, 12—20 (Ev. Missionsmagazin, N. F., Jg. 79, S. 417—420).

Kirchliche Selbstbesinnung und Lebensgestaltung. Leipzig [18 S.]. (Theologia militans, 3).

Menschengeist und Gottesgeist (Kirchl. Zeitschrift, Jg. 59, S. 129—150).

1936

Bach, Beethoven, Bruckner als Symbolgestalten des Glaubens. Eine frömmigkeitsgeschichtliche Deutung. Berlin [66 S.], 1937^{2}, 1939^{3}, 1941^{4}, 1950^{5}.

Christenstand und Alltag. Potsdam [16 S.]. (Schriften des dt. Ev. Männerwerks, 7), 1938^{2}, 1940^{3}.

Das evangelische Christuszeugnis an die Gegenwart (Allg. Ev.-Luth. Kirchenzeitung, Jg. 69, Sp. 508—510, 530—533, 554—557); auch: Bern [20 S.]; (Rufe an die Zeit 4).

Das Evangelium und die Rätsel der Geschichte. Gütersloh [77 S.]. (Studien der Lutherakademie 12).

Jesus Christus, unser Hoherpriester (Ev. Missionsmagazin, N. F., Jg. 80, S. 321 bis 324, 353—356).

Der Sinn des Leibes im Christentum (Zeitwende, Jg. 13, S. 705—718).
Was ist der Mensch? (Zeitschrift für syst. Theologie, Jg. 13, S. 327—338).

1937

Die Christusbotschaft. Predigten. Leipzig [149 S.].
Getauft auf den dreieinigen Gott. Vortrag (Allg. Ev.-Luth. Kirchenzeitung, Jg. 70, Sp. 74—82).
Der Heiland der Armen. Missionspredigt über Lukas 4, 16—21 (Ev. Missionsmagazin, N. F., Jg. 81, S. 289—293).
Kirche und Gruppenbewegung. Vortrag (Allg. Ev.-Luth. Kirchenzeitung, Jg. 70, Sp. 690—692, 709—714, 730—733, 754—756, 778—784, 797—801). Wiederabgedr.: Leipzig [47 S.]. (Heft des luth. Einigungswerkes, 17).
Die Kunst des Übersetzens. In: Der Schatz im Acker. Hans Pförtner zum 60. Geburtstag. Hrsg. v. H. H. Gaede. München, S. 33—36.
Lebenserneuerung aus Glauben. In: Kirche im Aufbruch, S. 64—67.
Vitalistisches und christliches Menschenverständnis (Wort und Tat, Jg. 12, S. 293 bis 302).
Der Wandel im Licht. Predigt über Johannes 12, 35—36. Basel [14 S.].
Die Zeichen der Zeit im Lichte des Evangeliums. Basel [29 S.].
Christus der Herr und seine Herrschaft über unser Leben (Ev. Missionsmagazin, N. F., Jg. 82, S. 241—244, 273—277).

1939

Evangelium und Anthroposophie. Bern [29 S.].
Gnade und Verantwortung. Predigt. Stuttgart [8 S.].
Der Herr der Zeit (Zeitwende, Jg. 16, S. 96—99).
Das Kind. In: Evangelische Weihnacht, 2. Folge, S. 42.
Die Rechtfertigung des Dogmas (Zeitschrift für syst. Theologie, Jg. 16, S. 407 bis 416).
Unter den Studenten. In: Christus lebt. Hrsg. v. H. Dannenbaum. Berlin, S. 321 bis 327.
Werdende Kirchen. In: Die deutsche evangelische Weltmission. Hrsg. v. J. Richter. Nürnberg, S. 133—139.

1940

Dienst am ganzen Menschen (Die ärztliche Mission, Jg. 30, S. 17—18).
Das Evangelium und die Wahrheitsfrage (Ev. Missionszeitschrift, Jg. 1, S. 161 bis 163).
Der Glaube und das Leben. In: Glaube und Ethos. Festschrift für G. Wehrung. Hrsg. v. R. Paulus. Stuttgart, S. 190—198.

Meditationen zum 18. Sonntag nach Trinitatis (Luthertum, N. F. d. N. K. Z., S. 148—150).
Meditationen zu Weihnachten (ebd., S. 177—179).
Die Menschwerdung Christi (Allg. Ev.-Luth. Kirchenzeitung. Jg. 73, Sp. 49—51, 62—63, 70—72, 82—84, s. a. 1934).
Theologie der Anfechtung und der Heimsuchung (Deutsche Theologie, Jg. 7, H. 10/12, S. 136—142).
Das Vaterunser und der Mensch der Gegenwart. Stuttgart [16 S.].
Von der Unterschätzung und Überschätzung der Bekenntnisse in der theologisch-kirchlichen Lage der Gegenwart. Vortrag. Stuttgart [23 S.].

1941

Gottes Kommen in Verborgenheit (Zeitwende, Jg. 17, S. 161—166).
Lebenserneuerung aus Gott (Die Furche, Jg. 27, S. 81—92).
Das religiöse Suchen unserer Zeit im Lichte des Evangeliums (Zeitschrift für syst. Theologie, Jg. 18, S. 362—383).

1942

Von der Niedrigkeit Christi. Eine Besinnung über den Weg Gottes zum Menschen. 3., völlig neu bearb. Aufl. Berlin [47 S.]. (Furche Bücherei, 77).

1943

Das christliche Menschenverständnis im Lichte der Seelsorge (Luthertum, H. 1/2, S. 11—27, H. 3—6, S. 33—38).
Freiheit der Entscheidung (Ev. Kirchl. Rundschau, Jg. 20, S. 103 f.).
Gut und Böse (Ev. Kirchl. Rundschau, Jg. 20, S. 93 f.).
Zwischen Mensch und Gott (Ev. Kirchl. Rundschau, Jg. 20, S. 149 f.).

1944

Neue Schöpfung (Ev. Kirchl. Rundschau, Jg. 21).
Seelische Nöte und ihre Heilung (Ev. Kirchl. Rundschau, Jg. 21, S. 76 f.).

1946

Evangelische Weihnacht. Ein Buch von der Gabe der Weihnacht in Bild, Lied, Gebet und Zeugnis. Hrsg. v. A. Köberle. 3. Folge, Tübingen. Das Wort ward Fleisch, S. 9—15. Weihnachten und die Kinder, S. 78—81.

Die göttliche Gerechtigkeit im Geschehen der Welt, Neubau I. 3.

1947

Die christliche Lehre vom Staat. In: Zur sozialen Entscheidung. Hrsg. v. N. Koch. Tübingen, S. 38—52.

Evangelische Weihnacht. Botschaft des Christfestes für unsere Zeit neu ausgelegt. Hrsg. v. A. Köberle. 4. Folge, Tübingen. Gelobet seist Du Jesus Christ . . ., S. 13—22. Das Kind und die Engel, S. 84—89.

Überwindung des Aberglaubens (Kirche, Evangelische Wochenzeitschrift, Jg. 2, Nr. 43, S. 1).

1948

Der asketische Klang in der urchristlichen Botschaft. In: Auf dem Grunde der Apostel und Propheten. Festgabe für Theophil Wurm. Hrsg. v. M. Loeser. Stuttgart, S. 67—82.

Evangelische Weihnacht. Buchgabe zur christlichen Erkenntnis und Gestaltung des Weihnachtsfestes. Hrsg. v. A. Köberle. 5. Folge, Tübingen. Die Erlösererwartung der Menschheit, S. 8—16. Aufgang aus der Höhe, S. 39 bis 43.

Zur Krisis des Christentums. Fragen und Bedenken zu einer christlichen Geistesgeschichte (betr. W. Nestle). (Zeitwende, Jg. 19, S. 648—654).

Das Kreuz im Leben der Gemeinde. Basel [16 S.].

Mehr Liebe zu den Sakramenten (Kirche, Evangelische Wochenzeitschrift, Jg. 3, Nr. 16, S. 1).

Das Rätsel des Todes und der Glaube an das Leben (Neubau, Jg. 3, H. 6, S. 210 bis 214).

Der Reichtum des Abendmahls (Kirche, Evangelische Wochenzeitschrift, Jg. 3, Nr. 17, S. 1).

1949

Ehekrise der Gegenwart und ihre Heilung (Gärtner, Sonntagsblatt, Jg. 52, S. 749 ff.).

Der ehelose Weg (Die Innere Mission, Jg. 39, Nr. 5—6, S. 17—20).

Evangelische Weihnacht. Kirche und Welt unter der Botschaft des Christfestes. Hrsg. v. A. Köberle. 6. Folge, Tübingen. Gottesbild und Menschenbild in der Begegnung, S. 7—11. Weihnachten im technischen Zeitalter, S. 79—88. Das

Mysterium der Inkarnation in der Ostkirche, S. 145—151. Das Mysterium ... s. a. in: Zeichen der Zeit, Jg. 7, 1953, S. 441—443.

Grabrede für Prof. G. Kittel (Pastoralblätter, Jg. 89, H. 7/8, S. 540—543).

Die Kunst im Zeichen der Erlösung. Die Kunst und Schönheit in christlicher Schau. In: Das Bild der Welt in christlicher Schau. Hrsg. v. G. Siegel. Stuttgart, S. 76—100.

Das Leben im Geist als Freiheit von Gesetzlosigkeit und Gesetzlichkeit. Basel [31 S.]. (Badener Konferenz Nr. 90.)

Versöhnung und Rechtfertigung. Gott und Mensch (Ev.-Luth. Kirchenzeitung, Jg. 3, S. 375—378, Jg. 4, S. 4—5).

Vom Predigtamt. Confessio Augustana, Artikel V (Ev.-Luth. Kirchenzeitung, Jg. 3, S. 33—37).

Zum Gedächtnis von Theod. Haering. Rede, gehalten bei einer akademischen Gedenkfeier der Tübinger Ev.-Theol. Fakultät (Für Arbeit und Besinnung, Jg. 3, S. 138—146, 160—167).

1950

Andachten zum Stephanstag (s. 21—22), zum Gründonnerstag (S. 82—84) und zum Trinitatis (S. 123—125). In: Das Unvergängliche Wort. Andachten für Sonntage und Feste des Kirchenjahres. Hrsg. v. H. J. Baden. Hamburg.

Die Aufgabe der christlichen Ethik (Zeitschrift für syst. Theologie, Jg. 21, S. 83 bis 94).

Joh. Seb. Bachs christliche Sendung (Zeitwende, Jg. 22, S. 25—34).

Evangelische Weihnacht. Die urchristliche Botschaft und ihre Verwirklichung in der Welt. Hrsg. v. A. Köberle. 7. Folge, Hamburg. Weihnachtsbotschaft im Kolosserbrief, S. 19—21. Weihnachtsbotschaft im Hebräerbrief, S. 25—27.

Glaube oder Aberglaube? In: Schrift und Bekenntnis, Hamburger theol. Studien. Hamburg, Bd. 1, S. 106—126.

Homo faber — homo ludens. Vom verlorenen Gleichgewicht zwischen Spiel und Arbeit. In: Der Mensch von Heute. Hrsg. v. G. Siegel. Stuttgart, S. 61—77.

Nach dem „geistlichen Frühling“. Aufgaben und Schwierigkeiten der evangelischen Kirche in Deutschland (Die Österreich. Furche, Freie Kulturelle Wochenzeitschrift, Jg. 6, Nr. 15, S. 8).

Georg Wehrung zum 70. Geburtstag (Theol. Lit. Zeitung, Jg. 75, Nr. 10, Sp. 631 bis 633).

Die Wiederentdeckung der Privatbeichte in der evangelischen Christenheit der Gegenwart (Der Weg zur Seele, Jg. 2, S. 177—181, 212—215).

1951

Auch der Pietismus muß auf der Wacht sein (Missionierende Kirche, S. 152—160).

Blick in das Geheimnisvolle (Sonntagsblatt, Hamburg, Jg. 4, Nr. 27, S. 10 bis 11).

Botschaft von drüben. Was ist von den okkulten Wissenschaften zu halten? (Sonntagsblatt, Hamburg, Jg. 4, Nr. 40, S. 10—11).

Der ehelose Weg und seine Sinnerfüllung (Neubau, Blätter für neues Leben aus Wort und Geist. Jg. 6, H. 10, S. 410—414).

Evangelisches Totengedenken (Sonntagsblatt, Hamburg, Jg. 3, Nr. 47, S. 20).

Reicht es zum Künstler? (Die neue Schau, Jg. 12, S. 176—178).

Die religiöse Unlust im Leben des Christen (Der Weg zur Seele, Jg. 3, S. 257 bis 266). Wiederabgedr. in: Psychotherapie und Seelsorge. Hrsg. v. W. Bitter. Stuttgart 1952, S. 177—188.

Das Schuldproblem in Psychotherapie und Seelsorge. In: Der Weg zur Seele.

Weltüberlegenheit und Weltverbundenheit im christlichen Glauben. In: Viva vox evangelii. Festschrift für Hans Meiser. Hrsg. v. Luth. Kirchenamt in Hannover. München, S. 172—184.

1952

Ein Theologe lernt von der Psychotherapie (Fortschritte der Medizin, Jg. 70, S. 513—514).

Das Evangelium und die Geheimnisse der Seele (Zeitschrift für syst. Theologie, Jg. 21, S. 419—433).

Gottesglaube im technischen Zeitalter (Reformatio, Jg. 1, S. 375—382).

Eugen Jochum. Zum 50. Geburtstag des süddeutschen Meisterdirigenten (Merkur, Jg. 7, Nr. 44, S. 60 ff.).

Der künftige Beruf. Ideal und Wirklichkeit. Eine Rede vor Abiturienten (Die Neue Furche, Jg. 6, S. 607—613).

Der Mensch zwischen Himmel und Erde (Die Neue Schau, Jg. 13, S. 290—291).

Nimm deinen Nächsten ernst. Grundgedanken über das Problem der Geistesleitung (Die Innere Mission, Jg. 42, Nr. 2, S. 15—16).

Schlatter als systematischer Theologe. In: Schlatters Berner Zeit. Hrsg. v. W. Michaelis. Bern, S. 83—96. Wiederabgedr. in: Für Arbeit und Besinnung, Jg. 6, S. 239—248.

Das Schuldproblem in theologischer und tiefenpsychologischer Sicht. Vortrag. In: Psychotherapie und Seelsorge. Hrsg. v. W. Bitter. Stuttgart, S. 154—162. Wiederabgedr. in: Der Weg zur Seele, Jg. 5, 1953, S. 268—275.

Das Seelenbild der Psychotherapie und der christlichen Jugendfürsorge (Evangelische Jugendhilfe, Essen, H. 6, S. 4).

1953

Anthroposophie und Christengemeinschaft als Frage an die evangelische Theologie und Kirche. In: Evangelium und Christengemeinschaft. Hrsg. v. W. Stählin, Kassel, S. 133—145.

Arzt und Seelsorger im Gespräch der Gegenwart. In: Kosmos und Ekklesia. Festschrift für W. Stählin. Hrsg. v. H. D. Wendland. Kassel, S. 211—218.

Evangelischer Öffentlichkeitswille. In: Dienst unter dem Wort. Festschrift für H. Schreiner, Hrsg. v. K. Janssen. Gütersloh, S. 164—178.

Neue Kierkegaard-Deutung (Evangelische Welt, Jg. 7, S. 212—213).

Probleme im Zeitalter der Technik (Motortechnische Zeitschrift, Jg. 14, Nr. 1, S. 1 ff.).

Rückkehr der Geister (Neubau, Jg. 8, S. 60—63).

Seelsorge in der Verkündigung. Ein Beitrag zum Predigtproblem der Gegenwart (Evangelische Welt, Jg. 7, S. 305—308).

Sexualerziehung und Ehevorbereitung (Der Weg zur Seele. Jg. 5, S. 321—328).

Suchtbekämpfung — Akt der Seelsorge (Die Innere Mission, Jg. 43, S. 362—367).

Theologische und therapeutische Voraussetzungen für den Auftrag der Seelsorge (Deutsches Pfarrerblatt, Jg. 53, S. 559—564).

Verkündigung als Seelsorge (Die Innere Mission, Jg. 43, S. 102—109).

Das Vermächtnis der Schwabenväter (Für Arbeit und Besinnung, Jg. 7, S. 18 bis 28).

1954

Christenleben als Lob Gottes. Basel [24 S.].

Christus und der Kosmos. In: Theologie und Glaubenswagnis. Festschrift für Karl Heim zum 80. Geburtstag. Hrsg. v. d. Ev. Theol. Fakultät in Tübingen. Hamburg, S. 96—112.

Die kosmische Schau des Todes. Gedanken zum Totensonntag (Evangelische Welt, Jg. 8, S. 627—628).

Das Leben ist erschienen. In: Evangelische Weihnacht. Die Botschaft Frieden auf Erden für unsere Tage. Hrsg. v. W. Freitag und H. J. Schultz. 9. Folge, Hamburg, S. 14—20. Wiederabgedr. im Auszug in: Wort und Tat, Jg. 9, 1955, S. 161—163.

Vom Lebenswerk eines großen Theologen. Zum 80. Geburtstag von Karl Heim (Kirche in der Zeit, Jg. 9, S. 37).

Die Macht der Bilder (Sonntagsblatt, Jg. 7, Nr. 17, S. 24).

Die Mitwirkung der evangelischen Kirche bei der Bekämpfung der Suchtgefahren. In: 4. Kongreß für alkohol- und tabakfreie Jugenderziehung. Hamm/Hamburg, S. 53—57.

Okkultismus in christlicher Sicht (Evangelische Welt, Jg. 8, S. 689—691).

Der säkulare Mensch. Deutung und Überwindung. In: Wir sind gefordert. Fragen christlicher Verantwortung. Festschrift für C. G. Schweitzer zum 65. Geburtstag. Hrsg. v. H. Kunst und G. Heilfurth. Berlin, S. 82—92 (Friedewalder Beiträge zur sozialen Frage, 5).

Vatergott, Väterlichkeit und Väterkomplex im christlichen Glauben. Vortrag. In: Vorträge über das Vaterproblem. Hrsg. v. W. Bitter. Stuttgart, S. 14—26.

1955

Johann Christoph Blumhardt (Für Arbeit und Besinnung, Jg. 9, S. 238—248).
Es gibt so viele Religionen. In: Wir antworten. München, S. 15—20.
Ist Luther an den Sekten schuld? (Christ und Welt, Jg. 8, Nr. 16, S. 6).
Die konfessionelle Ausprägung des christlichen Ethos (Zeitschrift für syst. Theologie, Jg. 24, S. 1—16).
Leitbilder der Seele als Hilfe und Gefahr (Evangelische Kinderpflege, Witten, Jg. 7, H. 1—2, S. 15—18); auch in: Wege zum Menschen, Jg. 10, 1958, H. 1, S. 1—7.
Die Sekten — Mahnzeichen für die Kirche (Christ und Welt, Jg. 8, Nr. 17, S. 6).
Theologie als Hilfe für den Arzt (Wege zum Menschen, Jg. 7, S. 321—328).
Theologie der Inkarnation (Quatember, Jg. 20, S. 1—6).
Was soll man halten von der Vielzahl der Konfessionen? In: Wir antworten. München, S. 47—52.
Zur Beurteilung der Ehe zu dritt (Deutsches Pfarrerblatt, Jg. 55, S. 221—222).

1956

Bach und Mozart (Deutsches Pfarrerblatt, Jg. 56, S. 534—536, 568—570).
Der Heilige Geist kommt zu uns. In: Der mündige Christ. Stuttgart, S. 307—311.
Kinder aus zerstörten Städten (Blätter des Pestalozzi-Fröbelverbandes, Jg. 7, S. 133—136).
Stirbt die Seele im Tode mit? (Evang. Welt, Jg. 15).

1957

Die Einladung Gottes. Predigtsammlung. In: Dienst am Wort. Beiträge zur Schriftauslegung und zum Schriftverständnis, Bd. 9. Hamburg [233 S.].
Die geistlichen Gnadengaben. Vortrag (Licht und Leben, Jg. 68, H. 12, S. 180 bis 184).
Der Herr über alles. Beiträge zum Universalismus der christlichen Botschaft. Hamburg [256 S.], 1958^2, Stuttgart 1963; das 3. Kapitel wurde ins Japanische übersetzt, 1958^2.
Leben in Frieden und Freiheit. Hamburg [46 S.].
Musik mit Wortverkündigung (Ev.-Luth. K. Z., Jg. 11, S. 323—327).
Natur und Geist bei Hermann Hesse (Deutsches Pfarrerblatt, Jg. 56, S. 365 bis 369).
Neue Wege zum Verständnis der Erbsündenlehre (Evang. Welt, Jg. 11).
Die Tragweite der Vergebung für das Handeln des Erziehers. Vortrag. In: Heilen statt Strafen. Hrsg. v. W. Bitter. Stuttgart, S. 33—40. Wiederabgedr. in: Wege zum Menschen, Jg. 9, H. 1, S. 1—6.

1958

Psychotherapie und Seelsorge. Sammelwerk: Die Psychotherapie in der Gegenwart, hrsg. von Erich Stern. Zürich, S. 368—378.

Die Einladung Gottes. Predigten. Hamburg: Furche 1958. 233 S. = Dienst am Wort, 9.

Erwartung und Erfüllung. Tägliche Betrachtungen zum rechten Begehen der Advents- und Weihnachtszeit. Lahr: Kaufmann 1958[1 u. 2] 47 S. = Schriftenfolge zum Weitergeben, 15.

Die Stunde der Versuchung. Von der Gefährdung der Menschen durch das Geheimnis des Bösen. Hamburg: Furche 1958. 46 S. = Furche-Bücherei, 164.

Der Christ als Zeuge (Das missionarische Wort 11, 1958, S. 193—197).

Die Starken und die Schwachen (IM 48, 1958, S. 133—141).

Allen bin ich alles geworden. Zum Problem der Anknüpfung in der Theologie der Gegenwart, in: Sammlung und Sendung. Vom Auftrag der Kirche in der Welt. FS H. Rendtorff, hrsg. v. J. Heubach und H.-H. Ulrich. Berlin 1958, S. 163—171.

Die Tragweite der Vergebung für das Handeln des Erziehers (Evangelische Kinderpflege 10, 1958, S. 94—99).

Wunder oder Scharlatanerie? Zur Frage der Glaubensheilung in der Gegenwart (ZW 29, 1958, S. 298—307).

Leben und Werk von Prof. D. Karl Heim (DtPfBl 58, 1958, S. 409—410).

Karl Heim † (Evangelische Welt 12, 1958, S. 534—535).

Die Medizin vor Gott (Die Heilkunst 71, 1958, S. 152—155).

Der Seelsorger lernt vom Psychotherapeuten (Die Heilkunst 71, 1958, S. 343 bis 345).

Zum Gedächtnis von Karl Heim [20. 1. 1874—30. 8. 1958] (Attempto. Nachrichten für Freunde der Tübinger Universität 1958, Nr. 7, S. 47—48).

Psychotherapie und Seelsorge in der Begegnung aus evangelischer Sicht, in: Psychotherapie und Theologie. Symposion der Arbeitsgemeinschaft „Psychotherapie-Seminar". Hrsg. v. Graf Wittgenstein. Stuttgart 1958, S. 62 bis 76.

Ist mit dem Tode alles aus? (Kirche und Mann 11, 1958, Nr. 11, S. 5).

Geleitwort zu: Wilhelm Stählin, Symbolon. Vom gleichnishaften Denken. Im Auftrag der Michaelsbruderschaft hrsg. v. A. Köberle. Stuttgart 1958, S. 7—9.

1959

Das Glaubensvermächtnis der Schwäbischen Väter. Akademische Gedenkreden. Hamburg: Furche 1959. 83 S. = Furche-Studien, 27.

Heil und Heilung. Beiträge zur christlichen Menschenführung in der Gegenwart. Berlin: Evang. Konsistorium Berlin-Brandenburg, Generalkonvent für Krankenseelsorge 1959. 40 S. = Berliner Hefte zur Förderung der evang. Krankenseelsorge, 9.

Gottes Regierung im Weltgeschehen. Die Herrschaft Gottes und die Macht des Bösen in der Welt. Stuttgart: Calwer-V. 1959. 23 S. = Calwer Hefte, 28.

Schule des Gebets. Eine Anleitung für das Gespräch des Herzens mit Gott. Metzingen: Brunnquell-V. 1959^{1}, 1962^{3}, 1967^{4}, 62 S.

Weltüberlegenheit und Weltverbundenheit in der christlichen Existenz. Wuppertal-Barmen: Blaukreuzverlag 1959. 20 S. = Rettende Botschaft, 1.

Vor der Ehe und in der Ehe. Überlebte Moral? II. (Wort und Tat 13, 1959, S. 98—103).

Freie Liebe? Überlebte Moral? (Wort und Tat 13, 1959, S. 67—71).

Theologie der Kontakte. Gedenkrede für Prof. D. Dr. Karl Heim (ThLZ 84, 1959, Sp. 147—152).

Der Auftrag der Seelsorge (ELKZ 13, 1959, S. 17—20).

Die Wahrheitsfrage am Krankenbett (Die Heilkunst 72, 1959, S. 196—199).

Zivilisation und seelische Störungen (Der Wendepunkt im Leben und Leiden 36, 1959, S. 401—406).

Mysterium der Alchemie (Arzt und Seelsorger 10, 1959, Nr. 5, S. 4—7).

Die religiösen und weltanschaulichen Auswirkungen des Darwinismus (WzM 11, 1959, S. 257—267).

Das Weltbild des Glaubens, in: Der Auftrag der Kirche in der modernen Welt. FS Emil Brunner. Zürich 1959, S. 65—74.

Die Wolke der Zeugen. Hebr. 12, 1—3. Wortverkündigung zum Reformationsfest, in: Gestalten und Wege der Kirche im Osten. FS Arthur Rhode, hrsg. v. H. Kruska. Ulm 1958, S. 13—18.

Das Weltbild der Magie (Quatember 24, 1959/60, S. 3—10).

Das christliche Menschenbild (Evangelische Kinderpflege 10, 1959, S. 89—95. 130—135).

Pneumatologie und Eschatologie (ELKZ 13, 1959, S. 377—380).

Radiästhesie in christlicher Sicht (WzM 11, 1959, S. 424—429; Wiederabdruck: Zeitschrift für Radiästhesie 12, 1960, S. 3—10).

Probleme der Ruten- und Pendelkunde (WzM 11, 1959, S. 424—429).

Rechtfertigung und Heiligung in den lutherischen Bekenntnisschriften, in: Begegnung der Christen. Studien evang. und kath. Christen. FS Otto Karrer, hrsg. v. M. Roesle und O. Cullmann. Stuttgart 1959, S. 235—249.

Verkündigung als Seelsorge, in: Evangelisation — heute. Ein Beitrag zur Neubesinnung, hrsg. v. W. Brauer. Berlin 1959, S. 56—64.

Christentum — die allein rettende Wahrheit (Evangelischer Digest 1, 1959, Heft 7, S. 2—7).

Musik als Religion? In: Prisma der gegenwärtigen Musik. Tendenzen und Probleme des zeitgenössischen Schaffens . . . hrsg. v. J. E. Berendt und J. Uhde. Hamburg 1959, S. 143—257.

1960

Christus als Seelsorger. Predigten. Hamburg: Furche 1960. 221 S. = Dienst am Wort, 12.

Versöhnung und Verklärung. Biblische Betrachtungen zum Geleit durch die Passions- und Osterzeit. Lahr: Kaufmann 1960[1], 1965[2]. 40 S. = Schriftenfolge zum Weitergeben, 18.

Das neue Leben aus Gott. Gedanken über das christliche Menschenbild (Der Evangelist. Sonntagsblatt der Methodistenkirche in Deutschland 111, 1960, S. 281—282).

Gott sieht den ganzen Menschen. Gedanken über das moderne und das christliche Menschenbild (Der Evangelist 111, 1960, S. 293—294).

Das Menschenbild des Existentialismus (WzM 12, 1960, S. 114—120).

Gewissensbildung und Gewissenskonflikt in der Gegenwart (Evang. Kinderpflege 11, 1960, S. 43—51).

Der Mensch als Ebenbild Gottes. I. Gedanken über das christliche Menschenbild (Der Evangelist 111, 1960, S. 208—209).

Die Schwangerschaftsunterbrechung in der seelsorgerlichen Beratung (IM 50, 1960, S. 97—103).

Der moderne Mensch zwischen Wundersucht und Wunderscheu (ELKZ 14, 1960, S. 177—180).

Das Weltbild der Magie. Ersatz durch die moderne Wissenschaft? (Sonntagsblatt 1960, 37, S. 18—19. 31).

Theologie und Psychologie der Sekten (WzM 12, 1960, S. 240—246).

Paul Tillich über die Begegnung von Theologie und Psychotherapie (WzM 12, 1960, S. 409—412).

Amt und Person, in: Bekenntnis zur Kirche. FS Ernst Sommerlath, hrsg. v. E.-H. Amberg und U. Kühn. Berlin 1960, S. 278—283.

Die Frage der Glaubensheilungen in der Gegenwart (Reformatio 9, 1960, S. 203 bis 215).

Theologie der Inkarnation (Reformatio 9, 1960, S. 401—407; Wiederabdruck: ELKZ 14, 1960, S. 377—379).

Der Ostersieg für die ganze Welt (Evang. Digest 2, 1960, Heft 4, S. 1—4).

Darf ich mein Kind töten? Gedanken eines Seelsorgers über die Schwangerschaftsunterbrechung (Evang. Digest 2, 1960, Heft 8, S. 43—51).

1961

Christliches Denken (Quatember 25, 1960/61, S. 61—67).

Geist Seele und Leib unter der Christusherrschaft (Der Evangelist 112, 1961, S. 206—207; Wiederabdruck: Das missionarische Wort 14, 1961, S. 48—50).

Seelsorge an Seelsorgern. Amt und Person (Das missionarische Wort 14, 1961, S. 14—17).

Beichtvater und Beichtkind (Das missionarische Wort 14, 1961, S. 88—91).

Beruf und Ehe (Das missionarische Wort 14, 1961, S. 161—164).

Beruf und Familie (Das missionarische Wort 14, 1961, S. 193—196).

Beruf und Erholung (Das missionarische Wort 14, 1961, S. 222—224).

Die Nöte des Unterrichts (Das missionarische Wort 14, 1961, S. 248—250; Wiederabdruck: Evang. Welt 17, 1963, S. 37—39).

Anleitung zur Meditation (Das missionarische Wort 14, 1961, S. 289—292).

Liturgische Erziehung (Das missionarische Wort 14, 1961, S. 315—318).

Oekumenische Gesinnung (Das missionarische Wort 14, 1961, S. 347—350).

Warum haben wir nicht mehr Vollmacht? (Das missionarische Wort 14, 1961, S. 382—384).

Theologie und Leben der evangelischen Michaelsbruderschaft (DtPfBl 61, 1961, S. 582—586).

Glaube und Aberglaube im technischen Zeitalter (DtPfBl 61, 1961, S. 361; Wiederabdruck: Ärztliche Praxis 13, 1961, S. 2054—2056).

Signale der Zukunft sind gesetzt. In Erwartung einer neuen Welt (Kirche und Mann 14, 1961, Nr. 10, S. 5).

Das Wagnis des Glaubens (Zeitschrift für praktische Psychologie 1, 1961, S. 115 bis 121).

Theophrastus Paracelsus, gestorben am 24. 9. 1541 (Evang. Digest 3, 1961, Heft 9, S. 12—14).

Das Vaterunser als Schule des Gebets (Evang. Digest 3, 1961, Heft 7, S. 23 bis 28).

Die menschlichen Lebensstufen im Licht der Psychotherapie (Zahnärztliche Mitteilungen 51, 1961, S. 825—828; Vitalstoffe. Nahrungs- und Vitalstoff-Forschung. Spurenelemente. Internationales Journal 7, 1962, S. 49—53; außerdem: Das Leben 2, 1965, S. 145—148. 188—190).

Jesus Christus und die Unerlöstheit der Welt (Sonntagsblatt 1961, Nr. 14, S. 18 bis 19).

Dennoch geliebt. Bedeutung und Tragweite der Rechtfertigungsbotschaft im Strafvollzug, in: Strafvollzug, Fürsorge, Seelsorge. Beiträge zur Strafvollzugsreform, ausgewählt v. G. Suhr. Stuttgart 1961, S. 17—26.

Der Mensch in der Wahl zwischen Glauben und Aberglauben (Reformatio 10, 1961, S. 336—344. Wiederabdruck: Wort und Tat 16, 1962, S. 291—295).

Ursprung und Sinn des Schmerzes (Reformatio 10, 1961, S. 628—639; Wiederabdruck: WzM 14, 1962, S. 113—122).

1962

Christliches Denken. Von der Erkenntnis zur Verwirklichung. Hamburg: Furche 1962. 260 S.; das 3. Kapitel wurde ins Japanische übersetzt.

Menschliche Fragen und göttliche Antworten. Wuppertal: Brockhaus 1962. 127 S. = Brockhaus-Taschenbücher, 47, und Metzingen: Brunnquell-Verlag 1966², 1974³, 94 S.

Schöpfung und Erlösung. Beitrag zum christlichen Ganzheitsverständnis. Berlin:

Evang. Konsistorium Berlin-Brandenburg, Generalkonvent für Krankenseelsorge 1962, 46 S. = Berliner Hefte zur Förderung der evang. Krankenseelsorge, 11.

Seelsorge an Seelsorgern. 12 Kapitel zur Führung des geistlichen Amtes. Berlin: Christl. Zeitschriftenverlag 1962. 64 S. = Studien für Evangelisation und Volksmission, 5.

Dein Alter sei wie deine Jugend! Der Sinn der menschlichen Altersstufen. Witten: Bundes-V. 1962 (1.—3. Tsd.), 1963 (4.—6. Tsd.), 1966 (7.—9. Tsd.). 24 S. = Kelle und Schwert, 118.

Leben aus Gott. Von der Einübung im Christentum. Hamburg: Furche 1962[1], 1963[2]. 132 S. = Stundenbücher, 5.

Vererbung und Verantwortung (WzM 14, 1962, S. 254—262).

Deutung und Bewertung der Homosexualität im Gespräch der Gegenwart (ZEE 6, 1962, S. 141—149; Wiederabdruck in: Der homosexuelle Nächste. Ein Symposion mit Hermanus Bianchi u. a. Hamburg 1963, S. 33—49. 273 bis 274. 285).

Der magische Weltaspekt (Symbolon. Jahrbuch der Symbolforschung 3, 1962, S. 39—45).

Kirche und Lebensreform (Evang. Digest 4, 1962, Heft 9, S. 49—55; Wiederabdrucke in: Waerland-Monatshefte 12, 1962, S. 139—141; Evang. Welt 16, 1962, S. 241—243).

Die Ordnung des Gebets (Der Evangelist 113, 1962, S. 484—485).

Das Christuszeugnis in der Theologie Karl Heims (Bibel und Gemeinde 62, 1962, S. 70—78).

Seelsorgerliche Probleme des Alters, in: Der Mensch im Alter. Mit Beiträgen von K. Chiari u. a. Frankfurt 1962, S. 41—43.

Beiträge in: *Vom Umgang mit Kranken.* Hrsg. v. W. Pressel. Stuttgart 1962 = a) Krankheit, Sünde und Schuld (S. 80—84), b) Wunderheilung und Glaubensheilung (S. 100—104), c) Der Schmerz (S. 261—265).

1963

Die Zukunftserwartung bei Teilhard de Chardin in evangelischer Sicht, in: Ein neues Menschenbild? Rundfunkstimmen zur Weltschau von Pierre Teilhard de Chardin. Luzern—München 1963 (= Der Christ in der Zeit). Wiederabdruck: Reformatio 12, 1963, S. 131—138; ZW 34, 1963, S. 455—461.

Die konfessionelle Ausprägung des christlichen Ethos (Reformatio 12, 1963, S. 658—673).

D. Dr. Karl Vötterle zum 60. Geburtstag (Börsenblatt für den deutschen Buchhandel 19, 1963, S. 587—588).

Schafe sind zum Scheren da [über Chr. F. Blumhardt] (Sonntagsblatt 1963, Nr. 3, S. 12).

Anfechtung und Reichtum im Leben der Christuszeugen (Der Evangelist 114, 1963, S. 20—21).

Das Trostbuch für Leben und Sterben (Bibel und Gemeinde 63, 1963, S. 77 bis 83).

Gottesglaube und modernes Raumbewußtsein (Evang. Welt 17, 1963, S. 497 bis 500).

Das Vaterbild bei Franz Kafka (WzM 15, 1963, S. 237—244).

Geleitwort zu: Wilhelm Stählin. Symbolon, II. Folge. Stuttgart 1963, S. 7—8.

Das christliche Leitbild in der Rehabilitation aus theologischer Sicht (Jahrbuch der Fürsorge für Körperbehinderte 1963, S. 93—98).

Geleitwort zu: E. Faisst. Von der inneren Freiheit. Worte für den Alltag. Heilbronn 1963.

1964

Rechtfertigung. Basel: Majer-V. 1964. 45 S. = Badener Konferenz, 105.

Gottes Tage. Biblische Meditationen zu den hohen Festen der Christenheit. Hamburg: Furche 1964. 223 S. = Stundenbücher, 45.

Zukunft und Aberglaube. Stuttgart: Calwer 1964. 29 S. = Calwer Hefte, 69.

Die Welt, in der Christus leidet und siegt. Vom Sinn und Segen der Passions- und Osterzeit. Metzingen: Brunnquell V, 1964[1], 1968[2]. 40 S.

Gottesglaube und moderne Naturwissenschaft in der Theologie Karl Heims (NZSystTh 6, 1964, S. 115—125).

Psychopathologie im religiösen Bereich (Arzt und Seelsorger 15, 1964, Nr. 5, 6).

Vom Sinn der menschlichen Lebensstufen (Evang. Kinderpflege 15, 1964, S. 51 bis 60).

Kirchenmusik als Lob Gottes (DtPfBl 64, 1964, S. 197—200).

Die evangelische Dimension des Gemeindegottesdienstes (Das missionarische Wort 17, 1964, S. 3—10).

Moderne Wissenschaftsforschung auf dem Wege zur Einheit (WzM 16, 1964, S. 141—146).

Schöner und entstellter Leib als ethisches Problem (Ästhetische Medizin 13, 1964, S. 215—222; Wiederabdrucke in: WzM 16, 1964, S. 459—464; Der Landarzt 41, 1965, S. 309—313; Deutsches Zentralblatt für Krankenpflege 9, 1965, S. 201—204).

Psychopathologisches im religiösen Geschehen (DtPfBl 64, 1964, S. 337—340; Wiederabdruck: Massenwahn in Geschichte und Gegenwart. Ein Tagungsbericht, hrsg. v. W. Bitter. Stuttgart 1965, S. 154—163).

1965

Rechtfertigung, Glaube und neues Leben. Gütersloh: Gütersloher Verlagshaus G. Mohn 1965. 197 S.

Die Gemeinde und ihre Kranken, in: Seelsorge als Lebenshilfe. Studien zu Fragen der Praktischen Theologie. In Zusammenarbeit mit E. Bochinger u. a.

hrsg. v. H. Harsch. Heidelberg 1965 (= Beiträge zur Praktischen Theologie, 4), S. 170—177.

1966

Wo finden wir Gott? Viele Fragen und eine Antwort. Hamburg: Furche 1966. 90 S. = Stundenbücher, 62.

A. Köberle u. a.: Für den Sonntag. Predigtgedanken heute zu den altkirchlichen Evangelien und Episteln. Stuttgart: Verlag Junge Gemeinde (Credo) 1966: Oktade 6; 4 Sprechplatten 17 cm/45 UpM.

Jesus Christus die Mitte der Geschichte (LuMo 5 1966, S. 3—6).

Religionsloses Christentum? Eine Auseinandersetzung mit Dietrich Bonhoeffer (ZW 37, 1966, S. 28—36; Wiederabdruck: Der große Entschluß 21, 1966, 3, S. 438—443).

Der heutige Stand der Sozial-Pathologie (WzM 18, 1966, S. 315—318).

Der Rhythmus von Spiel und Arbeit als Hilfe zur seelischen Gesundheit (WzM 18, 1966, S. 178—186).

Wandlungen im Erscheinungsbild der Ehe, in: Der protestantische Imperativ. FS Eberhard Müller. Hrsg. v. E. Stammler. Hamburg 1966, S. 154—165.

Gottes Transzendenz und Immanenz in der Sicht des evangelischen Christentums, in: Transzendenz als Erfahrung. Beitrag und Widerhall. FS Graf Dürckheim. Weilheim/Obb. 1966, S. 251—259.

Wilhelm Stählin, in: Tendenzen der Theologie im 20. Jahrhundert. Hrsg. v. H. J. Schultz. Stuttgart 1966, S. 231—236.

1967

Kiristikyoteki-Ningenzo (Das christliche Menschenbild). Übersetzt v. Mitsuo Miyata. Tokyo: Japanese YMCA Press 1967, 1977[5]. 221 S.

Gemeinschaft mit Christus. Lesepredigten. Hamburg: Furche 1967. 164 S.

Mut zum Alter. Hrsg. von A. Köberle. Wuppertal: R. Brockhaus-V. 1967[1], 1968[2]. 122 S. = Handbücherei R. Brockhaus, 11.

Podiumsgespräch [über die *Einsamkeit*] (Adolf Köberle u. a.), in: Einsamkeit in medizinisch-psychologischer, theologischer und soziologischer Sicht. Ein Tagungsbericht, hrsg. v. W. Bitter. Stuttgart 1967, S. 232—244.

Der Mensch zwischen Engel und Dämon (WzM 19, 1967, S. 1—9).

Psychotherapie im Dienst der Seelsorge, in: Rechenschaft und Aufgabe. Beiträge zur Bildungsarbeit in der Gegenwart. FS Arnold Dannemann, hrsg. vom Studentischen Ausschuß der Studentenschaft im Christl. Jugenddorfwerk. Düsseldorf 1967, S. 261—268.

Theologie in dieser Zeit, II. 25 Jahre Tübinger Lehrtätigkeit (ZW 38, 1967, S. 538—545).

Rechtfertigungsglaube und seelische Erlebniswelt (WzM 19, 1967, S. 401—406).

1968

Heilung und Hilfe. Christliche Wahrheitserkenntnis in der Begegnung mit Naturwissenschaft, Medizin und Psychotherapie. Darmstadt: Wiss. Buchgesellschaft 1968[1], 1973[2]. IX, 283 S.
Die Wissenschaft von der Seele. Forschungsergebnisse der Psychologie in unserem Jahrhundert (ZW 39, 1968, S. 682—691).
Wandlungen des Bewußtseins in der Geschichte der Menschheit. Hinweis auf Jean Gebser (WzM 20, 1968, S. 148—152).

1969

Persona und Beruf (WzM 21, 1969, S. 405—412).
Der Hilferuf als Anfechtung des Seelsorgers (WzM 21, 1969, S. 9—16).
Gefahren einer wertfreien Sexualerziehung (ZW 40, 1969, S. 801—808).

1970

Seelische Ursachen körperlicher Erkrankung (WzM 22, 1970, S. 310—317).
Rezensionen:
Strecker, Gabriele: Frauenträume. Über den unterhaltenden deutschen Frauenroman. Weilheim 1969 (WzM 22, 1970, S. 92—94).
Benz, Ernst: Die Vision. Erfahrungsformen und Bilderwelt. Stuttgart 1969 (WzM 22, 1970, S. 120—121).
Poulet, Robert: Wider die Liebe. Stuttgart 1970 (WzM 22, 1970, S. 342 bis 343).
Ott, Elisabeth: Christentum als Totalrevolution. Interpretationen biblischer Texte. Weilheim 1970 (WzM 22, 1970, S. 344—345).

1971

Geduld und Hoffnung. Besuch am Krankenbett. Hamburg: Siebenstern-Taschenbuch-V. 1971. 212 S. = Siebenstern-Taschenbuch, 161 und Stuttgart: Calwer-V. 1971[2].
Gesundheit und Krankheit in christlicher Sicht. Rheinkamp-Baerl: Brendow 1971 = Brendow Heft, 4.
Die Welt des Übersinnlichen. Hindernis oder Hilfe auf dem Weg zum Glauben (NZSystTh 13, 1971, S. 176—187).
Mundum amare in Deo, in: Acta Teilhardiana. Studien und Mitteilungen der Gesellschaft Teilhard de Chardin. München 8, 1971, H. 1, S. 32—36.
Biblischer Realismus. Beiträge zum Universalismus der christlichen Botschaft. Wuppertal: R. Brockhaus-V. 1972.

Zuflucht bei Gott. Besuch am Krankenbett. Neue Folge. Stuttgart: Calwer-V. 1972.

Die Rolle der Stimmungen (WzM 24, 1972, S. 389—392).

Worte zur Einführung, in: Geh schlafen, mein Herz. Gedanken und Worte für die Nacht. Hrsg. v. Willy Grüninger u. E. Brandes. Metzingen: Brunnquell 1972.

1973

Karl Heim. Denker und Verkündiger aus evangelischem Glauben. Hamburg: Furche 1973 [darin 7 Aufsätze von K. Heim].

1974

Eine Bibliothek der Weltliteratur. Zum 25-Jahr-Jubiläum der Wissenschaftlichen Buchgesellschaft Darmstadt (DtPfBl 74, 1974, S. 662—663).

Die Gegenwartsbedeutung der Theologie Karl Heims (NZSystTh 16, 1974, S. 121—130).

In Memoriam Prof. Dr. Dr. Wilhelm Bitter (WzM 26, 1974, S. 158—159).

Kirche und Lebensreform, in: Die vielen Namen Gottes. Gerd Heinz Mohr zum 60. Geburtstag. Hrsg. v. Meinold Krause u. Johannes Lundbeck. Stuttgart 1974, S. 242—252.

Mozarts religiöse Heimat, in: Acta Mozartiana. Mitteilungen der Deutschen Mozart-Gesellschaft. Kassel 21, 1974, H. 1, S. 1—10. Auch in: Musik und Kirche 44, 2, 1974, S. 53—61.

Die Gegenwartsbedeutung der Theologie Karl Heims (NZSystTh 16, 2, 1974, S. 121—130).

Ursache und Heilung ekklesiogener Neurosen (Analytische Psychologie 5, 1, 1974, S. 55—61).

Rezensionen:

Graf Dürckheim, Karlfried: Der Ruf nach dem Meister. Der Meister in uns. Weilheim 1972 (WzM 26, 1974, S. 174).

Gerhard Wehr, C. G. Jung und Rudolf Steiner. Stuttgart 1972 (WzM 26, 1974, S. 174—175).

1976

Glück und Leid als Boten Gottes. Lebenshilfe für gesunde und kranke Tage. Stuttgart: Calwer 1976.

Legitimation der religiösen Erfahrung (NZSystTh 18, 1, 1976, S. 91—110); author abstract, in: Index to Religious Periodical Literature 12, 1975/76, S. 552.

1977

Sechs Bitten an alle, die an Weihnachten zu predigen haben (DtPfrbl 77, 24/2, 1977, S. 728—729).

Evangelium und Natur. Zur Theologie von Adolf Schlatter (EvKomm 10, 9, 1977, S. 539—541).

Gottes Kommen in diese Welt (geschäftsmann und christ, Nr. 12, Dez. 1977, S. 3—11).

Rezensionen:

Schipperges, Heinrich: Am Leitfaden des Leibes. Zur Anthropologik und Therapeutik Friedrich Nietzsches. Stuttgart 1975 (WzM 29, 1977, S. 118—119).

Rudolph, Ebermut: Die geheimnisvollen Ärzte. Von Gesundbetern und Spruchheilern. Freiburg 1977 (WzM 29, 1977, S. 255—256).

ALPHABETISCHES VERZEICHNIS DER MITARBEITER

Andersen, Wilhelm, Prof. Dr. theol. (Systematische Theologie und Philosophie), Neuwiesenstraße 10, 8806 Neuendettelsau

Bäumler, Christof, Prof. Dr. theol. (Praktische Theologie), Römerhofweg 28, 8046 Garching

Beck, Horst W., Dr.-Ing. Dr. theol. habil., Privatdozent (Systematische Theologie und Grenzgebiete zur Naturwissenschaft an der Universität Basel), Langgasse 22, 7290 Freudenstadt

Betz, Otto, Prof. Dr. theol. (Neues Testament), Rappenberghalde 11, 7400 Tübingen

Böcher, Otto, Prof. Dr. theol. Dr. phil. (Neues Testament), Weinstraße 3, 6601 Saarbrücken-Bübingen

Bürkle, Horst, Prof. Dr. theol. (Missions- und Religionswissenschaft), Waldschmidtstraße 7, 8130 Starnberg

Dantine, Wilhelm, Prof. D. theol. Dr. theol. (Systematische Theologie A. B.), Bartensteingasse 14, A-1010 Wien

Dilschneider, Otto A., Prof. Dr. theol. (Systematische Theologie), Ringstraße 12, 1000 Berlin 45

Gödan, Hans, Dr. med., lic. theol. (Arzt), Mittelstraße 132, 4920 Lemgo

Hummel, Gert, Dr. theol. lic. theol. (Evangelische Theologie), Wiesenstraße 1, 6601 Saarbrücken-Schafbrücke

Kaiser, Otto, Prof. Dr. theol. (Altes Testament), Lahntor 3, 3500 Marburg a. d. Lahn

Kretschmer, Wolfgang, Prof. Dr. med. (Forschung für Medizinische Psychologie und Konstitutionsbiologie), Brunnenstraße 8, 7400 Tübingen

Lamparter, Helmut, Prof. Dr. theol. (Evangelische Theologie und Religionslehre), Schloßbergstraße 29, 7400 Tübingen

Mann, Ulrich, Prof. Dr. theol. (Direktor des Instituts für Evangelische Theologie der Universität des Saarlandes) Universität des Saarlandes, 6600 Saarbrücken

Maurer, Bernhard, Prof. Dr. theol. (Evangelische Theologie und Religionslehre), Türkenlouisstraße 15, 7800 Freiburg i. Br.

Melzer, Friso, D. theol. Dr. phil. (Oberstudienrat a. D.), Glaswaldstraße 16, 7744 Königsfeld-Burgberg

Miyata, Mitsuo, Prof. Dr. (Politische Wissenschaften), Kaiserliche Universität Sendai, Takimiti 25—16, Sendai/Japan

Ratschow, Carl-Heinz, Prof. D. theol. Dr. phil. (Systematische Theologie, Geschichte der Theologie und Religionsphilosophie), Salegrund 3, 3550 Marburg/Lahn-Marbach

Scharfenberg, Joachim, Prof. Dr. theol. (Praktische Theologie, Universitätsprediger), Möltenorter Weg 10a, 2305 Heikendorf b. Kiel

Schrey, Heinz-Horst, Prof. D. theol. (Evangelische Theologie und Religionslehre), Im Gabelacker 25, 6900 Heidelberg

Thielicke, Helmut, Prof. Dr. theol. D. phil., DD (Systematische Theologie), Barkenkoppe 2, 2000 Hamburg 64

Wendland, Heinz-Dietrich, Prof. D. theol. (Christliche Gesellschaftswissenschaft), Von-Stauffenberg-Straße 40, 4400 Münster i. W.